STRALEND HELDERE OCHTEND

Vertaald door Mario Molegraaf

James Frey

STRALEND HELDERE OCHTEND

2008 Prometheus Amsterdam

Dit boek is fictie. Verwijzingen naar echte personen en locaties worden fictief gebruikt. Alle andere namen, personages en plaatsen, evenals alle dialogen en gebeurtenissen, komen voort uit de verbeelding van de schrijver.

In de Amerikaanse uitgave verviel een gedeelte dat op verzoek van de auteur wél in deze editie staat. De tekst hiervan werd vertaald naar het typoscript. In overleg met de auteur zijn op sommige plaatsen in de roman verbeteringen aangebracht.

Oorspronkelijke titel *Bright Shiny Morning*
© 2008 James Frey
© 2008 Nederlandse vertaling Uitgeverij Prometheus en Mario Molegraaf
Omslagontwerp Johny Van de Vyver
Foto omslag Corbis
www.uitgeverijprometheus.nl
ISBN 978 90 446 1173 1

Niets in dit boek mag je als getrouw of betrouwbaar zien.

We verlieten de Oude Wereld, en volgden daarbij het licht van de zon.

CHRISTOFFEL COLUMBUS, 1493

Op 4 september 1781 stichtte een groep van vierenveertig mannen, vrouwen en kinderen die zichzelf de Pobladores noemen een nederzetting op een stuk grond nabij het centrum van het tegenwoordige Los Angeles. Ze noemen de nederzetting El Pueblo de Nuestra Señora la Reina de Los Angeles de Porciuncula. Tweederde van de kolonisten zijn ofwel vrijgelaten of ontsnapte Afrikaanse slaven, of de directe afstammelingen van vrijgelaten of ontsnapte Afrikaanse slaven. Voor de rest zijn het vooral Indianen. Er zijn drie Mexicanen. Er is één Europeaan bij.

Ze kunnen de gloed van honderdvijftig kilometer afstand zien het is nacht en ze bevinden zich op een lege snelweg door de woestijn. Ze zijn al twee dagen aan het rijden. Ze groeiden op in een stadje in Ohio ze kennen elkaar hun hele leven al, ze zijn op een of andere manier altijd samen geweest, zelfs toen ze te jong waren om te beseffen wat het inhield of wat het betekende waren ze samen. Ze zijn nu negentien. Ze vertrokken toen hij haar kwam oppikken voor de film, ze gingen elke vrijdagavond naar de film. Zij hield van romantische komedies en hij hield van actiefilms, soms zagen ze tekenfilms. Ze begonnen met dit wekelijkse uitje toen ze veertien waren.

Schreeuwen, hij kon haar horen schreeuwen toen hij de oprit opreed. Hij rende het huis in haar moeder sleurde haar aan het haar over de vloer. Er waren plukken af. Er zaten schrammen op haar gezicht. Er zaten blauwe plekken in haar nek. Hij trok haar weg en toen haar moeder probeerde hem tegen te houden sloeg hij haar moeder, ze probeerde het nog eens hij sloeg haar moeder harder. Moeder probeerde het niet langer.

Hij tilde haar op en droeg haar naar zijn auto, een degelijke oude Amerikaanse pick-up met een matras achterin en een kampeerhoes over het bed. Hij zette haar op de passagiersstoel zette haar daar voorzichtig en legde zijn jas over haar heen. Ze snikte bloedde het was niet voor het eerst het zou niet voor het laatst zijn. Hij ging op de bestuurdersplaats zitten, startte de motor, vertrok en toen hij vertrok kwam moeder met een hamer naar de deur en keek hoe ze wegreden, ze bewoog niet, zei geen woord, ze stond alleen maar in de deur met een hamer in de hand, het bloed van haar dochter onder haar vingernagels, het haar van de dochter zat nog aan haar kleren en haar handen.

Ze woonden in een stadje in een staat in het oosten het lag nergens ergens overal, een Amerikaans stadje vol alcohol, mishandeling en religie. Hij werkte bij een schadeherstelbedrijf en zij was bediende bij een tankstation en ze zouden gaan trouwen en een huis kopen en proberen betere mensen te zijn dan hun ouders. Ze hadden dromen maar ze noemden het dromen omdat ze geen verband hielden met de werkelijkheid, ze waren een onbekende verte, een onmogelijkheid, ze zouden nooit uitkomen.

Hij ging terug naar het huis van zijn ouders die zaten in een bar verderop in de straat. Hij deed de deuren van de pick-up op slot en kuste haar en zei haar dat het goed zou komen met haar en hij liep het huis in. Hij ging naar de badkamer en pakte aspirine en pleisters, hij ging zijn kamer in en nam de doos van een videospel uit de la. In de doos zat elke cent die hij bezat $ 2100 die hij voor hun bruiloft had gespaard. Hij haalde het eruit en stopte het in z'n zak hij greep wat kleren en liep naar buiten. Hij ging de auto in zij huilde niet meer. Ze keek hem aan en zei iets.

Wat doen we eigenlijk?
We gaan weg.
Waar gaan we heen?
Naar Californië.
We kunnen toch niet zomaar naar Californië?
Dat kunnen we wél.
We kunnen toch niet zomaar onze levens achter ons laten.
We hebben hier geen levens. We zitten gewoon klem. Het zal net zo met ons aflopen als met iedereen, dronken en verachtelijk en ongelukkig.
Wat gaan we doen?
Dat zoeken we wel uit.
We vertrekken zomaar en gaan naar Californië en zoeken het wel uit?
Jazeker, dat gaan we doen.
Ze lachte, veegde haar tranen weg.
Dit is idioot.
Blijven is idioot. Weggaan is verstandig. Ik wil ons leven niet bederven.
Ons leven?
Zeker.
Ze glimlachte.
Hij reed weg in westelijke richting en begon naar de gloed te rijden die was vijftienhonderd kilometer weg, hij begon naar de gloed te rijden.

Omdat men door het vele water en de veiligheid van een gevestigde gemeenschap werd aangetrokken, groeide El Pueblo de Nuestra Señora la Reina de Los Angeles de Porciuncula snel, en in 1795 was het de grootste nederzetting in Spaans Californië.

Het haar van Oudje Joe werd grijs toen hij negenentwintig was. Hij was dronken, het regende, hij stond op het strand te schreeuwen naar de lucht, die eeuwig, zwart en zwijgend was. Iets of iemand raakte hem achter op zijn hoofd. Hij werd net voor de dageraad wakker en was veertig jaar ouder geworden. Zijn huid was dik en droog en hing slap. Zijn gewrichten deden zeer en hij kon geen vuist maken met zijn handen, staan deed pijn. Zijn ogen waren diep en hol en zijn haar en zijn baard waren grijs, ze waren zwart geweest toen hij schreeuwde en nu waren ze grijs. Hij was in vier uur veertig jaar ouder geworden. Veertig jaar.

Joe woont in een toilet. Het toilet staat in een steeg bij de achterkant van een tacokraam op de promenade in Venice. De eigenaar van de tacokraam laat Joe blijven omdat hij medelijden met hem heeft. Zolang Joe het toilet schoon houdt, en het de klanten van de tacokraam overdag laat gebruiken, mag hij het 's nachts gebruiken. Hij slaapt op de vloer naast de wc. Hij heeft een handformaattelevisie die aan de deurknop hangt. Hij heeft een tas met kleren die hij als kussen gebruikt en een slaapzak die hij overdag achter een vuilcontainer verbergt. Hij wast zichzelf aan de wastafel en drinkt daaruit. Hij eet restjes die hij tussen het vuilnis vindt.

Joe wordt elke morgen net voor de dageraad wakker. Hij loopt naar het strand en hij gaat in het zand liggen en hij wacht op een antwoord. Hij kijkt hoe de zon opgaat, kijkt hoe de lucht grijs, zilver, wit wordt, hij kijkt hoe de lucht roze en geel wordt, hij kijkt hoe de lucht blauw wordt, de lucht is bijna altijd blauw in Los Angeles. Hij kijkt hoe de dag komt. Weer een dag. Hij wacht op een antwoord.

In 1797 stichten franciscaner monniken uit de San Gabriel Missiepost de San Fernando Missiepost Rey de España aan de noordelijke woestijnrand van de San Fernando Vallei.

De verkeersdrukte begint in San Bernardino, een stad die bestaat van landbouw en vrachtverkeer, in de woestijn net voorbij de oostrand van de provincie Los Angeles. Ze rijden over een snelweg met zestien banen, de zon is op, ze zijn allebei moe en opgewonden en bang. Zij drinkt koffie en tuurt op een kaart ze zegt iets.

Waar zullen we heen gaan?

Is er iets wat extra geschikt lijkt?

Het is een enorm gebied. Er is te veel om ook maar naar te kijken.

De provincie Los Angeles is de grootste en dichtstbevolkte provincie van Amerika.

Hoe weet je dat?

Ik weet de onbenulligste dingen, dame, ik heb opgelet op school. Dat moet je inmiddels toch weten.

School, aan m'n reet. Je hebt het op *Triviant* gezien.

Misschien.

Niks misschien. Het is zo.

Wat geeft het. Het enige wat telt is dat ik de onbenulligste dingen weet. Ik ben Meneer Weet-de-onbenulligste-dingen.

Ze lacht.

Goed, Meneer Weet-de-onbenulligste-dingen, als je zoveel weet, moet je me eens vertellen waar we heen gaan.

Naar het westen.

Ze lacht weer.

Geen gelul.

We gaan naar het westen en als we komen waar we geacht worden te zijn, zullen we het weten.

We gaan zomaar ergens stoppen?

Ja.

En zien wat er gebeurt?

Ja.

En we zullen het weten als we het weten.

Zo zit het leven in elkaar. Je weet het als je het weet.

Ze zijn negentien en verliefd. Ze hebben alleen elkaar. Geen werk en geen huis, op zoek naar iets, ergens, in deze streek.

Ze rijden op een snelweg met zestien banen.

In westelijke richting.

In 1821 werd in het Verdrag van Córdoba Mexico's onafhankelijkheid van Spanje geregeld. Mexico grijpt de macht in Californië.

Putt Putt Bonanza. Klinkt goed, nietwaar? Putt Putt Bonanza. Rolt zomaar over de tong. Putt Putt Bonanza. Staat geweldig op een bord, geweldig in een advertentie. Putt Putt Bonanza, Putt Putt Bonanza.

***

Tweeënzeventig holes midgetgolf van kampioenschapkaliber (de US Mini-Open is hier vier keer gehouden). Een kartbaan waarin drie bochten van Monaco zijn nagebouwd. Een bad voor botsbootjes met kristalhelder blauw water. Een galerij voor video en flipperkasten zo groot als een footballveld, een clubhuis met ijs, pizza, burgers and friet, de schoonste en veiligste toiletten van alle attracties in de provincie Los Angeles. Het is net een droom, die zich uitstrekt over anderhalve hectare land in wat weinig toepasselijk City of Industry heet, met vooral bungalows in jarenzeventigstijl en winkelstraatjes. Het is net een droom.

***

Waynes officiële titel is Hoofd Terreinknecht, hoewel hij eigenlijk alleen maar vuil uit de holes en de waterpoeltjes en de zandkuilen haalt. Wayne is zevenendertig en mist elke ambitie. Hij rookt graag hasj, drinkt graag priklimonade en kijkt graag naar porno. Hij heeft een kantoor achter het clubhuis, een kamer van drieënhalf bij vijfenhalf met een stoel en een televisie. Hij heeft een stapel bladen en een digitale camera met een sterke zoomlens achter de televisie verstopt, hij gebruikt de camera om foto's te maken van sexy moeders die met hun kinderen naar de Bonanza komen. Dat kan hij alleen doen als de baas niet in de buurt is, en hij probeert altijd de kinderen buiten beeld te houden, hij heeft nu 2345 van deze foto's. Wayne woont in een bouwvallig huis in een bouwvallige buurt in de bouwvallige havenstad San Pedro, twintig minuten verder. Hij woont er met zijn moeder, die drieënzeventig jaar is. Hij gelooft niet in God, maar elke avond voor hij naar bed gaat, behalve als hij uitgeput is en het vergeet, bidt hij God om zijn moeder weg te nemen.

***

TJ heeft grote dromen. Hij is vierentwintig en heeft drie keer aan de US Mini-Open meegedaan. Het eerste jaar werd hij 110de van 113 deelnemers. Het jaar daarna werd hij 76ste. Het derde jaar werd hij 12de. Dit jaar wil TJ winnen, voortaan elk jaar winnen, en uiteindelijk faam verwerven als de grootste midgetgolfer in de geschiedenis van het spel. TJ groeide op in de City of Industry. Zijn vroegste herinneringen gaan over het bord van Putt Putt Bonanza, helderblauw, geel en wit, en het steekt op twee palen vijfentwintig meter de lucht in. Toen hij vijf was ruilde hij van kamer met zijn jongere broer om het bord uit zijn raam te kunnen zien. Toen hij twaalf was nam hij een baantje als Waynes onbetaalde assistent zodat hij gratis kon spelen. Toen hij veertien was werd hij nationaal kampioen bij de junioren, de volgende vier jaar won hij drie keer, de laatste keer met een ogenschijnlijk onmogelijke slag door een windmolen, over een brug en via een lat over een waterval. TJ speelt zes uur per dag midgetgolf. 's Avonds werkt hij als bewaker op een parkeerterrein. Hij hoopt volgend jaar bij de midgetgolf Pro Tour te horen, ongeveer tien professionele spelers kunnen daarvan bestaan. Hij weet dat wanneer hij bij de beste vijf eindigt hij zich bij de Tour aan kan sluiten. De beste vijf is niet goed genoeg. TJ heeft grote dromen. Hij wil geschiedenis schrijven.

∗

Renee werkt in de ijssalon in het clubhuis. Ze vindt het klote. Ze is zeventien en ze wil alleen maar weg. Weg uit Putt Putt Bonanza, weg uit de City of Industry, weg bij haar vader, die overdag bij een raketfabriek werkt en elke avond dronken wordt voor de tv. Haar moeder stierf toen ze zes was. Ze zat in een autowrak op de 110 nabij Long Beach. Haar vader kwam er nooit overheen. Soms, wanneer hij denkt dat hij alleen is, hoort Renee hem huilen. Renee herinnert zich weinig over haar moeder, maar ze kwam er ook nooit overheen. Ze huilt niet, ze wil gewoon weg, zo ver als ze kan zo snel als ze kan, weg, weg.

∗

Hij heet oorspronkelijk Emeka Ladejobi-Ukwu. Emeka betekent 'grote daden' in de Igbo-taal uit Zuid-Nigeria. Zijn ouders immigreerden in 1946, toen hij vier was. Ze gingen naar Californië omdat zijn vader van fruit hield, en hij vernam dat je in Los Angeles het beste fruit van Amerika had. Het gezin woonde in Hollywood en zijn vader werkte als conciërge in een warenhuis. Er waren vier broers, Emeka was de jongste. Toen hij zes was, begon z'n vader hem Barry te noemen, en veranderde de familienaam in Robinson ter ere van Jackie Robinson, die het jaar voordien de kleurgrens had doorbroken bij het honkbal. Alle vier de jongens waren grootgebracht met het geloof dat alles mogelijk is in Amerika, dat het werkelijk een land vol kansen is, dat ze alles konden worden wat ze wilden worden. De een werd leraar, de ander ging bij de politie, de derde bezat een winkel die dag en nacht open was. Emeka, inmiddels Barry, droomde van iets anders: hij wilde de middenklasse voor een betaalbaar bedrag vermaak en plezier bezorgen. Hij was elf toen hij zijn vader voor het eerst over zijn droom vertelde. De hele familie zat aan het zondagse maal. Barry ging staan, zei dat hij iets wilde zeggen, en verzocht om stilte. Toen het stil was, zei hij Familie, ik ben erachter wat mijn droom is, ik wil de middenklasse voor een betaalbaar bedrag vermaak en plezier bezorgen. Er viel even een diepe stilte voor de kamer barstte van het lachen. Barry bleef staan en wachtte tot het lachen ophield. Het duurde een paar minuten. Toen het zover was, zei hij ik weet het zeker, ik zal mijn droom verwezenlijken.

Barry had het zwaar op school. Hij haalde één 10 in zijn hele schoolloopbaan, namelijk voor gymnastiek in de achtste klas. Toen hij de middelbare school had gehaald, nam hij een baan in de bouw. Anders dan de meesten in de ploeg, legde hij zich niet op één bepaalde bezigheid toe. Hij leerde timmeren, dakwerk, schilderen, elektriciteit, loodgieten. Hij leerde tapijtleggen, cement storten. Hij spaarde. Hij reed in een gedeukte Chevrolet van twintig jaar oud, hij woonde in een flat met één kamer in Watts het toilet was beneden in de gang. Elke avond voor hij ging slapen lag hij in bed te dromen, lag in bed te dromen.

In 1972 vond hij het terrein. Het lag aan een hoofdstraat die even ver van de 10 (de San Bernardino Autoweg) de 605 (de San Gabriel Rivier Autoweg) als de 60 (de Pomona Autoweg) af lag. City of Industry was een degelijke middenklassegemeente omgeven door andere degelijke middenklassegemeentes: Whittier, West Covina, Diamond Bar, El Monte, Montebello. Het terrein was vlak en onbebouwd. De eigenaar wilde een winkelgalerij bouwen, maar besloot dat er te veel concurrentie was.

Hij ontwierp alle vier de banen zelf. Hij wilde dat ze volwassenen zouden vermaken, kinderen zouden uitdagen. Alle tweeënzeventig holes zouden anders zijn, er zouden absoluut geen herhalingen zijn. Hij legde in alle richtingen zigzagtrappen aan. Hij maakte hellingen en heuvels, alle mogelijke valkuilen. Een van de banen had als thema de dierentuin en bij elke hole hoorden er levensgrote dieren. Een andere baan was gebaseerd op beroemde holes van echte golfbanen. De derde was gebaseerd op beroemde films, de vierde heette De Sensationele!!! en omvatte al zijn wildste ideeën. Hij legde ze zelf aan. Hij stortte het beton met vrienden van z'n werk. Hij legde het kunstgras, deed het schilderwerk. Hij zorgde dat alles piekfijn in orde was, precies aan zijn plannen beantwoordde. Elk ogenblik dat hij niet hoefde te werken, besteedde hij aan de banen. Het kostte hem twee jaar om ze te voltooien.

Hij ging open op een donderdag. Een clubhuis, een galerij, een kartbaan, boten, een parkeerterrein waren er niet. Er was geen bord. Gewoon een tafeltje en een geldkistje bij de ingang, Barry zat erbij in een vouwstoel, hij glimlachte en schudde iedereen de hand. Hij kreeg negen klanten. Hij beurde dertien dollar en vijftig cent. Hij vond het geweldig. Hij zat er dag in dag uit. Er kwamen steeds meer mensen. Hij legde elke cent die hij verdiende opzij en maakte plannen voor de toekomst. Na drie maanden had hij genoeg om een hokje te bouwen dat het tafeltje verving. Na acht maanden kwam er een parkeerterrein bij. Hij woonde in hetzelfde huis, reed dezelfde auto. Hij droeg een gekraagd shirt met Putt Putt Bonanza achterop en voorop zijn naam.

Er werd over gesproken door de inwoners van de gemeentes in de buurt. De mensen vonden de banen leuk en ze vonden Barry leuk en ze begrepen toen ze het hadden gezien dat er goed, betaalbaar vermaak werd geboden. Achttien maanden na de opening kwam de kartbaan erbij, daarna kwamen de galerij en de botsbootjes. In 1978 bouwde hij het clubhuis, dat niet onderdeed voor vele van de clubhuizen van golfclubs in de streek. Hij vond het de kroon op zijn werk.

De jaren tachtig waren een bloeitijd. Putt Putt Bonanza zat zeven dagen per week vol, 365 dagen per jaar. Videospelletjes werden een cultureel fenomeen, vooral vanwege Space Invaders, Pac-Man en Donkey Kong. Putt Putt Bonanza werd gebruikt als een van de voornaamste locaties voor een van de populairste films van het decennium, *The Kung Fu Kid*, waardoor de belangstelling voor midgetgolf en voor het park zelf explosief toenam. Barry hield races op de kartbaan, hij had dagen met gezinskorting, een stuk van het clubhuis werd voor verjaardagsfeestjes ingericht. Het geld dat binnenkwam werd vaak gebruikt om de faciliteiten te verbeteren of te onderhouden, al was hij in staat een aardig appeltje voor de dorst op te bouwen. Voor Barry waren de jaren tachtig een droom die werkelijkheid werd, een periode waarin zijn visioen helemaal werd bewaarheid, en gevierd werd met drommen klanten uit de middenklasse die op zijn attracties afkwamen.

Bij het aanbreken van de jaren negentig leek het of iemand een knop omdraaide. De mensen kwamen niet zo vaak meer, en wie wel kwam leek ongelukkig. Kinderen droegen zwarte T-shirts en keken vuil, ze spuugden, vloekten en rookten sigaretten in het openbaar. De ouders leken gedeprimeerd, en ze hielden hun portemonnee in hun zak. Ongelukken, meestal opzettelijk, werden veel gebruikelijker op de kartbaan, kleine kinderen begonnen te vechten bij de vijver met de boten, de meeste nieuwe videospelletjes hadden met vuurwapens en dood te maken. Barry nam aan dat het tijdelijk was, en de goede tijden terug zouden keren.

De Bonanza bracht genoeg geld op om open te blijven, maar door de hoge eisen die Barry stelde moest hij een beroep op zijn spaargeld doen. Toen het decennium zich voortsleepte en de zaken niet leken te veranderen, raakte z'n spaargeld op. In 1984 was hij vanuit zijn eenkamerflat verhuisd naar een kleine bungalow op een paar kilometer van Putt Putt Bonanza. Hij nam een tweede hypotheek op de bungalow om de baan te onderhouden. De goede tijden keerden even terug met de opbloei van internet, maar het duurde maar kort. En de kinderen werden gewoon erger en erger, luidruchtiger, onbeschofter, onhandelbaarder. Soms betrapte hij er een paar op het drinken van alcohol of het roken van marihuana, soms stuitte hij op een groepje tieners die aan het rotzooien waren in een van de toiletten van het clubhuis.

Barry gaat nog steeds elke dag naar zijn werk, hij is nog steeds erg trots op Putt Putt Bonanza. Maar hij weet dat z'n droom bijna dood is. Hij sluit de kartbaan en de vijver met botsboten aan het eind van het jaar omdat de verzekering ervoor te duur is geworden, en hij beseft dat een rechtszaak hem zou ruïneren. Hij kan het niet opbrengen de galerij in te gaan omdat het een en al wapens en dood is, ontploffingen en herrie. Zijn medewerkers zijn niet trots op hun werk, het verloop is zo groot dat hij soms het clubhuis moet sluiten. Het beton in de holes op de banen vertoont hier en daar barsten, hij kan het onkruid niet aan, minstens twee keer per week vindt hij urine in de waterpoeltjes. Zijn spaargeld is op dus kan hij niet renoveren. Het lukt hem open te blijven, maar daarmee houdt het op.

Barry werd benaderd door een projectontwikkelaar die aanbood Putt Putt Bonanza te kopen. De projectontwikkelaar wil het slopen en een winkelgalerij bouwen. Met het geld zou Barry z'n huis kunnen afbetalen en er vrij goed van leven. Barry's broers zeggen hem dat hij het moet doen, zijn accountant zegt dat hij het moet doen, zijn gezond verstand ook. Zijn hart zegt nee. Wanneer hij zichzelf toestaat te luisteren, zegt zijn hart nee, nee, nee. De hele dag, elke dag schreeuwt zijn hart nee.

Elke avond voor hij gaat slapen, zit Barry in bed en kijkt hij een album door dat op zijn nachtkastje ligt. Het is een geschiedenis in foto's van zijn bestaan in Putt Putt Bonanza. Het begint met een foto van hem waarop hij de verkoper van het terrein de hand drukt op het moment dat de koop werd gesloten. Het vervolgt met het maken van plannen, dat gebeurde meestal aan een tafel in zijn ouderlijk huis, het aanleggen van de baan, dat hij met veel van zijn oude vrienden deed. Er is een kiekje van hem op de dag van de opening, hij zit te glimlachen aan zijn tafeltje, er zijn foto's van hem bij alle uitbreidingsfasen, foto's van hem met glimlachende gelukkige klanten, lachende kinderen, tevreden ouders. Ergens halverwege in het album is er een foto van hem met de hoofdrolspelers uit *The Kung Fu Kid*: een oude Chinese man, een jonge Italiaans-Amerikaanse tiener, en een blond wichtje dat later een Academy Award zou winnen. Ze staan bij de ingang van het park, het Putt Putt Bonanza bord straalt achter hen. Barry was tweeënveertig toen de foto werd genomen, op het hoogtepunt van zijn loopbaan, zijn dromen waren werkelijkheid geworden en hij was gelukkig. Als hij bij de foto komt, stopt hij en staart hij ernaar. Hij glimlacht, ook al weet hij dat het nooit meer zo zal zijn, ook al weet hij dat de wereld niet meer wil wat hij heeft, wat hij leuk vindt, wat hij zijn leven lang heeft opgebouwd en in stand gehouden. Hij ligt in bed en staart naar de foto en glimlacht. Zijn verstand zegt laat het lopen, verkoop het. Zijn hart zegt nee.

Zijn hart zegt nee.

Omdat de oorspronkelijke naam zo lang en ingewikkeld was, ging men ergens rond 1830 de nederzetting El Pueblo de Nuestra Señora la Reina de Los Angeles de Porciuncula aanduiden als Ciudad de Los Angeles.

Amberton Parker.

Geboren in Chicago telg uit een vooraanstaande familie van vleesverwerkers uit de Midwest.

Opgeleid aan St. Pauls, Harvard.

Verhuist naar New York krijgt een hoofdrol in een Broadway-drama bij z'n eerste auditie. Het stuk krijgt schitterende recensies en behaalt tien Tony Awards.

Maakt een onafhankelijke film wint een Golden Globe.

Maakt een actiefilm/drama over Amerikaanse omkoping in het Midden-Oosten. De film brengt $ 150 miljoen op, krijgt een Oscarnominatie.

Heeft verkering met een actrice de grootste!!! actrice ter wereld. Heeft verkering met een model dat alleen onder haar voornaam bekendstaat. Heeft verkering met een jong meisje, met een Olympische zwemster winnares van zes gouden medailles, met een prima ballerina.

Heeft de hoofdrol in een serie actiefilms. Stopt terroristen, gekke wetenschappers, bankiers die uit zijn op wereldheerschappij. Doodt een Oost-Europeaan die een kernwapen bezit, een Arabier met een virus, een Zuid-Amerikaanse verleidster met de meest verslavende drug die de wereld ooit heeft gekend. Als ze slecht zijn, en ze Amerika bedreigen, doodt hij hen. Maakt hij hen helemaal af.

Om te bewijzen hoe veelzijdig hij is doet hij een dansfilm, een maffiafilm, een sportfilm.

Hij wint een Oscar voor zijn rol als een ontdekkingsreiziger met principes die verliefd wordt op een beeldschone squaw en een opstand leidt van gepeupel van allerlei ras tegen een corrupte koning.

Hij trouwt met een mooie jonge vrouw uit Iowa. Ze is een niet al te belangrijke filmster die, na het huwelijk, een belangrijke filmster wordt.

Ze hebben drie kinderen, ze schermen die af van het publiek.

Hij richt een stichting op. Hij doet het rondje van de talkshows. Hij wijdt zichzelf aan vrede en onderwijs. Hij spreekt prachtig over de betekenis en noodzaak van transparantie en waarheid in onze samenleving.

Hij schrijft een boek over zijn leven, zijn geliefdes, zijn overtuigingen. Er worden er twee miljoen van verkocht.

Hij is een Amerikaanse held.

Amberton Parker.

Symbool van waarheid en gerechtigheid, eerlijkheid en integriteit.

Amberton Parker.

In het openbare leven heteroseksueel.

In het persoonlijke leven homoseksueel.

In 1848, na twee jaar vijandelijkheden tussen de Verenigde Staten en Mexico, wordt door het Verdrag van Guadalupe Hidalgo Californië een Amerikaans gebiedsdeel.

Haar ouders waren vijftien meter voorbij de grens toen zij geboren werd haar moeder Graciella lag in de modder te schreeuwen haar vader Jorge probeerde iets te verzinnen om hen in leven te houden. Jorge had een zakmes. Hij sneed de navelstreng door, trok de placenta weg de baby begon te huilen, Jorge begon te huilen, Graciella begon te huilen. Ze hadden er allemaal een eigen reden voor. Leven pijn angst opluchting mogelijkheden hoop het bekende het onbekende. Ze huilden.

Ze hadden al vier keer geprobeerd aan de andere kant te komen. Ze waren twee keer betrapt twee keer teruggestuurd, Graciella was ziek geworden en was twee keer niet in staat geweest verder te gaan. Ze kwamen uit een klein boerendorp in Sonora dat langzaam stierf, de boerderijen verdwenen, de mensen vertrokken. De toekomst was in het noorden. De banen waren in het noorden. Het geld was in het noorden. Iemand in hun dorp vertelde hun dat als hun kind op Amerikaanse bodem werd geboren het kind een Amerikaans staatsburger zou zijn. Als hun kind een Amerikaans staatsburger was zouden zij mogen blijven. Als zij konden blijven was er misschien een toekomst.

Ze waren haar aan het schoonmaken toen de Grenswacht stopte, één man achter het stuur van een jeep, een pistool op zijn heup, een cowboyhoed op z'n hoofd. Hij stapte de wagen uit keek naar hen zag het kind, zag het bloed van Graciella's benen stromen, zag Jorge verstijven. Hij stond naar hen te staren. Niemand bewoog. Het bloed stroomde.

Hij draaide zich om en opende de achterdeur van de jeep.

Stap in.

No hablamos Ingles.

Usted aprende mejor si usted desea hacer algo de se en este país.

Si.

Stap in.

Hij wenkte naar de achterbank, hielp hen instappen, zorgde dat ze veilig zaten, deed de deur dicht, reed zo vlug als hij zonder gevaar kon door de woestijn. Jorge trilde van angst hij wilde niet worden teruggestuurd. Graciella trilde van angst omdat zij niet kon geloven dat ze een kind in haar armen hield. De baby krijste.

Het duurde een uur om het dichtstbijzijnde ziekenhuis te bereiken. De jeep stopte bij de ingang voor noodgevallen de man hielp het nieuwe gezin bij het uitstappen en bracht hen naar de deur. Hij hield halt voor ze naar binnen gingen keek naar de vader zei iets.

Welkom in Amerika.

Gracias.

Ik hoop dat jullie vinden wat jullie zoeken.

Gracias.

Ze noemden haar Esperanza. Ze was klein, net als allebei haar ouders, en ze had een hoofd vol krullend zwart haar, net als allebei haar ouders. Ze had een lichte huid, bijna blank, en donkere ogen, bijna zwart, en ze had buitengewoon grote dijen, bijna bespottelijk groot, alsof haar onderbenen op een of andere manier waren opgepompt. Ze was een gemakkelijke baby. Ze glimlachte en giechelde de hele tijd, huilde zelden, sliep goed, at goed. Vanwege de complicaties bij haar geboorte in de woestijn, gedeeltelijk veroorzaakt door haar gigantische dijen, beseften Jorge en Graciella dat ze nooit een tweede kind zouden krijgen, en daardoor hielden ze haar steviger vast, droegen ze haar voorzichtiger, hielden ze meer van haar, meer dan ze dachten ooit te kunnen, meer dan in hun beleving mogelijk was.

Het gezin zwierf drie jaar door Arizona, Jorge werkte als plukker op citrusplantages, tangelo's, sinaasappels en nectarines, Graciella, die altijd de glimlachende, giechelende Esperanza bij zich had, maakte de huizen schoon van rijke blanke elite. Ze leefden eenvoudig, gewoonlijk in krotten met één kamer, met alleen de allernoodzakelijkste dingen: een bed dat ze deelden, een tafel, een kookplaatje, een wastafel en een toilet. Ze spaarden zoveel ze konden, elke stuiver werd gekoesterd, elke dollar geteld en bewaard, ze wilden hun eigen woning bezitten, hun eigen huis inrichten. Dat was de droom, een Amerikaanse dochter, een Amerikaans huis.

Ze zwierven noordwaarts Californië in. Er waren altijd citrusplantages, er waren altijd huizen die schoongemaakt moesten worden. Er waren altijd Mexicaanse gemeenschappen in dezelfde situatie, met dezelfde dromen, dezelfde bereidheid om te werken, hetzelfde verlangen naar een beter leven. Nog weer twee jaar later gingen ze naar Oost-Los Angeles, dat de grootste Spaanstalige gemeenschap van de Verenigde Staten heeft. Ze woonden in de garage van een man wiens neef uit hun dorp kwam. Ze sliepen op een matras op de grond, gingen naar de wc met emmers die ze in het riool leeggooiden. Het zou maar tijdelijk zijn, hoopten ze, ze waren op zoek naar een huis. Ze wisten niet wat ze zich konden veroorloven, als ze zich iets konden veroorloven, hoe het kopen ging, waar ze eerst moesten zoeken, ze wisten alleen wat ze wilden, ze wilden een huis, ze wilden.

Ze hadden geen auto, dus namen ze de bus door heel Oost-LA, ze zochten in Echo Park, Highland Park, Mt. Washington, Bell Garden, Pico Rivera. Er was niets wat ze zich konden veroorloven, ze gingen naar Boyle Heights, dat destijds, in 1979, het gevaarlijkste stuk van Oost-LA was, en ze vonden een klein vervallen huis met een krakkemikkige garage, de vorige eigenaars hadden geprobeerd het in brand te steken omdat het volgens hen bezeten was door een demon. Het brandde niet, ze probeerden het drie keer en het wilde niet branden, dus veranderden ze van gedachten en geloofden ze dat het misschien beschermd werd door God. In elk geval waren ze te bang om er te wonen en wilden ze ervan af. Toen ze Esperanza zagen, verbaasden ze zich over haar dijen, die bijna zo groot waren als bij een volwassene, en werden ze betoverd door haar glimlach en haar gegiechel, en ze riepen haar tot een kind van de Heer en de Verlosser uit, en verkochten het huis aan Jorge en Graciella voor $ 8000, dat was elke cent die ze bezaten. Toen ze het huis uit liepen, na het eens te zijn geworden over de oplevering, viel Jorge op z'n knieën en begon hij te huilen. Amerikaanse dochter. Amerikaans huis. Amerikaanse droom.

Ze trokken er een maand later in. Ze hadden hun kleren en een stel versleten dekens, Esperanza had een pop die ze Lovie noemde. Ze hadden helemaal geen meubels, geen bedden, geen borden, messen, kopjes, potten of pannen, geen vervoermiddelen, geen radio, geen tv. Op de eerste avond in het huis kocht Jorge een blikje druivenlimonade en wat papieren bekertjes, Graciella had een Hostess-vruchtentaart gehaald. Ze hadden limonade en stukken taart. Esperanza rende het huis door en vroeg wat ze met alle kamers zouden doen, ze wilde weten of het een huis of een kasteel was. Jorge and Graciella zaten hand in hand te glimlachen. Ze sliepen op de vloer van de woonkamer, met z'n drieën onder één deken, vader, moeder en dochter, samen onder één deken.

Op 18 februari 1850 wordt de provincie Los Angeles opgericht als een van de zevenentwintig oorspronkelijke provincies van het Gebiedsdeel Californië. Op 4 april 1850 wordt de gemeente Los Angeles erin opgenomen. Op 9 september 1850 wordt Californië de eenendertigste staat van de Unie.

Het ochtendgloren vervaagt als de zon opkomt. Geen antwoorden voor Oudje Joe. Hij krijgt nooit antwoord, heeft nooit antwoord gekregen, hij vraagt zich af of hij ooit antwoord zal krijgen, hij zal elke ochtend blijven komen tot de antwoorden komen of hij weg is. Hij staat op veegt het zand van zijn armen en benen loopt terug naar zijn toilet, dat hij voor het grootste deel van de dag leeg zal maken, behalve dan om bepaalde noodzakelijke lichamelijke functies te regelen.

Nadat hij zijn bezittingen heeft opgeruimd en verstopt, ontbijt hij, gewoonlijk restjes Mexicaans van de vorige avond, hoewel hij vaak eten ruilt met andere dakloze mannen die bij vuilcontainers wonen die horen bij een pizzakraam, een Chinees restaurant, een burgertent, en zo nu en dan een hotdogstalletje (soms zijn de worstjes gewoon oneetbaar na twaalf uur in de open lucht). Na zijn ontbijt neemt hij een kop koffie, die krijgt hij gratis van een man die een koffiestalletje drijft in ruil voor raad over vrouwen. Ook al is Oudje Joe vrijgezel en is hij nooit getrouwd geweest, hij beschouwt zichzelf als een expert als het over vrouwen gaat. De meeste raad die hij aan de man geeft draait rond het idee dat als je een vrouw negeert, je meer bij haar in de smaak valt. Af en toe werkt deze tactiek natuurlijk averechts, maar hij werkt vaak genoeg om Oudje Joe al een paar jaar gratis drankjes te bezorgen.

Met zijn koffie in de hand loopt Joe vijftien straten in zuidelijke richting naar de pier van Venice, die aan het eind van Washington Blvd ligt, en de grens aangeeft tussen Venice en Marina Del Rey. Hij loopt naar het eind van de pier, die bijna tweehonderd meter de Stille Oceaan in steekt, loopt een rondje, en wandelt terug naar de promenade. Soms staat hij aan het eind van de pier stil en kijkt naar surfers, zij gebruiken aan beide kanten van de pier de onderbreking van de golven, die tegen de pylonen ervan slaan. Onder het lopen probeert hij zijn geest leeg te maken, een beetje vrede te vinden, denken één stap, één stap, één stap tot hij nergens over denkt. Maar gewoonlijk werkt het niet en merkt hij dat hij over dezelfde oude ellende nadenkt: wat zal ik vandaag eten, hoeveel geld zal ik van de toeristen krijgen, wanneer zal ik beginnen met drinken?

Na zijn wandeling begeeft Joe zich naar een bankje aan het belangrijkste deel van de promenade en gaat zitten. Wanneer hij eenmaal lekker op de bank zit, vraagt Joe de toeristen om geld zodat hij het zich kan veroorloven dronken te worden.

In 1856 probeerde de Mexicaanse nationalist Juan Flores een revolutie te beginnen met de bedoeling Los Angeles te bevrijden en Zuid-Californië weer onder controle van de Mexicaanse regering te krijgen. Hij werd gegrepen en opgehangen in wat toen het centrum was met 3000 toeschouwers erbij.

In het Tweede Amendement van de Grondwet van de Verenigde Staten staat het volgende – *Omdat een goed georganiseerd burgerleger nodig is voor de veiligheid van een vrije Staat, zal het recht van de Bevolking om vuurwapens te bezitten en te dragen niet worden aangetast.*

***

Het is een lelijk gebouw. Nietszeggend en vaal in Culver City. Het wordt omgeven door verlaten fabrieken, pakhuizen, lege parkeerterreinen, schadeherstelbedrijven. Het terrein wordt omgeven door scheermesdraad. Bij de enige in- en uitgang zijn er twee deuren, de ene is gemaakt van stalen tralies, de andere is helemaal van staal gemaakt. Er zijn veiligheidscamera's op het dak die alles opnemen wat er op straat gebeurt, iedereen die de deuren in en uit gaat. De buitenmuren hebben een reling van aluminium, en achter de reling zit een laag met een halve meter beton om te verhinderen dat er een voertuig, vrijwel elk voertuig behalve een tank, doorheen kan rijden. Je parkeert op straat.

***

Larry is een hater. Een enorme klotehater. Hij haat iedereen. Hij haat zwarten, latino's, Aziaten, hij haat vrouwen en homo's, hij haat joden en hij haat Arabieren, hij heeft echt een kuthekel aan die Arabieren. Larry is blank. Anders dan de meeste blanke racisten, gelooft Larry niet in blanke superioriteit. Hij haat blanken ook, haat hen even erg als hij iedereen haat, soms méér omdat hij een van hen is. Wanneer je vraagt waarom hij blanken haat, zegt Larry – Als je mij de keuze liet om een blanke klootzak dood te schieten of een of andere klootzak met pigment in z'n huid, zou ik ze rug aan rug neerzetten zodat ik ze allebei met één kogel neer kon knallen. De eerste keer dat z'n moeder hem dit hoorde zeggen, zei ze hoe intelligent hij volgens haar was. Hij zei haar dat ze haar kutkop moest houden, dat hij haar ook haatte.
Larry loopt weg met vuurwapens. Hij is een overtuigd aanhanger en voorstander van het recht van mensen om wapens te dragen. Larry bezit meer dan 400 van zijn eigen vuurwapens. Hij bezit handvuurwapens, jachtgeweren, buksen, karabijnen, machinegeweren, sluipschuttersgeweren. Hij bewaart zijn wapens in een versterkte kamer in de kelder van zijn huis, een paar straten van zijn winkel vandaan. In de wapenkamer, zoals hij de kamer noemt, liggen ook meer dan 10.000 stuks munitie, en plastic explosieven dienen als boobytrap.

Larry is de eigenaar van het gebouw, naar zijn eigen ontwerp herbouwd nadat hij het in de vroege jaren tachtig verwierf. Hij is ook de eigenaar en bezitter van de wapenwinkel die erin is gehuisvest. Officieel, op de papieren voor de staatsregistratie van zijn zaak en zijn vergunningen als wapenhandelaar, heet de winkel Larry's Vuurwapens. Onofficieel noemt Larry de winkel – de plek waar ik troep verkoop om mensen te vermoorden.

Voor Larry zijn de motieven van zijn klanten volstrekt duidelijk. Of het doden gebeurt uit zelfverdediging of dat het om een agressieve daad gaat, maakt hem niet uit, het resultaat is altijd hetzelfde, een treurige dode klootzak die naar het mortuarium gaat. Hoewel hij hen vrijwel allemaal om een of andere reden haat, maakt Larry geen onderscheid tussen zijn klanten. Zolang het geen veroordeelde criminelen zijn, en zolang het hem door de wet is toegestaan aan hen een of ander vuurwapen te verkopen, het mag een pistool zijn, een buks of een karabijn, een revolver, eenschots of halfautomatisch moeiteloos volautomatisch te maken, zal Larry hun geld aanpakken en hun geven wat ze willen.

Zijn ze eenmaal de winkel uit, dan kan het hem niet schelen wat ze met de wapens doen. Maar hij weet, en dat doet hem wel plezier, dat als de wapens goed worden gebruikt ze hun werk zullen doen, ze zullen mensen doden, klootzaken doden die hij haat, de klotewereld van hen verlossen. Hij maalt niet om hun ras, religie, geslacht of seksuele voorkeur. Hij haat hen allemaal even erg. Hij verkoopt dingen waardoor ze eraan gaan.

***

Zij is zesentwintig jaar. Ze komt oorspronkelijk uit Indianapolis. Ze woont sinds negen maanden in LA, ze is naar hier verhuisd om publiciteitsagente te worden, haar familie was ertegen. Drie weken terug liep ze een parkeergarage door, het was laat op de avond, ze had haar eerste afspraakje met iemand, ze had twee glazen wijn gedronken bij het eten. De man had met haar naar haar auto willen lopen, maar ze vond hem leuk, vond hem echt leuk, hij was een jaar ouder, een advocaat uit de amusementswereld, iemand die net als zij een carrière wilde en later een gezin, en ze wist dat als hij meeliep naar haar auto hij zou proberen haar te kussen. Zij wilde de langzame aanpak, de afspraakjes zo ouderwets mogelijk laten verlopen. Ze zei dat het best zou lukken. Hij zei dat hij haar zou bellen. Ze glimlachte en zei dat ze er zich op verheugde. Ze liep weg.

Ze was al vaak in de garage geweest, haar kantoor was verderop in de straat, het was in Santa Monica, een veilige, rijke, stabiele gemeente. De garage was nogal leeg. Ze nam een lift naar de derde etage. Ze ging eruit en begon naar haar auto te lopen, die aan de andere kant van de garage stond.

Ze voelde zich meteen al onbehaaglijk. Ze begon vlugger te lopen er was iets mis mis ze was opeens bang heel erg godverdomd bang er was iets mis. Ze was zeven meter van haar auto, vijf, drie ze pakte haar sleutels drie meter ervandaan toen ze die pakte was ze bang. Hij stapte tussen twee auto's tevoorschijn, kwam van achter op haar af, ze was er een meter vandaan, haar sleutels in haar hand.

***

Een lijst met klanten van Larry's Vuurwapens op een gemiddelde dag:
Angelo. 18 jaar. Koopt een .30-30 geweer. Koopt ook een kijker.
Terrance. 21 jaar. Koopt een 9mm Glock-halfautomatisch handwapen.
Gregory. 22 jaar. Koopt een .357 Magnum-revolver.
Aneesa. 19 jaar. Koopt een 12 duimsbuks met pistoolgreep.
Javier. 21 jaar. Koopt een 9mm Luger-Parabellum-handwapen.
Quanda. 18 jaar. Koopt een California-legal AR-15-M4-karabijn.
Jason. 21 jaar. Koopt een 9mm Beretta-halfautomatisch handwapen.
Leon. 19 jaar. Koopt een .30-06 geweer.
John. 24 jaar. Koopt een Colt .45 kaliberhandwapen.
Eric. 26 jaar. Koopt een Smith & Wesson .38 kaliberhandwapen.
Lisa. 21 jaar. Koopt een 9mm Glock-halfautomatisch handwapen.
Tony. 18 jaar. Koopt een California-legal AR-15-M4-karabijn.
William. 21 jaar. Koopt een 9mm halfautomatisch handwapen.
Troy. 21 jaar. Koopt een Remington Derringer.
Andrew. 21 jaar. Koopt een .50 kaliber-Desert-Eagle-halfautomatisch handwapen.
Clay. 21 jaar. Koopt een 9mm Browning-halfautomatisch handwapen.
Tito. 18 jaar. Koopt een California-legal AK-47-karabijn.
Tom. 19 jaar. Koopt een California-legal AR-15-M4-Flat-Top-karabijn.
Carrie. 19 jaar. Koopt een California-legal Bushmaster-AR-15-M4-karabijn.
Jean. 22 jaar. Koopt een .357 Magnum-revolver.
Terry. 20 jaar. Koopt een California-legal AK-47-karabijn.
Phillip. 21 jaar. Koopt een 9mm Glock-halfautomatisch handwapen.
Gus. 22 jaar. Koopt een 9mm Beretta-halfautomatisch handwapen.
Stanley. 18 jaar. Koopt een California-legal AK-47-karabijn.
Ann. 19 jaar. Koopt een California-legal AR-15-M4-karabijn.
Alex. 18 jaar. Koopt een California-legal AK-47-karabijn.
Doug. 19 jaar. Koopt een 12 duimsbuks met pistoolgreep.
Daniel. 22 jaar. Koopt een .357 Magnum-revolver.
Peter. 22 jaar. Koopt een .50 kaliber-Desert Eagle-halfautomatisch handwapen en een California-legal AK-47-karabijn.
Carl. 18 jaar. Koopt een California-legal Bushmaster-AR-15-M4-karabijn.

***

Ricky heeft in vier jaar geen baan gehad. Hij werkte vroeger op een drukkerij, maar die ging dicht door de ontwikkelingen in de druktechniek die het voor kleine bedrijven mogelijk maakte hun eigen drukwerk te verzorgen. Hij kreeg een werkeloosheidsuitkering, die stopte, hij kon geen nieuwe baan vinden, in de hele stad gingen de drukkerijen op de fles. Hij vond het aangenaam thuis voor de televisie te zitten en de hele dag bier te drinken, dus hij stopte met het zoeken naar een nieuwe baan. Hij had geld nodig, probeerde iets te verzinnen om eraan te komen, toen een vriend, een veroordeelde crimineel, hem opbelde en hem vroeg een wapen te kopen (criminelen kunnen geen vuurwapens kopen in Californië). Hij ging naar Larry's Vuurwapens met de vriend, kocht een 9mm halfautomatisch handwapen en een California-legal karabijn met het geld van de vriend. Toen hij thuiskwam met de wapens, vijlde hij de serienummers weg. Hij bracht zijn vriend, die voor z'n werk goede wapens nodig had, vijfhonderd dollar in rekening. Die crimineel vertelde het een andere crimineel die het een andere crimineel vertelde. Ricky begon geld te verdienen. Onder de wetgeving van Californië kon hij per maand maar één handvuurwapen kopen, maar het aantal karabijnen was onbeperkt, en als het nodig was kon hij altijd naar Arizona of Nevada gaan om de wetgeving van Californië te ontwijken. Hij kocht een set vijlen en wat zoutzuur om de serienummers netjes weg te werken. Tot nu toe is niet een van de driehonderd vuurwapens die hij voor veroordeelde criminelen heeft gekocht met hem in verband gebracht.

Vandaag is hij bij Larry met een man die John heet. John is net de gevangenis uit voor doodslag en wil een karabijn. Ricky vraagt niet waarom, maar John maakt een paar opmerkingen over een ex-vrouw, een vroegere zakenpartner, en vermist geld. Larry laat hun AK's en AR-15's zien, wapens die gemakkelijk kunnen worden omgebouwd van halfautomatisch naar volautomatisch. Ricky koopt er, in opdracht van John, van allebei een. Hij koopt ook de onderdelen waarmee je van half- naar volautomatisch ombouwt, en een boek waarin staat hoe dat precies gaat. Ricky zal een dag moeten wachten eer hij de wapens op kan halen, en het zal nog eens twee dagen kosten om van de serienummers af te komen. Op dat moment zal hij ze aan John geven, en desgevraagd zal hij ontkennen hem ooit te hebben ontmoet, met hem te hebben gesproken of iets met hem te maken te hebben. Het gaat hem niets aan wat John met de wapens doet. Niets.

**

Hij hield een wapen tegen haar hoofd, dwong haar naar de heuvels te rijden boven Malibu, liet haar parkeren aan het eind van een afgelegen brandgang. Hij verkrachtte haar op de achterbank. Hij sloeg haar neer met z'n pistool. Hij gooide haar in de modder en reed weg.

Het kostte haar vier uur om hulp te vinden. Ze ging naar het ziekenhuis, deed aangifte bij de politie. Er werd over het incident bericht in de kranten en op het plaatselijke nieuws. Ze vonden haar auto, achtergelaten op een uitzichtpunt langs de PCH. Er waren geen vingerafdrukken. Er was geen dna. Ze vertelde het niet aan haar ouders of haar collega's. Ze wilde geen heb ik het niet gezegd horen, ze wilde geen medelijden. Ze nam haar vakantiedagen op en ze bleef thuis in bed en huilde twee weken. Ze belde de rechercheur die aan haar zaak werkte twee keer per dag, er waren geen aanwijzingen. Toen ze terugging naar haar werk was ze een ander iemand, niet langer glimlachte of lachte ze, ze lunchte alleen, ze ging precies om vijf uur weg en ging nooit met haar collega's uit. De man met wie ze die avond een afspraakje had gehad belde haar en ze belde nooit terug hij belde nog drie keer ze belde nooit terug. Ze ging naar een therapeut dat hielp niet. Ze ging naar iemand die raad gaf bij verkrachtingen dat hielp niet. Ze ging naar een geestelijke dat hielp niet. Ze sloot zich aan bij een groep lotgenoten dat hielp niet. Ze begon te drinken dat hielp niet.

Ze herkende hem toen hij haar bestelling opnam in een snackbar. Hij had een masker gedragen en ze had zijn gezicht niet gezien, maar ze kende zijn stem en ze kende zijn ogen. Hij glimlachte naar haar toen ze bestelde. Hij vroeg of ze elkaar ergens van kenden. Hij vroeg haar naam. Het stond vast dat hij wist wie zij was, en hij wist dat ze hem had herkend. Hij raakte haar hand aan toen hij haar bestelling over de balie aanreikte. Toen ze wegliep, glimlachte hij naar haar en zei hopelijk zie ik je nog eens.

Ze is nooit naar haar werk teruggegaan. Ze ging het huis niet meer uit ze was bang. Ze nam de telefoon niet op en gebruikte haar computer niet. Ze staarde naar het plafond, naar haar kussen, naar de muur. Ze keek nooit in de spiegel.

Deze ochtend stond ze op ze ging onder de douche en, voor de eerste keer in maanden, maakte ze zich op en kamde ze haar haar. Ze zag er prachtig uit, als het meisje dat uit Indianapolis was aangekomen met dromen, met een toekomst, met een leven voor zich. Ze ging buitenshuis ontbijten met twee vriendinnen van haar werk. Ze belde de man op die haar mee uit had genomen en verontschuldigde zich ervoor hem niet eerder te hebben gebeld. Ze zond e-mails naar vrienden en belde haar ouders op. Ze vertelde hun allemaal dat ze van hen hield.

Toen ze klaar was reed ze naar Larry's Vuurwapens. Ze kocht een gloednieuwe Colt .45. Ze gaf de benodigde inlichtingen om het wapen te kunnen krijgen. Ze vertrok met een glimlach. Morgen gaat ze het wapen ophalen, brengt het naar huis, laadt het. Op dat moment zal ze het besluit nemen, hem zoeken en hem in z'n gezicht schieten en vermoorden, of het wapen in haar eigen mond steken en haar achterhoofd eraf schieten. In elk geval zal ze aan hem denken vlak voor ze de trekker overhaalt, denken hoe hij haar aanraakte en naar haar glimlachte, denken hoe hij achter de balie stond en wist dat zij hem had herkend. In elk geval zal haar leven voorbij zijn. Ze gaat aan hem denken hoe hij haar aanraakte en naar haar glimlachte. Ze gaat de trekker overhalen.

***

Larry sluit de winkel gaat naar huis eet en drinkt zes flessen lekker, koud Amerikaans bier. Hij slaapt zonder zorgen.

In 1852 komen de eerste Chinese immigranten in Los Angeles aan. In 1860 groeit en bloeit Chinatown. In 1870 is het een van de grootste gemeenschappen van de stad.

Amberton ontwaakt aan de ene kant van zijn huis, een woning met dertien slaapkamers in de heuvels van Bel-Air, zijn vrouw en kinderen zijn aan de andere kant. Er ligt een jongeman in zijn bed, zoals zo vaak, het lichaam van de jongeman was gekocht via een bedrijf, $ 5000 per nacht, alles inbegrepen. De jongeman is lang, blond en gespierd, en hij is bijzonder meegaand. Hij is een van Ambertons favorieten. Hij praat niet veel en hij gaat zonder een woord door de achterdeur weg.

Amberton gaat uit bed, neemt een douche, loopt zijn huis door naar de keuken, die is gemaakt van carraramarmer, brazielhout en staal, en het bouwen kostte $ 400.000. Hij zegt dag tegen zijn vrouw Casey, die is lang en slank met zwart haar en groene ogen, en regelmatig staat ze op de lijstjes met de mooiste en mooist geklede vrouwen ter wereld, en hij kust haar op de wang. Buiten het bereik van de camera's van de paparazzi, en buiten het bereik van de ogen van het bewonderende publiek, heeft hij haar nooit ergens anders gekust. Terwijl hij zichzelf een kop koffie inschenkt, samen met z'n ontbijt bereid door zijn kok, praat hij. Hij gebruikt zijn persoonlijke spreekstem, die zacht is en zangerig en een beetje bedeesd, een enorm verschil met zijn publieke spreekstem die luid, direct en krachtig is.

Gaat het goed vandaag?

Casey reageert.

Zeker.

Waar zijn de popjes?

Ze vinden het onplezierig als je ze popjes noemt, Amberton. Ze zijn zeven, vijf en vier, ze zijn daar een beetje te groot voor.

Maakt mij niet uit, het zijn mijn popjes, zo zal ik hen altijd noemen.

Ze lacht, praat.

Ze doen gymnastiek, en daarna hebben ze paardrijden, en dan hebben ze kunst.

Drukke dag.

Heel druk.

En wat ga jij doen?

Ik heb een vergadering met mijn agenten om over die film in Engeland te praten. Ze komen naar hier voor de lunch.

Wat voor film?

Het gaat over een dichteres die verliefd wordt op een dokter die om het leven komt bij liefdadigheidswerk in de Kongo. Zij worstelt met haar werk en denkt aan zelfmoord maar komt erdoorheen en wint een belangrijke prijs. Het is echt een goed verhaal.

Jij moet de dichteres spelen, neem ik aan?

Nee. Ik moet de zuster spelen die haar helpt te leren hoe ze erbovenop komt.

Het is een prachtige rol. Misschien kan ik er een nominatie voor de beste bijrol uitslepen.

Hij giechelt.

Heel mooi. Heel heel mooi. Wij vinden nominaties leuk.

Zij giechelt.

Zo is dat. Wat zijn jouw plannen?

Trainen, een poos bij het zwembad liggen, misschien wat winkelen via internet.

Wie was die kerel vannacht?

Hoe weet je dat er een was?

Ik kon je horen.

Hij ziet er geschrokken uit. Op gemaakt-dramatische manier.

Nee.

Ja.

Zeg alsjeblieft nee.

Ze glimlacht.

Ja. Je was luidruchtig. Of hij misschien. Dat kon ik niet goed bepalen.

Het was die blonde jongen. De dure. We maakten allebei herrie. De seks is zo heerlijk dat we er niets aan kunnen doen.

Probeer je in te houden. Ik wil niet dat de kinderen het horen.

Vertel ze gewoon dat ik aan het trainen ben.

Ze lacht.

In zekere zin is het waar. Ik ben aan het trainen.

Ze staat op.

Kan ik naar yoga?

Hier?

In de studio?

Kan ik mee?

Natuurlijk.

Ze gaan naar hun kamers, verkleden zich, zien elkaar in hun yogastudio, de verste uithoek van hun tuin, honderd meter van hun huis, gebouwd onder twee hoge cipresbomen. Het is een eenvoudig gebouw, de vloer is van lichte esdoorn, de muren simpel en wit, twee kleine ramen in alle muren. Bij hun aankomst is hun leraar er, in kleermakerszit op de vloer, hij zit rustig op hen te wachten. De volgende negentig minuten doen ze aan yoga, ze nemen vreemde en ingewikkelde houdingen aan, de leraar leidt en verbetert hen kalm. Als ze klaar zijn, gaan ze onder de douche, ze zitten in beschaduwde stoelen bij hun zwembad, allebei lezen ze een script voor een film waarin hun een rol is aangeboden. Onder het lezen van hun scripts praten ze, lachen ze, en hebben ze plezier met elkaar. Hun huwelijk mag dan nep zijn, het beeld dat het publiek van hen heeft een enorme vervorming van de realiteit, ze zijn werkelijk heel goede vrienden. Ze houden van elkaar, vertrouwen elkaar, en respecteren elkaar. Zo wordt de schertsvertoning gemakkelijker, en zo zijn hun belangrijkste rollen, die zich afspelen op rode lopers en in interviews, gemakkelijker te vertolken.

Even na twaalven gaat Casey naar haar kamer en kleedt zich aan. Amberton trekt zijn shirt uit en gaat op een badlaken aan de rand van het zwembad liggen. Hun dienstbode dekt een tafel en hun kok maakt de lunch klaar. Casey komt terug met een glas champagne en gaat aan de tafel zitten, en enkele minuten later arriveren haar agenten. Er zijn twee homo's bij van in de veertig, een aantrekkelijke vrouw van even in de dertig, ze dragen allemaal dure, op maat gemaakte zwarte zakenkostuums. Er is een vierde agent bij, een aankomend agent, een voormalige universiteitsfootballspeler van vijfentwintig. Zijn pak is niet zo mooi, en hij mist de accessoires van zijn bazen, de schoenen, horloges, ringen, designbrillen, de subtiele tekenen van macht en rijkdom. Hij loopt ook een beetje mank door de knieblessure die een einde aan zijn footballcarrière maakte. Hij is 1 meter 98, weegt 104 kilo. Hij heeft een zwarte huid, kort zwart haar, zwarte ogen.

Amberton wuift naar de groep roept hallo. Hij gaat weer liggen en doet alsof hij de ogen sluit en hij staart naar de footballspeler, staart. Terwijl zijn vrouw en de agenten met hun lunch beginnen, wordt Amberton verliefd, hij wordt verliefd, wordt verliefd.

In 1865 telt de bevolking van de stad 14.000 mensen.

Ze dolen, dolen buurt na buurt door, soms is het moeilijk de goede van de slechte te onderscheiden, de veilige van de gevaarlijke. Ze beginnen naar auto's op opritten te kijken, bedenken dat Europese auto's fijne buurt betekenen, Amerikaanse auto's redelijke buurt, rotauto's rotbuurt. Hun theorie blijft overeind tot ze automatisch geweervuur horen in een straat waar Mercedessen and Cadillacs staan.

Anders dan in de meeste grote Amerikaanse steden, zit er geen logica in de straten van LA, geen overzichtelijk patroon dat je kunt volgen, er was geen planning bij de aanleg van het vervoerssysteem. Bij het groeien van de stad, vaak exponentieel, werden er wegen aangelegd, snelwegen aangelegd. Ze voeren waar ze heen voeren. Soms hebben ze zin en soms niet. Voor twee kinderen die opgroeiden in een afgelegen stadje, is het ontmoedigend en intimiderend. Ze zoeken naar een bepaald iets, naar een bepaalde plek. Aan kaarten zullen ze niets hebben, dus rijden ze, dolen ze.

Ze slapen op de matras achter in de pick-up. Om geld te besparen eten ze popcorn en zoutjes als ontbijt, lunch en diner, ze drinken water uit de kranen in openbare toiletten. Na drie dagen ontdekken ze het strand. Ze parkeren op een gigantisch terrein in Santa Monica, ze liggen in de zon, zwemmen in de oceaan, slapen op het zand. Ze gaan zich te buiten en kopen hotdogs en ijshoorns op de pier van Santa Monica, die eruitziet als een boven het water gebouwde jaarmarkt waar je kunt paardrijden, in de draaimolen kunt, waar je spelletjes hebt en zoet, goedkoop, vettig eten. Ze doen alsof ze op huwelijksreis zijn. Ze denken niet aan het leven achter hen en denken niet aan de vooruitzichten, of het gebrek daaraan, in het leven vóór hen. Ze liggen naakt onder een deken. Hun lichamen verwarmen het zand. Ze kussen elkaar, houden elkaar vast, zeggen ik hou van jou tegen elkaar. De golven breken zes meter verderop. De maan spreidt zichzelf over het zwart van het water uit. In elk geval voorlopig hebben ze het gevonden. Wat het ook is. Ze hebben het gevonden. Voorlopig.

In 1869 richt de sheriff van de stad William C. Warren het politiekorps van Los Angeles op. Hij neemt zes agenten aan, en betaalt hun salaris met geld dat men binnenhaalt als de gemeentewetten worden overtreden. Hij krijgt ook $ 50 van de gemeenteraad om het hoofdbureau van politie in te richten, dat bevindt zich in zijn huis. Hij brengt de gemeente vervolgens $ 25 per maand huur in rekening. Behalve dat hij commissaris van politie is, is mijnheer Warren de gemeentelijke hondenvanger en belastinginner. Later wordt hij beschoten door een van zijn eigen agenten en overlijdt hij.

Esperanza begon naar school te gaan, Jorge kreeg een baan als tuinman, Graciella begon weer huizen schoon te maken. Geleidelijk richtten ze hun huis in, de meeste van hun spullen kochten ze in tweedehandswinkels en op kerkbazaars. Toen ze het zich konden veroorloven, kochten ze een televisie, waar ze samen naar keken om hun Engels te verbeteren. Ze schreven ook naar hun familie in Mexico, vertelden hun over hun huis, hun voorspoed, hun leven in Amerika. Wanneer ze konden, stuurden ze hun geld.

Esperanza was een goede leerling. Ze was rustig en verlegen en voelde zich thuis op school. Ze hield van lezen, hield ervan bezig te zijn met wiskundige vergelijkingen, ze hielp haar leraren bij elke gelegenheid. Ze was geen populair meisje. De andere leerlingen hadden een hekel aan haar intelligentie, aan haar bereidwilligheid haar leraren te helpen, aan haar dijen. Die groeiden met haar mee en gaven hun volop kansen haar te pesten en te treiteren. Naarmate ze ouder werd, werd het erger, in elke volgende klas werden de schimpscheuten en beledigingen scherper, schunniger, gemener. Uiterlijk was ze ongevoelig voor hun schimpscheuten en beledigingen. Ze glimlachte naar haar kwelgeesten en deed haar best hen te negeren. Innerlijk verscheurden ze haar. Ze vroeg zich af waarom ze haar haatten, vroeg zich af wat er fout aan was het goed te doen op school, vroeg zich af waarom ze gestraft was met haar enorme dijen. Ze had nooit een van hen iets gedaan. Eigenlijk vond ze de meesten aardig, en deed haar best vriendelijk tegen hen te zijn. Het maakte niet uit, ze verscheurden haar.

Met het verstrijken van de jaren begonnen familieleden uit Mexico te arriveren. Geen van hen had geld of een plek om te wonen, ze waren het land allemaal illegaal binnengekomen. Jorge en Graciella lieten hen inwonen in de gedachte dat wanneer ze werk hadden gevonden en een inkomen hadden, ze elders een woonplaats zouden zoeken. Niemand ging ooit weg. Er waren twee neven vier neven zeven. Een zus, een broer, een oom. Vier kinderen. Nog eens drie. Het huis, oorspronkelijk met drie kleine slaapkamers, breidde uit. Jorge deed het werk zelf, met de hulp van zijn familieleden die binnengevallen waren, en niets daarvan gebeurde legaal of volgens de bouwvoorschriften van de gemeente. Hij bouwde een zijvleugel aan, een slaapkamer op zolder, hij plaatste een keuken en een toilet in de garage, achter zette hij er een stuk aan, hij bouwde er een vliering bovenop. Hout en materialen werden uit afvalcontainers op bouwplaatsen gehaald, uit verlaten gebouwen, uit uitgebrande gebouwen. Meubels kwamen vaak van de kant van een weg, verf en behang van het goedkoopste adres of waar ze het maar konden vinden. Het gevolg was dat de verschillende delen verschillende kleuren hadden, een helderrood, een geel, een paars deel, het eigenlijke huis was lichtblauw, de garage lichtgroen. Er zat geen logica of een echt plan achter al het bouwen, er kwamen uitbreidingen waar ze wel leken te passen, de familie zaagde, hamerde en schilderde als gekken tot het op een of andere manier paste of het stevig genoeg was om niet in te storten. Toen ze klaar waren, hadden huis en garage in totaal negen slaapkamers, zes toiletten, twee keukens, een buitendouche en twee woonkamers. Er waren in totaal zeventien mensen in gehuisvest.

Ongeacht hoe druk het in huis werd, Esperanza had altijd haar eigen kamer. Het was de enige kamer in huis waar echt geschilderd was (roze met gele en blauwe bloemen) en met meubels die nieuw in een winkel waren gekocht (bed, ladekast, boekenplank, bureau, ook allemaal roze). Het eerste wat Jorge aan iedereen die in huis kwam vertelde, of ze nu een paar minuten kwamen of introkken, was dat Esperanza's kamer verboden terrein was tenzij Esperanza je naar binnen vroeg, en dat wanneer haar deur dicht was ze niet gestoord mocht worden.

Achter de deur las Esperanza, luisterde ze naar muziek, droomde ze. Ze droomde urenlang, op haar bed liggend met haar ogen dicht of het raam uit starend. Ze droomde van jongens, over haar eerste bal (op een dag?), over tot de populaire kinderen behoren, over uitgaan met een acteur uit haar favoriete televisieserie, over op een dag met de acteur trouwen. Hoewel ze van haar familie hield, droomde ze erover te ontsnappen, niet meer bij haar zestien huisgenoten te wonen, alleen in haar eigen huis te wonen, haar eigen grote huis, een huis waar haar ouders op bezoek konden komen en een hele vleugel met kamers helemaal voor zichzelf zouden hebben, de vleugel zou een telefoon hebben die gesprekken uit Mexico tegenhield. De droom die ze het vaakst had, ging over haar dijen. Hoe ouder ze werd hoe meer ze die haatte, en hoe meer ze besefte dat ze echt raar waren, en hoe meer ze droomde over een leven zonder hen. Dag na dag na dag droomde ze dat ze ze kon laten slinken, verdwijnen, leeglopen, dat ze wakker kon worden met benen van gewone afmetingen of dat ze een operatie kon ondergaan om ze te verkleinen, dat ze haar donderende dijen kon laten afsnijden en door een of ander soort kleine elektronische dij kon vervangen. Er kwam nooit iets van terecht: ze werd niet populair, ze ging niet naar een bal of naar welk afspraakje ook, ze kon nooit weg uit het huis, haar dijen bleven net zo groot en buiten proportie als altijd. Ze bleef dromen.

Het ging goed met Esperanza op de middelbare school, ze slaagde met lof en kreeg een studiebeurs voor een plaatselijke universiteit. Het was het trotste moment uit het leven van Jorge en Graciella, en ze besloten een enorm feest te geven voor Esperanza. Al een paar dagen voor het feest liep Jorge als een trotse pauw te paraderen, en dat was begrijpelijk gezien zijn eigen achtergrond en opleiding. Graciella naaide een nieuwe jurk voor zichzelf en liet haar haar en nagels doen in een salon in Montebello, een middenklasse latinobuurt op twintig minuten afstand. Ze waren drie dagen bezig met het bereiden van een feestmaal, ze maakten het hele huis schoon en versierden het, ze plantten bloemen in de tuin. Elk lid van het huishouden droeg een steentje bij, en omdat Esperanza geen quinceanera had gehad, een traditioneel latinofeest als een meisje vrouw wordt dat gewoonlijk wordt gehouden als je vijftien bent, wilden ze iets bijzonders maken van deze dag dat ze van school kwam.

De dag brak aan. Esperanza droeg een speciaal gemaakte roze jurk die haar dijen zoveel mogelijk verborg. Haar tantes en nichtjes waren gek op haar, ze verzorgden haar make-up en haar. Toen ze klaar waren, keek zij in de spiegel, en voor de eerste keer in haar leven vond ze zichzelf mooi. Niets van wat ze de afgelopen jaren had meegemaakt, het pesten, de schimpscheuten, de eenzaamheid, de onzekerheid, de pijn, deerde haar. Ze keek in de spiegel en ze vond zichzelf mooi. Dat liet haar alles vergeten.

De gasten kwamen, begonnen te eten en te drinken, een van hen had een gitaar bij zich en begon traditionele Mexicaanse liedjes te zingen. De tuin stond vol toen Esperanza haar opwachting maakte. Er klonk geklap en gejuich, geschreeuw en gegil en gefluit. Gasten die Esperanza haar hele leven hadden gekend waren verbijsterd door haar transformatie, zij die haar niet kenden beweerden dat Jorge en Graciella zich gelukkig mochten prijzen met zo'n knappe en intelligente dochter. Terwijl zij zich een weg door de menigte baande, alle gasten groetend en dankend, kwamen er mannen op haar af, dromden om haar heen, wedijverden om haar aandacht, probeerden bij haar in de gunst te komen. Ze glimlachte, straalde, werd ieder ogenblik nog mooier en zelfverzekerder, genoot van alle aandacht. Terwijl de menigte rond haar groeide, begonnen mannen elkaar van hun plaats te dringen en te duwen, waarbij ze subtiel met ellebogen en knieën tegen elkaars gevoelige delen stootten. Binnen vijf minuten brak er een gevecht uit.

Het gevecht begon tussen twee mannen die allebei, zonder succes, een vrouw hadden gezocht. Beiden waren voor in de dertig en voelden dat hun tijd opraakte, een stond in heel Oost-LA bekend om zijn vreselijke adem, de ander om zijn gruwelijke lijflucht. Ze hadden in de loop der jaren achter dezelfde vrouwen aangezeten, waren afgewezen door dezelfde vrouwen, en gaven de schuld voor hun mislukkingen aan elkaar in plaats van aan de lucht die ze verspreidden. Terwijl ze zich naar Esperanza drongen, kwam het tot een confrontatie. Toen de man met de adem in de buurt van de man met de lijflucht kwam, viel er een klap. De ander gaf een klap terug. Geen van de klappen was raak, in plaats daarvan werden andere mannen getroffen, die reageerden door meer klappen uit te delen. Het geweld escaleerde, zoals altijd gebeurt, heel snel, en binnen tien tellen waren alle twintig mannen die Esperanza omringden erbij betrokken.

Esperanza probeerde weg te komen, maar er waren te veel mannen, die inmiddels allemaal meer bezig waren met hun veiligheid dan met die van haar. Een van hen stapte op de zoom van haar rok. Een ander viel tegen haar aan. Ze werd geveld, en toen ze neerging scheurde haar rok bij haar middel. Het werd vrijwel meteen stil, meteen kalm, en er kwam meteen een eind aan de vijandelijkheden. Esperanza lag met armen en benen wijd op de grond. Haar dijen, die afgezien van haar ouders nooit iemand onverhuld had gezien, waren open en bloot. Er heerste stilte, een pijnlijk diepe stilte. En toen kwam het: geklap en gejuich, geschreeuw en gegil en gefluit, en vooral gelach, gelach, gelach.

In 1871 wordt de Farmers and Merchants Bank gesticht door John G. Downey en Isaias Hellman. Het is de eerste als rechtspersoon erkende bank in de provincie Los Angeles.

Het kost Joe tussen de vijf minuten en drie uur om de giften te krijgen benodigd om zijn dagelijkse dosis alcohol aan te schaffen. Als het zomer is en er hordes toeristen krioelen, en er zijn er soms liefst 250.000 per dag in Venice Beach, komt het geld snel. In de winter, wanneer het aantal daalt naar slechts 25.000 per dag, kan het langer duren. Er komt ook nogal wat geluk bij kijken. Soms krijgt Joe meteen als hij start een briefje van twintig dollar, soms komen er urenlang dubbeltjes en kwartjes. Desondanks is het altijd om hetzelfde begonnen: het benodigde geld binnenhalen om twee flessen lekkere, koude chablis aan te schaffen.

Joe beschouwt zichzelf als een kenner van chablis. Als de fles minder dan $ 20 kost, heeft hij hem geproefd en heeft hij er een mening over. Als die minder dan $ 10 kost, kan hij er een uitgebreid verhaal over houden. Als die minder dan $ 6 kost, kan hij de etiketten van voor- en achterkant letterlijk citeren, uitleg geven over de sterke kanten van de wijn (in deze prijsklasse zijn dat er weinig) en de zwakke kanten (veel), en naar alle waarschijnlijkheid kan hij de wijn op grond van geur en smaak thuisbrengen. Joe gelooft graag dat er niet één chablis in Amerika bestaat die hij op een gegeven moment niet heeft geprobeerd, en er bestaat er niet één onder de $ 10 waarvan hij niet meer dan eens heeft moeten overgeven. Wanneer men hem vraagt naar zijn drinkgewoontes, glimlacht hij en citeert hij een vers van eigen makelij – Chablis is het voor mij, van zee tot stralende zee, maakt mij vrij, chablis chablis chablis, chablis is de drank voor mij. Een dichter is hij niet, maar onbetwist een kenner van matige wijn.

Joe werd voor het eerst verliefd op chablis toen hij een kind was. Hij groeide op in New Jersey bij zijn moeder, zijn vader toonde geen belangstelling voor hem na het moment van zijn verwekking. Op een middag, toen zijn moeder zich op het ontvangen van gasten voorbereidde, hoorde hij haar het woord zeggen, *chablis*, en hij vond het prachtig zoals het over haar tong rolde. Hij vroeg haar het nog eens te zeggen, *chablis, chablis, chablis*, en hij wist, wat chablis ook was, en in die tijd had hij daarvan geen idee, dat hij er verliefd op was. Ook al kon hij amper lezen en zat hij nog in de eerste klas, begon Joe te zoeken naar vermeldingen van chablis in boeken, op televisie, als hij naar de radio luisterde. De eerste verwijzing buiten gezinsverband kwam op televisie, waar hij een te zware, aan lager wal geraakte regisseur, die eens de meest besproken filmmaker ter wereld was geweest, in een reclamespot de genoegens van een extra miserabele chablis uit Californië zag bespreken. Dagen liep hij de stem van de man te imiteren en te zeggen – chablis, voor al uw bijzondere momenten! Hij zei het nog eens en nog eens, zijn moeder moest uiteindelijk dreigen dat hij een maand geen toetje zou krijgen als hij niet ophield.

Zijn volgende ontmoeting met chablis kwam toen hij elf was. Een meisje bij hem in de vierde klas, een klein kreng dat nooit uit haar fase van bijten, slaan, spugen en krabben kwam, heette Chablis. Joe raakte verzot op haar zodra hij de naam hoorde. Hij volgde haar overal, droeg haar boeken, gaf haar zijn lunch (ze was ook veel te zwaar en kon vier of vijf porties op), schreef haar liefdesbrieven. Zij reageerde door hem te bijten, hem te slaan, naar hem te spugen en hem te krabben. Hun liefdesaffaire eindigde toen zij naar een school voor probleemkinderen werd gestuurd. Joe huilde een week lang.

Op z'n dertiende ontdekte Joe de echte betekenis en kracht van chablis. Hij was bij een vriend in huis en hielp zijn vriend het vuilnis buiten te zetten. Er zaten een paar flessen in een van de zakken, Joe gleed uit toen hij de zak droeg, de flessen vielen eruit. Joe begon ze op te rapen, er waren drie liter-flessen moutjenever, zes Pabst Blue Ribbons, twee flessen Boones Farms Strawberry Hill, en een fles chablis. Er zat nog een beetje gele vloeistof in de fles chablis, een deel ervan was ongetwijfeld wijn, een deel naar alle waarschijnlijkheid speeksel. Hij nam de fles op, rook eraan, het rook niet erg lekker, het kon hem niet schelen. Hij bracht de fles naar zijn lippen, dronk de gele vloeistof zo snel als hij kon, het trof zijn maag die begon te branden, het trof zijn hoofd dat begon te gonzen. *Chablis*, het was of de Sirenen hem naar de rotsen riepen. *Chablis*, als een onbestuurbare trein die recht op een bakstenen muur af gaat.

Sinds die dag, die beslissende dag, waren er voor Joe geen achttien uur voorbijgegaan zonder een slokje chablis. Als kind stal hij flessen van de ouders van zijn vrienden, hij sloeg ze op in zijn kamer, en dronk er een beetje van voor hij naar school ging, als hij thuis kwam, als hij ging slapen. Toen hij zestien was, kreeg hij een vals legitimatiebewijs te pakken en kocht flessen in goedkope slijterijen, hij hield ze verborgen in de garage van zijn moeder. Toen hij achttien was en slaagde voor de middelbare school, schreef hij in de ruimte onder zijn foto waar hij werd geacht op te geven wat hij wilde met zijn leven – heel mijn leven dronken zijn van de chablis.

Twee dagen nadat hij was geslaagd, ging hij thuis weg. Hij had een rugzak met zes flessen chablis en een tandenborstel, hij had geen geld, geen schone kleren, geen idee waar hij heen zou gaan. Hij begon naar het westen te lopen. Hij ging Pennsylvania door sliep in het onkruid aan de kant van de snelweg, vroeg om geld op parkeerplaatsen voor trucks, reed mee als dat kon. Hij belandde in Cleveland en bleef twee maanden, hij sliep buiten het oude stedelijke stadion en voedde zijn chablisverslaving met het verkopen van voorspellingen voor de wedstrijden (die luidden altijd eender: de ploegen uit Cleveland gingen verliezen, verliezen, verliezen). Hij zwierf zuidwaarts naar Kentucky en Tennessee (donder op met die Jack Daniels-troep) en eindigde in New Orleans, waar hij drie jaar in de straten bij de jazzclubs sliep. Van daar doolde hij Texas door, waar hij regelmatig in elkaar werd geslagen en uitgescholden (mannen die van chablis houden zijn niet echt welkom in Texas), hij baande zich een weg door New Mexico en Nevada in, waar hij een jaar op de Strip in Las Vegas woonde, hij at er verfijnd buffeteten uit de vuil-containers van casino's en speelde nu en dan videopoker of op de fruitauto-maten in goedkope gokhuizen. Hij ging weg uit Las Vegas toen hij stemmen in z'n hoofd begon te horen. De stemmen zeiden – loop naar het westen, Joe, loop naar het westen, loop naar het westen, loop naar het westen, Joe. Aan-vankelijk geloofde hij dat iemand hem misschien een dubbeltje of een kwartje had gegeven dat vol lsd zat, hij zou dat dan via z'n vingers binnen hebben gekregen. De stemmen gingen láng door nadat een dosis uitgewerkt zou zijn, dus hij dacht dat misschien een paar draadjes in z'n hersenen los-geraakt waren toen hij was neergevallen na het kopen en leegdrinken van elf flessen vervlogen wijn die hij had gekocht toen een wijnwinkel opheffings-uitverkoop hield. Hij sloeg zichzelf een paar keer met zijn hand in de hoop dat hij de draadjes weer goed op hun plaats kon krijgen, maar jammer ge-noeg bleven de stemmen doorgaan. Hij kwam tot de conclusie dat hij gek was, en dat er niets anders opzat dan de stemmen te gehoorzamen. Hij be-gon naar het westen te lopen. De stemmen stopten. Hij bleef doorlopen naar het westen. Ze keerden niet terug. Hij liep naar het westen tot hij de oceaan bereikte, en hij door verder te lopen door verdrinking om het leven zou zijn gekomen. Toen hij op het zand over de oceaan stond uit te staren hoorde hij één woord – hier hier hier. En zo was het, hier.

In december 1871 wordt het brandweerkorps van Los Angeles opgericht. Dat bestaat uit drie groepen met brandspuiten, twee groepen met haken en ladders en drie groepen met slangen. Elke groep bestaat uit ten hoogste vijfenzestig man en minstens vijfentwintig man, allemaal boven de 21. De leden van de brandweer zijn vrijwilligers.

Zes dagen lang leefden ze op het strand. Op de zesde dag wordt hun auto leeggeroofd. De ruit aan de kant van de bestuurder is kapot, de radio is weg, de geheime opbergplaats voor hun geld, $ 1500, is leeg. Ze hebben wat er nog in hun portemonnees zit, ongeveer $ 150. De $ 1500 was verstopt in een spleet onder het stuurwiel. Hij had daar vroeger ook geld verstopt, het was nooit gevonden. Ze waren niet meer in Ohio.

Ze gebaarden een politieagent op een fiets om te stoppen. Overal in Santa Monica heb je politieagenten op fietsen. Vanwege het verkeer en de drukte en de wandelpaden langs het strand en de overhangende rotsen, is het voor de politie makkelijker en sneller om op de fiets dan in de auto rond te rijden. De pick-up staat op een druk parkeerterrein. De agent kijkt naar de auto, kijkt naar hen. Hij zegt iets.

Hoe lang zijn jullie hier?

Zes dagen.

U bent helemaal niet weg geweest?

Nee. Dat leek me niet nodig.

Dieven lopen over dit terrein op zoek naar auto's die blijven staan. Ze nemen aan dat de auto's verlaten zijn, of dat de bezitters hen hier zetten omdat ze er verder nergens plaats voor hebben. Het zijn gemakkelijke doelwitten.

Dat wist ik niet.

Hoe heet u?

Dylan.

Hoe heet zij?

Ze antwoordt.

Maddie.

Zoals Madeline?

Ja.

Jullie kunnen je legitimeren?

Ze zeggen allebei ja, geven de agent hun rijbewijzen. Hij kijkt naar hen.

Ver van huis.

Maddie is zenuwachtig, Dylan antwoordt.

Jawel.

Op vakantie?

We proberen ons te vestigen, een plek te vinden om te wonen.

Jullie komen hierheen om beroemd te worden?

Nee hoor.

De agent moet lachen.

Twee kinderen uit een stadje in Ohio verhuizen naar LA en hebben geen plannen om filmster te worden? Ja hoor, dat geloof ik.

Hij overhandigt hun de legitimatiebewijzen.

Jullie kunnen aangifte doen, maar er is vrijwel geen kans de dader te vinden, en jullie geld is en blijft weg. Ik zou aanbevelen een andere parkeerplaats te zoeken.
Zijn er hier in de buurt ergens goedkope plekken om te wonen?
De agent moet weer lachen.
Nee, die zijn er niet.
Enig idee waar we wel iets kunnen vinden?
Ga ergens de Valley in. Daar zullen jullie wel wat vinden.
Waar is de Valley?
Ga een kaart kopen. Dan vinden jullie het wel.
De agent rijdt weg. Dylan en Maddie stappen in de pick-up. Dylan haalt de gebroken stukken glas weg voor ze gaan zitten. Ze rijden naar een tankstation, kopen een kaart. Ze komen op de 10 en rijden naar de 405, ze komen op de 405 en rijden noordwaarts. Ze raken vrijwel meteen vast in een enorme file. Dylan kijkt naar Maddie, hij zegt iets.
Godverdomme.
Dat kun je wel zeggen.
Heb je ooit zoiets gezien?
Nee.
Er zijn acht banen aan beide kanten van de weg. Een parkeerterrein met zestien banen.
We staan niet helemaal stil.
Hij kijkt naar de snelheidsmeter.
Vijf kilometer per uur.
Hoe ver is het naar de Valley?
Vijftien, twintig kilometer of zo.
Ze lacht.
Leuk ritje van vier uur. Beton en toeterende auto's en de lucht van uitlaatgassen. Welkom in Californië.
Het verkeer krijgt wat vaart als de 405 de canyon tussen Brentwood en Bel-Air in gaat. Aan de kant van Bel-Air heb je grote huizen die tegen de hellingen van grijze steen zijn gebouwd, aan de kant van Brentwood doemt de wit marmeren kolos van het Getty Museum op. Het kost negentig minuten om de canyon te passeren en de San Fernando Vallei in te gaan, die bestaat uit 420 km² te vol gebouwde woestijn aan vier kanten omringd door bergen, er wonen twee miljoen mensen. Er wonen vooral mensen uit de middenklasse, maar er zijn stukken met buitengewone rijkdom, en stukken met buitengewone armoede. Dylan en Maddie nemen de afrit naar Ventura Boulevard, ze stoppen bij een verkeerslicht. Dylan zegt iets.
Welke kant op?
Geen idee.
Rechts of links of rechtdoor?
Als we naar rechts gaan rijden we tegen een hoge rots aan.
Hij lacht.
Kies dan iets anders.

Rechtdoor.

Hij knikt.

Zo gaan we het van nu af aan aanpakken. Jij zegt me waar en wanneer ik een andere kant op moet en we rijden door tot we een plaats vinden om te stoppen. We hebben geld nodig. We moeten iets bedenken om aan geld te komen. Op een gegeven moment ga ik vandaag stoppen en een bank beroven.

Serieus?

Nee.

Ik zou je helpen hoor.

Serieus?

Nee.

Dylan glimlacht.

Het licht is net op groen gesprongen.

Maddie glimlacht.

Ga rechtdoor.

Hij rijdt rechtdoor slaat linksaf, rechtsaf, rechtsaf, rijdt rechtdoor rechtdoor rechtdoor, slaat rechtsaf, rechtdoor. Ze dolen, keren om, verdwalen, dwalen. Ze hebben geen radio dus zingt Maddie zachtjes, ze heeft een lichte, heldere stem, soms neuriet ze. Er zijn buurten met schone straten verzorgde gazons kinderen op de trottoirs moeders met kinderwagens. Andere zijn minder schoon, geen gras, minder kinderen, geen moeders. Er zijn lange desolate stukken met pakhuizen van gedeukt staal. Er zijn golfbanen en honkbalvelden ze zijn onnatuurlijk mooi groen. Ze zien Warner Brothers, Disney, Universal, die zitten achter dikke muren, bewaakte poorten. Ze rijden tien kilometer zonder een huis te zien alleen tankstations, winkelgalerijen en snackbars. Ze stuiten op met palmen omzoomde boulevards aan beide kanten kasten van huizen, ze stuiten op iets wat wel een oorlogsgebied lijkt. De heuvels langs de zuidrand zijn grillig en overwoekerd, huizen zijn op palen gebouwd, in de rotswand uitgehakt. Er zijn flatgebouwen met meer mensen dan er in hun oude stad wonen, sommige zijn geweldig, sommige zijn haveloos, sommige zien er leefbaar uit, sommige niet. Ze stoppen bij een supermarkt. Iedereen is mooi. De mensen die onaantrekkelijk lijken zouden in andere delen van het land waarschijnlijk aantrekkelijk worden gevonden. De cafés zitten vol, de terrassen zitten vol, het verkeer is meedogenloos, het lijkt of niemand een baan heeft. De zon schijnt altijd, de warmte stijgt en daalt, bij beton meer, bij groen minder.

De dag gaat voorbij, ze doen indrukken op herinneren zich, vergeten. Als de tank leeg raakt, houdt Dylan halt bij een motel. Het ziet er niet goed, niet slecht uit, de meeste mensen rijden er waarschijnlijk langs zonder het op te merken. Het is bruin en geel, er zijn twee lagen, een leuning langs de etage, een vrijwel leeg parkeerterrein. Er is een neonreclame die niet werkt er staat op Valley Motel en Auto Stalling, per week, per maand. Maddie vraagt iets.

Waarom stoppen we hier?

Ik denk dat dit de plek is.

Wat bedoel je?

Voor ons.

Om te wonen?

Zeker.

Hoe kunnen we hier wonen?

Ik heb een plan.

Wat dan?

Laat me naar binnen gaan en een paar dingen uitzoeken.

Je laat me hier achter?

Het ziet er niet slecht uit.

Het ziet er niet goed uit.

Er zal je niets overkomen. Ik ben zo terug.

Hij kust haar stapt de auto uit loopt de hal in. Hij praat met een man achter de balie. De man is dun en zijn haar is aan het dunnen en hij heeft een slordige snor waarover zijn vrienden achter z'n rug lachen. Maddie ziet Dylan met de man praten, de man knikt de hele tijd hij knikt wanneer hij praat hij knikt wanneer hij niet praat het knikken, knikken is een soort nerveuze tic. Dylan steekt zijn hand uit, schudt de zijne, de man knikt. Dylan loopt de hal uit en stapt de auto in.

Ons nieuwe huis.

Maddie schudt haar hoofd, lijkt bezorgd.

Nee.

Wat scheelt eraan?

Volgens mij zijn we niet hiervoor gekomen.

Hoe bedoel je?

Dit is Californië. Ik dacht dat we op een mooie plek bij de oceaan zouden gaan wonen en we gelukkig zouden zijn.

We zijn negentien. We hebben geen geld en we hebben geen werk. Dit is het beste wat we kunnen krijgen.

Waar zijn we?

Noord-Hollywood.

Is dit Hollywood?

Noord-Hollywood. De kerel zei dat het eigenlijke Hollywood erger is.

Ik ben bang, Dylan. Ik wil naar huis.

Dit is ons huis.

Nee. Dit zal nooit mijn huis zijn.

We kunnen niet terug. We kunnen niet terug en net zo leven als onze ouders. Ik ging nog liever dood.

Ik ben bang.

We zullen het best redden.

Hoe gaan we hiervoor betalen? Hoe komen we aan een baan?

Hij wijst naar een zaak in tweedehandsauto's aan de overkant van de straat, op een bord staat – we betalen contant.

Ik ga de pick-up verkopen. Een kamer hier kost $ 425 per maand. We blijven tot we ons iets beters kunnen veroorloven. Het kan nooit zo erg zijn als het thuis was.

Beloof me dat dit niet ons leven wordt.
Dat beloof ik.
Maddie glimlacht, knikt. Dylan start de auto, trekt op, rijdt naar de overkant van de straat. Hij verkoopt de auto voor $ 1300. Hij is meer waard, maar hij gaat akkoord omdat hij beseft niet in de positie te zijn om te pingelen. Ze lopen terug naar het motel. Hij betaalt de man achter de balie twee maanden huur. Ze gaan naar hun kamer die is aan het uiterste eind van de etage. Ze gaan de kamer in het tapijt is vlekkerig en versleten, de beddensprei is vlekkerig en versleten, de televisie is oud, er is geen klok. Er staan twee lorrige stoelen bij het raam en er is een wastafel en een magnetron, er hangen oranje en bruine gordijnen voor het raam ze zijn vlekkerig en gerafeld. Dylan gaat op het bed zitten. Maddie kijkt rond, ze schudt haar hoofd, het lijkt of ze gaat huilen. Dylan staat op en loopt naar haar toe slaat zijn armen om haar heen.
Ik beloof dat we iets beters gaan zoeken.
Ik ben bang om ergens aan te zitten.
Dit is gewoon een begin.
Ik weet het.
Ze kijkt naar het bed, begint te huilen.
Niet huilen. Ik wil niet dat je huilt.
Ik kan het niet helpen.
Kan ik iets doen?
Ik ben bang om ergens aan te zitten.

In 1874 wordt de vuurtoren van Point Fermin gebouwd in San Pedro, waar nu de haven van Los Angeles ligt. In 1876 verbindt de Southern Pacific Railroad Los Angeles met San Francisco. In 1885 verbindt de Santa Fe Railroad Los Angeles met het transcontinentale spoorwegnet.

Er zijn vijfenzeventig staanplaatsen op het Palisades Heights Woonwagen Terrein. Die liggen verspreid over ruim drie hectare land op de kliffen boven de Pacific Coast Snelweg, en werden oorspronkelijk gebouwd, als dat ook maar het correcte woord is, als een soort betaalbare huisvesting in een gemeente voor de elite. Jarenlang waren ze het mikpunt van grappen, ze werden bespot, gehoond, gekleineerd, de mensen die erin woonden werden genegeerd door de rest van de bevolking. Toen in de late jaren negentig en de vroege jaren nul onroerend goed zoveel in waarde steeg, was de procentuele stijging hier hoger dan in de rest van het land, en dan in de omgeving, waar landhuizen voor wel $ 50 miljoen worden verkocht. In die tijd werden er enkele verkocht, enkele verbeterd, enkele uitgebreid, aan enkele veranderde niets. De grootste is een driedubbele op een dubbele staanplaats, de kleinste is een Airstream Bambi van 15 m².

***

Tammy en Carl vestigden zich in 1963 op het terrein. Ze kwamen uit Oklahoma en ze groeiden allebei op, aan weerskanten van Tulsa, met dromen over een leven aan het strand. Ze ontmoetten elkaar toen ze groentjes waren op Tulsa State, ze zaten allebei op de lerarenopleiding. Ze trouwden een jaar later, kregen hun eerste kind, Earl, een jaar nadien, Tammy gaf de studie op om met hem thuis te blijven, Carl bleef op school en studeerde af. Twee dagen nadat hij slaagde stapten ze in hun stationcar met houten panelen en reden naar het westen. Toen ze LA bereikten, begon Carl een baan te zoeken en ze begonnen te zoeken naar een plek om te wonen met uitzicht over de oceaan. Ze zochten van noord tot zuid aan de kust, van Ojai tot Huntington Beach. Carl solliciteerde naar vierenzeventig banen, ze konden zich niets bewoonbaars veroorloven. Ze leefden een maand lang bij de auto, ze parkeerden op de terreinen bij openbare stranden en maakten hotdogs klaar op een kleine hibachi.
Eerst kwam de baan. Het ging om lesgeven in natuurwetenschap aan leerlingen uit de achtste klas aan een openbare brugschool in Pacific Palisades, een betere oceaangemeente die tussen Santa Monica en Malibu ligt. Het was een goede school, goed betaald voor een baan in het onderwijs, maar het was niet genoeg om in de Palisades of in Santa Monica of in Malibu zelf te wonen. Ze vonden het woonwagenterrein, dat aan de rand van de Palisades lag. Ze kochten een dubbele woonwagen voor $ 3000.
Ze kregen nog twee kinderen, een jongen die Wayne heette en een meisje dat Dawn heette, en ze woonden als gezin samen in de woonwagen. Het was vol, maar het ruimtegebrek bracht hen nader tot elkaar, ze waren gedwongen in

vrede met elkaar te leven, het maakte de goede tijden beter en de slechte tijden korter. Ze konden elk weekend en in de zomer elke dag de heuvel af lopen naar het strand, en ze konden in het zand spelen, in de golven, allebei de jongens leerden surfen, ze bleven hotdogs bereiden op de hibachi. De kinderen gingen naar openbare scholen die tot de beste in de staat behoren, ze waren allemaal goede leerlingen en gingen naar de universiteit. Carl ging door met lesgeven in natuurwetenschap en hij werd, vijfendertig jaar lang, de footballtrainer op de brugschool. Eens per jaar met Kerstmis gingen ze terug naar Tulsa, waar hun familieleden hen bekeken of ze marsmannetjes waren. Eens per jaar, in de voorjaarsvakantie, reden ze naar Baja en huurden ze een bungalow op het strand en een weeklang aten ze taco's, speelden ze frisbee en surften ze. De jaren gingen simpel en soepel en heel plezierig voorbij. Afgezien van het feit dat ze op een woonwagenterrein woonden, leidde het gezin een typisch Californisch strandleven.

De kinderen zijn nu weg, volwassen en zelfstandig, Earl is advocaat in de amusementswereld in Beverly Hills, Wayne is professor Engels aan een universiteit in San Diego, Dawn heeft man en kinderen in Redondo Beach. Carl is met pensioen en hij en Tammy vullen hun dagen met wandelingen over het strand, op de patio voor hun woonwagen zittend geschiedenisboeken en detectives lezen, kaarten met hun buren. Elk weekend zien ze minstens een van hun kinderen, gewoonlijk in de woonwagen, en hun kleinkinderen, er zijn er zeven, komen graag bij hen. Earl, die waanzinnig veel geld verdient, heeft aangeboden een huis voor hen te kopen maar ze willen niet weg. Ze houden van het terrein, ze houden van de woonwagen, ze houden van het leven dat ze hebben geleid en blijven leiden. Ze willen blijven tot ze dood en begraven zijn, tot ze overgaan naar wat volgens hen hun volgende leven is. Tammy en Carl kwamen, zoals honderdduizenden mensen per jaar, naar Los Angeles om hun dromen te verwezenlijken. Soms lukt dat.

***

Josh kocht z'n woonwagen drie jaar terug. Het is een kleine van standaardformaat achter aan het terrein. De woonwagen is in goede staat, betrekkelijk nieuw (tien jaar), en werd verkocht met de meubels erin, eenvoudig en smaakvol.

Josh is televisieproducent. Zijn specialisme: dramatische politieseries van een uur. Hij draagt de ideeën voor de serie aan, zoekt schrijvers om zijn visie uit te voeren, verkoopt de serie aan televisiestations, houdt toezicht op de productie ervan. Hij heeft er de laatste vijf jaar drie op primetime op televisie gekregen. Een werd geannuleerd, twee lopen nog, en een is onlangs te koop aangeboden. Josh is zesendertig jaar. Hij is getrouwd en heeft drie kinderen. Hij woont met z'n gezin in een Spaans landhuis met zeven slaapkamers ten noorden van Sunset Blvd in Beverly Hills (Beverly Hills wordt vooral door rijken bewoond, de belachelijk rijken wonen in de heuvels ten noorden van Sunset). Zijn netto vermogen ligt iets boven de $ 75 miljoen. Vijftig miljoen ervan bestaat op papier in de Verenigde Staten, $ 25 miljoen ervan staat op niet te traceren bankrekeningen in Monaco en het Caraïbische gebied. Hij verstopt het geld omdat hij vindt dat het zijn geld is, alleen zijn geld. Zou zijn huwelijk met een scheiding eindigen, en hij houdt van zijn vrouw en is niet van plan het huwelijk te beëindigen, al zou het hem ook niet verbazen wanneer het gebeurde, wil hij niet dat ze in alles wat hij heeft verdiend mee kan delen. Het kan hem geen zak schelen wat de wetten van de staat Californië zeggen, het is zijn geld, alleen zijn geld.

Josh kocht de woonwagen met geld uit het buitenland. Zijn vrouw weet het niet, geen van zijn vrienden weet het. Hij slaapt er gewoonlijk in met actrices die een baan in zijn series willen. Hij komt ze in heel de stad tegen, bij audities, in restaurants, in kledingzaken, overal. Degenen die bij hem in de smaak vallen, en het zijn de jonge, frisse en onbedorven meisjes die bij hem in de smaak vallen, op hun jongst zestien, op hun oudst twintig, neemt hij naar de woonwagen mee. Niets, behalve een persoonlijke ontmoeting, wordt ooit met zo veel woorden aangeboden. Als de meisjes eenmaal in de woonwagen zijn biedt hij hun drugs en alcohol aan. Soms pakken ze het aan, soms niet, en eigenlijk maakt dat niets uit. Gewoonlijk maken zijn succes, zijn geld en zijn macht genoeg indruk op de meisjes om vrijwillig met hem naar bed te gaan. Zo niet, dan zegt hij ervoor te zorgen dat ze nooit werk zullen krijgen tenzij ze van gedachten veranderen en hun benen spreiden. Af en toe moet hij zichzelf aan hen opdringen. Wanneer hij klaar is bestelt hij een taxi voor hen. Hij zegt dat ze hem moeten bellen, dat hij voor hen zal zorgen. Als ze niet heel opvallend zijn en hij van plan is hen nog eens te ontmoeten, geeft hij hun een vals nummer. Degenen die hij vaker ziet worden gebruikt tot hij genoeg van ze heeft, en dan worden ze afgedankt.

***

Betty is drie en driekwart jaar oud, wat ze met veel trots vertelt aan iedereen die ze tegenkomt. Ze is vierennegentig cm lang, weegt veertien kilo, heeft blauwe ogen en blond krulhaar. Ze kwam naar het terrein met haar mama, die verpleegster is in een ziekenhuis in Santa Monica, sinds zij twee was. Ze noemt het terrein Woonwagenland, en ze noemt zichzelf de Prinses van Woonwagenland. Haar favoriete bezigheden zijn op haar driewielertje rijden en spelen met haar pop, die Dollie heet.

Betty's moeder, die Jane heet, erfde de woonwagen toen haar tante overleed. Hoewel ze van haar tante hield, en ze werkelijk en oprecht haar dood betreurde, gelooft ze dat de woonwagen een geschenk van God was. Janes echtgenoot was een alcoholist die haar bijna dagelijks sloeg. Op diverse momenten in hun relatie had hij haar neus gebroken, haar oogkas, haar beide armen en zes van haar vingers. Tot dan had hij Betty nog niet ernstig verwond, maar hij was begonnen ook haar te mishandelen, hij sloeg haar wanneer ze te veel herrie maakte, kneep haar aan de achterkant van haar armen en benen wanneer ze dingen deed die hem niet bevielen, schopte haar weg wanneer ze in zijn buurt kwam als hij een slechte bui had. Hij zei Jane dat als ze naar de politie stapte hij haar en haar dochter zou vermoorden, als ze wegging zou hij hen zoeken en hen vermoorden. Ze geloofde hem. Als zij probeerde iets te ondernemen, zou hij hen vermoorden, zo geloofde zij.

Jane bad tot God voor een oplossing. Elke dag, drie keer per dag, ging zij op haar knieën en bad alstublieft God help ons we hebben een uitweg nodig alstublieft God help ons alstublieft. Zij ging niet naar de kerk, ze deed niet alsof ze bekeerd was, ze schreeuwde geen halleluja naar de lucht; drie keer per dag ging ze op haar knieën en bad, drie keer per dag. De mishandelingen gingen door. Hij sloeg drie tanden uit haar mond. Ze ging door met bidden.

Ze was aan het werk toen ze hem kreeg te zien. Ze werkte als verpleegster op de eerste hulp hij kwam binnen op een brancard. Hij was op lunchtijd in een bar geweest hij was dronken hij volgde een vrouw naar het toilet en probeerde zich aan haar op te dringen. Haar vriend kwam de bar in hoorde haar schreeuwen deed de deur van het toilet open zag hem aan haar haar trekken en proberen haar over de wastafel te laten buigen. De vriend smeet zijn hoofd tegen de spiegel boven de wastafel. De spiegel brak en glasscherven drongen zijn ogen binnen.

Ze opereerden, maar ze konden ze niet redden. Hij zou nooit meer kunnen zien. Later op diezelfde dag stierf de tante. Toen Jane thuiskwam van haar werk kuste ze Betty, dankte God ze ging op haar knieën en dankte God steeds weer, en ze huilde zichzelf in slaap. Er waren geen tranen over hem.

Jane vroeg de volgende dag echtscheiding aan. De dag nadien gingen zij en Betty weg uit huis met een paar tassen kleren en wat speelgoed en ze reden twee dagen lang naar de Palisades. Hij lag een week in het ziekenhuis en werd er toen uit ontslagen. Hij had een nieuwe witte stok. Hij ging naar het huis van zijn moeder. Hij haatte zijn moeder maar zij was de enige die voor hem wou zorgen.

Toen ze aankwamen, was de woonwagen in perfecte staat. Er waren twee slaapkamertjes voor hen allebei een, een klein stukje grond met een bloementuin. Jane veranderde van baan in het nieuwe ziekenhuis, van de eerste hulp ging ze naar de kinderafdeling, en ze vond een oppas voor Betty in haar werktijd. Ze bouwden een bestaan op, een nieuw bestaan, een bestaan dat om hen beiden draaide. Ze spelen op Janes vrije dagen op het strand, ze kijken naar de zonsondergang wanneer ze thuiskomt na haar dienst. Ze kweken tomaten in de tuin en houden er barbecues, ze zijn zes keer naar Disneyland geweest. Betty wordt elke dag aanbiddelijker, gezelliger, ze huppelt en glimlacht en lacht haar dagen door, ze speelt met haar speelgoed en leest haar boeken, ze vraagt nooit naar haar papa. Ze heeft met vrijwel iedereen op het terrein vriendschap gesloten, jong oud rijk of arm iedereen houdt van haar, houdt van haar gekke lachje, haar rare haar, haar beste vriendin Dollie. Ze vertelt hun allemaal dat ze de Prinses is van Woonwagenland. Niemand van hen spreekt dat tegen.

***

Emerson bereikte z'n top toen hij negen was. Hij trad op in drie films, twee daarvan waren een groot succes, hij verdiende twee miljoen dollar, en werd genomineerd voor een Academy Award. Hij won de onderscheiding niet, maar hij was de jongste genomineerde uit de geschiedenis. Hij ging naar de ceremonie met zijn moeder en werd gepijpt, voor de eerste keer, door een blondine van vierendertig in het toilet.

Emerson is nu negenentwintig. De tussenliggende twintig jaar zijn niet goed voor hem geweest. Zijn filmcarrière was voorbij toen hij twaalf was, hij ging voortijdig van de middelbare school om een rampzalige droom na te jagen waarin hij een superster in de popmuziek zou zijn, het grootste deel van zijn haar was uitgevallen eer hij tweeëntwintig was. Op dit moment was het enige gebied van zijn leven dat niet wankelde zijn financiële leven. Hij had goed belegd en was zuinig. Hij heeft vier miljoen op de bank.

Hij verhuisde naar het woonwagenterrein toen hij vierentwintig was, een jaar nadat hij zijn popsterdromen had opgegeven en een jaar voordat hij besloot zich opnieuw aan de acteerkunst te wijden. Hij heeft geen agent of manager meer, en hij heeft in veertien jaar geen betaald werk gedaan. Toch heeft hij nog steeds de droom en hij gelooft aangezien hij één keer is genomineerd dat het nog een keer zal gebeuren. Hij vult zijn dagen met het nemen van acteerlessen en het raadplegen van acteerleraren. Hij vult zijn avonden met het lezen van toneelstukken en met in kleine theaters her en der in de stad spelen. Hij vult zijn weekends op het strand met het lezen van roddelbladen en dromen over de dag dat hij op het omslag zal staan met de woorden COMEBACK KID onder zijn naam. Hij maakt geen afspraakjes en gaat niet met mensen om, behalve als hij meent dat zijn carrière er op een of andere manier bij gebaat is. Hij wil het weer. Zijn naam in lichtende letters. Dat gevoel als hij over straat liep en de mensen naar hem staarden, naar hem wezen, zijn naam riepen.

***

Leo en Christine vertrokken tweeëntwintig jaar geleden uit Chicago. Ze hadden allebei veertig lange jaren bij een autofabriek gewerkt en hadden gedroomd over de zon en het zand en tuinstoelen en eindeloze potjes bridge. Ze waren zesendertig jaar getrouwd toen ze met pensioen gingen, hadden drie kinderen grootgebracht, hadden geschraapt en gespaard en plannen gemaakt. Ze zijn nu diep in de tachtig. Ze hebben alle zon en zand en bridge gehad die ze wensten en nodig hadden en ze zijn bereid. Ze zullen hun kinderen missen, en hun kleinkinderen, en hun achterkleinkinderen, binnenkort zijn er drie. Ze zullen hun tuinstoelen missen, waarop ze iedere dag zitten en kletsen en koffiedrinken en de krant lezen. Ze zullen het missen in elkaars ogen te staren, ook na al die jaren vinden ze het nog steeds fijn in elkaars ogen te staren. Er is veel dat ze niet zullen missen. Ze gaan elke nacht samen naar bed in het besef dat ze bereid zijn. Dat het hun laatste kan zijn. Ze zijn bereid.

***

Bijna vijf hectare grond naast het terrein wordt ontwikkeld tot een dure wijk met een hek eromheen. De huizen zullen tussen de zes en tien slaapkamers hebben en zullen in prijs tussen vier en negen miljoen dollar variëren. Het uitzicht vanuit de woonkamers zal hetzelfde zijn als het uitzicht vanuit de woonkamers van de woonwagens.

In 1875 had Los Angeles afzonderlijke en gescheiden gemeenschappen van Afrikaanse, Spaanse, Mexicaanse, Chinese en blanke Amerikanen, waardoor het verreweg de meest diverse stad van het land was ten westen van de Mississippi. De gemeenschappen vermengden zich nauwelijks, en de gemeenteraad van Los Angeles nam een wet aan waarin het blanken werd toegestaan alle niet-blanken te discrimineren.

Amberton zit in zijn huiskantoor. Hij heeft ook een kantoor voor de productiemaatschappij die hij en Casey samen bezitten, maar daar gaat hij zelden heen. Dat kantoor is voor de werknemers en voor zijn publieke persoonlijkheid. Dit kantoor is van hem en van niemand anders. Het is heel vertrouwd, heel veilig, heel privé. Het is de plaats waar hij zijn grootste geheimen bewaart: zijn dagboeken, foto's, video's, aandenkens die hij bewaart aan zijn favoriete geliefden, herinneringen aan hun tijd samen.

Hij zit naakt op zijn stoel met zijn voeten op zijn bureau hij heeft een hoofdtelefoon op. Hij belt het bureau. Een jonge vrouw neemt op.

Creative Talent Management.

Kevin Jackson graag.

Een ogenblik alstublieft.

Hij glimlacht. Kevin Jackson. Aan hem denken. O, aan hem denken. Een diepe zware mannenstem neemt op.

Kevin Jackson.

Is hij het?

Jazeker.

Waarom heb je geen assistent?

Met wie spreek ik?

En je herkent mijn stem niet. Dat doet pijn.

Met wie spreek ik alstublieft?

Moet ik mijn publieke stem gebruiken? Mijn talkshow, filmsterstem?

Ambertons stem wordt dieper, mannelijker.

Hallo, Kevin.

Mijnheer Parker. Wat kan ik voor u doen?

Hij keert terug naar zijn echte stem.

Noemde je me net u?

Inderdaad, mijnheer.

God nog aan toe. Noemde je me net mijnheer?

Zeker.

Mijn naam is Amberton. Ik heb andere namen, maar we kennen elkaar niet zo goed dat je daarvan op de hoogte bent.

Wat kan ik voor je doen, Amberton?

Ik zou vandaag graag met je lunchen. We kunnen overal heen waar je wilt.

Het spijt me, Amberton, maar ik heb vandaag lunchplannen.

Zeg ze af.

Dat kan ik niet doen.

Amberton moet lachen.

Ik verdien miljoenen en miljoenen en miljoenen en miljoenen dollars per jaar voor je bureau. Ik heb in de hele stad vrienden, goede vrienden, en een paar niet zo goede vrienden die eventueel zaken voor me opknappen. Ik ben een internationale superster, zo helder als een supernova. Ik betwijfel zeer of degene met wie je luncht zo belangrijk is als ik.

Het is mijn moeder.

Heus?

Ja.

Wat geweldig. Ik kom hoor.

Sorry?

Ik kom. Waar en hoe laat?

Ik weet niet...

Amberton valt hem in de rede.

Niet tegenspreken. Ik kom.

Kevin lacht.

We gaan naar Soul by the Pound. Aan Crenshaw.

Amberton giechelt.

Heet het echt zo?

Ja.

Amberton krijgt het adres hangt de telefoon op gaat naar zijn kamer om zich te verkleden. Zijn klerenkast is belachelijk groot, 74 m² onberispelijk geordende peperdure kleding, die hij meestal gratis krijgt van ontwerpers en kledingfabrikanten die hopen dat hij in hun spullen wordt gezien. Hij worstelt wat hij aan moet. Hij wil indruk maken maar niet al te veel, informeel maar niet te, knap, maar op een ongedwongen manier. Hij probeert wat hij aantrekt te combineren met zijn haar, hij kan moeilijk beslissen of hij wel of niet gel moet gebruiken. Hij rent rondjes door zijn kledingkast loopt in zijn hoofd de mogelijkheden na: kostuum, shirt en pantalon, jeans, korte broek (wow, dat is informeel!). Met zijn andere doelwitten verliep het anders. Hij besloot dat hij hen wilde, hij joeg op hen, hij kreeg hen. Het ging simpel, zoals bij roofdieren, er kwam haast geen gedachte aan te pas, hij vertrouwde op instinct en begeerte. Nu, met deze footballspeler, deze lange, mooie zwarte footballspeler, verloor hij zijn scherpte. Hij gaat zitten, slaakt een paar diepe yogazuchten en zegt tegen zichzelf concentreer je, concentreer je, concentreer je. Wanneer hij voelt dat de concentratie er is, trekt hij een zwarte pantalon aan en een zwart chic hemd en zwarte mocassins. Hij doet gel in zijn haar. Hij kijkt in de spiegel en glimlacht en zegt – ja, je bent de grootste ster aan de hemel, ja, dat ben je.

Hij begint naar het Crenshaw District te rijden waar Soul by the Pound zich bevindt. Hij rijdt in z'n Mercedes. Het is een zwarte sedan met donker gemaakte ramen. De ramen zijn donkerder dan wettelijk is toegestaan, maar Amberton heeft dat laten doen nadat iemand hem in zijn auto zag zitten, opgewonden raakte, tegen een telefoonpaal reed, en vervolgens Amberton de schuld gaf van het ongeluk en hem aanklaagde. Ook al had hij de zaak kunnen winnen, Amberton schikte. Hij besloot dat hij deze figuur beter kon betalen, ook al was zijn zaak ongegrond en zijn motief verachtelijk, dan twee of drie jaar in een procedure te zijn verwikkeld. De volgende dag had hij de ruiten in al zijn auto's (hij heeft er zeven) donker laten maken. Hij rijdt Beverly Hills door langs het sprookjesland Rodeo Drive naar Wilshire Boulevard. Hij rijdt oostwaarts over Wilshire met aan beide kanten glazen flats boordevol talentenbureaus, impresariaten, productiemaatschappijen, pr-bureaus, advocaten. Hij rijdt zuidwaarts over Robertson weg van de weelde en glans van Beverly Hills in een van de zo veel naamloze gebieden van Los Angeles gedomineerd door snackbars, tankstations en handelaren in gebruikte auto's. Hij komt op de 10 in oostelijke richting het is een parkeerterrein. Hij zet de radio aan luistert naar lichte hits op de radio klinken een paar van zijn favoriete liefdesliedjes uit de jaren tachtig. Hij hoort een liedje dat hij opnam voor een film (het werd een grote hit!), hij zingt luidkeels mee. Hij herinnert zich de jongen met wie hij naar bed ging tijdens het maken van de film, een negentienjarige productieassistent uit Tennessee. Hij was lang en blond en hij had een schattig accent. Hij was zenuwachtig en in de war. Het was een mooie jongen, en Amberton was aardig voor hem. Aan het eind van het liedje biggelen er tranen over Ambertons gezicht.

Hij neemt de afrit naar Crenshaw Boulevard slaat rechtsaf begint zuidwaarts te rijden. Crenshaw is een van de belangrijkste verkeersaders van Zuid-LA. Het gebied eromheen is een van de grootste zwarte buurten van Amerika. In de jaren vijftig, zestig en zeventig woonde er vooral middenklasse, in de jaren tachtig stroomde het vol bendes en teerde het weg door crack en werd het een van de gewelddadigste buurten in het land, in de jaren negentig werd het verwoest door de rellen in LA van 1992 en de aardbeving in Northridge van 1994. Hoewel gedeeltelijk herbouwd, verkeert Crenshaw Boulevard zelf in een staat van permanent verval. De snackbars, slijterijen en discountwinkels verdringen zich er. Je hebt er kerken in puien van winkelgalerijen en met scheermesdraad afgerasterde parkeerterreinen. De meeste automobilisten hebben hun portieren op slot en hun ramen dicht. Voetgangers, je hebt er maar weinig, kijken zenuwachtig om zich heen terwijl ze zich over het trottoir haasten. De woonhuizen direct achter beide kanten van Crenshaw bestaan vooral uit gepleisterde huizen in Spaanse stijl en appartementcomplexen met twee of drie lagen. De straten zijn schoon en de tuinen in het algemeen goed onderhouden. Ondanks die uiterlijke schijn, hangt er in het gebied een dreigende sfeer. Mensen die er niet wonen rijden er vlug doorheen, als ze al bereid zijn er heen te gaan.

Amberton is zenuwachtig terwijl hij zoekt naar Soul by the Pound. Hoewel hij al jarenlang in LA woont, is hij nooit in Crenshaw Boulevard of in de buurt geweest, en hij is angstig. Hij probeert een beetje van de moed te verzamelen die hij op het witte doek laat zien als een Amerikaanse actieheld, maar vindt die nergens. De ergste scenario's beginnen door zijn hoofd te gaan: hij zal van z'n auto worden beroofd, hij zal worden geramd, hij zal zonder benzine komen te staan en worden bestolen (dat z'n tank vol zit doet er niet toe) hij zal worden beschoten vanuit een voorbijrijdende auto, hij zal uit z'n auto worden gesleurd en worden gescalpeerd, hij zal worden ontvoerd en worden gevoerd aan een woest stel hongerige pitbulls. Wanneer hij het restaurant ziet, achter in een bouwvallige winkelgalerij, slaakt hij een kreet van vreugde en snijdt hij vlug andere auto's af om te parkeren. Hij vindt een plek voor het restaurant stapt de auto uit zet het alarm aan al weet hij dat het geen verschil zou maken als iemand de auto wil stelen. Hij gaat naar de deur toe haalt diep adem het ruikt heerlijk een mengeling van gefrituurd, geroosterd en gebakken voedsel, ongetwijfeld lekker vol vet. Hij loopt naar de deur, opent die, stapt naar binnen.

Het restaurant is klein en druk. Er zijn zo'n twintig tafels, eenvoudige tafeltjes met wit papier eroverheen gespreid vouwstoelen aan elke kant van elke tafel, ze zijn allemaal bezet. De muren zijn bedekt met gesigneerde portretten van sportlui, rappers, jazzmuzikanten, politici en acteurs die te gast zijn geweest, ze zijn allemaal zwart. Amberton zoekt naar Kevin, iedereen in het restaurant draait zich om en staart naar hem. Behalve dat hij is wie hij is, is hij het enige blanke gezicht in de zaak. Hij hoort iemand zeggen – het is godverdorie een blanke jongen – hij hoort iemand anders zeggen – kijk, man, het is die klootzak van een acteur. Hij zoekt naar Kevin niets. Hij zoekt naar iemand die Kevins moeder zou kunnen zijn niets. Hij overweegt te vertrekken in zijn auto te stappen en zo vlug hij kan naar huis te rijden tot hij zijn naam hoort.
Mijnheer Parker?
Hij kijkt rond, kan niet tegen zeggen wie tegen hem praat. Een beetje harder.
Mijnheer Parker?
Hij kijkt maar kan niets zien, gaat iemand op hem schieten, hem slaan, moet hij wegrennen, o mijn hemel.
Ik ben hier hoor, mijnheer Parker.
Hij ziet een aantrekkelijke Afro-Amerikaanse vrouw met een donkere huid halverwege of achter in de dertig die drie meter verderop alleen aan een tafel zit. Zij draagt een zwart zakenkostuum en heeft een bril op, ze ziet eruit of ze een advocaat of een bankier is. Zij wenkt naar Amberton om te komen hij loopt naar haar toe zij zit ongeveer drie meter verderop. Hij is zenuwachtig, hij beeft haast, hij moet zichzelf kalmeren. Hij weet dat hij moet beantwoorden aan het publieke beeld van Amberton, en de echte Amberton, de homo, verborgen moet houden.
Ik heb een tafel voor ons. Kevin is nog niet hier.
Met zijn diepe stem.
Geweldig.
Zij reikt haar hand.
Tonya Jackson.
Hij schudt haar hand.
Amberton Parker.
Aangenaam kennis te maken.
Insgelijks.
Ze gaan zitten.
Bent u Kevins zuster?

Zij lacht.

Nee hoor.

Een nicht?

Nee, ik ben niet zijn nicht, mijnheer Parker.

Ik neem aan dat jullie familie zijn?

Zij lacht.

Ja, we zijn familie. Ik ben Kevins moeder.

Amberton lijkt verbijsterd.

Nee.

Ze lacht weer.

Ja.

U ziet er zo jong uit.

Ik ben niet oud.

Kreeg u Kevin toen u vijf was?

Lacht weer.

U bent alleraardigst, mijnheer Parker.

Ik meen het. U bent jonger dan ik ben.

Dat kan. Ik was heel jong moeder.

Vindt u het vervelend om te zeggen hoe jong?

Wel als u me zou willen veroordelen.

Ik ben gewoon nieuwsgierig.

Ik was vijftien.

Hoe oud u ook was, u deed het geweldig. Kevin is een ongelooflijk indrukwekkende jongeman.

Ze glimlacht.

Dank u. Ik ben erg trots op hem.

Een ober komt ze bestellen iets te drinken light-frisdrank voor hen beiden. Zonder moeite te doen Amberton te raadplegen, wat nogal indruk op hem maakt, bestelt Tonya de lunch, gebakken kip spek en ingewanden van het varken, macaroni met kaas bruine bonen en koolbladeren, maïsbrood gebakken in spekvet. Als ze klaar is met bestellen, komt Kevin aan, hij draagt een kordaat zwart pak en een blauw overhemd en een behoudende rode stropdas. Hij buigt naar voren, omhelst zijn moeder en kust haar op haar wang, zij glimlacht en zegt hallo. Hij gaat zitten, kijkt naar Amberton, zegt iets.

Kon je het makkelijk vinden?

Amberton glimlacht.

Jazeker.

En je vond mijn mama.

Zij vond mij.

Ze glimlacht, zegt iets.

Hij viel hier wel op.

Ze lachen, beginnen te praten, Amberton begint vragen te stellen over hun bestaan samen, hoe ze overleefden. Tonya beantwoordt de meeste vragen, we woonden bij mijn ouders tot ik eenentwintig was en ze pasten op Kevin terwijl ik werkte en naar school ging, we gingen naar ons eigen huis toen ik het me kon veroorloven het was in de straat tegenover mijn ouders, ik ging 's avonds naar de universiteit en studeerde af toen ik vijfentwintig was, ik kreeg een baan als kredietanalist op een bank. Hij informeert naar Kevins footballcarrière, hij had altijd talent we konden op z'n zevende wel zien dat hij een grote zou worden, op de middelbare school brak hij records en elke universiteit in het land wilde hem hebben, we waren ontroerd toen hij als nr.1 werd gekozen we waren verpletterd toen hij geblesseerd raakte. Amberton kijkt naar Kevin zoveel hij kan, probeert zichzelf in de hand te houden. Hij wil dichterbij hem zijn, hem aanraken, zijn hand vasthouden. Hij houdt zijn rol vol, probeert zijn gevoelens niet te laten merken, is zich er zeer van bewust dat iedereen in het restaurant naar hun tafel staart.

Als het eten komt, is Amberton opgelucht te zijn afgeleid van Kevin zijn mooie Kevin, en hoewel hij zich gewoonlijk houdt aan een strikt dieet zonder vet, met weinig koolhydraten en veel rauwkost dat door zijn lijfkok wordt verzorgd, tast hij toe. Het eten is zwaar, overvloedig, ongelooflijk lekker. Onder het eten begint Tonya aan Amberton vragen te stellen over zijn bestaan, hij ratelt zijn vaste verhaaltje af, ik ben getrouwd ik houd van mijn vrouw we hebben samen drie prachtige kinderen (allemaal verwekt in petrischalen). Ze vraagt naar zijn werk hij zegt dat hij vrij heeft genomen hij wil een paar maanden van het leven genieten, dat zijn volgende film zal gaan over een schurk van een chemicus die een supervirus ontwikkelt, het is Ambertons taak hem, tegen alle waarschijnlijkheid in, te stoppen.

Ze stoppen met eten Amberton probeert te betalen Tonya zegt hem z'n geld weg te stoppen. De baas komt met Tonya's wisselgeld vraagt Amberton om een foto om aan de muur te hangen, hij zal de eerste blanke man zijn die het doet, Amberton zegt natuurlijk dat hij het een eer vindt. Ze staan op gaan weg Amberton loopt achter Kevin kijkt hoe hij naar de deur loopt Amberton heeft nog steeds honger, nog steeds honger. Als ze eenmaal buiten zijn, kust hij Tonya op haar wang zegt haar dat het een genoegen was haar te ontmoeten zij zegt dat het wederzijds is. Amberton zegt dag tegen Kevin hij drukt zijn hand het is het beste deel van zijn dag een simpele handdruk. Ze stappen in hun respectievelijke auto's en rijden weg. Amberton stemt af op het radiostation dat liefdesliedjes draait. Terwijl hij over Crenshaw rijdt naar de 10 is hij niet bang. Hij hoort een liedje over liefde, ware liefde dat hij uit volle borst meezingt. Hij heeft nog steeds honger.

Tussen 1880 en 1890 groeit de bevolking van 30.000 inwoners naar 100.000 inwoners. De prijzen voor land schieten omhoog tot in 1887 de markt instort, wat tot de eerste onroerendgoedcrisis in Zuid-Californië leidt. Met de bevolkingsexplosie kwamen ook de eerste vermoedens van de amusementsindustrie toen muziektheaterbedrijven vanaf de Oostkust naar de stad begonnen te trekken en hun eigen gelegenheden openden.

Esperanza kwam bijna een jaar haar kamer niet uit. Ze liet, afgezien van haar vader en moeder, niemand binnen om haar te bezoeken. Al haar familieleden probeerden haar te troosten het haalde niets uit. Haar vader en haar neven spoorden alle mannen op die haar op het feest hadden uitgelachen en dwongen hen naar het huis te komen om zich voor hun gedrag te verontschuldigen, het haalde niets uit. De eerste twee maanden na het feest bleef ze in bed en huilde ze. Iedere keer als ze probeerde te stoppen met huilen, of probeerde uit bed te komen, herinnerde ze zich hoe ze op de grond lag, op wat de mooiste dag van haar leven moest zijn, haar rok tot haar middel, vijftig mannen eromheen die haar stonden uit te lachen. Haar moeder haalde haar ten slotte over uit bed te komen, ze zei haar dat ze samen zouden proberen iets aan haar dijen te doen. Ook al zaten ze heel krap met geld, ze kochten een aantal speciaal voor de dijen ontworpen oefentoestellen, de Dijmeester, de Dijschudder, de Dijvormer, de Dijbeeldhouwer en de Dijkampioen, maar die hielpen geen van alle. Esperanza probeerde alle mogelijke oefeningen, de *inner-thigh press, hack squats, safety squats, rear lunges, walking lunges, hamstring curls* en allerlei soorten *leg lifts*, waaronder de *outer-thigh leg lift* waarvan zo hoog wordt opgegeven, ze waren allemaal nutteloos. Nadat ze de oefeningen had gestaakt probeerde ze te hardlopen op de plaats het werkte niet in kleine rondjes hardlopen door haar kamer het werkte niet springen op een minitrampoline het werkte niet. Ze raadpleegden een trainer hij zei dat het vooral een kwestie van genetica was en niemand kon z'n genetische eigenschappen veranderen, ze raadpleegden een dokter hij zei soms geeft God ons dingen die ons niet bevallen en we moeten er gewoon mee leren om te gaan. Esperanza was radeloos. Ze ging terug naar bed, huilde de hele dag door, vervloekte haar dijen, vervloekte haar leven.

Ze kwam haar kamer uit toen een van haar neven stierf. Hij was een jongen van zestien Manuel geheten die ervan gedroomd had dokter te worden. Hij kwam de grens over met zijn ouders op z'n twaalfde, leerde in een jaar perfect Engels, was de beste leerling van zijn klas, bleef weg bij de bendes die de buurt beheersten. Hij was een vriendelijke, zachtaardige jongen, iemand die was geleerd een heer te zijn, deuren open te houden, complimentjes te maken, mensen die het nodig hadden te helpen. Hij kwam om toen hij uit school naar huis liep. Een afgedwaalde kogel afgevuurd uit een voorbijrijdende auto raakte hem in z'n achterhoofd. Hij was dood voor hij de grond raakte.

Esperanza was verpletterd, ze voelde zich schuldig haar neef het afgelopen jaar niet te hebben gezien, ze was te beschaamd om toe te geven dat ze zich op zo'n belachelijke manier had gedragen. Zij haalde haar mooiste jurk tevoorschijn, kamde haar haar en deed wat make-up op en ging haar kamer uit om met de rest van haar familie te rouwen. Na de begrafenis hielp ze haar moeder in de keuken met het klaarmaken van eten voor de gasten die naar het huis kwamen om te condoleren, ze bediende hen, vulde hun glazen, maakte hun borden schoon. Die avond bleef zij laat op met haar neven die over waren, ze vertelden elkaar hun favoriete verhalen over Manuel, ze lachten om zijn stijve manieren, vervloekten de bendecultuur die zijn dood werd.

De volgende dag trof Esperanza iedereen thuis, alle zeventien, ze nam hen apart en verontschuldigde zich bij ieder afzonderlijk. Ze zeiden haar allemaal dat ze zich er geen zorgen over moest maken, dat ze gewoon blij waren haar weer te zien. 's Middags ging ze naar de kerk, ze bad om hulp, ze biechtte, ze stak een kaars voor haar neef aan. Toen ze thuiskwam, besloot ze weer te gaan leven, buiten haar kamer en haar huis te leven, buiten haar geringe zelfvertrouwen en zelfhaat, buiten het beeld dat ze van haar lichaam had. Ze begon langzaam. De eerste week ging ze één keer per dag naar buiten, gewoonlijk naar de kerk. De tweede week een paar keer per dag ze ging naar de supermarkt, naar een goedkope kledingzaak. De derde week begon ze te telefoneren en probeerde ze terug te keren op het pad dat ze een jaar eerder had verlaten. Haar beurs was weg ze kreeg te horen dat ze zich nog eens kon aanmelden. De plek op school was weg ze kreeg te horen dat ze zich nog eens kon aanmelden. Haar familie had helemaal geen geld zij had helemaal geen geld als ze naar school zou gaan moest ze een baan hebben besefte ze. Ze vroeg haar moeder of die iets wist ze vroeg haar vader of die iets wist. Ze vroegen het allebei aan hun vrienden. Esperanza ging de advertenties doornemen, liep haar buurt door en praatte met de plaatselijke ondernemers, ze begon sollicitatieformulieren in te vullen en sollicitatiegesprekken te voeren. Omdat ze zich nog steeds zeer bewust was van haar dijen, droeg ze altijd te grote rokken waardoor ze verborgen bleven. Terwijl ze naar een baan zocht, ging ze af en toe met haar moeder mee schoonmaakwerk doen. Haar moeder werkte gewoonlijk twee huizen per dag af, een 's morgens en een 's middags. Op vrijdag werkte ze één groot huis in Pasadena af dat de hele dag vergde. De vrouw die het huis bewoonde was in de zeventig, uitzonderlijk rijk, ze was geboren in Pasadena en had er haar hele leven doorgebracht. Straten, parken en scholen waren naar verschillende leden van haar familie genoemd. Ze had het grootste deel van haar leven inwonend personeel, maar toen ze ouder werd, vond ze het onplezierig de hele tijd mensen in de buurt te hebben. Toen de kinderen het huis uit waren, ze had drie dochters die allemaal een goed huwelijk hadden gesloten en in de buurt woonden, en haar man was overleden, hij was tien jaar ouder en stierf op z'n drieënzeventigste aan een hartaanval terwijl hij aan het tennissen was, liet ze het inwonend personeel vertrekken en nam ze Graciella aan. Nadat ze drie weken met haar moeder in het huis had gewerkt, vroeg de vrouw aan Esperanza of ze belangstelling had voor een volledige baan. Esperanza zei ja, de vrouw zei dat haar zuster iemand zocht om te koken en schoon te maken. Esperanza zei dat ze haar graag zou ontmoeten.

De volgende dag had ze een gesprek. Het was in de ochtend ze werd vroeg wakker deed haar beste rok aan ze was hoopvol en zelfverzekerd als ze een baan kon krijgen zou ze 's avonds naar school kunnen, ze wist dat ze het werk aan kon wat het ook was. Ze nam een bus naar Pasadena, als het druk was op de weg duurde het vijftig minuten anders zou het tien minuten hebben geduurd. Ze stapte de bus uit en liep naar het huis, het was nog eens een kwartier en de zon was op en het was al heet en zij was begonnen te zweten. Toen ze het adres vond stopte ze voor een poort en staarde door zwarte ijzeren tralies. Het huis was enorm, zag er meer uit als een museum dan als een huis. Twee lange vleugels strekten zich aan beide kanten van een heel grote entree met zuilen uit. De tuin was enorm en onberispelijk groen, een witte stenen oprit in het midden. Terwijl ze naar het huis staarde, hoorde ze een stem uit een kleine speaker die discreet in de stenen muur met de poort was gebouwd.

Ben jij het meisje dat voor mijn zuster werkt?

Ze keek naar de speaker. Haar moeder had aangeraden om een beetje Engels te praten, maar haar toekomstige werkgeefster niet te laten merken dat ze het vloeiend sprak. Zo kon haar werkgeefster zich superieur voelen, wat rijke Amerikanen meestal fijn vonden, en het gevoel hebben dat ze in hun huis konden spreken en overleggen zonder angst te worden afgeluisterd, wat ze meestal ook fijn vonden.

Ja.

Ik zal de poort openmaken. Kom naar de voordeur.

Si.

De poort begon langzaam open te gaan, Esperanza liep naar het huis het begon een dreigende indruk te maken hoe dichterbij ze kwam hoe intimiderender het werd en toen ze de treden begon te beklimmen die naar de deur leidden, ging de deur open. Een strenge vrouw van zeventig stond op haar te wachten. De vrouw had grijs haar en doordringende blauwe ogen, ze was lang en mager, had een zware kaaklijn en scherpe jukbeenderen, droeg een dure bloemetjesjurk. Al was het pas acht uur in de morgen, ze zag eruit of ze al uren op was, en klaarstond voor een eetafspraak in de club of een spelletje kaart met haar bridgegroep. Ze nam Esperanza goed op, wat Esperanza zenuwachtig en onzeker maakte. Ze zei iets.

Hoe ging de reis naar hier?

Best goed.

Geen problemen?

Nee.

Ik heb mensen gehad die verdwaalden omdat ze de Engelse bus- en straatbordjes die we hier in Amerika hebben niet konden lezen.

Dat lukt mij best.

Esperanza bereikte de top van de trap, stond recht voor de vrouw, die haar bleef bekijken, alles wat ze voelde, zenuwachtig onzeker zelfbewust, voelde slechter.

Mijn naam is Elizabeth Campbell. Jij kunt me mevrouw Campbell noemen.

Esperanza keek naar de witmarmeren vloer, knikte.
En jij heet?
Ze keek op.
Esperanza.
Heb je ooit zo'n groot huis als dit schoongemaakt?
Nee.
Denk je dat je het kunt?
Si.
Waarom denk je dat je het kunt?
Ik werk hard om het schoon te krijgen.
Begrijp je dat ik de regels in mijn huis maak en jij daar geen vraagtekens bij plaatst?
Si.
Weet je zeker dat je me begrijpt?
Si.
Mevrouw Campbell staarde naar haar.
Kom toch binnen dan zal ik je laten zien waar het dienstmeisje zit.
Mevrouw Campbell draaide zich om en liep het huis in, Esperanza volgde, ze deed de deur zorgvuldig achter zich dicht. Ze liepen door de hal, met een plafond van acht meter en een enorme kristallen luchter en olieverfportretten in vergulde lijsten van mevrouw Campbells familieleden, ze liepen langs een grote trap die met een flauwe bocht omhoog leidde, ze liepen door een smalle gang langs een waskamer naar een kleine deur. Mevrouw Campbell keek niet één keer om ze veronderstelde dat Esperanza achter haar liep. Ze maakte de deur open liep een trapje af naar een kelder die met beton was verstevigd. Langs een muur had je wasmachines en een gootsteen, tegen een andere een heleboel schoonmaakspullen en zwabbers, bezems en een stofzuiger, een klein ledikant en een klerenkast naast de schoonmaakspullen. Mevrouw Campbell keerde zich om, zei iets.
Dit is jouw hoekje. Ik reken erop dat het brandschoon blijft, net als de rest van het huis. De klerenkast is voor jouw extra werkkleding, die ik je zal geven, en voor je uniform, dat je zult dragen als ik gasten heb. Het ledikant is voor de keren dat je een nacht moet blijven. Het komt niet vaak voor, maar als ik het vraag reken ik erop dat je het zonder klagen doet. Als ik je ooit overdag slapend aantref, is het onmiddellijk afgelopen met je. Je zult alle was hier beneden doen, al reken ik erop dat je met je andere werk doorgaat terwijl je de was doet. Ik houd niet van lanterfanten. Ik betaal je om te werken, niet om te lanterfanten.
Esperanza keek het vertrek rond. Het was er grijs, grauw en deprimerend. Als de kerker onder een paleis. Mevrouw Campbell knipte met haar vingers voor haar gezicht.
Heb je me gehoord?
Esperanza keek naar haar, zichtbaar gegriefd.
Ik wil weten of je hebt begrepen wat ik zei over lanterfanten.
Esperanza knikte, gegriefd.

En je hebt ook heel de rest begrepen?
Si.
Ik betwijfel het, maar we zullen het neem ik aan wel merken.
Ik begrijp het, mevrouw Campbell.
Ik zal je de rest van het huis laten zien.
Ze liepen naar boven, liepen het huis door, het duurde meer dan een uur, ze liepen naar het huis voor de gasten, dat groter was dan de meeste gewone huizen, vier slaapkamers en vier badkamers het kostte een halfuur. Toen ze klaar waren, begeleidde mevrouw Campbell Esperanza naar de voordeur.
Wanneer kun je beginnen?
Wanneer wilt u?
Morgenochtend?
Goed.
Je zult voor je begint een van de uniforms moeten persen en strijken, en als het je niet past zul je het mee naar huis moeten nemen en het vermaken.
Si.
Nog vragen?
Hoeveel betaalt u mij?
Ik zal je driehonderdvijftig dollar per week betalen. Dat is een mooi bedrag voor iemand als jij.
Dat is niet genoeg.
Mevrouw Campbell leek verbijsterd.
Sorry?
Het huis is heel groot. U moet mij meer betalen.
Jij gaat me geen eisen stellen, jongedame, is dat duidelijk?
Esperanza knikte weer, inmiddels was ze gebroken.
Si.
Is dat duidelijk?
Esperanza deinsde terug. Gebroken.
Si.
Zij staarde naar Esperanza. Esperanza staarde naar de vloer.
Hoeveel komt je volgens jou toe?
Ik weet niet.
Je krijgt vierhonderd. Geen cent meer. Als het je niet aanstaat, vind ik wel iemand anders. Er zijn meer dan genoeg mensen zoals jij in deze stad dus het zal geen enkele moeite kosten.
Si.
Dan zie ik je morgen. En als je te laat bent, is je eerste dag meteen je laatste.
Gracias.
Esperanza draaide zich om en liep weg, ze haastte zich de oprijlaan af, hoeveel zelfvertrouwen of hoop ze ook had gehad tijdens het gesprek was die vervlogen, ze wilde alleen maar weg, weg van Elizabeth Campbell, die haar zoals ze wist nastaarde vanuit de deuropening.

In 1892 ontdekken Edward Doheny en Charles Canfield olie in de voortuin van een vriend na te hebben opgemerkt dat de wielen van zijn kar altijd met een vochtige, zwarte substantie waren bedekt. Doheny koopt onmiddellijk vierhonderd hectare grond rond het huis, net buiten wat toen het eigenlijke Los Angeles was en wat nu de wijk Echo Park is. Hij begint met boren en heeft binnen een jaar 500 olieputten. Binnen twee jaar zijn er 1400 olieputten in de provincie Los Angeles. In de vroege jaren twintig komt haast een kwart van de olie op de wereld uit de putten in Los Angeles.

Dylan loopt heen en weer over Riverside Drive die, in theorie, langs de Los Angeles Rivier loopt. De rivier is een zestien meter brede greppel van beton die rioolwater en overtollig regenwater naar de Stille Oceaan afvoert. Er valt gemiddeld dertig dagen per jaar regen in LA en er valt gewoonlijk geen regen tussen april en november, het stelt als rivier dus niet veel voor. Dylan loopt alle tankstations binnen alle schadeherstelbedrijven alle autoreparatie-werkplaatsen die aan de straat te vinden zijn hij vult formulieren in zoekt naar werk. Na drie dagen stuit hij op een reparatiewerkplaats voor motoren waar men iemand zoekt. De eigenaar van het bedrijf is een lid van een motor-bende (al noemt hij het een motorclub) die De Bastaarden heet, hij is 1 meter 95, 145 kilo, heeft een gevlochten paardenstaart die tot z'n middel hangt, is vermoedelijk de angstaanjagendst ogende mens die Dylan ooit heeft gezien. De man, die zichzelf Kleintje noemt, kijkt naar hem, zegt iets.
Hoe goed ben je in het repareren van motorfietsen?
Ik kan alles repareren.
Mijn vrouw is me godverdomme lastig, kun je haar repareren?
Vermoedelijk niet.
Hoe goed ben je in het repareren van motorfietsen?
Ik kan alles repareren met een motor erin.
Ga die hoop troep daar eens repareren.
Hij wijst naar een oude Harley achter in de zaak. Die is overdekt met roest en de onderdelen van de motor liggen op de grond.
Wat is ermee?
Je zei dat je alles met een klotemotor kon repareren, ga het godverdomme uitzoeken.
Dylan loopt naar de motor toe, Kleintje loopt naar zijn kantoor, waar hij de telefoon pakt, een nummer kiest, en naar iemand begint te schreeuwen. Dy-lan begint naar de onderdelen te kijken van de motor die over de grond lig-gen verspreid. Hij trekt zijn shirt uit, begint de onderdelen op te rapen, be-kijkt ze zorgvuldig, wanneer hij smeer van z'n handen moet vegen, veegt hij ze aan zijn broek af. Hij loopt naar een grote, gedeukte stalen gereedschaps-kast, pakt er terloops wat gereedschap uit, loopt terug naar de motorfiets. Vlug zet hij de motor weer in elkaar. Hij probeert de motorfiets te starten, niets. Probeert het nog eens, niets. Stelt nog het een en ander af, probeert het nog eens, niets. Hij neemt de motor nog eens uit elkaar, legt alles ordelijk op de vloer. De hele ingreep kost drie uur. Wanneer hij klaar is, loopt hij naar Kleintjes kantoor. Kleintje is nog steeds aan het telefoneren, nog steeds aan het schreeuwen. Dylan gaat bij de deur staan en wacht op hem, als Kleintje hem ziet, houdt hij z'n hand voor de telefoon, schreeuwt naar Dylan.
Wat wil je godverdomme?

Het is me duidelijk wat er mis met de motor.

Wat dan?

Het is een niet te repareren hoop troep die je weg zou moeten gooien.

Kleintje moet lachen.

Ik heb er al vier stomkoppen op af gestuurd om naar dat ding te kijken en jij bent de eerste met genoeg benul om me te vertellen wat ik al wist.

Dus ik heb de baan?

Wacht even.

Kleintje brengt de telefoon weer naar zijn oor, zegt iets.

Ik bel je later terug.

Hij wacht.

Nee. Ik bel je godverdomme later terug.

Hij wacht.

Luister, verdomde idioot, er is iemand in mijn klotekantoor en ik kan godverdomme niet praten.

Hij gooit de hoorn op de haak zonder antwoord af te wachten, schudt zijn hoofd, zegt iets.

Mensen zijn zo verdomd stom, man. Elke dag verbaast het me hoe verdomd stom mensen zijn.

Ja.

Jij kunt beter niet verdomd stom zijn anders trap ik je tegen je reet naar buiten.

Ik pas wel op.

We zullen zien. Je hebt mijn test doorstaan, maar ik ben nog niet overtuigd. Wie weet blijk je toch een stommeling.

Dylan lacht.

Je werkt van negen tot vijf. Soms misschien vroeger, soms misschien later. Hangt er maar van af. Je krijgt zes dollar per uur, ik betaal je contant. Geen extra's alleen dat je de hele dag bij mij in de buurt kunt rondhangen.

Zes dollar per uur lijkt een beetje weinig.

Ik betaal je contant zodat je geen last krijgt van de belasting, en als het je niet aanstaat, neem dan de baan niet. Vandaag of morgen vind ik wel een illegaal binnengekomen bonenvreter die ik vier per uur kan betalen.

Ik neem de baan.

Goed zo, geslaagd voor stommelingtest nummer 2.

Dylan lacht.

Nog iets, misschien het allerbelangrijkste.

Ja.

Er gebeuren hier dingen en er worden dingen gezegd die privé zijn, als je begrijpt wat ik bedoel. Als je er ooit met iemand anders over praat, krijgen jij en degenen om wie je geeft problemen. Als je er met mij over praat, sla ik je boem op je godverdomde smoel.

Begrepen.

Goed. Nou als de sodemieter wegwezen. Ik zie je morgenochtend.

Dylan draait zich om en vertrekt, hij loopt drie kilometer terug naar het motel.

Wanneer hij in de kamer komt, is Maddie weg. Er is geen briefje, geen bericht. Hij loopt het balkon op kijkt omhoog en omlaag naar de rij kamers, probeert haar stem te horen, hoopt dat hij haar in een van de kamers hoort, vreest dat ze misschien in een van de kamers is, die worden bewoond door een alcoholistenstel van in de zeventig, een tot inkeer gekomen, dat zegt hij tenminste, bankrover, een speeddealer, twee ambitieuze pornoactrices die spelen in films over tieners, een kerel die zichzelf Andy de superklootzak noemt. Hij loopt de rij kamers langs luistert begint in paniek te raken hij loopt naar beneden loopt de rij kamers langs op de begane grond hij weet alleen dat een van de bewoners een voormalige popster is die aan heroïne verslaafd raakte hij hoort nergens iets. Hij loopt de hal in informeert bij de man achter de balie die naar een 10 jaar oude komische serie kijkt op een kleine kleuren-tv de man haalt de schouders op en zegt geen idee, man, ik heb niets gezien.

Dylan loopt terug naar de kamer. Hij doet de deur open laat die open steekt een sigaret aan wou dat hij iets te drinken had probeert te verzinnen wat hij moet doen, de politie bellen, rondlopen, ze heeft geen vrienden in LA kan nergens heen kan naar niemand toe hij denkt aan zijn buren welke, welke, zij staat bij de deur, zegt iets.

Hi.

Hij kijkt op. Ze houdt een zak met gebakken kip vast en een fles goedkope champagne.

Waar ben je geweest? Ik ben in paniek geraakt.

Ze loopt in zijn richting, zegt iets.

Ik ben een baan gaan zoeken.

Kust hem.

En ik heb er een gevonden.

Ze glimlacht, maakt een overwinningsdansje.

Waar?

De 99-centwinkel.

Hij lacht.

Meen je dat?

Zeker. Ik sta aan de kassa. Ik krijg een uniform en een pet.

Hij lacht weer.

Geweldig.

Omdat we wat geld binnen gaan krijgen, heb ik een kleine verrassing voor ons.

Ze zet de kip en de champagne op tafel. Dylan zit nog steeds op bed.

Ik maakte me echt zorgen.

Ik ben een grote meid.

Er zitten een stelletje gekken in dit motel.

Weet ik. Daarom –

Ze graait in haar zak, haalt een kleine spuitflacon tevoorschijn.

Ik kocht pepperspray in de 99-centwinkel. Kost maar 66 cent met mijn nieuwe werknemerskorting.

Hij glimlacht. Zij glimlacht.

Kom hier en eet en drink wat champagne met me.

Hij staat op, zet een paar stappen.

Hoe ben je aan champagne gekomen?

Een slijterij in gelopen en gekocht. Een kerel staarde de hele tijd naar mijn tieten, vroeg me niet eens om een legitimatie.

Je hebt mooie tieten.

Zij glimlacht.

Als je een brave jongen bent en je je eten opeet laat ik ze je misschien zien.

Hij gaat zitten, grijpt een van de stukken kip, neemt een enorme hap. Zij lacht. Ze eten, praten, hij vertelt haar over zijn baan, over Kleintje, zij zegt dat hij op moet passen, hij zegt dat hij er gaat werken tot er iets beters voorbijkomt. Als ze de champagne drinken, worden ze allebei vrolijk, speels, thuis waren ze geen van beiden grote drinkers, geen van beiden heeft ooit champagne op. Ze eindigen in bed ze voelen, ze ontdekken, ze spelen, ze doen alle dingen die ze niet konden doen op de achterbanken van auto's en onder de pingpongtafels van vrienden toen ze thuis woonden. Zij laat hem alles zien wat hij wil zien, geeft hem wat hij wil, neemt van hem wat zij wil. Ze blijven lang wakker ze doen het nog een keer, nog een keer, ze liggen in elkaars armen en zeggen ze ik hou van jou ze zijn negentien en onafhankelijk en ze zijn verliefd en ze geloven nog steeds in de toekomst.

De volgende dag beginnen ze met hun banen, ze worden wakker drinken samen koffie stoppen in een donutzaakje. Hij neemt een *Boston crème* en zij neemt een *maple bar* ze kussen en gaan huns weegs. Maddie loopt naar de winkel die is vier straten verder. Ze treft de chef, die Dale heet, hij loopt met haar terug naar de kleedkamer. Hij is achter in de dertig, lang en dun z'n haar valt uit, hij heeft een slordig snorretje. Hij maakt de deur open voor Maddie, volgt haar naar binnen, doet de deur achter zich dicht. In de ruimte zijn twee muren bedekt met rijen metalen kluisjes, bankjes ervoor. Langs een van de andere muren is er een wastafel en een toonbank met een koffiemachine en op de toonbank staat een mandje met versnaperingen. Dale zegt iets.

We krijgen allemaal een kluisje. Je moet je uniform erin bewaren, en je kleren als je aan het werk bent. Geen drugs of alcohol erin, en geen wapens. Als ik die troep erin aantref, ben je het kwijt. Als ik echt kwaad ben geef ik het misschien aan de autoriteiten of zo iemand. In de pauzes kun je hier rondhangen als je wilt. Ik ga meestal de winkel uit, maar sommige mensen vinden het hier leuk. En geen gerommel met een van de andere werknemers, behalve als het om een meisje gaat en ik kan komen kijken, of om mijzelf.

Hij glimlacht. Maddie reageert.

Een grapje zeker?

Hij lacht.

Reken maar, kleine meid. Of misschien niet. Dat moet jij maar beslissen.

Hij lacht weer, een beetje harder.

Heeft u mijn uniform?

Reken maar. Het ligt in m'n kantoor. Ik ga het voor je halen. Je kunt in de tussentijd een kluisje uitkiezen.

Hij gaat weg. Zij kijkt naar de kluisjes, kijkt naar degene zonder slot erop, maakt er een open er ligt een stapel vieze sokken in, ze doet het kluisje met-een dicht. Ze maakt er weer een open er zitten een zak half aangevreten chips en een leger mieren in ze doet het dicht. Ze maakt er nog twee open allebei leeg maar ze bevallen haar niet ze zoekt er een in een hoek een eindje van de meeste kluizen vandaan. Ze vindt er een, opent die, er ligt niets in. Ze staart ernaar, steekt haar hoofd erin, ruikt. De deur gaat open, Dale loopt naar bin-nen met een 99-centwinkel-blouse en zonneklep, ze zijn rood, geel en oranje met overal zwarte 99's erop gedrukt. Hij zegt iets.

Hoe ruikt het?

Ze haalt haar hoofd uit het kluisje, bloost van schaamte.

Goed hoor.

Je houdt ervan aan dingen te ruiken?

Niet echt.

Hier is je uniform.

Hij overhandigt haar de blouse en de zonneklep.

Dank u wel.

We zien er het liefst een witte broek bij. Dan vallen de kleuren goed op.

Goed.

Heb je er een?

Nee.

Koop 'm met je eerste salaris. En koop ook wat witte slipjes. Anders kunnen mensen door je broek heen zien welke kleur je draagt.

Ze bloost weer, vraagt iets.

Heeft u een slot dat ik kan gebruiken?

Nee, maar je kunt er een kopen. Raad eens voor hoeveel?

Geen idee.

99 cent.

Hij lacht, draait zich om, loopt weg. Maddie hult zich in de blouse en de zon-neklep, loopt naar zijn kantoor. Hij wijst haar de weg naar een gang, zet haar achter een kassa. Het is hetzelfde model als ze thuis in het tankstation ge-bruikte, dus ze weet hoe ze ermee moet omgaan. De hele dag slaat ze blikken soep aan, kant en klare noedels, pakjes snoep, klein plastic speelgoed, zeep shampoo en tandpasta, batterijen. Ze probeert tegen elke klant te glim-lachen, alle mensen wanneer ze weggaan zich beter te laten voelen dan voor ze bij haar afrekenen. Aan het eind van haar dienst is ze uitgeput, haar voe-ten doen zeer, haar vingers doen zeer, haar ogen, haar mond doet zeer. Ze klokt uit loopt naar huis. Ze neemt onderweg een pak taco's mee, kijkt tv ter-wijl ze op Dylan wacht. Ze kijkt naar een amusementsprogramma dat elke dag wordt uitgezonden, het gaat over het privéleven van beroemdheden, over hun liefdeleven, hun feestjes, de huizen waar ze wonen en de kleren die ze dragen en de auto's waarin ze rijden. Het programma wordt een paar kilo-meter verderop gemaakt, de beroemdheden wonen aan de andere kant van de heuvel. Ze kijkt haar kamer rond, naar de vieze muren, de stomme meu-bels, het bed dat ze nooit zou aanraken als het niet moest, het tapijt met vlekken, ze loopt naar het raam trekt het gordijn open ziet twee mannen naar elkaar schreeuwen op het parkeerterrein, een vrouw staat tussen hen in ze huilt en een van haar ogen is zwart opgezwollen. Maddie gaat weer televisiekijken. Een zanger koopt een horloge met diamanten in Beverly Hills. Het ligt aan de andere kant van de wereld.

Dylan komt thuis hij zit vol olie en smeer hij kust haar neemt een douche. Ze eten hun taco's, kijken tv, vallen in bed vallen tegen elkaar ze gaan twee uur later slapen ze slapen heerlijk en diep. Ze worden wakker en lopen samen naar de donutzaak. Hij neemt een Boston crème, zij neemt een maple bar.

Hun bestaan wordt een routine. Ze werken, eten 's avonds kijken tv, belanden in bed en spelen, vallen in slaap, zo gaat het dag in dag uit, dag in dag uit. Ze houden niet van hun banen, maar hebben er geen hekel aan. Maddie leert hoe ze Dale moet negeren, die achter elke vrouw in de winkel aan gaat achter elke kans die hij krijgt, Dylan doet wat hem gezegd wordt, hij praat wanneer iemand tegen hem praat, houdt zich bij z'n eigen zaken. In z'n vrije tijd werkt Dylan aan de oude Harley in de hoek, hij zoekt onderdelen bij elkaar, repareert andere onderdelen, hij krijgt 'm in een paar maanden aan de praat. Hij begint 's morgens met Maddie naar haar werk te rijden, haalt haar aan het eind van de dag op. 's Avonds maken ze lange tochten door de Hills, op en af kronkelend door kleine straatjes die vol auto's staan, huizen in de rots gebouwd huizen op palen huizen die boven op elkaar zijn gebouwd de kleinste kosten waarschijnlijk een miljoen dollar de grootste tien of twintig. Ze rijden over Mulholland Drive, een tweebaansweg die 34 kilometer langs de kam van de Hollywood Hills en de Santa Monica Mountains loopt. Ze stoppen op uitzichtpunten op diverse plaatsen langs de weg, je kunt naar het oosten, het westen, het noorden en het zuiden kijken in het westen zien ze in de verte het blauw van de Stille Oceaan in het oosten noorden en zuiden zien ze eindeloos veel lichtjes en auto's en huizen en mensen helemaal tot aan de horizon eindeloos veel, het is verschrikkelijk en prachtig eindeloos veel. Ze rijden Bel-Air en Beverly Hills door. Ze rijden langzaam door groene, bewaakte straten ze staren naar de landhuizen proberen zich voor te stellen wat het is om in een van die huizen te wonen zo veel geld te hebben. Ze rijden over de Pacific Coast Snelweg ze doen hun helmen af en schreeuwen bij 160 kilometer per uur met hun hoofden achterover en hun ogen open ze zijn vrij en onafhankelijk en het is koud en donker en de wind waait in hun gezicht en ze zijn verliefd en ze dromen nog steeds, dromen nog steeds.

Wanneer ze in het motel zijn blijven ze op hun kamer, mijden de andere bewoners. De bankrover vertrekt wordt vervangen door een man veroordeeld wegens doodslag die vertrekt wordt vervangen door een verkrachter, de drugdealers worden vervangen door andere drugdealers, bijna elke avond wordt er gevochten op het parkeerterrein, ze horen geroep en geschreeuw vanuit de kamers, 's nachts, 's morgens, op alle uren, geroep en geschreeuw. Ze proberen geld te sparen. Ze willen verhuizen naar iets schoners, veiligers. Het meeste wat ze verdienen gaat op aan huur en eten maar ze doen zuinig aan, het meeste van hun eten komt uit de 99-centwinkel, ze kopen geen nieuwe kleren. Na twee maanden hebben ze $ 160 na vier maanden hebben ze $ 240. Maddie loopt een voedselvergiftiging op in een snackbar ze gaan naar de Eerste Hulp, na het betalen van de rekening hebben ze niets meer. De verkrachter vertrekt wordt vervangen door een aanrander van kinderen. Andy de superklootzak dreigt de aanrander van kinderen te vermoorden. De aanrander van kinderen vertrekt wordt vervangen door weer een verkrachter.

De Parkdienst van Los Angeles wordt opgericht in 1889. Destijds waren er geen officiële stadsparken, al waren er vijf terreinen bestemd om mogelijk parken aan te leggen. In 1896 schonk kolonel Griffith J. Griffith, een leger-officier uit Wales die een vermogen had verdiend tijdens de Gold Rush in Californië, een terrein van meer dan 1200 hectare in de heuvels boven zijn Los Feliz Rancho om als stadspark te worden gebruikt. De stad kocht nog meer land aan waardoor het park in totaal 1700 hectare besloeg, ofwel 17 km².

Op elk willekeurig moment leven er tussen de 100 en 300 dakloze mannen en vrouwen op en rond de promenade van Venice Beach. De bevolking neemt af in de zomer wanneer er hordes toeristen zijn en de politie een schoon, veilig beeld van de stad probeert te bevorderen en wanneer het weer aangenaam genoeg is om in andere delen van het land te verblijven. De bevolking neemt toe in de winter wanneer de zon nog steeds schijnt en het nog steeds warm is en je best buiten kunt slapen en er nog steeds genoeg toeristen zijn om je kostje bij elkaar te scharrelen.

Vijfentwintig jaar lang verbleven de meeste daklozen in het Venice Pavilion. Het Pavilion was een centrum voor kunst en ontspanning gehuisvest in diverse panden op een stuk grond van 8000 m² aan het strand. Het werd gebouwd in 1960 en verlaten in 1974, toen vanwege de slechte bouw alle leidingen voor afvoer, elektriciteit en verwarming het begaven. Zodra het werd verlaten, trokken de daklozen erin en namen het over. Ze bouwden op het afgerasterde terrein hun eigen samenleving op. Alcoholisten en verschillende soorten verslaafden, aan crack, heroïne, en in de jaren negentig speed, woonden in verschillende afdelingen, panden of kamers, en de diverse groepen bestreden elkaar voortdurend, stalen van elkaar, en spanden tegen elkaar samen. Verkrachtingen, zowel van mannen als van vrouwen, waren heel gewoon. Steekpartijen en vechtpartijen waren aan de orde van de dag. Het was een van de meest gewelddadige gemeenschappen in het land. Op een gegeven moment stopte de politie van LA met patrouilles in het Pavilion en men gaf het op te proberen in de hand te houden wat er binnen gebeurde, indammen werd het doel, niet toestaan dat het geweld zich verspreidde. Toen het Pavilion in de late jaren negentig, tijdens het opknappen van de promenade, met de grond gelijk werd gemaakt, raakten de bewoners verstrooid. Sommigen zochten langs de promenade zelf een schuilplaats. Sommigen verhuisden naar Skid Row in het centrum van Los Angeles, een ministad van 10.000 personen, 50 straten met kampementen van kartonnen dozen en forten van schroot, waar het geweld en de ontaarding even erg zijn. Degenen die bleven begonnen grenzen en regels te maken. In het algemeen was de verdeling dat drugsverslaafden en jonge alcoholisten op het noordelijke eind van de promenade bleven, de oudere en vriendelijker daklozen, sommige alcoholist en andere niet, leefden aan het zuidelijke eind. De groep aan het noordelijke eind was veel gevaarlijker en gewelddadiger, de meeste bewoners van het zuidelijke eind vonden het prettig zo rustig en vredig te leven als ze konden. Oudje Joe is een van de steunpilaren van het zuidelijke eind. Al is hij pas achtendertig, omdat hij eruitziet of hij achter in de zeventig is, en omdat zijn status als bewoner van het toilet nog verder wordt opgevijzeld, wordt hij beschouwd als een wijze en welwillende figuur van de oude stempel, iemand die zijn deel van de promenade, of in elk geval de groep daklozen die in de buurt woont, in orde helpt te houden. Een of twee keer per maand bemiddelt hij bij onenigheid over een bankje of een afvalcontainer, helpt hij gevallen van diefstal en geweld op te lossen, helpt hij te beslissen over de straffen voor zulke overtredingen. Omdat de politie de daklozen min of meer negeert, hebben de bewoners van het zuidelijke eind hun eigen rechtsstelsel. Wanneer een van hen aan iets schuldig wordt bevonden, worden ze gedwongen ofwel de schade te betalen, ofwel hun slachtoffer te compenseren door een goede plaats om te slapen, te eten of te bedelen op te geven. Als je je niet bij de straf neerlegt, word je verjaagd. In het zuiden begrijpt men dat als de bewoners samenwerken en zelf voor orde zorgen en ze elkaar helpen, hun levens die hard en treurig kunnen zijn, een beetje zullen verbeteren.

Aan het noordelijke eind hebben ze zo'n systeem niet, is er geen gemeenschapszin. Hier overleven de grootste bruten, de meest meedogenlozen, de ergste idioten. Diefstal, verkrachting en geweld zijn nog steeds normaal. Meningsverschillen worden beslecht met vuisten, stenen, messen en gebroken flessen. Vrouwen worden als eigendom gezien en worden gekocht, verkocht en verhandeld, nieuwkomers worden meteen getaxeerd, en als ze kwetsbaar worden bevonden, worden ze belaagd en gemolesteerd. Omdat veel daklozen aan het noordelijke eind van de promenade een gevaarlijke indruk maken en zich op een bedreigende manier gedragen, zijn toeristen veel minder genegen hun geld of eten te geven. Hun onvermogen om met bedelen of schooien geld te verdienen wakkert het geweld en de wetteloosheid van hun cultuurtje verder aan. Ze deinzen nergens voor terug om aan geld, drugs of seks te komen, het maakt niet uit wie of wat eronder lijdt. Ze deinzen nergens voor terug.

Er is weinig of geen contact tussen de dakloze bewoners van het noordelijke en het zuidelijke eind van de promenade. Ze weten van elkaars bestaan, maar verkiezen elkaar te negeren. Afgezien van het bedelen en enige overlast, waar de politie van LA vlug en hard tegen optreedt, is er weinig of geen contact tussen de daklozen en de toeristen die elke dag van het jaar over de promenade krioelen (tussen de 50.000 and 250.000 afhankelijk van het seizoen). Bewoners van Venice en omgeving, er zijn stukken met filmsterren en popsterren en hun huizen van een miljoen of vele miljoenen, en er zijn stukken met bendes en getto's die door crack worden geteisterd, doen meestal of de promenade niet bestaat. Velen van hen wonen in Venice omdat het tempo van het bestaan er, zelfs in de gevaarlijke stukken, lager, vriendelijker is dan in de rest van de stad. Anders dan in de meeste andere delen van de stad praten de mensen in Venice tegen hun buren, wandelen ze door hun buurten, naar hun plaatselijke winkels, restaurants, scholen en kerken. De promenade is luidruchtig, druk, vies, parkeren is een nachtmerrie, het ruikt er naar vijftig soorten eten, bijna allemaal gefrituurd. Het is een wereld op zichzelf, en de groep daklozen vormt een wereld in die wereld.

De dag breekt aan en Oudje Joe is wakker op het strand hij staart naar de lucht die langzaam blauw wordt, die langzaam blauw wordt. Hij kwam vanmorgen in de hoop dat hij zou achterhalen waarom, waarom maar hij werd niets wijzer het gaat zoals het iedere morgen gaat hij werd niets wijzer. Het is al warm ergens rond de 24. Het zand voelt koud aan tegen de ontblote stukken van zijn huid, zijn handen, enkels, nek, zijn achterhoofd. Er staat een briesje. De lucht is vochtig en schoon en ruikt naar zout en proeft als de oceaan hij haalt diep, langzaam adem, houdt zijn adem in, ademt uit, haalt nog eens adem. Hij hoort iemand naar hem toe lopen hij beweegt niet ze zijn dichterbij beweegt niet stem.

Joe.

Ja.

Ik heb je hulp nodig.

Wie ben je?

Tom?

Tom met de zes tenen?

Nee, Lelijkerd Tom.

Wat is er, Lelijkerd?

Ik heb je hulp nodig.

Kan het niet wachten?

Denk ik niet.

Wat is er aan de hand?

Er is een probleem achter de vuilcontainer achter de ijswinkel.

Welke ijswinkel?

Die naast Worstjes Paradijs.

Wat is het probleem?

Er is een meisje van haar stokje gegaan. Het lijkt of ze helemaal in elkaar is getrapt.

Roep de smerissen.

Ik word gezocht. Ik kan de smerissen niet roepen.

Laat iemand anders ze roepen.

Daarom ben ik jou komen halen.

Ik ben bezig.

Je ligt daar zomaar.

Ja, ik ben bezig.

Met dat meisje is het klote, man. Je moet haar helpen.

Oudje Joe wendt zijn hoofd, kijkt nog eens naar Lelijkerd Tom, die echt lelijk is. Hij is lang, hoewel z'n benen tamelijk kort zijn, hij heeft stukjes vlassig grauw haar. Drie van z'n voortanden zijn weg, de rest is heel geel of bruin, zijn gezicht en nek zijn erg pokdalig. Hij komt oorspronkelijk uit Seattle, waar hij opgroeide in pleeggezinnen tot hij op zijn zestiende wegliep, hij zwierf de kust langs naar LA. Hij leeft al twintig jaar op straat. Hij woont op de hoek van een parkeerterrein bij Muscle Beach, slaapt in een slaapzak, z'n kleren bewaart hij onderin.

Ik neem aan dat je niet verdwijnt tot ik besluit met je mee te gaan.

Zeker.

Joe gaat overeind zitten.

Er was verder niemand in de buurt?

Verder slaapt iedereen nog.

En als ik nu nog had geslapen?

Dat doe jij niet.

Het had best gekund.

Kom nou, Oudje. Iedereen weet dat je elke morgen hier naar onzin staart.

Joe lacht, gaat staan.

Denk je dat ik naar onzin staar?

Ik weet niet waar je godverdomme naar staart.

Hij lacht weer. Ze lopen naar het rijtje panden met Worstjes Paradijs, de ijs-winkel, een bikinizaak, een tatoeagesalon, en drie winkels met т-shirts. De panden hebben, zoals de meeste langs de promenade, drie tot vier lagen en ze zijn in de jaren zestig en vroege jaren zeventig pal naast elkaar gebouwd. Op de begane grond heb je de winkels, boven de winkels heb je appartemen-ten, sommige panden hebben een dakterras waarop de bewoners, bijna alle-maal mannen, zitten en drinken en naar vrouwelijke toeristen roepen en proberen hen te laten zwaaien, naar boven te komen voor een biertje, hun bloesjes uit te doen.

Joe en Tom lopen naar de achterkant van de gebouwen, ze beginnen Speed-way Avenue af te lopen, een veelgeprezen steegje dat over de volle lengte di-rect achter en parallel aan de promenade loopt. Speedway staat vol afvalcon-tainers, afval dat er niet meer in kan, enkele en dubbele parkeerplaatsen die gewoonlijk bij de winkels en de restaurants in de panden horen. Veel van de daklozen, van beide kanten van de promenade, wonen op Speedway, ze sla-pen er, eten er, kopen en verkopen er drugs, worden er dronken. Filmploe-gen gebruiken het steegje om scènes op te nemen die zogenaamd in havelo-ze buurten spelen. Aan de kant tegenover de promenade heeft Speedway voetgangersstraten, dat zijn woonlaantjes met een dubbel trottoir in plaats van echte straten, je hebt er geen auto's, de straten worden geflankeerd door palmbomen, wilde hortensia's en huizen van vele miljoenen, de bewoners, onder wie vele kunstenaars, schrijvers, acteurs en musici vermijden gewoon-lijk de steeg over te steken als het niet hoeft. Joe en Tom stoppen voor een grote, gedeukte bruine vuilcontainer. Er zit geen deksel op. Het stinkt naar zure melk, en resten oud ijs, nu gestold tot iets wat op witte en bruine lijm lijkt, lopen in strepen langs de zijkanten. Joe zegt iets.

Man, deze container lijkt wel een vieze reet.

Dat is omdat al het rotte oude ijs in de zon ligt te bakken.

Wat smerig.

Zeker.

Waar is het meisje?

Daarachter.

Hoe heb je haar gevonden?

Soms ga ik erin om te kijken of er goed ijs is.

Dat is walgelijk.

Soms is het goed.

Op een dag word je er ziek van.

Ik heb grotere zorgen dan of ik ziek word van ijs.

Joe begint rond de afvalcontainer te lopen, ziet een plas bloed, stopt, haalt diep adem schudt zijn hoofd. Hij loopt helemaal rond de afvalcontainer. Er ligt een klein tienermeisje in een hoopje met haar gezicht naar beneden. Ze heeft een haveloze zwarte spijkerbroek aan en een zwart T-shirt, haar haar is blond met rode strepen bloed erdoorheen. Joe vraagt zich af of ze nog wel leeft. Hij zet een stap in haar richting, ziet haar borstkas een beetje omhoog-komen, hij hurkt naast haar neer kijkt even naar haar. Hij kan de rand van een kant van haar gezicht zien. Wat hij ziet is bedekt met ingedroogde bloed-plekken, onder het bloed is alles diepblauw en paars. Joe draait zich om kijkt naar Lelijkerd Tom, zegt iets.

Ze is flink gewond.

Ik weet het. Ik heb haar gevonden.

Toen was ze er net zo aan toe?

Ik weet het niet. Ik neem aan van wel.

Bewoog ze nog?

Misschien een beetje.

Joe wendt zich weer tot het meisje. Hij legt zijn hand op haar schouder. Hij praat rustig.

Jongedame?

Niets. Hij schudt haar zachtjes.

Jongedame?

Niets. Hij bekijkt nauwkeurig haar handen, ze zijn overdekt met vuil, er zit zand onder haar nagels. Hij wendt zich weer tot Lelijkerd Tom.

Wat moeten we volgens jou doen?

Als ik dat wist was ik je niet komen halen.

Ze ziet eruit als een straatkind. Ze heeft straathanden.

Dat dacht ik ook.

Je hebt veel straatkinderen in de buurt van de promenade.

Maar niet hier. Hier horen ze niet.

We kunnen er niets tegen doen.

Ze zorgen altijd voor problemen als ze hierheen komen.

Het draait in het leven om problemen.

Ja, dat weet ik. Daarom drink ik en woon ik in een slaapzak.

Joe knikt, wendt zich weer naar het meisje, kijkt naar haar. Ze haalt lang-zaam adem, ze beweegt niet. In haar haar zitten rode strepen. Het bloed op haar gezicht is ingedroogd en aangekoekt. Hij kijkt op naar Tom.

Heb je geld bij je?

Hoezo?

Ik wil naar de slijterij en een fles goedkope chablis kopen.

Ik heb geen geld.

Je weet waar ik m'n extra flessen verstop.

Nee.

Als ik het je zeg en er beginnen flessen te verdwijnen, weet ik dat het aan jou ligt.

Ik vind chablis niet lekker.

Als er alcohol in zit, vind jij het lekker.

Ja, daar heb je gelijk in. Maar het enige wat ik nog viezer vind dan chablis is mondwater.

Je hebt geen smaak.

Chablis heeft geen pit. Ik drink omdat ik bezopen wil raken. Chablis heeft gewoon geen pit.

Ga een fles voor me halen. Ik heb er twee of drie in de spoelbak van mijn toilet.

Eentje maar?

Ja, eentje maar.

Goed.

Hier is de sleutel. Afsluiten wanneer je weggaat.

Joe voelt in z'n zak en overhandigt Tom de sleutel.

Vind je het goed als ik het toilet gebruik? Ik heb er al een poos geen gebruikt.

Waar ga je dan?

Meestal loop ik gewoon het water in.

Ja, ga maar en gebruik het toilet.

Dank je.

Lelijkerd Tom loopt weg. Oudje Joe manoeuvreert zo dat hij naast het meisje komt te zitten, zijn rug tegen de muur van het pand. Hij kijkt naar boven, staart naar de lucht, de zon is helemaal op, de lucht is van een volmaakt eindeloos blauw. Joe staart, haalt adem, wacht.

Dertig minuten later komt Lelijkerd Tom terug, geeft Joe zijn sleutel zijn fles hij gaat terug naar zijn slaapzak in de hoek van het parkeerterrein. Joe maakt de fles open, ruikt aan de wijn, neemt een teugje, houdt het op zijn tong en proeft het, houdt het op zijn tong tot zijn mond verzadigd is van de smaak, slikt het door. Het meisje heeft niet bewogen. Ze ligt op het beton, haar borstkast gaat langzaam omhoog, langzaam omlaag. Hij drinkt. Hij staart. De lucht is blauw en het is warm en helder en het wordt warmer en helderder. Hij wacht.

In 1901 bereikt de eerste grote golf met omstreeks 1000 Japanse immigranten Los Angeles. Ze stichten een gemeenschap in het centrum, vlak bij Chinatown. Op dat moment hebben alle belangrijke etnische groepen in de stad, negers, blanken, Mexicanen, Chinezen en Japanners hun eigen afzonderlijke gemeenschappen. De gemeenschappen mengen zich niet of nauwelijks. De contacten die er zijn leiden dikwijls tot geweld.

Soms had ze geld, soms niet. Soms had ze het verdiend, vaker kreeg ze het ze begreep meestal niet waarom.

Ze had liefde gekend.

Haar hart was gebroken.

Ze had op drie continenten gewoond in zes landen in zeventien steden in zevenentwintig flats, ze had geen thuis, geen thuis, geen thuis.

Neerslachtigheid, zelfhaat, angst waren haar enige vrienden.

Soms sliep ze zestien uur per dag, soms helemaal niet.

Ze at haar biefstuk halfrauw, haar kip gebakken, dronk rookte at.

Ze reed hard als het regende, langzaam als de zon scheen.

Veiligheid en vrede waren slechts kortstondig haar deel. Ze wist nooit wanneer of waarom ze zou stoppen ongeacht waar ze was of waarmee ze bezig was, ze zou stoppen en langzaam en diep inademen, stoppen en langzaam en diep inademen, zich veilig voelen, zich vredig voelen.

Ze zocht altijd naar vervoering. Onder vrouwen, mannen, boven op hen voor hen in hen in haar. Het was altijd lichamelijk. Ze had gehoord dat er meer was, sommigen zochten het, ze had het gehoord, dat er meer was, ze had het gehoord.

**

Ze wilde er niet heen. Weer een feestje in LA vol kleren en juwelen en ironie en wanhoop. Haar vriendin belde haar zes keer voor het middaguur, zei kom alsjeblieft kom alsjeblieft, ik wil er niet alleen heen kom alsjeblieft. Haar vriendin wilde met een producent of een regisseur of een acteur spreken iedereen die rijk en beroemd was, met hem naar het toilet gaan en hem naaien, bij hem intrekken en hem naaien, hem laten zitten en hem aanklagen en hem naaien. Ze probeerde dat al vier jaar, ze was naar honderden feestjes geweest, had heel veel porselein gezien, een stel grote huizen, niet veel meer.

Ze belt weer op. Weer. Weer. Ze belt weer op.

Hallo?

Kom alsjeblieft.

Waarom?

Ik heb je daar nodig.

Nee hoor.

Wel.

Waarom?

Daarom.

Het zal net zo gaan als altijd. Ik word ziek van die feestjes.

Welnee.

Jawel.
Een halfuurtje dan. Als het je niet bevalt kun je weg.
Het zal me niet bevallen.
Toch wel.
Nee.

***

In 1996 zou de rit vijftien minuten hebben gekost. In 2005 kost het een uur.
Ze rijden langzaam langs snackbars, winkelcentra, schadeherstelbedrijven.
Haar vriendin rijdt en rookt en praat ze praat altijd maar door. Aan de ene
kant doemen de Hills op. Aan de andere kant strekken zich eindeloos ver de
Flatlands uit. Het is heet. De airconditioning staat hoog. Zij staart het raam
uit. De trottoirs zijn leeg, zoals altijd, de lucht is blauw, zoals altijd. Haar
vriendin praat door.

***

Zij zit op een sofa in de tuin. Drie mannen hebben haar hun telefoonnum-
mer gegeven, een heeft aangeboden foto's van haar te maken, iedereen met
wie ze sprak heeft gevraagd wat ze doet voor de kost. Ze drinkt, probeert te
beslissen of ze dronken zal worden, of hoe dronken, ze is van plan coke te ne-
men ze weet dat het er is.
Hi.
Ze kijkt op. Lang mager donker haar donkere ogen. Te lage broek, opzette-
lijk toegetakelde tennisschoenen, een loshangend zwart T-shirt.
Hi.
Gaat het goed?
Zeker.
Je herinnert je me niet.
Nee.
Hij glimlacht. Ze kijkt naar hem. Niets.
Ken ik je?
Ja.
Hoe.
Hij glimlacht nog steeds. Hij draait zich om en loopt weg.

***

Ze kijkt naar hem. Hij flirt met meer vrouwen. Hij lacht met zijn twee vrienden, de ene drinkt, de andere rookt wiet. Hij eet vier cheeseburgers. Hij
drinkt binnenlands bier uit een blikje. Hij weet dat zij naar hem kijkt. Het
lijkt hem niet te deren. Ze probeert te bedenken waar, wanneer, of hij onder
de hasj zit, of ze met hem naar bed is geweest. Ze kijkt naar hem. Hij flirt met
meer vrouwen en lacht met zijn vrienden.

93

Het is donker. Ze is aan haar vierde drankje toe. Ze zit in het huis, op een La-Z-Boy die ze helemaal heeft uitgevouwen. Er staat nog een La-Z-Boy naast haar, een mooiere, helemaal van zwart leer met bekerhouders, ingebouwde afstandsbediening voor de televisie, een systeem om je schouders en lendenen te masseren. Hij neemt erop plaats, draait de stoel half om zodat hij recht tegenover haar zit. Hij zegt iets.

Je hebt in Indianapolis gewoond.

Daar kom je vandaan?

Nee hoor. Je hebt ook in Barcelona gewoond.

Ik weet dat je geen Spanjaard bent.

En je hebt in Boston en Atlanta gewoond.

Geen accent, dus je komt niet uit een van die twee kutplaatsen.

Ik kom uit Albany.

Albany?

Waar jij in de eerste, de tweede, de achtste en de negende klas op school zat.

Ik ging naar een school die alleen voor meisjes was.

Met mijn zus. Ik was een jaar ouder, ik ging naar de jongensschool.

En je zus heette?

Hij glimlacht weer, staat op, loopt weg.

Haar vriendin wil weg. Zij wil blijven. Haar vriendin zegt dat er nog een feest is. Ze zegt haar vriendin er zonder haar heen te gaan.

Hij speelt pingpong in de achtertuin. Ze kijkt naar hem door een glazen schuifdeur. Hij speelt goed, heeft een mooie spin in zijn service. Hij weet dat zij naar hem kijkt.

Hij gaat weg bij de tafel al heeft hij niet verloren. Hij loopt naar binnen. Zij kijkt naar hem, hij glimlacht naar haar. Ze zit aan een tafel met een groep mensen die ze niet kent. Ze praten over agenten en audities, vrienden die beroemd zijn geworden en hen zijn vergeten. Vlak voor haar houdt hij halt.

Kom met me mee naar buiten.

Waarom?

Omdat ik dat wil.

Waarom?

Hij glimlacht neemt haar hand. Hij helpt haar uit de stoel omhoog. Hij leidt haar naar de deur en opent die en ze lopen naar buiten.

Ze hebben twintig minuten onder een lamp voor de deur gestaan. Eenmaal buiten draaide hij zich naar haar toe en legde zijn handen op haar middel en leunde naar haar toe en kuste haar zachtjes. Ze verzette zich niet, kon zich niet verzetten, hij voelde goed, rook goed, proefde goed. Zij kussen, hun monden gaan langzaam open, gaan op onderzoek uit, hun handen bewegen langzaam, hun lichamen spannen en ontspannen, hun lichamen worden intiemer, intiemer, intiemer.

In 1873 start de eerste krant van de stad, de *Los Angeles Daily Herald*. Hoe men ook z'n best doet, het dagblad verschijnt in feite maar een paar keer per week. In 1890 gaat de krant failliet en verdwijnt. Een paar maanden later begint men opnieuw, nu onder de naam de *Los Angeles Herald*.

Ze ontmoetten elkaar toen ze elf waren. Ze zaten allebei in de vijfde klas, ze waren allebei net verhuisd naar Inglewood, ze begonnen dezelfde dag op school. Hij kwam uit Watts en zij kwam uit Long Beach. Hun moeders, die beiden hun kinderen alleen opvoedden, verhuisden, op zoek naar in elk geval een béétje betere scholen en veiliger buurten. Er waren banen in Inglewood, veel bij het Forum, het stadion waar de Lakers en de Kings speelden en dat sindsdien een enorme kerk werd, en bij Hollywood Park, een renbaan naast het Forum, waar gokkers uit de middenklasse kwamen om de paardjes te bekijken, weddenschappen af te sluiten en dronken te worden.

LaShawn was een reus voor zijn leeftijd, heel lang en heel zwaar. Zijn huid was buitengewoon donker, en hij kon op leraren en andere leerlingen buitengewoon veel indruk maken. De mensen namen meestal aan dat hij ouder was dan hij was en, vanwege zijn afmetingen, dat hij een achterblijvertje was op school. In werkelijkheid was hij bijzonder intelligent, het grootste deel van zijn vrije tijd bracht hij door met lezen, en hij was buitengewoon zachtaardig. Zijn moeder had hem bijgebracht dat zijn afmetingen een verantwoordelijkheid met zich meebrachten om aardig te zijn. LaShawn luisterde altijd naar zijn moeder.

Anika was zijn tegenpool, klein en teer, haast fragiel. Ze had een huid met de kleur van melkchocolade, bleekgroene ogen, met een ervan keek ze af en toe scheel, haar haar droeg ze in lange, dunne vlechten, waarvan ze meestal een paardenstaart maakte. Ze was vrolijk en gezellig, spraakzaam en welbespraakt, de mensen spraken vaak gunstig over haar charme en intelligentie. Ze stak in de klas altijd als eerste haar hand op, bood altijd aan om leerlingen met moeilijkheden te helpen of hen bij groepsactiviteiten te begeleiden. Terwijl jongens en ook leraren haar op handen droegen, voelden sommige meisjes zich door haar geïntimideerd of waren jaloers op haar. Ze scholden haar uit, stuurden haar akelige briefjes, treiterden haar als er verder niemand bij was. Haar moeder had haar gewaarschuwd dat dit haar vermoedelijk zou overkomen, en ze zei haar dat ze haar best moest doen om mensen die haar slecht behandelden te negeren en hen, zoals Jezus het noemde, de andere wang toe te keren. Anika gehoorzaamde haar moeder altijd, en ze gehoorzaamde Jezus altijd.

Ze werden vrienden tijdens de lunch. LaShawn zat altijd alleen de andere kinderen waren te geïntimideerd om bij hem te gaan zitten. Elke dag zat hij te neuriën onder het eten of soms zachtjes te zingen, liederen en gezangen die hij thuis of in de kerk had geleerd. Zijn stem was zacht en aan de hoge kant, hij klonk jonger en kleiner dan hij in werkelijkheid was. Toen ze hem voor het eerst hoorde, was Anika verbaasd. Ze was bang geweest voor LaShawn, al had hij niets gedaan om haar bang te maken. Toen ze vaker luisterde, raakte ze betoverd, haast verslaafd. Voortaan ging ze aan de tafel naast hem zitten zodat ze naar hem kon luisteren, als de tafel niet vrij was zocht ze een andere op gehoorsafstand van hem. Wanneer hij niet op school was, wat zelden voorkwam, werd ze ongerust, geërgerd, bezorgd. Ze vroeg zich af waar hij uithing wat hij deed ze ging tobben, werd bang. Op een dag, een paar maanden nadat ze voor het eerst naar hem was gaan luisteren, ging hij zitten, begon hij te eten, zonder te neuriën, zonder te zingen, zonder geluid te maken. Anika vroeg zich af wat er mis was. Hij had een boek bij zich hij at zijn sandwich, dronk een pakje sap, sloeg de bladzijden om. Zij staarde naar hem, hij leek zich niet van haar bewust. Ze stond op liep naar zijn tafel ging naast hem staan. Zij stond er een seconde, twee, drie, hij keek op, glimlachte, zei iets.

Hi.
Zij sprak.
Gaat het?
Hij knikte.
Met mij gaat het goed. En met jou?
Dat denk ik wel. Waarom zing je niet?
Ik lees een boek.
Maar je zingt altijd.
Vandaag niet.
Waarom niet?
Daarom niet.
Maar waarom?
Zomaar.
Zo kun je me niet afschepen.
Jawel hoor.
Vertel me nu gewoon waarom je niet zingt.
Omdat ik wilde zien of je het zou merken.
Stop met je spelletje.
Het is geen spelletje.
Welles.
Nietes.
Hoe kun je weten dat ik luister als je zingt?
Ik ben geen idioot. Ik zie je elke dag naast me zitten.
Dat is gewoon toeval.
Nietes.
Welles.
Waarom sta je dan hier om ernaar te informeren?
Zomaar.
Nee waarom?
Omdat ik daar zin in heb.
Ja hoor.
Hij wendde zich weer naar zijn boek. Zij stond daar. Hij nam een hap van zijn sandwich, sloeg de bladzij om. Zij legde haar hand op haar heup. Hij

nam nog een hap, bleef lezen. Zij zei iets.

Prachtig.

Hij bleef lezen. Zij sprak weer.

Ik zei prachtig.

Bleef lezen. Weer.

Ik zei prachtig.

Lezen. Weer.

PRACHTIG. PRACHTIG PRACHTIG PRACHTIG.

Hij keek op.

Wat is er prachtig?

Het is prachtig, jongen, ik vind dat verdomde zingen van je mooi.

Hij glimlachte.

Als je het wilt horen, kun je hier bij me komen zitten. Als je niet hier bij me komt zitten, begin ik er niet aan.

Ze draaide zich om, liep naar haar oude tafeltje, haalde het dienblad met haar lunch op, liep terug ging zitten, zei iets.

Goed, ga je gang.

Hij antwoordde.

Morgen pas. Vandaag bekijken we gewoon of we elkaar bevallen.

Stop met je spelletje.

Mijn mama zegt me dat je je moet inspannen als je wat wilt in het leven. Ik laat je je inspannen.

Je mama had je ook moeten zeggen dat als je een goed leven wilt, je vrouwen moet geven wat ze willen anders word je gek van ze.

Hij lachte, legde zijn boek neer, begon te neuriën. Ze zat kalm en luisterde en het werd dag in dag uit een ritueel ze zaten bij elkaar tijdens de lunch en hij neuriede en zong en zij zat bij hem en luisterde. Hun omgang strekte zich aanvankelijk niet verder uit dan de randen van hun lunchtafel. Als ze elkaar in de gangen zagen zeiden ze niets. Wanneer ze toevallig dezelfde les volgden, zaten ze aan de andere kant van het lokaal. In de schoolbus naar huis zat Anika achterin bij de populaire kinderen, LaShawn zat alleen vooraan. Andere kinderen vroegen Anika waarom ze met LaShawn at eerst zei ze omdat ze volgens hem niet alleen moest eten, later omdat hij volgens haar leuk was. De kinderen dachten dat ze gek was, ze waren nog steeds allemaal bang van hem. Elke dag leek hij groter. Elke dag was hij groter.

Een paar maanden nadat ze voor het eerst bij elkaar waren gaan zitten, liepen ze elkaar tegen het lijf in de supermarkt. Ze deden hun zaterdagochtendboodschappen met hun moeders, ze kwamen op hetzelfde moment terecht in de gang met ingeblikt voedsel, begonnen meteen naar elkaar toe te lopen, hun moeders waren achter hen. Terwijl ze elkaar naderden, begonnen ze te glimlachen, Anika begon te giechelen LaShawn begon te neuriën. Er gebeurde iets, het gebeurde in hen allebei, en ze wisten, zonder een sprankje twijfel, zonder enig voorbehoud en zonder enige argwaan, ze wisten.

Vanaf dat moment begonnen ze hun tijd vooral samen door te brengen. Ze deelden een plaats in de bus, liepen zij aan zij door de gangen op school, hielden hun lunchtraditie in stand, brachten hun middagen bij elkaar thuis door, de ene week bij haar de volgende bij hem, ze brachten hun avonden uren en uren aan de telefoon door ze konden praten over van alles en nog wat niets ze brachten hun avonden aan de telefoon door.

Hun moeders, die allebei hun kinderen nauwlettend in de gaten hielden, keurden de vriendschap goed, maar benadrukten allebei, omdat ze zelf als tieners zwanger waren geworden, dat het niet lichamelijk mocht worden, of dat het anders niet verder mocht gaan dan handjes vasthouden en kussen. De moeders raakten ook bevriend, ze waren allebei opgegroeid in gevaarlijke buurten met lage inkomens, ze hadden allebei hun kinderen gekregen voor ze van de middelbare school af waren, allebei waren ze in de steek gelaten door de vaders van de kinderen. Wanneer ze niet hoefden te werken, brachten ze de weekends soms met elkaar door, ze namen de kinderen mee naar het strand, het winkelcentrum, uit eten en naar een film, ze namen hen mee naar diverse delen van de stad, sommige rijk sommige arm sommige daartussenin, zodat ze de wereld buiten Inglewood te zien kregen.

Terwijl ze de school doorliepen, kregen ze allebei te maken met de verleidingen van drugs, bendes (vele bendes probeerden LaShawn erbij te krijgen vanwege zijn afmetingen), ze moesten vechten tegen het idee dat een goede leerling zijn en een goede burger eigenlijk maar niks was. LaShawn begon football te spelen, en vanwege zijn afmetingen, in de tiende klas was hij 1 meter 98 en woog hij 136 kilo, in de twaalfde klas was hij 2 meter 6 en woog hij 163 kilo, en vanwege zijn kracht en intelligentie, werd hij snel een ster. Anika richtte zich meer op haar studie, maar was ook een cheerleader. Ze wilden allebei in hun schoolraad en slaagden daar ook in, op zondag gaven ze les op hun respectievelijke zondagsscholen. Ook al hielden ze van elkaar en al voelden ze zich sterk met elkaar verbonden, gingen ze nooit verder dan handjes vasthouden en kussen. Ze geloofden dat ze hun hele leven voor zich hadden, en er alle tijd zou zijn.

Aan het eind van hun middelbareschooltijd begonnen ze serieus plannen voor de toekomst te maken. Ze konden allebei diverse beurzen krijgen, LaShawn voor de sport, Anika voor de wetenschap. Ze wilden samen naar een universiteit, zo mogelijk in Los Angeles blijven, in de buurt van hun moeders en in de buurt van hun gemeenschap. Omdat ze was opgegroeid in de tijd van de crack en ze met eigen ogen had gezien hoe de drug, zowel door de verslaving als het geweld, dat soms met bendes te maken had en soms niet, Inglewood en veel gemeentes in de omtrek kapot had gemaakt, besloot Anika dat ze iets wilde studeren dat haar in de gelegenheid zou stellen terug te komen en van haar woonplaats een beter en veiliger oord te maken. LaShawn wilde de universiteit gebruiken als een springplank naar de Nationale Football Competitie, daar dacht hij genoeg geld te kunnen verdienen om hun enige financiële zekerheid te bieden.

Ze besloten naar de University of Southern California te gaan, een particuliere instelling die in hoog aanzien staat, met 30.000 studenten, een kilometer of wat ten zuidwesten van het centrum van LA. Het is een mooi complex, met neoklassieke gebouwen en wandelpaden met palmen, eromheen heb je ruige buurten met lage inkomens, de meeste inwoners verdienen minder dan het jaarlijkse collegegeld. Anika schreef zich in voor een voorfase van de medicijnenstudie, LaShawn begon aan gewichtheffen te doen. Hij geloofde dat als hij nog sterker werd hij hier, met een van de beste footballteams in het land, genoeg op zou vallen om als prof te kunnen spelen. Na het eerste jaar zat hij in het eerste *offensive team*, Anika hoorde bij de beste studenten. Omdat de meeste van de overige studenten op haar opleiding naar middelbare scholen waren gegaan die meer aanzien genoten en die beter aansloten op de universiteit, moest Anika hard werken om hen in te halen en nog harder om hen bij te houden. Hoewel hij niet werd betaald, en hij ook naar college moest, besteedde LaShawn al zijn tijd aan oefenen en trainen. Voor elkaar hadden ze naast de studie en het football nauwelijks of geen tijd. Een keer per maand gingen ze samen uit, gewoonlijk een wandeling over de campus, een gratis film in het universiteitstheater, een etentje in een restaurant buiten de campus. De ochtend na het afspraakje werden ze wakker en begon hun dagelijks leven weer.

's Zomers gingen ze allebei terug naar de huizen van hun moeders. Anika werkte als vrijwilligster in een plaatselijk ziekenhuis, LaShawn trainde voor het nieuwe footballseizoen. In de zomer voor zijn laatste jaar, waarin hij naar men aannam tot de beste aanvallers zou behoren aan de Amerikaanse universiteiten en hij geselecteerd zou worden voor de Nationale Football Competitie, raakte hij betrokken bij een auto-ongeluk toen hij naar huis terugkeerde vanaf de sintelbaan van de plaatselijke middelbare school. Een auto vol bendeleden die de plaats van een schietpartij ontvluchtten reed door rood en raakte de zijkant van zijn auto met honderd kilometer per uur. Beide auto's waren total loss en drie van de vier criminelen overleden. LaShawn brak acht ribben en allebei zijn benen, hij had een gecompliceerde breuk in zijn rechterdijbeen. Anika was in het ziekenhuis toen hij per ambulance op de Eerste Hulp werd binnengebracht. Hij brulde en schreeuwde, er staken botten uit het vlees bij zijn dij.

Er waren vier operaties nodig om zijn benen weer heel te krijgen. Zijn footballcarrière was voorbij. De artsen maakten zich zorgen dat zijn benen, ook al waren ze genezen, vanwege zijn enorme omvang en hun verzwakte toestand, niet tegen zijn gewicht bestand zouden zijn en hij niet zou kunnen lopen. Hij werd overgebracht naar het USC ziekenhuis voor verdere behandeling en om met revalidatie te beginnen waarvoor, al zou hij nooit meer spelen, zijn faculteit de kosten wilde betalen. Het was een langzaam en inspannend proces. Het kostte drie maanden om de zwelling weg te krijgen. De pijn was ondraaglijk, en hij werd lichamelijk afhankelijk van pijnstillers, hij moest ze in enorme hoeveelheden innemen wilden ze bij hem enig effect hebben. Hij ging van de universiteit af, en omdat hij zich helemaal gericht had op football, wist hij niet goed wat hij eventueel zou gaan doen als het tijd was om terug te gaan. Anika bracht al haar vrije uren in zijn kamer door, sliep vaak in een stoel naast zijn bed, studeerde als hij sliep, als hij naar de revalidatie was. Toen hij van de pijnstillers af moest, bleef ze bij hem, legde koude kompressen op zijn voorhoofd, hield zijn bevende handen vast, hielp het braaksel van zijn kleren en de lakens weg te halen, troostte hem wanneer hij begon te schreeuwen. Toen de ontgifting voorbij was, kwamen de woede en de neerslachtigheid. Hij had een prachtige carrière voor zich gehad, waarbij hij in afgeladen stadions zou hebben gespeeld en miljoenen dollars zou hebben verdiend. Het was weg, terugkeer uitgesloten. Al zijn dromen waren verbrijzeld, al zijn verwachtingen verwoest, al zijn harde werk kapot door een auto vol met de lui die hij heel zijn leven had proberen te mijden. Misschien kon hij nooit meer lopen, en hij wilde dood, en wanneer hij niet dood wilde, wilde hij iemand vermoorden.

Het was een lang, wreed jaar, Anika dacht aan weglopen zo veel keer kon ze zich niet voorstellen dat ze terug zou gaan naar LaShawns kamer, al brak iedere keer haar hart wanneer ze de deur uit liep ze ging toch. Lichamelijk en geestelijk verviel hij, hij raakte vijftig kilo kwijt, herkende zichzelf niet als hij in de spiegel keek, hij zei dat z'n vertrouwen weg was, zijn gevoel van eigenwaarde weg was. Ze deed wat ze kon om hem op te krikken, ze zei hem iedere keer als ze kwam en iedere keer als ze ging dat ze van hem hield, ze zei dat het best goed met hem zou komen, hij moest het gewoon geloven, het zou best goed met hem komen. Ze wist dat ze niet meer kon doen. Hij zou verder alles zelf moeten doen.

Bij de revalidatie kwam er een omslag, hij probeerde zijn knie te buigen het lukte niet, hij begon te zeiken, te jengelen en te klagen. Een stukje verder zei een voormalig bendelid, een man die in de ruggengraat was geschoten en nooit meer zou kunnen lopen, dat hij godverdomme zijn bek moest houden en op moest houden met zijn gezeik. LaShawn schrok. De man zei dat hij wist wie LaShawn was, dat ze uit dezelfde buurt kwamen, dat hij hem football had zien spelen sinds hij een kind was. Hij zei dat LaShawn zwak was, dat wat er ook gebeurd was er ergere dingen in het leven waren dan geen geld en roem hebben en het verdere gelul waarover LaShawn jammerde, dat hij dankbaar moest zijn dat hij z'n benen nog kon gebruiken, Anika nog had, nog de mogelijkheid had om zijn studie af te maken, nog een kans had om te leven zonder bendes, drugs en geweld, dat was meer dan veel van de mensen in hun buurt hadden of ooit zouden hebben.

Twee maanden later werd hij ontslagen uit het ziekenhuis en hij liep, al kwam hij niet verder dan honderd meter of zo. Hij was erbij toen Anika afstudeerde, in vier jaar tijd met lof. De dag nadien knielde hij op een knie en vroeg haar, met een ring gekocht van geleend geld. Een maand later trouwden ze, in een doopsgezinde kerk in Inglewood. Ze hadden geen geld voor een huwelijksreis, maar een rijke oud-student van het USC, tevens een groot footballfan, bood hun een week zijn strandhuis in Malibu aan. Na jarenlang elkaars lichamen te hebben genegeerd, brachten ze die week vooral in bed door.

Anika begon in het najaar aan de medische faculteit van het USC. LaShawn keerde terug om zijn lesbevoegdheid te halen. Om hun inkomen aan te vullen en de medicijnenstudie mogelijk te maken, gaf Anika les aan studenten en werkte LaShawn voor het footballteam. De dagen waren lang en inspannend, ze zaten achttien uur in lokalen om college te geven of te krijgen, de overige zes uur sliepen ze, ze waren altijd moe, altijd moe. Aan het eind van Anika's tweede jaar op de medische faculteit en net voor LaShawn zijn lesbevoegdheid zou halen, werd Anika zwanger. Dat verraste hen omdat ze dachten dat ze, wanneer ze tijd hadden om intiem met elkaar te zijn, voorzichtig waren geweest.

Ze waren allebei ontroerd, net als hun moeders, die graag op de baby pasten wanneer Anika op school was. LaShawn, die gestopt was met zingen en neuriën toen hij begonnen was met football, begon weer, hij legde zijn hoofd tegen Anika's buik aan en zong hun ongeboren kind zachtjes toe. Anika grapte dat het kind meer van haar genen zou moeten hebben dan die van LaShawn want een baby die op hem leek zou nooit uit haar lichaam kunnen komen. Vrienden, medestudenten en collega's legden geld bij elkaar en hielpen hen bij de aanschaf van een wieg, een kinderstoel, een verschoningstafel, ze verhuisden naar een goedkoper, maar groter appartement en LaShawn schilderde een van de kamers geel, roze en blauw.

De baby werd geboren in februari, het was een meisje, klein en licht zoals Anika. LaShawn huilde toen hij haar voor het eerst vasthield, zij was tien minuten oud, hij hield haar gewoon tegen zijn borst zijn handen beefden en zijn ledematen trilden en hij huilde. Ze noemden haar Keisha. Ze ging drie dagen na haar geboorte mee naar huis met haar ouders. Anika nam een week vrij van school maar studeerde wel door, las wel door, ging door met cijfers geven aan de studenten aan wie ze lesgaf.

Anika's opleiding is bijna afgerond, wanneer ze klaar is wil ze ergens in Los Angeles stage lopen. LaShawn doet zijn plicht als de grootste thuisvader van Californië, hij kan zijn dochter nog steeds in de palm van een van zijn handen vasthouden. Als de stage voorbij is, gaan ze weer in Inglewood wonen, en op een gegeven moment wil LaShawn proberen een baan te krijgen als leraar en als footballtrainer op zijn vroegere middelbare school. Hij loopt mank en zal dat altijd blijven doen, zo nu en dan herkent iemand hem en vraagt om een handtekening, wat hij tegelijk fijn en afschuwelijk vindt. Anika specialiseert zich in verloskunde en vrouwengeneeskunde, ze wil jonge alleenstaande zwarte vrouwen behandelen, hen helpen een nuttig leven te leiden en nuttige kinderen groot te brengen. Een keer in de maand gaan ze met z'n tweeën uit, een wandeling, een film, een etentje. Minstens een keer in de week werken ze aan gezinsuitbreiding. Op zondag gaan ze met hun moeders naar de kerk. Ze danken God voor het leven dat ze samen hebben. Ze danken voor de dromen die in vervulling zijn gegaan, ze proberen de dromen te begrijpen die onvervuld bleven, ze bidden voor de dromen die ze nog hebben, de dromen waaraan ze 's nachts denken, als ze samen in bed liggen, hun dochter slaapt vlakbij.

In 1886, als ze op huwelijksreis zijn, besluiten Hobart Johnston Whitley en Margaret Virginia Whitley hun landhuis Hollywood te noemen. Het huis staat buiten Los Angeles, in de buurt van de Cahuenga Pas. Als zich meer mensen beginnen te vestigen in het gebied rond hun huis, koopt Whitley, die in het hele land meer dan 100 afzonderlijke gemeentes heeft gesticht, grote stukken grond en voegt het hele gebied samen tot de stad Hollywood. Hij laat later het Hollywood Hotel bouwen en verkoopt al zijn grond aan ontwikkelaars.

Jack en Dan zitten aan een bar in Culver City, een gemeente voor de lagere middenklasse en allerlei rassen ten oosten van het strand, ten zuiden van Beverly Hills, en ten westen van het eigenlijke Los Angeles, die wordt gedomineerd door de Sony Studio's, vroeger de MGM Studio's, die zich vrijwel precies in het midden ervan bevinden, en door enorme aantallen hamburgerrestaurants, meubelzaken en flatgebouwen uit de jaren zestig en zeventig. Jack en Dan zijn allebei voor in de dertig. Jack is decaan op een openbare middelbare school voor lage inkomens, Dan is advocaat voor de American Civil Liberties Union en werkt voor de Democratische Partij van de agglomeratie Los Angeles. Ze zijn allebei in de buurt opgegroeid, zijn hun hele leven vrienden geweest, gingen samen naar de lagere school, de brugschool en de middelbare school, gingen samen naar college aan Cal State-LA. Ze komen allebei uit gezinnen uit de lagere middenklasse en moesten werken om hun studie te betalen, Jack in een van de cafetaria's van de universiteit, Dan bij een onderhoudsploeg. Toen ze klaar waren, namen ze samen een flat, een appartement met twee slaapkamers in een verwaarloosd complex ingeklemd tussen een handelaar in gebruikte auto's en een winkelgalerij. De afgelopen zes jaar hebben ze in de flat gewoond. Tot een van hen trouwt, wat niet op korte termijn zal gebeuren, blijven ze er wonen.

De meeste avonden gaan ze naar de bar. Zitten naar honkbal of basketbal te kijken en van hun bier te genieten. Ze bekijken elke vrouw die in de bar komt, soms gaan ze naar hen toe, een enkele keer belandt een van hen in bed met een van de vrouwen. Ze zien er allebei goed uit. Jack is lang en lenig hij heeft blauwe ogen en zwart haar. Dan is iets korter, zwaarder omdat hij drie keer per week gewichten tilt, hij heeft kort zwart haar, bruine ogen en een crèmekleurige huid, zijn vader was zwart zijn moeder blank. Geen van beiden heeft ooit moeite gehad vrouwen te bekoren. Samen gaat het helemaal gemakkelijk.

Het is een rustige avond. De bar is vrijwel leeg, de Lakers zijn op tv ze worden ingemaakt door de Cavs. Jack en Dan zijn allebei moe. Hoewel de onroerendgoedhausse van de vroege 21e eeuw positief uitpakte voor Culver City, en zo het niveau van de leerlingen op zijn school steeg, besteedt Jack nog steeds een groot deel van zijn tijd aan pogingen de orde in de gangen en de gemeenschappelijke ruimtes van de school te handhaven. Vandaag beëindigde hij drie vechtpartijen, een tussen Spaanstalige leerlingen en blanke leerlingen, een tussen Aziatische leerlingen en een groep zwarte, blanke en Spaanstalige leerlingen, een tussen zwarte leerlingen en Arabische leerlingen. Dan was de hele dag in de rechtszaal om te vechten voor de rechten van illegale vreemdelingen. Jack zegt iets.

Vanavond moeten ze winnen. Voor ons. Om onze kutdag goed te maken.

Dan reageert.

Ik betwijfel of zij het ook zo zien.

Dat zouden ze wel moeten doen. Wij zijn hun echte fans, hun draagvlak. Die klootzakken van filmsterren die op de eretribune zitten zijn mooiweersupporters. Ze gaan alleen naar de wedstrijden om op de foto te komen.

Zij kunnen tenminste hun kaartjes betalen. Wij niet.

Daarom zouden ze voor ons, de werkende man, de middenklasse, moeten winnen.

Denk je echt dat het hen interesseert? Ze verdienen ieder jaar miljoenen. Het maakt hun geen reet uit.

Het interesseerde hen vroeger wel.

Wanneer?

Toen Magic speelde.

Die tijd is allang voorbij.

Het was anders een goede tijd.

Maar verdomd lang geleden.

Ik wou dat ik goed was geweest in basketbal.

Een blanke ijdeltuit die nog geen 1 meter 85 is? Uitkomen voor de Lakers? Misschien als je in Indiana was opgegroeid. Hier zouden ze je niet eens een kans geven voor het team van de middelbare school.

Ik kreeg wel een kans.

En toen?

Ik moest er aan het eind van de eerste dag uit.

Ze lachen allebei. De deur van de bar gaat open. Een aantrekkelijke blonde vrouw van voor in de 40 loopt naar binnen, Dan bekijkt haar in de spiegel achter de bar. Hij begint iets tegen Jack te zeggen kijkt weer in de spiegel, ziet dat de vrouw naar een tafeltje in de hoek loopt en gaat zitten. Hij draait zich om, kijkt nauwkeuriger, wendt zich weer tot Jack, zegt iets.

Is dat Susanne Carter niet?

Nou en?

Weet jij wie zij is?

Een blondje van middelbare leeftijd die negen jaar geleden supersexy was en haar best doet om gracieus ouder te worden?

Zij is de vrouw van Thomas Carter.

Het Congreslid?

Jawel.

Die vent uit de provincie Orange?

Jawel.

Welnee.

Het is haar.

Waarom zou de vrouw van een Congreslid in deze kuttent zitten?

Geen idee.

Het is haar niet.

Het is haar wel.

Spreek haar aan.

Wat moet ik zeggen?

Vertel haar dat je een bewonderaar van haar echtgenoot bent.

Dan lacht.

Ja hoor.

Zeg haar dat je de lichte stukken in haar haar leuk vindt, dat de blonde stroken subtiel en ontwapenend zijn.

Dat is een goede babbel.

Vraag haar of ze een drankje wil.

Hij wijst naar haar tafel, waar een serveerster net een cocktailglas neerzet.

Zo te zien heeft ze er al een.

Ga haar gewoon vragen of ze tien minuten naar het toilet wil en een heerlijke tijd.

Waarschijnlijk heeft ze ergens veiligheidsmensen. Die gaan me neerschieten.

Ik zie geen mens.

Ik heb zwart bloed in mijn aderen. Als ze net zo denkt als haar echtgenoot, heeft ze een wapen bij zich en schiet ze me neer.

Ga het haar gewoon vragen.

Dan kijkt in haar richting. Ze zit alleen. Ze geniet van haar drankje. Ze maakt een eenzame indruk.

***

Zij glimlacht en zegt ja ze eindigen in het herentoilet. Het is klein en krap er is een wc en een urinoir en een wastafel samengeperst in een ruimte zo groot als een kleerkast. Hij duwt haar tegen de deur hun monden staan open ze duwen, vechten hun handen graaien en zoeken een van zijn handen zit in haar blouse de andere wrijft overal over haar blouse, haar beide handen zijn bezig met de knopen van zijn broek. Hij opent de knoopjes van haar blouse opent het haakje van haar bh begint te likken en te bijten. Zij laat zijn broek op de vloer vallen trekt zijn hoofd van haar borst weg en gaat op haar knieën zitten.

***

Zij komt de volgende avond terug.

Ze ontbreekt tijdens het weekend, komt op maandag terug.

Hij neemt haar mee naar buiten op woensdag, ze gaan een steegje in achter de bar.

Op donderdag belanden ze op de achterbank van haar auto.

Ze spreken niet tegen elkaar. Ze hebben nooit namen of nummers uitgewisseld. Ze komt gewoon en glimlacht en neemt hem bij de hand en zegt hem wat ze wil.

***

Wekenlang blijft ze weg. Dan mist haar, mist haar smaak en haar geur, haar handen lippen en tong, mist het in haar te zijn. Hij kijkt naar het nieuws en leest de kranten, zoekt gegevens over haar op internet, probeert haar zo dicht te naderen als hij kan. Zij voert campagne met haar echtgenoot, die kandidaat is voor een derde termijn in het Congres. Hij is een conservatief die een conservatief kiesdistrict vertegenwoordigt, hij is evangelisch geworden, antiabortus, prowapens, steunt de oorlog in Irak en steunt de gedachte aan toekomstig agressief optreden in het Midden-Oosten. Hij gelooft in creationisme en bidden op openbare scholen, gelooft dat homoseksualiteit een geneeslijke ziekte is en dat alle homo's en niet-christenen na hun dood eeuwig in de hel zullen branden. Zijn tegenstander is gematigd en heeft absoluut geen kans om te winnen. Desondanks zamelde de senator enorm veel geld in voor zijn campagne en maakte hij veel reclame op televisie, op de radio en in kranten waarin hij alles aanviel vanaf zijn haar en kleding tot zijn vrouw, kinderen en huwelijk. Hoe verdedigt de senator al deze reclame? Op een dag gaat God over hem oordelen, dat kan ik net zo goed nu doen.

**

Jack en Dan zitten aan de bar. Ze drinken allebei bier. Jack zegt iets.
Heb je haar gezegd wat voor werk je doet?
Dan antwoordt.
Nee.
Vind je niet dat dat moet?
Nee.
Waarom niet?
Omdat we nooit praten. En omdat het er niet toe doet.
Denk je dat echt?
Zeker.
Zou je haar neuken als haar echtgenoot in hypotheken of in verzekeringen deed?
Nee.
Zou je haar ook maar hebben aangesproken?
Nee.
Dan doet het er wel toe.
Misschien voor mij, maar niet voor haar.
En voor haar echtgenoot?
Vermoedelijk weegt het voor hem zwaar. Om een aantal redenen.

**

De volgende avond daagt ze op. Dan is verrast omdat hij weet dat het Congres nog zitting heeft. Terwijl hij aan de bar zit, benadert ze hem van achteren fluistert – laten we gaan, nu meteen – in zijn oor.
Ze vertrekken. Stappen in haar auto. Hij wil een kamer in een motel nemen

hij begint te rijden. Ze laat hem bepalen waar ze heen gaan. Wanneer ze bij een motel komen, parkeren ze en zij put hem uit. Hij stapt uit, gaat de hal in, neemt een kamer. Terwijl hij naar de kamer loopt, stapt zij de auto uit en volgt hem de kamer in. Hij doet de deur dicht en zij ligt op hem. Wanneer ze klaar zijn gaan ze in bed liggen. Haar hoofd rust op zijn borst. Er komt een streepje licht door een scheur in de gordijnen. Hij zegt iets.
Je hebt me nooit gezegd hoe je heet.
Ze antwoordt.
Heb je een reden dat je het moet weten?
Het zou fijn zijn als er een naam bij je gezicht hoort.
Bij mijn gezicht?
Onder meer.
Ik heet Jane.
Jane hoe?
Jane Alleen.
Hij lacht.
Vind je dat grappig?
Een beetje.
Het was niet als een grapje bedoeld.
Goed.
Het is belangrijk voor me dat je mij kent als Jane Alleen. Ik kom naar de bar. Wij besluiten waar we eventueel heen gaan. Ik laat je alles met me doen wat je wilt. Ik blijf daarmee doorgaan zolang jij me ziet als Jane Alleen.
Dat kan ik niet.
Waarom niet?
Ik werk voor de American Civil Liberties Union en de Democratische Partij.
Ze gaat overeind zitten, staart hem aan. In haar ogen zie je ontzetting en woede, die verspreiden zich over haar gezicht.
Je houdt me godverdomme voor de gek.
Nee.
Wat doe je voor werk?
Ik ben advocaat.
Zij staart hem even aan, staat op, trekt haar kleren aan, loopt weg. Wanneer ze weg is, gaat hij overeind staan en schuift het gordijn open en kijkt hoe ze naar haar auto loopt en in haar auto stapt en wegrijdt van het parkeerterrein.

***

Jack en Dan zitten aan de bar. Ze drinken allebei bier. Jack zegt iets.
Ben je verbaasd?
Dan antwoordt.
Zeker.
Waarom?
We hadden iets.
Jack lacht.

Je hebt één keer met haar gepraat.
Nou en?
Veel kan er dus niet geweest zijn.
Ik hou van haar.
Jack lacht weer.
Je houdt me godverdomme voor de gek.
Dan schudt het hoofd.
Nee. Ik hou van haar.
Je krijgt haar nooit meer te zien.
Waarschijnlijk niet.
Daarom houd je van haar. Die ellende krijg je als je gedumpt wordt. Dondert niet of je al dan niet van die persoon hield, als ze je dumpen, ga je naar ze verlangen en ze missen en van ze houden en krijg je al die ellendige gevoelens die je waarschijnlijk niet had als je bij hen was. Het is maf en idioot, maar zo gaat het nu eenmaal.
Ik ken dat syndroom goed. Maar het zit anders.
Hoe zit het dan?
Als ik het wist zou ik me behaaglijker voelen. Dat is een deel van het probleem. En het maakt niet uit dat we nauwelijks hebben gepraat. Als we samen waren was er iets, dat onverklaarbare iets, en ik voelde het, voelde het heel sterk.
En jij vindt dat liefde.
Dat vind ik niet. Ik weet het.
En het maakt niet uit dat ze met die klootzak van een antichrist is getrouwd.
Nee.
En ook niet dat ze altijd bij hem zal blijven.
Nee.
Je spoort niet, kerel.
Ja.

***

Hij kijkt naar de uitslagen op de verkiezingsdag. Haar echtgenoot behaalt een verpletterende overwinning.

***

Vijf maanden later. Jack en Dan zitten aan de bar. Ze drinken allebei bier, kijken hoe de Dodgers de Giants in de pan hakken. Jack zegt iets.
Wat een flop die Giants.
Dan antwoordt.
Zeker.
Denk je dat ze ooit iets goeds laten zien?
Hopelijk niet.
De deur van de bar gaat open, zij loopt naar binnen, Dan ziet haar in de spie-

gel. Hij glimlacht, ziet haar naar zijn kruk lopen, zij glimlacht. Ze stopt achter hem, fluistert iets in zijn oor.

Ik heb je gemist.

Hij knikt.

Ik heb geprobeerd weg te blijven maar ik kon het niet.

Hij glimlacht.

Ik heb een kamer in ons favoriete motel.

Hij draait zich om, staart naar haar. Hij voelt het nog steeds, wat het ook is, voelt het nog steeds sterk.

Ik wil dat je me erheen brengt en met me doet wat je wilt.

Hij staat op, neemt haar bij de hand, ze lopen de bar uit.

In 1882 gaat in het centrum van LA de California Normal School of Los Angeles open. De opdracht is om leraren op te leiden voor de bevolking van de zuidelijke helft van de staat Californië, en de school wordt gesticht door de wetgevende macht van de staat Californië. De instelling wordt later verplaatst en krijgt als nieuwe naam University of California, Los Angeles.

De Malibu Colony is een groep huizen met muren eromheen, met toegangs-
poorten en met bewaking, aan het strand bij de Malibu Lagoon en Surfrider
Beach. Het was het eerste stuk land in Malibu dat tot ontwikkeling werd gebracht toen, in 1929, de familie Rindge, die een perceel bezat van 5000 hectare dat zich 43 kilometer langs de oceaan uitstrekte, het terrein verkocht om
een juridische strijd te financieren tegen de staat over de aanleg van de Pacific Coast Snelweg, die ze niet over hun domein wilden zien lopen. Ze verloren, en de stad Malibu vormde geleidelijk hun land om. Tegenwoordig doen
de huizen in de Colony, vrijwel allemaal tweede huizen van inwoners van
Beverly Hills en Bel-Air, tussen de vijf en vijftig miljoen dollar.
Casey en Amberton bezitten een huis van 15 miljoen dollar van glas, beton en
staal dat door een beroemde architect is gebouwd. Ze brengen er acht tot tien
weekends per jaar door, af en toe een vakantie. Het huis heeft vijf slaapkamers, zes badkamers, een sportruimte, een dakterras, een zwembad en
drie man personeel. Hun buren zijn acteurs en actrices, bazen van talenten-
bureaus en filmstudio's, hoge pieten uit de mediawereld. Ze zitten allebei bij
het zwembad. De kinderen zijn bij hun nanny's. Casey draagt een bikini ze
wrijft olie over haar benen. Amberton is naakt. Casey zegt iets.
Wat ga je doen?
Ik weet het niet.
Hoeveel keer heb je hem opgebeld?
Dertig keer?
Dertig keer?
Misschien veertig?
Je houdt me vast voor de gek.
Nee.
Je hebt hem veertig keer opgebeld?
Ja. Misschien nog meer.
O mijn god, je moet ermee ophouden.
Dat kan ik niet.
Hoeveel keer heeft hij opgenomen?
Twee keer.
En hadden jullie goede gesprekken?
Niet echt.
Wat zei je dan?
Ik vroeg hem of zijn assistent niet mee wilde luisteren.
Daar dacht je tenminste nog aan.
En toen zei ik hem dat ik aldoor aan hem moest denken en ik hem moest
zien.
Wat zei hij?

Hij zei dat hij niet op die manier aan me dacht.
Welke manier is dat?
Amberton lacht.
De homomanier.
Ik heb hem gezien. Hij is homo.
Zie je wel. Dat dacht ik ook. Door en door.
Hij verschuilt zich gewoon achter dat footballster-steunpilaar-van-zijn-gemeenschapgedoe.
Hij is ongetwijfeld een heel stiekeme nicht.
Niet dat wij recht van spreken hebben.
Wij doen zo stiekem vanwege de marketing en de pr, liefje. Hij heeft er een heel andere reden voor. Volgens mij is hij bang.
Bang?
Ja. Zonder meer.
Casey kijkt naar beneden, Amberton is nog steeds naakt.
Misschien moet ik hem bellen. Ik kan hem vertellen dat er absoluut niets is om bang voor te zijn.
Ze lachen allebei. Zij zegt iets.
Maar serieus, wat ga je doen?
Misschien zoek ik hem op.
Waarvoor?
Om hem te zeggen dat ik van hem hou.
Dat weet je zeker?
Ja.
Na een vergadering, een lunch en veertig onbeantwoorde telefoontjes?
Ja.
Weet je zeker dat dit niet het geval is van een man die alles heeft en voor wie het een obsessie wordt als hij iets niet kan krijgen?
Ik ben al eerder door mannen afgewezen.
Niet veel.
Die zanger. In de jongensband.
Hij is met je naar bed geweest.
Een keertje maar.
Dan ben je niet afgewezen.
Hij haalt z'n schouders op, ze lachen allebei. Ze horen hun kinderen van het strand komen, ongetwijfeld met hun personeel erbij. Amberton staat op.
Ik ga me douchen en rijd de stad in.
Om hem op te zoeken?
Ja. Ik stap gewoon zijn kantoor binnen en doe de deur dicht en duw hem tegen de muur en begin hem hartstochtelijk te kussen.
En als hij je slaat?
Hij zal toegeven. Ik weet het zeker. Hij geeft toe.
Hij draait zich om loopt het huis in naar boven naar zijn slaapkamer die, net als in hun andere huis, ver van de andere slaapkamers vandaan ligt. Hij gaat de badkamer in kijkt naar zichzelf in de spiegel is blij over wat hij ziet. Zijn

haar, onlangs heel subtiel aangevuld, ziet er dik en vol uit. Zijn lichaam is slank en strak, zijn huid die hij elke dag conditioneert, is zacht en glad hij beweegt zijn handen over zijn torso hij fantaseert dat het Kevins handen zijn hij glimlacht en voelt een huivering langs zijn ruggengraat hij fantaseert dat het Kevins handen zijn.

Hij stapt de douche in. Hij draait die omhoog gaat op de grond liggen laat het water op zijn borst komen het sproeit over zijn gezicht sproeit over de rest van zijn lichaam. De waterstroom is sterk het voelt of iemand met de ene hand op zijn borstbeen drukt en de rest van zijn lichaam met honderd vingertjes kietelt hij ligt gewoon op de zwartmarmeren vloer en laat het water naar beneden komen, hem raken, stromen, zich verspreiden.

Hij gaat zitten gaat staan. Hij zeept zich in met driemaal gemengde Franse zeep het ruikt naar parfum hij spoelt het af, zeept zich nog eens in spoelt af, zeept zich nog eens in, spoelt af. Hij stapt de douche uit staat aan zijn marmeren wastafel scheert zich zorgvuldig met een scheermesje gebruikt zijn kam van ivoor wanneer hij klaar is gaat hij zichzelf staan bekijken hij wil vanzelf opdrogen zodat de zeeplucht op zijn huid blijft. Er komt een briesje door een open raam. De zon schijnt door een ander raam. Amberton kijkt naar zichzelf het bevalt hem wat hij ziet hij glimlacht, glimlacht.

Wanneer hij is opgedroogd loopt hij zijn klerenkast in hij heeft een volledige garderobe in het huis, zoals elk lid van zijn gezin, al is het niet zo'n uitgebreide garderobe als in het andere huis. Hij probeert te beslissen wat hij aan moet wat hij aan moet moet het deftig zijn of juist niet, hoe deftig, moet hij een korte broek en sandalen aan. Hij overweegt wat zijn beste outfits waren hij heeft er altijd om bekendgestaan dat hij verschoten Levi's jeans droeg en zwarte schoenen van slangenleer en een wit linnen Italiaans overhemd. Hij voelt er zich sterk in, zelfverzekerd en onbevreesd, niemand kan hem weerstaan. Hij opent de la waar hij het altijd in bewaart hij glimlacht.

Hij kleedt zich aan. Hij bekijkt zichzelf nog eens hij ziet er goed uit verdomd goed. Hij stapt in zijn auto een Maserati doet het dak naar beneden rijdt over de PCH naar Sunset Blvd Beverly Hills in hij weet dat hij er verdomd goed uitziet als hij rijdt. Hij rijdt naar de parkeerwachter bij het kantoor ziet er verdomd goed uit en loopt het kantoor in ziet er verdomd goed uit. Zoals vaak gebeurt als hij ergens heen gaat, zelfs naar plaatsen waar de mensen beter zouden moeten weten, draaien alle hoofden zich om om te staren geen woorden alleen blikken dat komt deels door zijn status als superster deels omdat hij er zo verdomd goed uitziet.

Het bureau ziet eruit als een kunstmuseum. Alles is schoon en wit er hangen schilderijen van een miljoen twee, drie, vier miljoen dollar aan de muren. De receptionisten, zowel de mannen als de vrouwen, dragen zwarte pakken ze zien er bijzonder goed uit. Aan de ene kant van het pand heb je de vleugel met de leidinggevenden, daar hebben de belangrijkste agenten, de managers en de vennoten hun kantoren. De meesten van hen hebben meerdere assistenten, hun kantoren hebben ramen, sommigen van hen hebben een tweede kamer met bars en koelkasten en televisies met grote schermen, een paar hebben hun eigen badkamers. De andere kant van het pand is voor de jongere en minder hoge agenten. Sommigen hebben assistenten, sommigen niet, enkele van de kantoren hebben ramen, maar de meeste niet. De televisies, als die er al zijn, zijn kleiner, bars zijn er niet.

Amberton weet niet waar Kevins kantoor is, maar weet wel, omdat hij nog maar betrekkelijk kort agent is, dat hij aan de mindere kant van het pand zal zitten. Hij begint door de gangen te lopen hoofden draaien zich om mensen staren acteurs die de kassa's zo spekken als hij zie je zelden of nooit in dit deel van het pand. Hij stopt bij een bureau waar een jonge vrouw met een jongenskapsel en een zwart kostuum in een studiecel zit met een koptelefoon op. Hij gebruikt zijn publieke stem, nog een beetje extra sexy om aan te sluiten bij zijn stemming en zijn outfit.

Hallo, schat.

Zij kijkt op. Verbaasd meteen zenuwachtig, ze beeft haast.

Uh, hallo.

Heb je een fijne dag?

Zeker. Ja. Ja, beslist mijnheer Parker. Dank u.

Hij staat haar aan te staren, zij kijkt weg, kijkt weer, glimlacht zenuwachtig, kijkt omlaag, weer omhoog.

Kan ik u van dienst zijn?

Weet je waar het kantoor van Kevin Jackson is?

Aan het eind van de gang.

Hij blijft haar aanstaren, ziet hoe ze zich steeds onbehaaglijker gaat voelen. Hij doet dit graag, zien hoe mensen op hem reageren, wat zijn aanwezigheid met hen doet, voelen hoeveel macht hij over hen heeft. Hij steekt zijn hand uit, legt die op haar schouder, die trilt.

Dank je. En je bent een mooi meisje.

Hij loopt weg, de gang door, naar Kevins kantoor, als hij nadert kan hij hem door een open deur zien, hij zit aan zijn bureau naar een computer te staren, hij heeft een koptelefoon op als Amberton dichterbij komt kan hij hem horen praten.

Hij is er heel geschikt voor.

Hij knikt.

Er komen twee films met hem uit, bijrollen. Er wordt gezegd dat hij misschien voor een ervan zal worden genomineerd.

Hij wacht.

Hij speelt een gokverslaafde.

Amberton loopt langs Kevins assistente, een aantrekkelijke jonge vrouw in een zwart kostuum.

Ja, er kan over worden onderhandeld.

Amberton stapt het kantoor in doet de deur dicht.

Praat met hem. Je zult het zien. Vertrouw me maar.

Kevin kijkt op, Amberton glimlacht.

Regel het maar met mijn assistent.

Het kantoor heeft geen raam, de muur achter Kevin zit vol foto's en onder-

scheidingen die aan zijn footballcarrière herinneren. Er staat een stoel tegenover zijn bureau, Kevin wijst ernaar. Amberton gaat zitten.
Geweldig. Dank je.
Kevin hangt op, typt iets in zijn computer, Amberton staart hem aan. Kevin is klaar, kijkt op.
Waarmee kan ik u van dienst zijn, mijnheer Parker.
Mijnheer Parker?
Ja. Wat kan ik voor u doen mijnheer Parker?
Je noemt me mijnheer Parker? Daarvoor weten we te veel van elkaar.
Eén lunch?
Er is meer.
Ik weet niet goed wat u bedoelt.
Waarom reageerde je niet op mijn telefoontjes?
Het leek me niet gepast om erop te reageren.
Amberton glimlacht.
Waarom niet?
Zo voelde ik het nu eenmaal.
Amberton staat op.
Als volgens jou mijn aanpak ongepast was, had je moeten bellen en me dat moeten zeggen. Volgens mij ben je gewoon bang.
U vergist zich.
Is dat zo?
Amberton zet een stap.
Jazeker.
Het is goed.
Nog een stap.
Ik zal het niemand zeggen.
Nog een.
En, zoals je zult begrijpen, begrijp ik de situatie beter dan wie ook.
Hij stapt rond het bureau.
Ik kan zien, en ik kan voelen, en ik weet ook zeker, dat je net zo sterk naar mij verlangt als ik naar jou.
Stappen in zijn richting.
En ik wil van je houden.
Hij steekt zijn hand naar hem uit.
En ik ga je geen pijn doen.
Amberton staart Kevin aan, blijft zijn hand uitsteken. Kevin zet zijn hoofdtelefoon af, neemt de aangeboden hand aan, gaat staan. Amberton glimlacht, Amberton glimlacht.

De Indiana Colony, zo genoemd omdat de oprichter ervan uit Indianapolis kwam, wordt een van de grootste citrusplantages van de Verenigde Staten. In de vroege jaren 1890 organiseert men een wedstrijd voor een nieuwe naam, de winnende inzending is Pasadena, wat in de taal van het Chippewa-volk uit Minnesota wil zeggen *uit de vallei*. De mensen met geld uit Los Angeles beginnen in grote aantallen het gebied in te trekken in een poging om te ontsnappen aan de grote groepen vreemdelingen, vooral Mexicanen, Chinezen, negers en Ieren die in de stad wonen.

Dylan en Maddie liggen in bed het is laat de gordijnen zijn dicht het is pikdonker in de kamer, al kunnen ze elkaar voelen hun benen verstrengeld hun lichamen naast elkaar hun vingertoppen raken elkaar ze kunnen de ander nauwelijks zien. Maddie zegt iets.

Hij deed het vandaag weer. Ik was in de kantine.

Alleen?

Ja.

Ik zei je niet alleen naar binnen te gaan.

Ik was met dat meisje Candi, een dikzak. Ze moest naar het toilet. Ik dacht dat het wel in orde was.

Wat zei hij?

Verschrikkelijke dingen.

Wat dan?

Hij zei dat hij me wilde opeten als een hamburger.

Dylan lacht. Maddie is geërgerd.

Het is niet grappig.

Goed hoor.

Niet grappig.

Je hebt gelijk ik had niet moeten lachen. Wat zei hij verder?

Dat hij aan mijn tepel zou knabbelen als aan een sesamzaadje.

Dylan lacht weer. Maddie is weer geërgerd.

Toe nou, Dylan.

Sorry.

Ik meen het.

Ik zei sorry. Ga door.

Hij zei dat hij m'n kutje met stroop en aardbeiensaus wilde overdekken en zijn tong als lepel gebruiken.

Dylan lacht weer, deze keer luider en langer. Maddies ergernis verandert in boosheid. Zij rukt zich los, komt overeind.

Het is niet grappig, rotzak.

Dylan kan zijn lachen niet bedwingen.

Hou op, Dylan.

Hij kan het niet. Ze slaat hem op z'n schouder.

HOU OP, DYLAN.

Hij kalmeert.

Het spijt me. Ik kon er niets aan doen.

Zeker wel.

Ik zei dat het me spijt.

Het is echt rot, Dylan. Ik word helemaal gek van hem, ik voel me niet op m'n gemak.

Ben je bang van hem?

Niet echt.

Denk je dat hij de daad bij het woord zal voegen?

Nee.

Hij is een ongevaarlijke gek.

Ja. Maar hij is echt echt gek.

En, niet boos op me worden, op een bepaalde manier is het best grappig. Ik bedoel, welke mafkees zegt iemand dat hij je wil opeten als een cheeseburger.

Ze giechelt. Hij gaat door.

En aan je tepel wil knabbelen als aan een sesamzaadje.

Zij giechelt weer. Gaat door.

Stel je voor wat er door z'n hoofd gaat om zulke smerigheid te spuien.

Hij is geschift.

Maar de woorden over stroop en aardbeien bevallen me toch wel.

Weer gegiechel, zij spreekt.

Hoe leuk je het ook brengt het heeft op mij geen effect, dus je hoeft het niet eens te proberen.

Hij lacht.

Wat zegt hij volgens jou tegen zijn vrouw?

Niks.

Volgens jou bewaart hij voor haar geen speciale spreuken?

Ik heb haar gezien. Ik deed het in m'n broek voor haar. Ze is ongeveer even groot als jouw baas en kan hem waarschijnlijk aan.

Noteer haar nummer voor als ik haar nodig heb.

Ze lachen allebei. Dylan zegt iets.

Ik heb een vraag. Het is belangrijk.

Wat?

Zou hij dingen kunnen zeggen die wel effect hebben?

Je maakt zeker een grapje.

Nee.

Waarom wil je dit weten?

Dan kan ik ze zeggen. Misschien al voor we in slaap vallen.

Jij hebt geen woorden nodig. Jij hebt andere dingen die effect op me hebben. Ze buigt naar hem toe begint hem te kussen het is pikdonker en ze kunnen elkaar niet zien maar ze kunnen elkaar voelen met handen en benen en lippen de vingertoppen voelen.

De volgende dag verloopt hetzelfde als de vorige niets verandert week na week na week. Ze werken, eten noedels en soep uit de 99-centwinkel afgeprijsd tot 66 cent, ze maken lange ritten door de Hills, ze kijken tv spelen slapen. Dylan belt nooit naar huis heeft niet gebeld sinds ze wegreden, Maddie belt om de paar weken haar moeder neemt altijd op. Maddie zegt niets, luistert alleen terwijl haar moeder, die op een of andere manier begrijpt dat zij aan de andere kant van de lijn zit, naar haar schreeuwt, haar zegt dat ze dom is en nergens voor deugt, haar een stuk stront noemt, een rotmeid en een hoer, haar zegt dat ze volkomen waardeloos is en ze maar het beste dood kan vallen. Soms hangt Maddie op, soms niet, ze zit gewoon twee drie vier minuten te luisteren uiteindelijk geeft haar moeder het op en smijt de hoorn op de haak. De haat van haar moeder raakt haar niet altijd ze kan weglopen en vergeten wat er is gebeurd. Maar soms snikt ze urenlang nadat het voorbij is ze ligt op bed te snikken. Haar moeder heeft haar het grootste deel van haar leven dezelfde dingen gezegd, op dezelfde manier uitgescholden. Maddie probeert niet op te bellen maar ze kan zichzelf niet bedwingen. Een deel van haar gelooft wat ze te horen krijgt een deel van haar niet. Ze gelooft dat ze op een dag ofwel op zal hangen stoppen met luisteren nooit meer zal bellen, of ze zal reageren en zeggen ik weet het, mam, je hebt gelijk, ik ben precies zoals je zegt. Tot dat punt, dat moment, dat besluit zal ze blijven bellen, blijven luisteren, blijven nadenken, blijven snikken.

Voor Dylan varieert het bestaan in de werkplaats tussen ogenblikken van opperste verveling, af en toe voldoening, en opperste paniek. Kleintje is erg eigenzinnig over welke motorfietsen wel en niet mogen worden gerepareerd in zijn werkplaats. Japanse of Europese motorfietsen mogen van hem niet, geen enkel type, geen enkel merk. Motoren die worden bereden door mensen die hij ziet als RMRS (Rijke Motorrijders uit de Stad), personen die overdag gewone banen hebben, vaak goedbetaalde kantoorbanen, en in het weekend leer dragen en motorrijden, mogen van hem niet. Motoren van leden van andere motorclubs mogen van hem niet, al zijn de meesten slim genoeg om het niet eens te proberen, en dan mogen van hem niet motoren van mensen die in het bezit zijn of worden bereden door handhavers van de wet. De ene keer dat een motorfiets van een smeris in de werkplaats belandde, stak Kleintje hem in de fik en smeet hem in de voortuin van de smeris neer. De meeste motoren die binnenkomen zijn van leden van zijn club, of kennissen van clubleden. Wanneer er een motor van een lid binnenkomt, gaat Kleintje mee met het clublid, gewoonlijk een man van tussen de dertig en vijftig, met een baard, gekleed in jeans en een zwart leren motorvest, en angstaanjagend, naar Dylan. Kleintje staart Dylan aan tot die opkijkt. Wanneer dat gebeurt, zegt Kleintje iets.

Hier is een van mijn broeders.

Dylan knikt en zegt iets.

Aangenaam u te ontmoeten, mijnheer.

Z'n motor moet worden gerepareerd.

Ik zal er meteen aan beginnen.

Verknoei de boel niet.

Nee.

Gebruik nieuwe onderdelen en zet ze niet op de rekening.

In orde.

En als je de boel verknoeit, trappen we je in elkaar.

Ik zal het niet verknoeien.

We trappen je in elkaar zoals je nog nooit hebt meegemaakt.

Ik snap het.

Verstandig van je. Godverdomme verstandig.

Dan gaan Kleintje en het lid naar zijn kantoor, ze doen de deur dicht en lachen, drinken, worden high. De kennissen, die meestal minder angstaanjagend zijn, en gewoonlijk voor de leden werken of boodschappen voor hen rondbrengen, worden veel slechter behandeld. Het maakt Kleintje niet uit wat voor onderdelen Dylan voor hun motoren gebruikt, het maakt niet uit hoe goed hij de motoren repareert, en hij brengt hun een vermogen in rekening voor het werk. De houding tegenover zowel de leden als de kennissen amuseert Dylan, en hij levert altijd degelijk werk, ongeacht wie de motor bezit. Als er geen motoren te repareren zijn, leest hij afleveringen van porno- en wapenbladen waarvan Kleintje er stapels achter in de werkplaats heeft. Een of twee keer per week komen er clubleden met mensen die geen motor rijden, sommigen rijden in een pick-up, sommigen rijden in een Mercedes of een Porsche, en Dylan krijgt van Kleintje te horen dat hij op moet rotten uit de werkplaats. Dylan loopt gewoonlijk de straat op en neer, kijkt naar het aanbod in zaken voor tweedehands auto's en probeert te beslissen welke auto hij zou kopen als hij er zich een kon veroorloven. Bij een zaak hebben ze een hemelsblauwe Corvette, bij een andere een oude Chevelle convertible, bij een derde lijken ze een eindeloze voorraad opgeknapte pick-ups uit de jaren vijftig en zestig te hebben. En hoezeer die hem ook bevallen, er is een zilverkleurige De Lorean, met heel zijn aureool van gepoetst staal en vleugeldeuren, waarvoor hij altijd terugkomt. Die staat achteraan bij een goedkope zaak, en voor zover hij weet rijdt hij nooit, misschien zit er niet eens een motor in, maar hij vindt het een heerlijke auto en in zijn dromen glijdt hij ermee door zijn vroegere woonplaats, hij ziet dan zijn vader een bar uit lopen en steekt zijn middelvinger naar zijn vader op. Wanneer hij niet naar auto's kijkt of verlangend naar de De Lorean staart, zit hij in een van de vijf burgerrestaurants in de buurt van de werkplaats en neemt hij friet en vanillemilkshakes. Wanneer de bezoekers vertrekken, gaat hij weer aan het werk. Als er niets te doen is wanneer hij terugkomt, leest hij tijdschriften van Kleintjes stapel.

Toen hij vanmorgen naar zijn werk liep, stonden er twee Mercedessen voor de werkplaats, drie Harleys. De garagedeur zat dicht, wat gewoonlijk niet het geval is, hij nam aan dat hij niet gewenst was tot de auto's weg waren en de deur opening. Hij stak de straat over. Het dichtstbijzijnde burgerrestaurant, dat tot 10 uur ontbijt serveerde broodjes en sandwiches met roerei, was open hij ging naar binnen en bestelde een broodje en een koffie.

Terwijl hij langzaam at en langzaam de koffie opdronk en de krant las meer slecht nieuws gewoon slecht klotenieuws, dacht hij aan Maddie, aan wat zij aan het doen was, aan haar baan en haar belachelijke baas, aan hoe graag hij wilde dat ze hier weg kon, weg uit het motel, weg van de wanhoop die ze allebei ervoeren en voelden maar niet konden toegeven. Hij dacht aan wat hij haar had beloofd. Ze zouden daar niet altijd wonen, ze zouden op zoek gaan naar een beter leven. Hij geloofde dat hij de belofte kon houden alleen wist hij niet hoe. Er waren geen promoties op komst, geen vooruitzichten op andere banen. Ze hadden geen spaargeld er kwam ook geen spaargeld. Al liet hij het haar nooit merken, hij was bang voor de andere bewoners van het motel, en wist, dat als het er echt op aankwam, hij haar waarschijnlijk niet tegen hen kon beschermen. Af en toe keek hij naar de overkant van de straat. Alles bleef hetzelfde. Hij bleef eten twee broodjes een met bacon een zonder bleef drinken drie koppen koffie melk geen suiker hij las de amusementspagina's van de krant twee keer, godverdorie wat verdienden die filmsterren hopen geld hij bleef aan zijn belofte denken, behalve Maddie zelf was dit het enige in z'n leven dat telde. Na twee uur en een heleboel vuile blikken van de Bulgaarse baas van het restaurant (de grootste burgerkoning van heel het IJzeren Gordijn!), ziet hij vijf latino's in de twee Mercedessen sedan stappen, hij kijkt toe hoe ze wegrijden.

Hij komt overeind loopt het restaurant uit de baas is blij dat hij vertrekt de baas heeft een hekel aan de motormannen van de overkant van de straat ze zijn groot kwaadaardig en gemeen soms noemen ze hem een communistje en zeggen ze hem op te donderen soms bespotten ze zijn accent en zeggen ze hem dat hij terug moet naar Rusland. De ene keer dat hij hun vroeg met hun beledigingen te stoppen wreven ze een broodje vol ketchup, mosterd en augurk door zijn gezicht.

Als Dylan de straat oversteekt voelt hij dat er iets mis is. De garagedeur is nog steeds dicht er komt geen geluid achter vandaan. De deur naast de garage staat open, gaat heen en weer. Als Dylan naar de deur loopt hoort hij gekreun zijn hart begint te bonzen als hij dichterbij komt wordt het gekreun harder hij is bang.

Hij staat bij de deur. Hij kan verschillende stemmen horen, de ene kreunt de andere zegt help me de derde zegt godverdomme. Hij staat bij de deur kan niet bewegen hij kan de stemmen horen hij kan pijn, hulpeloosheid, woede horen. Hij staat bij de deur zijn hart bonst zijn handen beven hij wil vluchten, hij wil Maddie, hij wil terug zijn in Ohio, hij wil de politie bellen, hij wil vluchten hij kan de stemmen horen.

Hij stapt de garage binnen. Het is donker er komt een beetje licht uit de deur nog een beetje uit het kantoor aan de achterkant. Hij kan niemand zien. Hij begint naar het kantoor te lopen hij hoort een stem tussen de schaduwen, verzwakt, moeizaam, gewond.

Jongen.

Hij wendt zich naar de stem.

Jongen.

Zijn ogen passen zich aan.

Help me.

Kleintje en drie andere motorrijders zijn met tape vastgebonden aan vouwstoelen, hun enkels aan de voorpoten hun polsen aan de stangen waarop de achterkant steunt. Ze bloeden allemaal snijwonden en zwellingen in hun gezichten er zitten open ronde brandwonden over hun armen en borstkas. Kleintje en twee anderen zijn bij bewustzijn een van hen niet zijn hoofd hangt slap tegen zijn borst. Dylan staat stil, staart, hij wil vluchten. Kleintje zegt iets.

Jongen.

Dylan staart naar hen.

Ik heb je hulp nodig.

Een van de andere mannen kreunt.

Ik heb...

Kleintje is buiten adem. Dylan loopt naar hem toe, vraagt iets.

Wat zal ik doen?

Er zit een mes in m'n achterzak. Haal het eruit en snij me los.

Dylan voelt overal, Kleintje probeert zichzelf uit de stoel op te heffen het lukt niet. Dylan friemelt zijn vingers in de zak voelt een zakmes van gepolijst hout haalt het eruit. Hij knipt het lemmet tevoorschijn zijn handen trillen.

Wat zal ik eerst doen, je handen of je voeten?

Maakt me geen donder uit.

Kleintjes ademhaling is moeizaam er druppelt bloed uit zijn neus, zijn kin, het stroomt uit een snee boven zijn oog, de tanden aan een kant van zijn mond zijn kapot, Dylan kan het verbrande haar en vlees op zijn armen en borst ruiken. De andere twee staren naar Dylan ze zijn er eender aan toe, de laatste heeft nog steeds niet bewogen. Dylan begint de tape van Kleintjes pols te snijden hij maakt een arm los, loopt naar de andere. Hij snijdt die los de tape was er drie vier keer omheen gewikkeld hij gaat naar zijn enkels snijdt ze los. Wanneer Kleintje bevrijd is gaat Dylan staan. Kleintje beweegt zijn benen een paar centimeter van de stoel vandaan, leunt achterover haalt diep adem, de bloedstroom verandert van richting begint van zijn wangen, zijn oren te druppelen. Dylan zegt iets.

Gaat het?

Kleintje leunt naar voren, antwoordt.

Nee. Godverdomme, nee.

Wat wil je dat ik doe?

Hij wijst naar zijn vrienden.

Snij ze los, stommeling.

Dylan snijdt de man naast Kleintje los, de man naast hem. Ze reageren allebei net zo als Kleintje deed, ze bewegen een beetje met hun benen, halen diep adem. Dylan kijkt naar de vierde man, wiens hoofd nog steeds tegen z'n borstkas ligt. Het lijkt of hij niet ademt. Hij kijkt naar Kleintje.

Volgens mij is hij dood.

Kleintje kijkt achterom, zegt iets.

Ben je godverdomme dokter?

Nee.

Snij hem maar gewoon los.

Dylan begint aan de tape te snijden, Kleintje komt langzaam overeind hij loopt naar de open deur doet die dicht en op slot. De andere twee komen langzaam overeind ze zijn ook overdekt met bloed en bloeden nog steeds. Als Dylan de vierde man lossnijdt glijdt die uit de stoel valt op een hoopje op de grond zijn lichaam is slap Dylan staart naar hem. Geen beweging, geen ademhaling, niets. Dylan kijkt achterom naar Kleintje, die naar zijn kantoor loopt. Dylan zegt iets.

Volgens mij is deze kerel dood, Kleintje.

Kleintje negeert hem loopt het kantoor in, kijkt rond, begint te schreeuwen.

Godverdomme.

GODVERDOMME.

GODVERDOMME.

Dylan is verstijfd. De andere twee mannen zijn versuft en lijken in shock te verkeren, ze ademen zwaar, ze kijken naar de wonden op hun lichamen en betasten die zachtjes. De vierde man beweegt nog steeds niet. Kleintje pakt de telefoon in zijn kantoor op, gooit die tegen de muur het toestel spat uit elkaars hij schreeuwt weer GODVERDOMME, stapt zijn kantoor uit, kijkt naar Dylan, zegt iets.

Geef me je klotetelefoon.

Ik heb er geen.

Ik heb een klotetelefoon nodig.

Ik heb er geen.

Ga er een zoeken.

Ik kan 911 bellen uit een telefooncel.

Wij gaan niet dat kut-911 bellen. Dat is godverdomme het laatste wat we nodig hebben.

Heb je geen ambulance nodig?

Ga een klotetelefoon zoeken.

Een van de andere mannen kijkt naar Dylan, zegt iets.

Ik geloof dat hij er een heeft.

Hij wijst naar de man op de grond, die nog steeds niet beweegt. Dylan stapt over hem heen en bukt hij kan verbrand vlees en bloed ruiken. Hij klopt op de zakken van de man hij voelt niets. Er zijn twee zakken die hij alleen kan bereiken door de man om te draaien. Hij kijkt achterom naar Kleintje, die zijn kantoor doorzoekt en godverdomme roept. Een van de mannen zit in een stoel naar de wonden op zijn armen te staren, de andere zit op de grond hij hoest en er hangen stukken van zijn tanden in zijn baard. Dylan heeft het gevoel dat hij moet overgeven. Hij wil de man onder hem niet aanraken, maar wil geen problemen met Kleintje als hij geen telefoon te pakken krijgt. Hij gaat op een knie zitten legt zijn handen op de heupen en borst van de man draait hem om. Het is dood gewicht. Hij kan door de borst van de man koud vlees voelen. Hij wil overgeven.

Hij inspecteert de achterzak van de man vindt een mobieltje gaat staan en brengt het naar Kleintjes kantoor hij kan nog steeds het koude, dode gewicht voelen hij wil nog steeds overgeven. Hij komt bij de deur, zegt iets.

Hier is een telefoon.

Hij houdt de telefoon voor Kleintje omhoog, die komt en neemt het toestel aan, hij gaat weer en begint een nummer te toetsen. Dylan kijkt naar het kantoor. De laden van het bureau staan allemaal open en de inhoud ervan, papieren, boekjes over reparaties, pennen, een rekenmachine liggen verspreid over het bureaublad en over de vloer. De telefoonlijn is afgesneden, het faxapparaat verwoest. De lambrisering achter is vernield, de twee kluizen die eens achter de lambrisering zaten, staan open en zijn leeg. Kleintje drukt de telefoon tegen zijn oor, wacht, zegt iets.

Met Kleintje hier. We hebben een probleem.

Hij wacht.

Een stel klootzakken van speeddealers, Spanjolen, hebben ons vastgetaped en ons gemarteld. De kluizen zijn godverdomme allebei leeg. We hebben godverdomme meteen een klotedokter nodig.

Wacht.

Kom godverdomme gewoon hierheen.

Hij hangt op, kijkt naar Dylan, zegt iets.

Wat moet je godverdomme?

Wat wil je dat ik doe?

In de hoek gaan staan en verdomme je bek houden.

Kan ik weg?

Probeer het en ik jaag een kogel door je klotekop.

Goed.

Dylan staat bij de deur, hij weet niet wat hij moet doen. Kleintje begint de chaos op zijn bureau te doorzoeken. Dylan loopt terug kijkt de kamer door. De twee mannen zitten samen in de verte te staren hoewel er geen verte is te zien. Ze bloeden allebei nog steeds, af en toe kijken ze naar elkaar of mompelen ze een paar woorden naar elkaar. De vierde man heeft nog steeds niet bewogen, en zal nooit meer bewegen. Dylan trilt en zijn hart bonst en hij heeft nog steeds het gevoel dat hij moet overgeven. Hij loopt naar de achterkant van de werkplaats, zo ver mogelijk weg van het bloed en de stoelen en de tape en de wezenloze, gewonde mannen en het bewegingloze lichaam en de woedende Kleintje en wie er verder komt en wat er verder gebeurt hij wil weg. Hij vindt een donker hoekje verzet een gedeukte kist met gebruikte onderdelen en een hoop lappen er ligt vet en olie op de vloer toch gaat hij zitten. Hij trekt zijn knieën op tot zijn borst. Hij staart de hele werkplaats door. De deur zit nog steeds op slot, de garagepoort is nog steeds dicht. Hij zit en staart.

Dertig minuten later heeft hij niet bewogen. Kleintje is de hele tijd aan de telefoon geweest hij doorzocht zijn kantoor en schreeuwde godverdomme. Een van de mannen die het overleefde is bewusteloos op de grond beland, al ademt hij nog steeds. Dylan hoort motoren naderen, de motoren waarop de clubleden rijden zijn zeer luidruchtig en kun je straten ver horen. Hij kan uit het geronk afleiden dat ze met meerderen zijn als ze de oprit oprijden trilt de deur van de garage, trillen de ramen. Kleintje beduidt de ene man die bij bewustzijn is de deur open te maken hij staat op en loopt er langzaam, behoedzaam heen elke stap die hij zet lijkt pijn te doen, elke beweging die hij maakt lijkt pijn te doen. Voor hij bij de deur is wordt er gebonsd het deurkozijn trilt er wordt geschreeuwd doe die kutdeur open. Hij verandert zijn tred niet. Hij loopt er langzaam, behoedzaam, en met pijn heen, het bonzen gaat door het geschreeuw gaat door. Hij bereikt de deur haalt die van het slot doet hem open. Grote baardige mannen stromen de garage in vier vijf zes zeven acht negen. Een kleinere man, zonder baard en met een sportpantalon en een golfshirt aan, hij draagt een zwartleren dokterstas, komt met hen mee naar binnen. Hij begint meteen de man te onderzoeken die de deur opendeed, die wijst naar de twee mannen op de vloer. De bebaarde mannen hebben zich verspreid. Een paar gaan naar Kleintjes kantoor. Anderen hurken rond de mannen op de grond ze beginnen meteen te roepen dokter dokter, kom eens hier dokter. Niemand schijnt Dylan op te merken, die in de hoek zit, zijn knieën tegen zijn borst, zijn hele lichaam bevend van angst. In de loop van de volgende twee uur kijkt en luistert hij.

Kleintje vertelt de mannen intussen dat hij en zijn vrienden bezig waren met een transactie met speed toen hun Mexicaanse partners wapens trokken, hen met tape aan de stoelen vastmaakten, hun geld, wapens en drugs opeisten, en hen martelden tot ze hadden onthuld waar die lagen.

De dokter verklaart de ene man dood. En al wist hij het al, de dokter te horen zeggen – Deze man is dood – is schokkend, verpletterend.

Een van de bebaarde mannen vertrekt en keert terug met een oude Cadillac. De garagedeur wordt geopend en de Cadillac wordt achteruit de ruimte in gereden.

Drie mannen verplaatsen een grote stalen gereedschapskast, Kleintje opent een kluis in de vloer die eronder verstopt is. Ze halen er twee scherpschuttergeweren met kijkers uit, twee draagbare raketwerpers, een machinegeweer, en vier kapmessen.

De tweede man sterft. Hij krijgt stuiptrekkingen voor hij gaat, spuwt bloed, bijt een stuk van zijn tong af. De dokter kan niets doen om hem te redden.

De kofferbak van de Cadillac wordt geopend.

Bij Kleintje en de overlevende man worden de snijwonden op hun gezicht gehecht en de wonden op hun armen en borst worden schoongemaakt en verzorgd. Kleintje is stil tijdens de behandeling, bij de andere man wisselen gekreun en geschreeuw zich af.

De wapens worden uitgedeeld.

De dokter wordt betaald uit een grote hoop geld die verstopt zit in het achterpaneel van een koelkast en de dokter vertrekt.

De lichamen van de dode mannen worden in de kofferbak van de Cadillac geladen. Kleintje zegt tegen de chauffeur en twee andere clubleden die met de chauffeur meegaan dat ze de lichamen naar de woestijn moeten brengen en ze begraven. De Cadillac rijdt weg.

Kleintje roept de overgebleven clubleden bij elkaar en geeft hun de namen van de mannen die hem hebben gemarteld en beroofd. Hij vertelt hun dat ze volgens hem ergens in of rond Echo Park zitten, een latinobuurt even ten noordwesten van het centrum van LA. Liefst ziet hij dat ze in hun huizen worden aangetroffen. Hij wil dat hun gezinnen voor hun ogen worden vermoord, en zo mogelijk met de kapmessen in stukken worden gehakt. Lukt dat niet, schiet ze dood, blaas ze op, bedenk maar een manier om ze godverdomme te vermoorden en godverdomme een duidelijke boodschap te sturen naar klootzaken die geloven ermee weg te komen als ze hem verneuken.

Kleintje geeft hun allemaal een stapeltje geld voor het geval ze dat nodig hebben, hij zegt hun dat het betalen van verslaafden en kleine dealers hen misschien helpt om de mannen op te sporen. De clubleden vertrekken.

Wanneer ze weg zijn, wanneer iedereen weg is behalve zij tweeën, loopt Kleintje naar Dylan, gaat boven hem staan, zegt iets.

Opstaan.

Dylan staat op hij is stijf en het doet zeer om te staan hij trilt.

Vermoedelijk hoef ik het niet te zeggen, maar als je met iemand praat over iets wat je hier vandaag hoorde of zag vermoord ik je godverdomme.

Dylan knikt.

En ik zal godverdomme je vriendinnetje verkrachten, en haar daarna vermoorden. En dan zal ik godverdomme uitzoeken waar je vandaan komt en je godverdomde familie vermoorden.

Ik zal niets zeggen.

Je moet altijd je bek houden. Niet een week lang, niet twintig godverdomde jaren lang.

Ik begrijp het.

Je moet het hier schoonmaken. Dweil het klotebloed van de vloer en zoek een vuilcontainer voor de bebloede kleren.

In orde.

Stop de kleren in een zak en leg er een stapel godverdomde lappen bovenop en klim de container in en stop het midden tussen al het vuilnis. Als je ze op de bodem legt komen ze bovenop wanneer ze de container leegmaken. Het moet precies in het midden liggen.

In orde.

En doe de tent hier dan op slot. Zorg ervoor dat het godverdomme op slot zit.

Moet ik morgen komen?

Ja. Alles gaat gewoon door. Ik moet een façade bewaren. Dat moet je godverdomme inmiddels toch snappen.

In orde.

Kleintje draait zich om, loopt naar buiten. Dylan hoort hem zijn motor starten en wegrijden. Dylan gaat naar de kast met schoonmaakspullen, vlak bij de plek waar hij zojuist twee uur ineengedoken in de hoek zat, hij pakt een dweil, vult een emmer met bleekmiddel en water. Hij loopt naar de plaats waar hij de mannen vastgebonden aantrof, hij begint het gedroogde bloed weg te dweilen. Hij gaat naar de plaatsen waar de mannen stierven, het bloed is min of meer rondom de omtrekken van hun lichamen opgedroogd, en hij dweilt het bloed weg. Hij dweilt de stukken waar Kleintje heeft gelopen, en waar dikke rode sporen zaten. Hij dweilt het stuk onder de kofferbak van de auto, die lekte nadat hij was gevuld. Hij maakt de dweil schoon. Hij maakt de emmer schoon.

Hij loopt heel de garage door, raapt lappen op maakt er een grote stapel van. Hij doet het weer raapt bebloede kleren op, natte verbanden, doeken. Hij stopt de kleren verbanden en doeken in een zwarte vuilniszak legt de lappen erbovenop. Hij doet de zak in een andere zwarte zak, doet het nog een keer.

Hij loopt de hele garage door om er zeker van te zijn dat hij niets heeft laten liggen.

Als hij langs de koelkast loopt ziet hij dat het achterpaneel nog openstaat, een beetje maar, haast niet te zien. Hij loopt erheen zet het verder open er liggen nog steeds stapels geld in. Hij heeft nooit zo veel geld bij elkaar gezien. Hij heeft geen idee hoeveel er ligt. Het enige wat hij ziet zijn briefjes van honderd dollar. Ze zijn versleten, veel gebruikt, gerafeld aan de uiteinden, er zitten elastiekjes omheen. Hij steekt zijn hand uit raakt een stapeltje aan. Hij beseft dat één stapeltje zijn leven zou veranderen. Hij beseft dat één stapeltje hem en Maddie uit het hotel zou halen, hun een nieuwe start zou bezorgen, hun een veiliger stabieler bestaan zou bieden. Eén stapeltje. Zijn handen beginnen te trillen deze keer om een andere reden niet meer dan één stapeltje. Eén klotestapeltje. Verandert zijn leven. Zorgt dat Maddie veilig is. Maddie veilig.

Als hij betrapt wordt gaat hij eraan.

Uitgesloten dat iemand het merkt, uitgesloten dat Kleintje enig idee heeft hoeveel er vroeger in zat, hoeveel er nu in zit, hoeveel hij vandaag gebruikte.

Dylans handen trillen.

Eén stapeltje.

Maddie veilig.

Eén stapeltje.

Hij gaat eraan.

Eén stapeltje.

Uitgesloten dat Kleintje er ooit achter komt.

Zijn handen trillen.

Het zal hun leven veranderen.

Hij steekt zijn hand uit om het gladde oppervlak van het versleten papier aan te raken.

Hij kijkt naar de deur er is daar niemand hij is angstig godverdomd bang hij gaat eraan.

Hij haalt het stapeltje eruit het is te groot voor in zijn zak hij stopt het in de taille van zijn broek doet voor de zekerheid zijn riem vaster.

Niemand zal erachter komen.

Hij doet het paneel dicht, laat het precies zo achter als hij het aantrof. Hij pakt de zwarte vuilniszak op. Hij loopt naar de achterdeur zorgt dat die op slot zit. Hij gaat weg door de voordeur, doet die achter zich op slot, controleert het twee keer, controleert het drie keer. Hij loopt naar de garagedeur zorgt dat die op slot zit, controleert het twee keer, controleert het drie keer.

Hij begint de straat door te lopen met de vuilniszak. Hij zoekt een vuilcontainer uit de buurt van de werkplaats.

Het geld is zijn taille, beveiligd door zijn riem.

Zojuist is zijn leven veranderd.

In 1895 worden alle drieëntwintig banken met rechtspersoonlijkheid in de provincie Los Angeles minstens één keer beroofd. Eenentwintig ervan worden meer dan eens beroofd. Een ervan wordt veertien keer beroofd.

Autowegen! **Snelwegen!** EXPRESWEGEN!! **EEN INTERSTATELIJK KNOOP-PUNT MET ACHTTIEN AFRITTEN!!!!** Bestaat er iets heerlijkers dan in een auto zitten op een heet, vol stuk beton en asfalt waar je voort kruipt? Bestaat er iets heerlijkers dan zes kilometer per uur rijden? Bestaat er iets heerlijkers dan een kettingbotsing met twaalf auto's? Nee, niets, geen sprake van, het is uitgesloten, absoluut niets. CO_2 en uitlaatgassen! Getoeter dat nooit ophoudt! AUTOAGRESSIE!!!! Heerlijk heerlijk heerlijk, het is godverdomme zo enorm heerlijk!!!!

***

Er zijn 27 miljoen auto's in de provincie Los Angeles, bijna twee voor elke persoon. Op elke willekeurige dag rijden er ongeveer 18 miljoen van op de 33.421 kilometer staatsweg, provinciale wegen en gemeentelijke wegen die zich over elke meter uitstrekken. In een gemiddeld jaar komen er 800 mensen om op de wegen van Los Angeles, nog eens 90.000 raken er gewond. Je hebt negenentwintig staatsautowegen, acht interstatelijke snelwegen, en een nationale snelweg. Ze hebben allemaal een naam. Je hebt de Pearlblossom Snelweg, de Future Chino Hills Parkweg, de Antelope Valley Autoweg. Je hebt de Magic Mountain Parkweg, Rim of the World Autoweg, de Kellogg Hill Kruising. Je hebt Stinkin' Lincoln (een bijnaam), Johnny Carson's Slauson Afsnijding (snelweg met gevoel voor humor), Ronald Reagan Autoweg (erg conservatief, erg presidentieel), de Eastern Transportation Corridor (saaaaiiiii), en de Terminal Island Autoweg (nou, daar wil ik niet eindigen). Ondanks het feit dat vele van de snelwegen, autowegen, parkwegen en expreswegen van Los Angeles vreemde en wonderlijke namen hebben, gebruikt niemand ze. Alle staatswegen, interstatelijke wegen en nationale wegen in de provincie worden ook met een nummer aangeduid, het laagste nummer is 1, het hoogste is 710. Wanneer ze het over wegen hebben, gebruiken de burgers van Los Angeles vrijwel altijd de nummers, onmiddellijk voorafgegaan door het woord *De*. De bovengenoemde wegen zijn beter bekend als de 138, de 71, en de 14. De 126, de 18, de kruising van de 10, de 57, de 71 en de 210. De 1, de 90. De 118, de 261, en de 47/103.

***

Interstate 10, de Santa Monica/San Bernardino Autoweg, ofwel *de 10*. De 10 is de langste en drukst bereisde oost-westroute van Los Angeles. Het is een lelijke, stinkende bruut van een weg, enorm en grijs, log en vuil. De weg zorgt voor gigantisch veel herrie en smog, en maakt dat alles in de buurt lelijker is en een stuk minder aangenaam. Het is de schoolbullebak van de snelwegen in LA, gehaat, gevreesd, mensen krimpen ineen als ze eraan denken, ze proberen de weg te vermijden, richten hun dag daarop in, richten hun leven daarop in, maar het helpt niets, helemaal niets, omdat de weg niet te vermijden is, altijd opdoemt, alomtegenwoordig, het verkeer verpest en de dagen van de mensen kapotmaakt, of de weg dat nu wil of niet. Net als de schoolbullebak, die heel af en toe ook aardig en sympathiek is en af en toe iets doet om het leven gemakkelijker of beter te maken, rijd je zo nu en dan de 10 op en krijg je een enorm, leeg, open stuk weg te zien dat een ongelooflijk snelle en gemakkelijke mogelijkheid biedt om de meest verstopte stad van Amerika te doorkruisen. Het is een prachtig gezicht, die open weg, en je blijft er 99 procent van de tijd dat de 10 een nachtmerrie is aan denken.

De 10 begint op een kruising met de Pacific Coast Snelweg in Santa Monica, loopt 3958 kilometer van kust tot kust door heel het zuiden van de Verenigde Staten, en eindigt (of begint, als je het op die manier wilt bekijken) op een kruising met de I-95 in Jacksonville, Florida. Oorspronkelijk was het een onderdeel van de Atlantic and Pacific Snelweg, een transcontinentaal pad dat pioniers en kolonisten volgden tijdens de migratie naar het westen in de negentiende eeuw. Vanaf omstreeks 1920 werd het een serie verharde wegen onderbroken door onverharde stukken woestijn in Californië, Arizona, New Mexico en Texas, en moeras in Louisiana, Mississippi, Alabama en Florida. In 1940 begon het project om ze allemaal in één weg te veranderen, en in 1957 was die voltooid, één geheel, en werd officieel Interstate 10 genoemd.

De 10 begint bescheiden, twee rijbanen die naar links buigen en snel omhoog leiden van de PCH aan de voet van de Pier van Santa Monica. Het ziet eruit als de inrit van een parkeergarage of de route voor mensen die niet rijk of aantrekkelijk genoeg zijn om naar het strand te gaan. De weg voert door een tunnel en verbreedt zich tot acht banen, vier per rijrichting, met betonnen muren van 9 meter aan weerszijden. Alles is nors en grijs, er ontbreken stukken beton en op de muren staan krassporen, het ziet er volstrekt onleefbaar uit en het is ook volstrekt onleefbaar. De weg gaat pal in oostelijke richting verder en blijft zich verbreden en binnen anderhalve kilometer telt die twaalf banen, nog eens anderhalve kilometer verder zestien. Langs het grootste deel van de westkant van Los Angeles, loopt de 10 over viaducten of staan er geluidswallen omheen. Het verkeer is de hele dag elke dag intens en staat vaak vast, behalve laat op de avond en vroeg in de ochtend. Zonder verkeer kost het vijftien tot twintig minuten om van Santa Monica het centrum van Los Angeles te bereiken. Met verkeer kan het twee uur kosten. Verder in oostelijke richting, als de 10 door buurten loopt die economisch minder gezond zijn dan die meer naar het westen, zijn er geen viaducten meer en verdwijnen de geluidswallen. Wanneer de weg het centrum bereikt, kruist hij de 110, die van Long Beach naar Pasadena loopt, en even ten oosten van het centrum kruist de weg met Interstate 5, die van Mexico naar Canada loopt. Vervolgens voert de weg oostelijk de provincie San Bernardino en de woestijn in. Even buiten Palm Springs wordt het de Sonny Bono Memorial Snelweg.

***

US 101, de Santa Ana/ Hollywood/ Ventura Autoweg, ofwel *de 101*. De autoweg die zo verdomd sympathiek is dat er vijf namen voor zijn. En inderdaad inderdaad inderdaad, dit is de autoweg waarnaar het liedje 'Ventura Freeway' van de supergroep America is genoemd, dat liedje uit de jaren zeventig met de geweldige vocale harmonie, de eerste keer dat je het hoort is het geweldig, de tweede keer gaat het wel, de derde keer is het ergerlijk, en de vierde keer zou je een granaat willen hebben om in de verdomde stereo te steken.

De 101 begint in Oost-LA, op het knooppunt met vijf lagen van Oost-Los Angeles, waar de 5 en de 10 en de 60 kruisen, de weg voert noordwaarts en westwaarts door het centrum. Van daaruit buigt de weg rond de noordrand van Hollywood en door de Cahuenga Pass tot de Hollywood Splitsing wordt bereikt, waar twee andere autowegen zich eruit afsplitsen en naar het noorden (de 170) en het oosten (de 134) lopen. Na de splitsing komt de 101 in de Valley, waar de weg pal westelijk loopt, parallel aan Ventura Boulevard, de Hollywood Hills en Beverly Hills. Dan loopt de weg in noordelijke richting de provincie Ventura in. Hij volgt de kustlijn van de Stille Oceaan door Californië, Oregon en Washington, waar de weg opnieuw samensmelt met Snelweg 5 (de mensen in Washington noemen het niet de 5). De 101 was oorspronkelijk deel van een pad dat de missieposten, nederzettingen en forten van voormalig Spaans Californië verbond. Het liep van de grens met Mexico naar San Francisco. Toen de grotere en efficiëntere Snelweg 5 gebouwd werd, doopte men het zuidelijke traject van de 101 om tot San Diego Provinciale Weg S-21.

De 101 is LA's eigen autoweg, beantwoordt het meest aan het beeld dat de buitenwereld van de stad heeft. De weg komt in tientallen liedjes voor, er zijn videospelletjes op gebaseerd en naar vernoemd, hij verschijnt regelmatig in televisieseries en films. Mensen op de hele aardbol stellen de 101 gelijk aan mooie tijden, snelle auto's, lekkere meiden, warm weer, filmsterren en geld. Net als ook voor z'n naamgenoot Hollywood geldt, wijkt de werkelijkheid van de 101 sterk af van hoe de buitenwacht hem ziet. Het is er druk. Het is er vuil. Het is er vervallen. Het is er gevaarlijk. Onder de viaducten wonen weggelopen kinderen en dakloze, aan crack en heroïne verslaafden in kampementen van kartonnen dozen. In de bermen ligt vuilnis. Er worden afgedankte banden op gedumpt en af en toe lijken. Op de 101 rijden kan een verschrikkelijke ervaring zijn. Ofwel staat het er verkeer er stil, met chauffeurs en passagiers die naar elkaar gluren, elkaar bedreigen en elkaar soms belagen, ofwel lijkt het wel 's werelds grootste, drukste, gevaarlijkste racebaan met auto's die van rijbaan wisselen, elkaar snijden, tegen de muren en afsluitingen van cement rijden die de weg flankeren. Eenmaal buiten het centrum en Hollywood, wordt de 101 een kleurloos, saai stuk grijs cement omgeven door woonprojecten en flats en tankstations en winkelgalerijen. Het is wel een heel andere plek dan toen de grote hit, DE GROTE HIT!!!!, erover werd geschreven. Het wordt interessant om de tekst van de volgende te horen.

***

Interstate 405, de San Diego Autoweg, ofwel *de 405*. Iemand op het namenbureau van de staat Californië was wiet aan het roken toen ze deze weg een naam gaven want hij blijft vijfenzestig kilometer van San Diego vandaan. Het lijkt bijna of ze medelijden hadden met San Diego omdat men er niet zulke grote beroemde wegen heeft als er in LA zijn, ze besloten hun dus een bot toe te werpen en hun de 405 te geven. Fijn voor hen, niemand in Los Angeles geeft er een reet om, en zelfs maakt niemand in Los Angeles zich druk over de misleidende en volkomen foute naam. De grote noord-zuidader met zestien banen, berucht als het toneel van de autoachtervolging met lage snelheid van O.J. Simpson op 17 juni 1994, staat bekend als en zal altijd bekendstaan als de 405. Zoals een trotse burger van Mar Vista, dat aan het traject van de 405 grenst, het eens uitdrukte – Opgedonderd met die stomme San Diego kolder, het is onze weg en we noemen hem zoals ons het godverdomme belieft.

In 1955 werd de 405 aangemerkt als een interstatelijke weg, in 1969 werd hij voltooid, hij voert je over honderdtwintig kilometer van Mission Hills aan het noordelijke eind van de San Fernando Vallei naar de stad Irvine, in de provincie Orange gelegen. De 405 loopt parallel aan de kustlijn van de Stille Oceaan, maar ligt een aantal kilometers landinwaarts. Aan begin en eind smelt hij samen met Interstate 5.

De 405 is een van de meest druk bereden en verstopte wegen ter wereld. Wanneer er beelden van de enorme files in LA te zien zijn in films en televisieseries, zijn die gewoonlijk opgenomen op het zestien kilometer lange weggedeelte tussen de aansluiting van de 405 op de 10 in Santa Monica, en de aansluiting van de 405 op de 101 in Sherman Oaks, twee van de vijf drukste snelwegknooppunten in het land. Op dat traject loopt de 405 door de Sepulveda Pas, die de Santa Monica Mountains doorsnijdt en een van de belangrijkste verbindingen is tussen de westkant van LA en de Valley. Het is ook het gebied van het Getty Museum en het Skirball Cultural Center (hadden ze geen betere naam kunnen verzinnen, misschien zoiets als het San Diego Cultural Center?).

Rijden op de 405 is zoiets als in de rij staan voor een achtbaan. Je vreest de rij, je weet dat je er niet onderuit kunt, je stapt in, en dan ga je langzaam het lijkt wel een eeuwigheid meter voor meter vooruit. Het is altijd heet, altijd ruik je iets, je hebt er altijd spijt van dat je in de rij bent gaan staan. Maar anders dan bij een rij voor de achtbaan loont het gewoonlijk niet van de 405 af te gaan. Of je nu een andere snelweg, autoweg of Interstate neemt, of een van Los Angeles' grotere gewone straten, het enige wat je krijgt is meer verkeer. Meer verkeer. Meer kloteverkeer. Klote.

***

Interstate 5, de Santa Ana Autoweg, ofwel *de 5*. De Oude Man. De Grijsaard. De Grootvader. De 5 is de oudste van de belangrijke wegen in Los Angeles, hij vindt zijn oorsprong in een tijd voor er Europeanen waren geland op het vasteland van de Verenigde Staten, toen maakte hij deel uit van een serie paden en handelsroutes, later bekend als het Siskiyou Pad, die door Indianen werden gebruikt. In de negentiende eeuw werd het pad ingelijfd door de Pacific Railroad. In het begin van de twintigste eeuw werd het de Pacific Snelweg, en in de jaren dertig werd de weg omgedoopt tot US Snelweg 99. In de jaren vijftig werd de weg de Interstate 5, en ongeveer twee uur later begonnen de inwoners van Los Angeles hem de 5 te noemen.

De 5 loopt over 2250 kilometer van de grens tussen de VS en Mexico naar de grens tussen de VS en Canada. De weg verbindt de meeste grote steden aan de Westkust: San Diego, Los Angeles, Sacramento, Portland, Seattle, Tijuana in Mexico en Vancouver in Canada. Gewoonlijk is de weg acht banen breed, maar op bepaalde korte stukken rond LA worden het er tien. Die zitten gewoonlijk allemaal propvol verkeer. Vanwege het traject dat de 5 volgt, hij loopt door de dichtbevolkte oostkant van LA, is er geen ruimte voor uitbreiding. Omdat de bevolking in Zuid-Californië, met name in Los Angeles, snel groeit, wordt de drukte op de weg ieder jaar erger. Het onderhoud aan de 5 is ongelooflijk lastig. Als je een rijstrook, of twee rijstroken afsluit of blokkeert, heeft dat een negatieve invloed op het verkeer op alle andere snelwegen in Los Angeles, je krijgt dan in de hele stad gigantische files. Het onderhoud moet midden in de nacht gebeuren, tussen 23.00 en 05.00 uur. Het werk duurt jaren, en tegen de tijd dat het is afgerond, zijn vaak de eerste reparaties alweer nodig. Het probleem is beslist onoplosbaar. Het wordt erger, en zal steeds erger worden.

Net als een Oude Man, een Grijsaard, een Grootvader begeeft de 5 het lichamelijk, raakt hij versleten. Eens was hij prachtig, de grootste en de belangrijkste van de snelwegen in LA, nu wordt hij door de oude dag en een wereld die verandert iets zieligs en uitgeputs, niet meer te herstellen en in verval. In een perfecte wereld zou de 5 netjes met pensioen kunnen om op de dag te wachten dat hij een telefoontje uit de Snelweghemel kreeg. Hij zou kunnen uitrusten en vol trots en het idee iets te hebben bereikt kunnen terugzien op de eigen historie en prestaties. In plaats daarvan scharrelt hij verder, geen uitzicht op verandering, geen uitzicht op verbetering, geen uitzicht om te worden wat hij ooit was. Hij scharrelt verder, hij scharrelt verder.

***

California State Route 1, Snelweg 1, de Pacific Coast Highway, ofwel *de* PCH. In plaats van een standaardbeschrijving lijkt een strofe uit het werk van een grote dichter hier het meest toepasselijk:

Zij schrijdt in schoonheid, als de nacht
in wolkeloos klimaat en stergeflonker:
en in haar blik wordt alles saamgevat

wat goed is in het licht en donker;
zo tot het teder licht verzacht
dat aan de bonte dag niet wordt geschonken.
LORD BYRON (1788-1824; vertaling J. Eijkelboom)

Inderdaad, zij is een schoonheid, sommigen zeggen de mooiste snelweg ter wereld. Ze inspireert tot liedjes, films, schilderijen, foto's, mensen uit de hele wereld komen haar bekijken, steken tijd in haar, berijden haar. Zelfs in Los Angeles, een streek waar velen van de mooiste mensen ter wereld wonen, wordt zij als heel bijzonder beschouwd. Zo bijzonder dat het unieke cijfersysteem dat men voor elke belangrijke weg in de provincie LA gebruikt terzijde wordt geschoven en men haar in plaats daarvan met letters heeft bedeeld. De PCH, hoe vaak hebben deze woorden niet bij iemand een traan in de ogen gebracht, de PCH, je kunt maar beter je rekenmachine opladen.
De PCH was aanvankelijk het visioen van een plattelandsdokter die John Roberts heette, hij woonde in de stad Monterey in Noord-Californië. De meesten van zijn patiënten woonden verspreid aan de kust, en er waren voor hem geen betrouwbare wegen om naar hen toe te reizen wanneer dat nodig was. Hij stuurde zijn voorstel, dat een 225 kilometer lange tweebaansweg tussen Monterey en San Luis Obispo behelsde, naar zijn plaatselijke afgevaardigde in het congres van de staat, die legde het voor aan de wetgever van de staat, in 1919 werd het goedgekeurd en werd er $ 1½ miljoen voor uitgetrokken. Binnen twee maanden werd het budget overschreden, en gevangenen uit de San Quentin State Prison werden ingezet, dwangarbeid in ruil voor strafvermindering. Bijna driehonderdduizend kuub rots werd opgeblazen en nog in 1945 werden staven dynamiet gevonden langs de berm van de PCH. In de loop van de volgende 30 jaar gaf de wetgever meer bouwopdrachten, en delen van andere wegen werden aangewezen om op te gaan in de PCH, en nu loopt de weg van Dana Point in de provincie Orange naar een kleine stad in Noord-Californië die Leggett heet.

Zoals je vaak ziet bij dingen van grote schoonheid, is niet alles wat het aanvankelijk lijkt. De PCH in de provincie LA kan gemeen zijn, lelijk, een enorme lastpak. De weg komt de provincie LA binnen bij Long Beach en loopt noordwaarts via San Pedro en Torrance, Redondo Beach en Hermosa Beach. Op het grootste deel van dit traject is het een vierbaansweg omzoomd door winkelgalerijen en snackbars, discountketens en autobedrijven. Het enige echte teken dat de weg aan de Stille Oceaan ligt is de lucht, zware, zoutige, vochtige zeelucht. De PCH komt dan langs Los Angeles Airport, ook bekend als LAX, en wordt een deel van Lincoln Boulevard, waarvoor men graag de bijnaam Stinkin' Lincoln gebruikt. Vanwege alle stoplichten is het verkeer stilstaan en rijden, en er kunnen ongelooflijke files staan. De weg wordt pas wat je je bij de PCH voorstelt als ze bij Santa Monica komt, waar ze de 10 kruist.
Net als een tiener die van een lastig lelijk eendje opbloeit tot een elegant, jong supermodel, of de onooglijke actrice die uit de camper met de make-up tevoorschijn komt als een verblindende, schitterende filmster, wordt de PCH

wanneer ze de gewone straten van LA verlaat en op eigen benen komt te staan onmiddellijk geweldig. Zij verbreedt tot zes banen en loopt pal naast een 100 meter breed strand, de golven van de Stille Oceaan slaan op de kust en zijn moeiteloos te horen, negen maanden per jaar heb je zonnebaders in bikini's, en twaalf maanden per jaar heb je hardlopers, skeelers en fietsers op een smal, kronkelend pad dat parallel aan de weg loopt. Aan de andere kant heb je kalkstenen kliffen van 60 meter met witte, roze en paarse strepen die glinsteren in de zon, die lijken te gloeien als hij ondergaat, die fijntjes geschilderd lijken te zijn. De PCH gaat verder noordwaarts langs de kust en buigt dan mee met de inhammen en kreken van de Santa Monica Bay de kliffen worden onderbroken door ravijnen weelderig groen begroeide ravijnen met huizen gebouwd tegen de steile beboste wallen, het strand is soms smal soms breed er zijn volleybalnetten met springende spelers, surfers die over de golven glijden, boten in de verte, men vaart men flirt, men zit, men rust. Santa Monica wordt de Pacific Palisades de Palisades wordt Malibu. 's Zomers en in het weekend kan het verkeer tussen Santa Monica en Malibu afgrijselijk zijn, hutjemutje bij vijf kilometer per uur. Voorbij Malibu versmalt de PCH tot vier banen tot twee er zijn minder huizen meer bomen minder mensen hogere golven de bochten worden scherper de kliffen worden bergen en afgezien van het beton van de weg is het land zoals het geweest is sinds het begin van de wereld blauw dat beige wordt vervagend tot groene hellingen gebroken grote grijze stenen rotsen. Vijftig kilometer blijft de weg noordwaarts lopen elke bocht elke helling elk strand kan je de adem benemen, je laten twijfelen aan mens god maatschappij je leven je bestaan, het is zo mooi het beneemt je de adem, de adem, het is zo mooi het kan je diep raken.

***

Elk jaar wordt aan twaalf mannen gevraagd om mee te doen. De Raceleider kiest hen, soms kennen ze elkaar en soms niet, soms hebben ze eerder geracet en soms niet. Ze hebben allemaal een spectaculaire auto, het is een van de redenen dat ze worden gekozen. Ze rijden allemaal met de auto op een manier die de wetten van het land, de staat, de provincie en de stad tart het is een van de redenen dat ze worden gekozen. Ze hebben allemaal toegang tot tienduizend dollar in contanten voor de pot, het is een van de redenen dat ze worden gekozen. Niemand kent de andere redenen behalve de Raceleider, en hij vertelt die aan niemand.

Ze komen elk jaar op 1 april om 02.00 uur bij elkaar. Het trefpunt is het parkeerterrein van een snackbar aan de Olympic Boulevard nabij de oprit van de 405, even ten noorden van het knooppunt met de 10. Er zijn twaalf parkeerplaatsen langs de achterkant van het parkeerterrein. Elke auto krijgt een nummer dat overeenstemt met een nummer vóór een van de plaatsen. De auto's, dure Europese sportwagens, omgebouwde en aangepaste Amerikaanse krachtpatsers, en Japanse sedans uitgedost voor dragraces in de lange rechte lege straten van de Valley, parkeren allemaal zo dat hun neus naar voren steekt. De chauffeurs verschillen in leeftijd, ras, godsdienst en sociaal-economische status. Al die dingen tellen niet voor de Raceleider. Het enige wat voor hem telt zijn hun auto's, hun bekwaamheden en hun geld.

Om 02.10 krijgen ze de route en de regels. De route is min of meer een volle cirkel rond de stad Los Angeles. De route voert van de 405 Noord naar de 101 Oost naar het knooppunt Oost-Los Angeles naar de 5 Ringweg naar de 10 West naar de PCH Noord naar de kruising van de PCH met Malibu Road. Je hebt een supermarkt op Malibu Colony Plaza die Ralph's heet er zijn twaalf plaatsen voor Ralph's met nummers die identiek zijn aan degene bij de snackbar. De eerste auto die met de neus naar voren steekt binnen de lijnen van de plaats met hetzelfde nummer als waar hij startte, wint de race. De winnaar krijgt de hele pot. Regels zijn er niet.

Om 02.15 blaast de Raceleider op een fluitje en begint de race. De auto's knallen de parkeerplaats af, meer dan één keer zijn er ongelukken op het terrein gebeurd en zijn er auto's niet verder gekomen. Lukt dat wel en halen ze de op-rit en de 405, dan vliegen ze, dan vliegen ze godverdomme echt. Alle auto's, een enkele uitgezonderd, halen snelheden boven de 320 km/u, en op dit uur van de nacht zijn de wegen vrijwel leeg. De auto's blijven gewoonlijk heel dicht bij elkaar, en de race wordt gewonnen of verloren bij de overgang van de ene snelweg op de andere, als de auto's vaart moeten minderen om de af- en opritten te halen. Er is altijd minstens één ernstig ongeval, en om de zoveel jaar heeft één, en soms meer, van de ongelukken een dodelijke afloop. Meer dan één keer zijn auto's aan de kant gezet, of is de verkeerspolitie tot achter-volgingen in volle vaart overgegaan, hoewel tegenwoordig de meeste van de auto's zeer professionele radardetectors en laserstoorders hebben waardoor ze problemen met de wetshandhavers kunnen voorkomen. De totale afstand van de race is ongeveer 105 kilometer. De winnende tijd ligt gewoonlijk rond de 25 minuten. De snelste winnende tijd in de geschiedenis van de race was 19 minuten 22 seconden. De langzaamste was 31 minuten 11 seconden.

Na de start van race rijdt de Raceleider rechtstreeks van de start naar de fi-nish. Hij houdt van de rit, het is zijn favoriete tijd van het jaar. Hij denkt aan de auto's, de chauffeurs, probeert zich voor te stellen waar ze zijn, wie gaat winnen, wie brokken maakt, wie aan de kant wordt gezet, wat er door hun hoofden gaat. Hij wedt met zichzelf wie er zal winnen, en als hij zijn vak ver-staat en de berijders goed heeft gekozen, zorgvuldig en nauwkeurig, zal hij het niet kunnen raden. Wanneer hij het parkeerterrein van Ralph's in Mali-bu bereikt, parkeert hij zijn eigen auto, een nogal gewone Chevy die hij sinds 1983 bezit, zet hij een tuinstoel op, trekt een biertje open en steekt een sigaar op. Terwijl hij zit te wachten, zijn biertje drinkt en zijn sigaar rookt, glim-lacht hij en denkt hij over wat er aan de gang is. Ze rijden daar op de weg, met snelheden tegen de 290 km/u, zeer waarschijnlijk rond de 340, die snelle au-to's en die idiote klotechauffeurs, daar rijden ze. Hij glimlacht, hij denkt na, en hij wacht.

***

Als de bevolking met het huidige percentage blijft groeien, en de verhouding tussen auto's en mensen op het huidige peil blijft, schat men dat ergens rond het jaar 2025 Los Angeles iets zal ervaren dat op een permanente wegblokkade lijkt.

In 1895 wonen er 135.000 mensen in Los Angeles. In een poging de Los Angeles Rivier als de belangrijkste waterbron voor de stad te behouden, begint William Mulholland, de chef van het waterbedrijf van Los Angeles, een systeem met meters om het totale waterverbruik te reguleren. In 1903 wonen er 235.000 mensen in Los Angeles en de Los Angeles Rivier raakt leeg. Een zoektocht naar andere hernieuwbare watervoorraden in de provincie Los Angeles levert niets op.

Esperanza staat elke ochtend om 06.00 op. Ze neemt een douche en kamt haar haar, dat ze van mevrouw Dwingeland in een knotje moet dragen. Voor ze zich aankleedt, wrijft ze een kwartier olie van de vijgcactus uit Zuidoost-Mexico over haar dijen, een van haar nichten koopt die bij een sjamaan, die beweert de olie te gebruiken om zichzelf kleiner te maken zodat hij z'n vijanden kan bespioneren, en zendt de olie naar haar toe. Esperanza gebruikt hem in de hoop dat ze op een dag een normale broek zal kunnen dragen.

Als het dijenwrijven klaar is, trekt ze haar reiskleren aan, een grijze rok en een witte bloes, van mevrouw Campbell moet ze er netjes uitzien als ze verschijnt en vertrekt van haar werk. Als ze is aangekleed is loopt ze naar de bushalte, stapt op de bus naar Pasadena, stapt uit de bus en loopt naar het huis van Campbell. Ze loopt het terrein op via een poort aan de achterkant van het domein. Ze gaat het huis binnen door een ingang naast de achterdeur die meteen naar de kelder leidt. Ze moet om 08.00 gekleed en klaar zijn voor het werk, gewoonlijk arriveert ze om 07.45. Ze trekt haar werkkleding aan en loopt naar de keuken, waar ze een pot koffie zet. Mevrouw Campbell is erg kieskeurig wat koffie betreft. De koffie moet van een bepaald soort zijn (ze koopt alleen Amerikaanse waar, dus de koffie komt uit Hawaï) op een bepaalde manier worden gezet (twee en een kwart schepje in een maat 4-filter) en op een bepaalde temperatuur worden geserveerd (warm maar niet heet) op een bepaalde manier worden gemengd (twee eetlepels melk, een theelepel suiker). Als de koffie niet volledig naar haar smaak is, gooit ze hem ofwel op de grond en moet Esperanza die schoonmaken, ofwel, als ze een slechte bui heeft, gooit ze hem over haar heen en moet Esperanza terug naar de kelder om schone kleren aan te trekken. Esperanza brengt de koffie precies om 08.10, samen met een nieuwe *Los Angeles Times*, op een schaal die op een dienblad komt te staan dat precies en zonder te wankelen op het bed van mevrouw Campbell past. Terwijl mevrouw Campbell de koffie drinkt en de koppen van de krant doorkijkt, laat Esperanza haar bad vollopen, dat ook een vaste temperatuur moet hebben. Nadat er heet water naar haar is gespetterd en ze twee keer in de kuip is geduwd, heeft Esperanza voor zichzelf de temperatuur vastgelegd door heel kleine, vrijwel onzichtbare streepjes op het porselein te zetten, die geven de plaats aan tot waar ze de kranen moet draaien. Terwijl mevrouw Campbell ontspant in bad, ruimt Esperanza haar dienblad op en maakt ze haar bed op. Als het bed niet perfect is opgemaakt, stijve hoeken en geen kreukels, haalt mevrouw Campbell de dekens en lakens van het bed en gooit die op de vloer en moet Esperanza het bed helemaal opnieuw opmaken. Wanneer het bed naar tevredenheid van mevrouw Campbell is opgemaakt, gaat Esperanza terug naar de keuken, waar ze twee geroosterde volkorenboterhammen met mandarijnenjam klaarmaakt en die op een bord op de keukentafel legt. Mevrouw Campbell eet er nooit van, maar wil dat ze er zijn voor het geval dat. Wanneer de geroosterde boterhammen op de juiste manier zijn bereid en neergelegd, gaat Esperanza terug naar de kelder om haar spullen te pakken, ruitreiniger, boenwas, een dweil, een stofzuiger, lappen, een plumeau. Het schoonmaken van het hele huis is over de loop van vijf dagen verdeeld, elke dag moet een bepaald gedeelte worden gedaan. Op maandag de woonkamer, de eetkamer en de bibliotheek. Op dinsdag de keuken, de ontbijtruimte, de veranda en de kaartkamer voor mannen (die niet gebruikt is sinds haar echtgenoot overleed). Op woensdag de slaapkamers en badkamers van de gasten, op donderdag de slaapkamers van mevrouw Campbell en de slaapkamers van haar kinderen (die liever niet langskomen). Op vrijdag het gastenhuis en de retouches die misschien voor het weekend nodig zijn. Als mevrouw Campbell niets te doen heeft of geen plannen heeft, loopt ze Esperanza na als die aan het werk is en wijst ze haar op fouten die ze maakt, of op dingen die meer aandacht vergen, ze laat Esperanza vaak iets, zoals een lamp stoffen, nog eens en nog eens en nog eens doen, tot ze er tevreden over is. Als mevrouw Campbell iets te doen heeft of plannen heeft, controleert ze het werk wanneer ze terug is, en ze heeft er altijd iets op aan te merken. Als ze in een goede bui is, wijst ze rustig op wat haar stoort of op wat volgens haar niet goed is gedaan, als ze in een slechte bui is, gaat ze tieren, schreeuwen, dingen kapot gooien, de kosten daarvan trekt ze van Esperanza's loon af. Op het middaguur krijgt Esperanza een kwartier voor de lunch, die gebruikt ze in haar domein in de kelder, en om drie uur krijgt ze vijf minuten pauze, die ze vaak huilend in een van de badkamers doorbrengt. Naast haar schoonmaakwerk helpt ze bij het regelen van de bezorging van bloemen en kruidenierswaren, en helpt ze mevrouw Campbell bij het overleg met twee Mexicaanse tuinmannen die op het terrein werken, ze spreken allebei vlekkeloos Engels, maar willen niet dat mevrouw Campbell dat weet zodat ze vrijwel alles wat ze tegen hen zegt kunnen negeren. Esperanza vertrekt rond 6 uur. Ze neemt de bus naar huis.

Wanneer ze thuiskomt, eet ze met een of ander deel van haar familie. De meesten van hen zijn illegalen en pakken alles aan, ze staan vaak bij bouwmarkten om dagbaantjes van aannemers te krijgen, daarom weet ze nooit met wie ze al dan niet samen zal eten. Ze eten gewoonlijk Mexicaans, bereid door de vrouwen in huis die niet werken, maar om de zoveel weken leggen ze hun geld bij elkaar en kopen een enorme zak gebakken kip met als bijgerechten witte bonen in tomatensaus en macaroni met kaas. Na het eten, als de rest van de familie zich naar de televisie begeeft, gaat Esperanza naar haar kamer waar ze haar avonden met lezen of studeren doorbrengt. Ze leest liefdesromans, vaak in Europa gesitueerd, waarin mooie vrouwen verliefd worden op rijke knappe mannen, waarin hun liefde zwaar op de proef wordt gesteld, waarin altijd schijnbaar onoverkomelijke obstakels moeten worden overwonnen om samen te zijn, en waarin de liefde, de grote ware eeuwige liefde, altijd overwint. Wanneer ze niet leest, studeert ze voor toelatingsexamens voor universiteiten, ze heeft er al een gehaald met goede cijfers, maar wil het nog een keer doen om nog hogere cijfers te halen. Ze concentreert zich op de wiskunde in het examen, uren zit ze gebogen over getallen, krommes, grafieken en formules. Het is saai en naar, en soms heeft ze zin de boeken het raam uit te gooien of ze tussen het vuilnis te stoppen, maar ze wil naar de universiteit en heeft de hogere cijfers nodig om te proberen nogmaals een beurs te krijgen. Voor ze gaat slapen brengt ze de vijgcactusolie weer aan, en dan zakt ze op haar knieën om te bidden, ze bidt voor haar vader en moeder, voor haar familie, voor alle Mexicanen in LA, ze bidt dat ze het er goed zal afbrengen op het examen, voor haar toekomst, om iets van voldoening. Haar laatste gebed geldt altijd mevrouw Campbell, zij vraagt God haar hart te openen, haar te bevrijden van haar haat, haar een aardiger, beter mens te maken, haar een gelukkige tijd te geven voor hij haar tot zich neemt. Na het bidden doet ze haar licht uit en stapt ze in bed. Wanneer hij ziet dat haar licht uit is, komt haar vader vaak binnen om haar op het voorhoofd te kussen en haar te zeggen dat hij van haar houdt. Zij vindt het heerlijk wanneer hij dit doet, en nu ze eenentwintig is betekent het meer voor haar dan toen ze acht, tien, twaalf, hoe oud ook was.

Opnieuw een zonnige dag zij brengt haar cactusolie aan maakt zich klaar pakt de bus loopt naar het huis. Meer huispersoneel loopt dezelfde route, werksters en koks en kindermeisjes, velen van hen zijn met elkaar bevriend. Terwijl ze naar de achteringangen lopen van de huizen waar ze werken, lachen en kletsen ze, roken ze en vertellen ze verhalen. De verhalen gaan altijd over hun werkgevers, over hun eisen hun gewoontes, over hun ontrouwe echtgenoten en verpeste kinderen, over hun gebrek aan respect en hun gehechtheid aan titels, over hun arrogantie, hun wreedheid. De meeste vrouwen zijn flink ouder dan Esperanza, in de dertig veertig vijftig zestig, en in een paar gevallen in de zeventig. Ze hebben echtgenoten en kinderen, kleinkinderen, ze hebben naast hun baan een leven. De meesten van hen zijn geen ingezetenen of staatsburgers van de Verenigde Staten, dat beperkt hun kansen op andere beroepen. Op een bepaalde manier heeft Esperanza het gevoel dat ze bij hen hoort, of dat dit haar bestemming is. Op een andere manier deprimeert de gedachte dat ze wanneer ze ouder is dezelfde route loopt, dezelfde kleren draagt en hetzelfde soort werk doet haar zo diep dat ze liever stierf. Haar ouders brachten haar naar dit land om haar de kansen te geven die zij nooit kregen, en dat zij dus een leven kon leiden dat voor hen onhaalbaar was. Ze kwamen niet naar hier om haar haar tijd te laten besteden aan het schoonmaken van het landhuis van een akelige oude vrouw.

Ze loopt het terrein op gaat de kelder in trekt haar werkkleding aan. Terwijl ze de trap op loopt ruikt ze koffie iemand heeft die al gezet ze raakt in paniek kijkt op haar horloge, het is 07.53 uur zij is vroeg. Zij stopt haalt diep adem, vraagt zich af of het de bedoeling was dat ze vroeger zou beginnen, of mevrouw Campbell haar iets heeft gezegd dat ze is vergeten. Ze bereidt er zich op voor te worden toegeschreeuwd, dingen naar haar toegegooid te krijgen, te worden uitgescholden. Wat er ook in de keuken gaande is het moet verkeerd aflopen. Ze overweegt de trap weer af te gaan en zich om te kleden en weg te glippen door de achteringang en naar huis te gaan. Ze haalt diep adem. Ze kan de koffie ruiken. Ze wil naar huis. Ze denkt aan haar vader en moeder alle vernederingen die zij jarenlang hebben doorstaan in dit soort baantjes haar vader zei haar altijd werk is werk en het is jóuw werk, ook al bevalt het je niet. Ze haalt diep adem, ze opent de deur en stapt de keuken in. Er zit een kleine, mollige man aan tafel. Hij heeft een geruite boxershort aan en een wit T-shirt met etensvlekken erop. Hij heeft rood haar, het is dik aan de zijkanten en dun bovenop, hij heeft een slordige rode snor. Hij drinkt een grote kop koffie en eet wat toast met jam, hij heeft mevrouw Campbells krant uitgespreid voor zich liggen. Esperanza kent hem niet, heeft hem nooit gezien, en is ondanks zijn verschijning bang voor hem. Hij draait zich naar haar toe, zegt iets.

Hola. (Hi.)

Zij staart hem aan.

Mi nombre es Doug. (Mijn naam is Doug.)

Staart.

Cual es su nombre? (Wat is jouw naam?)

Zij staart hem aan. Hij staart terug, zegt iets.

Usted tiene un nombre? (Heb je een naam?)

Ze geeft antwoord, omdat ze hem niet kent bezigt ze een Mexicaans accent.

Ik spreek Engels. Mijn naam is Esperanza.

Hij glimlacht.

Leuk je te ontmoeten, Esperanza.

Hij likt wat jam van z'n vingers, veegt z'n vingers aan z'n shirt af, pakt een stuk toast op.

Wil je misschien toast?

Waar is mevrouw Campbell?

Boven waarschijnlijk.

Wat heeft u met haar gedaan?

Hij neemt een hapje toast. Er belandt een beetje jam in zijn snor. Hij praat onder het kauwen.

Waar heb je het over?

Ik ga de politie bellen.

Ze loopt naar de telefoon. Hij neemt nog een hap, zegt iets.

Ze is vergeten het je te zeggen, nietwaar?

Esperanza aarzelt.

Me wat te zeggen?

Gaat door met kauwen, met praten.

Dat ik zou komen.

Wie bent u?

Doug Campbell. Ik ben de jongste zoon van mevrouw Campbell.

Ik geloof u niet.

Dat heb ik eerder gehoord.

U lijkt niet op haar.

Ook eerder gehoord. Mijn broer noemt me de trol van de familie.

Hij veegt z'n handen aan z'n shirt af, laat een streep jam op de voorkant achter, stopt niet met kauwen en praten.

Al is me niet duidelijk waarom hij me nu eigenlijk een trol noemt. Ik heb mezelf altijd eerder als een prins dan als een trol gezien. Een onconventionele prins, maar wel degelijk een prins.

Esperanza glimlacht. De man die ze voor zich ziet is beslist geen prins. Geen prins onder de mensen, geen prins onder de toastetende besnorde sloddervossen, zelfs geen prins onder de trollen. Ze zegt iets.

Vindt u het goed als ik de koffiepot pak?

Je wil een kopje?

Nee. Ik moet mevrouw Campbells koffie zetten.

Maak je daarover geen zorgen.

Het hoort bij mijn werk. Elke dag moet ik haar koffie zetten.

Ontbijt in bed met de krant en vervolgens een bad, de hele rits?

Ja.

Ik heb net met haar gepraat. Ze laat het vandaag vervallen.

Ze kijkt naar hem. Hij glimlacht, er is eten tussen zijn tanden beland.

Zolang zij niet nee zegt, moet ik het doen.

Ze wil de koffiepot pakken. Op dat moment loopt mevrouw Campbell, in haar badjas en op slippers, de keuken in. Ze zegt iets.

Goedemorgen, Dougie.

Hi, mam.

Heb je alles gevonden wat je nodig had?

Reken maar.

Ze loopt naar hem toe, kust hem op de wang.

Is je koffie lekker?

Heerlijk.

Ze gaat tegenover hem zitten.

Hij ruikt geweldig.

Wil je een kop?

Ze begint de krant te bekijken.

Heel graag.

Hij wil overeind komen, zonder naar Esperanza te kijken of rekening met haar te houden, mevrouw Campbell zegt iets.

Mijn dienstmeisje pakt de koffie wel.

Doug kijkt naar Esperanza, haalt z'n schouders op. Ze draait zich om loopt naar de kast, haalt er een porseleinen kopje en een schoteltje uit. Terwijl ze terugloopt naar de tafel, kijkt mevrouw Campbell naar Doug, zegt iets.

Het is zo fijn dat je thuis bent.

Het is goed om hier te zijn.

Ik kan het nauwelijks geloven.

Het is toch zo, mam. Hier ben ik.

Esperanza zet kop en schotel voor haar neer. Doug wil de pot pakken, mevrouw Campbell houdt hem tegen.

Zij schenkt mijn koffie in, Doug. Dat hoort bij haar werk.

Esperanza neemt de pot op, schenkt een kopje in voor mevrouw Campbell.
Doug zegt iets.
Dank je, Esperanza.
Mevrouw Campbell kijkt verbaasd.
Jullie hebben zeker kennisgemaakt?
Ja, we waren aan het kletsen voor je naar beneden kwam.
Mevrouw Campbell wendt zich tot Esperanza, kijkt ongelooflijk kwaad.
Hoe luiden de regels van dit huis, jongedame?
Esperanza deinst terug.
Ik heb niets verkeerds gedaan, mevrouw Campbell.
Ik zal hier wel uitmaken wat er goed of verkeerd is. Nou, hoe luiden de regels van dit huis?
Doug zegt iets.
Mam, je blaast dit op.
Mevrouw Campbell wendt zich tot hem.
Ik hou van je, Doug, en ik ben ongelooflijk blij dat je thuis bent, maar laat me alsjeblieft mijn huishouding bestieren zoals het volgens mij hoort.
Ze wendt zich weer tot Esperanza, die er doodsbang uitziet.
Jongedame. De regels?
Ik heb niets verkeerds gedaan.
Een van de regels van dit huis is dat je uitsluitend met mij mag spreken, en je mag alleen met me spreken wanneer ik je aanspreek. Klopt dat?
Esperanza staart naar de vloer.
Je hebt deze regel kennelijk overtreden door met mijn zoon te spreken. Klopt dat?
Doug zegt iets.
Mam, ik sprak haar als eerste aan en...
Ze valt hem in de rede.
Dit zijn jouw zaken niet, Doug.
Ze wendt zich weer tot Esperanza.
Je mag niet meer met hem praten. Is dat begrepen?
Esperanza staart naar de vloer, knikt.
Jongedame, toon me alsjeblieft een klein beetje respect en kijk me aan als ik tegen je praat.
Esperanza kijkt op.
Je mag niet met mijn zoon praten, of met iemand anders in dit huis, tenzij ik eerst toestemming heb gegeven. Begrijp je me?
Ja.
Weet je het zeker?
Ja.
Zeg alsjeblieft luid en duidelijk – ja, ik begrijp u, mevrouw Campbell.
Ja, ik begrijp u, mevrouw Campbell.
Een beetje harder alsjeblieft.
Ja, ik begrijp u, mevrouw Campbell.
Ik hoor je niet.

Ja, ik begrijp u, mevrouw Campbell.

Mevrouw Campbell kijkt dreigend naar haar, Esperanza's handen trillen, haar ogen staan vol tranen.

Normaal gesproken zou ik iemand als jij ontslaan als je me niet gehoorzaamt. Dit is mijn huis en jij bent mijn werknemer en als je hier bent moet je doen wat ik zeg. Zolang mijn zoon hier is, en misschien is dat voor een langere periode, geldt tegenover hem hetzelfde beleid. Begrijp je me?

Ja, ik begrijp u, mevrouw Campbell.

In plaats van je te ontslaan, zal ik loon inhouden. Je krijgt deze week de helft van je loon als je deze week verder niet voor moeilijkheden zorgt.

Doug zegt iets.

Mam, je kunt echt niet...

Ze valt hem in de rede.

Je moet streng zijn tegen deze mensen, Doug. Vertrouw me alsjeblieft.

Ze wendt zich weer tot Esperanza.

Heb je alles begrepen wat ik je heb gezegd?

Ja, ik begrijp u, mevrouw Campbell.

Goed, want ik ga je eraan houden. Laat ons nu alsjeblieft met rust. En ik wil je vandaag niet meer zien, dus blijf alsjeblieft weg uit delen van het huis waar wij misschien zijn.

Ja, mevrouw Campbell.

Esperanza draait zich om en loopt de keuken uit begint de trap naar de kelder af te lopen. Haar handen beven, lippen beven, tranen beginnen te vloeien ze haat zichzelf, haat zichzelf. Ze komt beneden aan de trap gaat zitten op de laatste trede legt haar gezicht in haar handen haat zichzelf, haat haar baan, haat dit huis en deze tuin, haat de straat en de stad, haat het dat ze hier vijf dagen per week is, haat het schoonmaken de was doen de afwas doen afstoffen. Ze houdt haar gezicht in haar handen ze haat het dat ze geen zelfvertrouwen heeft. Ze houdt haar gezicht in haar handen ze haat het dat ze zich door mevrouw Campbell laat vernederen. Ze houdt haar gezicht in haar handen ze haat het dat haar leven niet is wat het had kunnen zijn. Haar gezicht, haar handen. Haat het.

In 1893 wacht een enorme menigte in het centrum van Los Angeles urenlang op een voorstelling van de zoöpraxinoscoop en Dieren Beweger van Eadward Muybridge, een fotograaf uit San Francisco, die geldt als de eerste keer dat er bewegende beelden in de stad worden vertoond. In 1894 schaft Abraham Kornheiser bij Thomas Edison drie kinetoscopen aan, apparaten die een toeschouwer de mogelijkheid bieden bewegende beelden te zien door een kijkgaatje. Zijn bedoeling was het eerste filmtheater in Los Angeles te openen, dat Kornheiser's Peep Show Palace had moeten heten. De kinetoscopen raakten onderweg beschadigd, en Edison weigerde ze te maken of Kornheiser z'n geld terug te geven. In 1895 verkoopt Edison aan Elijah Nachman een vitascoop, de eerste bruikbare filmprojector. Nachman opent Nachman's Magisch Vitascoop Theater, het eerste filmtheater in de provincie Los Angeles.

Joe zit een uur, twee drie vier, achter de vuilcontainer, het blonde meisje ligt op het beton naast hem te slapen. Haar ademhaling is regelmatig, kennelijk bloedt ze niet meer. Een of twee keer per uur verroert ze zich of mompelt ze, haar handen bewegen of ze zucht, ze verandert een beetje van plaats. Lelijkerd Tom komt twee keer terug hij brengt Joe een stuk pizza van gisteren, een halve burrito met bonen en kaas. Vier Teen Tito, vooral bekend als Vier, een grote, bebaarde kerel uit El Salvador met haar tot aan z'n middel die achter een hotdogstalletje slaapt en geboren is met aan elke voet slechts vier tenen, komt langs om naar het meisje te kijken hij denkt dat hij haar kent maar als hij haar ziet blijkt het niet degene die hij denkt dat het is. Jenny A., een achtendertig jaar oude moeder van drie kinderen uit Phoenix, die haar gezin, vrienden, toekomst en leven kwijtraakte omdat ze niet van de drank kon afblijven, komt langs om dag te zeggen en een poos te kletsen en te zien of Oudje Joe haar een fles wijn zal geven uit zijn bergplaats in het toilet. Joe weet dat als hij haar zijn sleutels van het toilet geeft ze alles wat hij heeft op zal drinken dus zegt hij later misschien, Jenny, later misschien, ze zegt dat ze het snapt zegt dat ze naar de slijter gaat om wat geld, en als ze geluk heeft iets te drinken, bij elkaar te bedelen van vertrekkende klanten.

Rond het middaguur, nadat Oudje Joe bijna zes uur bij haar heeft zitten wachten, ontwaakt het meisje. Ze richt haar hoofd een paar centimeter van de grond op, kijkt naar hem, zegt iets.

Wie ben jij godverdomme?

Hij lacht.

Mijn naam is Joe.

Waar ben ik godverdomme?

Venice, Californië.

Is het heus?

Ze hoest.

Waar in Venice?

Op Speedway achter een ijssalon op de promenade.

Ze gaat langzaam overeind zitten. Er zit gedroogd bloed op haar gezicht en in haar haar geplakt, een oog is opgezwollen zit bijna dicht een jaap over haar wang, haar lip is blauw, er is een ondertand uit.

Een ijssalon op de promenade?

Ja.

Er zijn wel vijftig ijssalons op de promenade.

Ze hoest weer.

Er zijn er heel wat, maar vast geen vijftig.

Goed, er zijn er heel wat. Achter welke zit ik dan godverdomme?

Joe lacht weer, kijkt naar het meisje, dat nu tegen de vuilcontainer leunt. Ze is jong, heel jong, vijftien misschien, te jong om dakloos te zijn, te jong om op de promenade te leven. Hij zegt iets.

Hoe heet je?

Wat kan jou dat schelen?

Ik probeer je te helpen.

Ik heb je hulp niet nodig.

Hoe heet je?

Waar ben ik godverdomme?

Achter een ijssalon bij de squashbanen.

Hoe ben ik godverdomme hier beland?

Ik zou het niet weten. Een vriend van me heeft je gevonden.

Als je probeert me te neuken, of me je lul laat afzuigen, bijt ik die eraf.

Oudje Joe lacht weer. Het meisje reageert.

Ik meen het. Ik bijt je lul er godverdomme meteen af.

Je bent een beetje jong voor me.

Daarom willen de meeste kerels me neuken, omdat ik jong ben.

Ik niet.

Ze reikt omhoog, voelt aan haar gezicht. Haar knokkels zijn blauw, geschaafd.

Dit is klote.

Je hebt hulp nodig.

Ik voel me klote, maar het komt wel goed.

We moeten een ambulance bellen.

Als er een ambulance komt, komen er gewoonlijk ook smerissen. Ik heb geen ambulance nodig, en ik heb al helemaal geen smerissen nodig.

Dan moeten we naar het ziekenhuis.

Ik ga ook niet naar zo'n kloteziekenhuis.

Je hebt een dokter nodig.

Tenzij je er eentje kent die achter een van deze vuilcontainers woont, ga ik niet naar een dokter.

Waarom niet?

Daarom niet.

Word je gezocht?

Zie ik er soms uit als een of andere crimineel?

Ja.

Nou, ik ben er geen.

Waar ben je weggelopen?

Waarom ben ik volgens jou weggelopen?

Hou een ander voor de gek.

Je hebt er niets mee te maken.

Ze probeert op te staan, het gaat moeilijk. Gaat weer zitten. Oudje Joe gaat staan, biedt zijn hand aan, zegt iets.

Laten we je in elk geval schoonmaken.

Waar moet dat?

Ik heb een toilet.

Waar?

Een stukje verder op Speedway.

Je ziet eruit als een dakloze.

Dat ben ik ook. Min of meer. Ik woon in een toilet.

Hij houdt zijn hand dichterbij. Ze slaat die weg.

Ik zal je toilet gebruiken, maar ik wil je niet aanraken.

Langzaam gaat ze overeind staan, wanneer ze overeind staat, ziet hij dat ze klein is, misschien 1 meter 52 lang, misschien 45 kilo. Daardoor zien haar verwondingen er erger uit. Joe vraagt iets.

Kun je wel lopen?

Ze zet een stap, krimpt in elkaar.

Ja.

Ze zet nog een stap, krimpt weer in elkaar.

Weet je het zeker?

Ja. Het gaat best.

Wil je iets eten?

Heb je een goede vuilcontainer?

Ik zal je iets vers geven.

Waarvandaan?

Waar je maar wilt.

Heb je geld?

Ik heb vrienden.

Hij wijst naar het straatgedeelte van de steeg.

Laten we je schoonmaken, en dan vind ik wel iets lekkers voor je.

Als je probeert me te neuken, zul je er spijt van krijgen.

Hij lacht weer, stapt rond de vuilcontainer, loopt de straat op.

Ze volgt hem langzaam, ze loopt angstvallig, behoedzaam, ze heeft nog verwondingen die Joe niet kan zien. Hij loopt een meter voor haar, kijkt regelmatig om of het nog met haar gaat, zij staart naar de grond, krimpt in elkaar, af en toe kijkt ze op, af en toe stopt ze en voelt ze aan haar gezicht, angstvallig betast ze plekken op haar benen, op haar lijf. Joes toilet is drie straten verderop. De wandeling kost Joe normaal gesproken vijf minuten, zij hebben er twintig minuten voor nodig. Wanneer ze bij het toilet komen, stopt Joe, kijkt naar haar en zegt iets.

Dit is mijn toilet. Laat me even naar binnen gaan, dan kun je je gang gaan.

Je moet troep verstoppen?

Zoiets.

En je vertrouwt me niet om als eerste naar binnen te gaan?

Nee.

Verrek dan toch.

Hij gaat naar binnen, haalt twee flessen wijn uit de spoelbak, kijkt rond of er nog iets ligt, er ligt niets. Hij gaat eruit met de flessen. Het meisje ziet ze, zegt iets.

Je was bang dat ik je klotewijn zou stelen?

Ik wil gewoon houden wat ik heb.

Ik drink niet, en ik geef geen reet om je flutwijn.

Hij lacht weer, draait zich in de richting van het toilet.

Je hebt er warm water en zeep en papieren doekjes. Je moet je handen en je gezicht schoonmaken, en je snijwonden zodat ze niet gaan ontsteken. Doe het zo vlug als je kunt, en als je hulp nodig hebt roep je maar.

Ze kijkt hem even aan.

Waarom doe je dit?

Hij kijkt haar aan.

Ik zou het niet weten.

Ze loopt om hem heen, doet de deur dicht. Hij loopt weg van de deur, kijkt naar het eetgedeelte dat bij de tacokraam hoort, hoopt dat geen van de toeristen naar de wc moet. Anders moet hij het meisje eruit halen. Als ze moeilijk doet, wordt de eigenaar misschien boos. Als de eigenaar boos wordt, is er een kans dat hij het toilet kwijtraakt, en hij wil geen nieuwe slaapplaats hoeven te zoeken, en al helemaal geen nieuwe plaats om te schijten. Hij kan de wastafel horen lopen het meisje horen vloeken ze zegt verdorie, klote, godverdomme, klootzak. Hij hoort de wastafel niet meer lopen hij hoort niets. Hij wacht een minuut twee misschien droogt ze zichzelf af hij wacht nog een minuut twee hij klopt op de deur. Geen reactie. Hij klopt nog eens, wacht, geen reactie. Hij klopt nog eens. Niets. Hij haalt z'n sleutel tevoorschijn maakt de deur open ze zit op de grond haar knieën tegen haar borst. Ze kijkt naar hem op. Hij zegt iets.

Gaat het?

Ze knikt.

Waarom zit je op de grond?

Zomaar.

Er is geen reden voor?

Toch wel.

Wat dan?

Het voelt fijn.

De vloer van het toilet?

Ik heb al bijna een jaar niet binnen geslapen. Het is nog langer geleden dat ik in een toilet ben geweest met een beetje privacy. Sinds ik een klein kind was, was er geen plek waar ik de deur op slot kon doen en me ook maar een seconde veilig kon voelen. Op die deur zit een slot en ik wist dat je het niet meteen open zou maken, dus ben ik hier een paar minuten gaan zitten in het besef dat ik veilig was, dat niemand met me kon neuken, en dat niemand me kwaad kon doen. Het geeft niet dat het de vloer van een toilet is. Al was het een toiletvloer vol klotespijkers. Het voelde fijn.

Joe staart naar haar, zij staart naar hem.

Laten we iets te eten voor je halen.

Ze knikt, staat op, hij kijkt naar haar, bekijkt haar. Het bloed is weg, haar gezicht en haar zijn vrij schoon, haar handen zijn schoon. Onder de snijwonden, de zwelling, de woede, de pijn ziet ze eruit als een leuk tienermeisje. Met make-up en behoorlijke kleren was ze misschien meer dan leuk. Mank, gewond en beschadigd is ze gewoon zielig en eenzaam en uitgeput. Een naar de kloten geholpen kind in een of andere klotetoestand.

Ze lopen de hoek van het pand om de toeristen in hun korte broeken, sandalen en T-shirts genieten van hun eten, genieten van de zon, genieten van hun dag. Het meisje vermijdt hen, loopt van hen vandaan, om hen heen, alsof ze onzichtbaar wordt als ze meer dan drie meter van hen vandaan is. Ze lopen naar de promenade toe het is er heel druk het meisje rent snel door en langs de menigte, ze vermijdt angstvallig iemand aan te raken. Joe volgt botst tegen drie of vier mensen aan, gaat naast haar staan, zegt iets.

Wat wil je?

Kun je me een cheeseburger en frietjes en een milkshake bezorgen.

Vast wel.

Dat zou godverdomme geweldig zijn.

Welke smaak milkshake?

Elke smaak is goed.

Je hebt geen voorkeur?

Ik vind vanille lekker, maar het maakt me eigenlijk niet uit.

Goed.

Hij loopt weer de menigte in, stapt in een van de stromen mensen die zuidwaarts gaan en begint met hen mee zuidwaarts te gaan. Hij kent de baas van een eethuis een paar straten verder dat Big and Big heet waar men alles klaarmaakt dat men ooit heeft gekend, uitgevonden of gegeten dat kan worden bereid met vet, olie, vlees en kaas. Het meisje volgt hem, maar niet tussen de mensen ze loopt aan de rand van de promenade langs het strookje uitgedroogd gras dat wordt geflankeerd door bankjes en overvolle vuilnisbakken, ze hinkt zo snel als ze kan. Als Joe het restaurant bereikt staat er een enorme menigte op eten te wachten, eten te bestellen, te kibbelen over eten, te betalen voor eten. Hij loopt naar de zijkant van Big and Big er is een stalen traliedeur met een enorm slot hij bonst erop, wacht. Een Mexicaanse man met een vuile schort aan komt naar de deur toe, hij zegt iets met een Mexicaans accent.

Oudje Joe. Jij klootzak.

Wat doe je, Paco?

Roteten koken. Meer niet.

Is de baas in de buurt?

Nee, die is vandaag thuisgebleven. Gisteravond was er een belangrijk gevecht op tv en hij werd godverdomme te bezopen om vandaag te komen.

Ik heb je hulp bij iets nodig.

Wat is er?

Ik heb een burger nodig en friet en een milkshake.

Voor wie?

Een vriendin van me die al een tijd niets heeft gegeten.

Voor een vriendin van jou doe ik dat, jij oude klootzak.

Dank je.

Wil je kaas op de burger?

Ja.

Wat voor smaak milkshake?

Vanille, als het kan.

Goed klootzak, geef me een paar minuten.

Dank je, man.

De volgende keer als m'n vrouw me eruit gooit, ga ik me met jou bezuipen.

Ik zal voor het goede spul zorgen.

Daar reken ik godverdomme op.

Paco draait zich om verdwijnt in de keuken. Joe zit op het beton leunt tegen de zijkant van het pand. Hij kijkt naar de overkant van de promenade het meisje doorzoekt een vuilnisbak. Hij schreeuwt – hé meisje – ze hoort hem niet hij schreeuwt nog eens – HÉ MEISJE – ze kijkt op hij beduidt dat ze bij hem moet komen.

Ze wacht tot er een gaatje valt in de menigte hinkt de promenade over ze vermijdt het iemand aan te raken. Ze staat voor hem, hij zegt iets.

Wat lekkers tussen het afval gevonden?

Nee, maar ik ben niet al te diep gegaan. Ergens zit er altijd iets in.

Wil je niet zitten?

Is er een reden dat ik moet gaan zitten?

Als je gaat zitten krijg je iets te eten.

Je gaat toch niet met me neuken?

Nee.

Ze staart hem even aan, gaat langzaam zitten Joe kan merken dat het haar pijn bezorgt. Wanneer ze zit kijkt ze weer naar hem, schuift een meter van hem vandaan. Hij lacht.

Wees maar niet bang, ik blijf van je af.

Als dat verdomme maar waar is.

Hij lacht weer, zij reageert niet. Daar zitten ze, tegen de muur, ze zwijgen, staren alleen maar naar de eindeloze stroom toeristen die langskomt ze praten, glimlachen, lachen, maken foto's, kijken hun portemonnees na, drinken frisdrank, eten suikerspinnen, kijken om zich heen een beetje geschrokken en verbaasd en vrolijk vanwege wat er voor hun ogen gebeurt, ze zijn op de wereldberoemde promenade van Venice. Ze amuseren Joe. Hij geniet ervan naar hen te kijken. Wordt geamuseerd door hun geluk, geniet van hun geluk. Hij heeft geen enkele lust bij hen te horen, en het beetje dat hij heeft zou hij niet willen ruilen voor wat zij ook mogen hebben, hij heeft voor zijn leven en hoe hij dat leidt gekozen, en hij heeft vrede met die keuze. Het meisje kijkt boos naar hen, haat en bitterheid staan op haar gezicht geschreven, ze wordt er oud door ze lijkt er veertig door in plaats van een tiener. Af en toe kijkt ze omlaag naar de grond klemt haar tanden op elkaar en schudt met haar hoofd. Soms mompelt ze tegen zichzelf Joe kan niet horen wat ze zegt maar de toon is akelig, onaangenaam. Hoewel ze het nooit toe zou geven, zou ze graag bij hen horen, zou ze graag een huis hebben slaapkamer een veilige plaats voor haarzelf, zou ze graag vrienden hebben, zou ze graag naar school zijn gegaan, ouders hebben gehad, zou ze graag enig geluk hebben gekend, zou ze graag liefde hebben gekend. Alle keuzes die ze maakte waardoor ze hier bebloed, geslagen, hongerig en dakloos belandde maakte ze alleen uit noodzaak, om wat er in haar bestaan gebeurde te kunnen overleven.

Ze spuugt op de grond, staart ernaar, spuugt nog eens.

Na een kwartier kijkt ze naar Oudje Joe, zegt iets.

Ik heb genoeg van deze onzin.

Gewoon geduld hebben.

Waarom?

Omdat dat soms de moeite loont.

Kolder, je bent een godverdomde oplichter.

Hij lacht, verder reageert hij helemaal niet. Ze zitten daar nog een paar minuten hij kan zien dat ze ongedurig wordt nog een paar minuten de stalen traliedeur gaat open en Paco komt naar buiten met een kartonnen doos. Hij kijkt naar Oudje Joe, zegt iets.

Klootzak.

Mijn beste Paco!

Hij kijkt naar het meisje.

Het eten is voor haar?

Ja.

O klein meisje, jij klootzak, ik heb wat lekkers voor je.

Ze gaat overeind zitten kijkt verbaasd, echt verbaasd, en bijna gelukkig. Paco leunt voorover en overhandigt haar de doos.

Wat zit erin?

Speciale Paco Burger, Speciale Paco Friet, Speciale Paco Milkshake, en een paar pakjes ketchup van Amerikaans fabricaat.

Ze neemt de doos aan.

Dank je.

Je ziet de flauwe aanzet tot een glimlach. Joe staat op, zegt iets.

Dank je, man.

Voor jou doe ik alles, klootzak. Nou misschien niet alles, maar zo nu en dan iets lekkers is geen moeite.

Joe lacht. Paco doet de deur naar de keuken open, stapt naar binnen, verdwijnt. Joe kijkt omlaag naar het meisje, dat naar de burger en de friet staart.

Hij zegt iets.

Eet maar.

Ze kijkt naar hem op. Hij gaat weer zitten, leunt tegen de muur.

Het ziet er goed uit.

Het smaakt vast ook goed.

Hij staart naar haar, zij kijkt omlaag naar het eten, staart ernaar. Ze zegt iets.

Zo'n maaltijd heb ik in tijden niet gehad.

Ja.

In tijden niet.

Ja.

Ze pakt de burger op. Kijkt ernaar. Het is een dikke burger, de kaas zit over de ronde randen gesmolten, de burger zit tussen de twee helften van een bolletje met sesamzaad. Ze neemt er een hapje van, begint te kauwen neemt nog een hap, kauwt. Ze legt de burger neer in de doos, pakt een paar frietjes, propt ze in haar al volle mond, kauwt, pakt de milkshake, stopt het rietje in haar mond zuigt. Ze kauwt neemt een pauze slikt een keer door, kauwt nog wat slikt weer door. Ze kijkt naar Joe, zegt iets.

Dat was heerlijk.

Hij kijkt naar de doos er zit nog een deel van de burger en de friet in.

Er is nog meer.

Dat ga ik bewaren.

Je kunt het wanneer je maar wilt koud en half opgegeten uit het vuilnis halen. Maar vers van de grill zal niet gauw meer gebeuren.

Ze kijkt naar het eten, denkt even na, begint weer te eten, het eten gaat snel naar binnen, als ze klaar is likt ze haar vingers af, ze veegt ketchup en mosterd van haar gezicht, likt nog eens aan haar vingers. Ze staat op, stopt de ongeopende pakjes ketchup in haar zak, gooit de doos, de verpakking van de burger en de beker weg. Joe zit en kijkt naar haar, kijkt naar de toeristen, doet zijn ogen dicht en denkt aan chablis. Nadat het afval is opgeruimd, komt het meisje terug, gaat naast hem zitten, zegt iets.

Dat was heerlijk.

Fijn dat het je smaakte.

Kun je meer voor me krijgen?

Zeg je geen dank je voor wat je al van me kreeg?

Dank je.

Graag gedaan.

Weet je hoe je aan iets anders moet komen?

Zoals?

Speed.

Hoe oud ben je?

Gaat je niet aan.

Je bent te jong om aan die rotzooi te zijn.

Ik ben te jong voor allerlei rotdingen die ik heb gedaan.

Waarom doe je het dan?

Precies dezelfde reden als waarom jij drinkt.

Dat betwijfel ik.

Het is waar.

Waarom doe je het?

Gewoon. Weet je waar ik eraan kan komen?

Nee. Ik probeer het te mijden. Alle gebruikers die ik ooit heb gekend gingen eraan dood.

Vroeg of laat gaan we allemaal dood.

Zij gingen vroeg dood.

Ze staat op.

Ik moet wat hebben.

Ik ben bang dat je gaat proberen te praten met de figuur die je vannacht zo heeft toegetakeld.

Wat ik doe zijn jou zaken niet.
Doe het niet.
Ik kan niet zonder.
Doe het niet.
Ik moet wel.
Ze begint weg te hinken. Joe staat op.
Je hebt nooit verteld hoe je heet, meisje.
Ze draait zich om.
Beatrice.
Echt waar?
Ja. Echt waar.
Ze draait zich weer om en loopt weg. Joe kijkt hoe ze wegloopt een deel van hem is blij haar te zien gaan een ander deel wil dat ze blijft een ander deel wil dat ze gewoon glimlacht en tot ziens zegt. Wanneer ze weg is loopt Joe de promenade op en met drie uur bietsen verdient hij $ 36. Hij koopt een stuk pizza en zit op het strand en drinkt twee flessen chablis. Als het donker is loopt hij terug naar zijn toilet en gaat liggen slapen een uur voor zonsopgang wordt hij wakker, net als elke dag. Hij gaat naar de wc poetst zijn tanden wast zijn gezicht. Hij doet de deur open stapt naar buiten Beatrice ligt een meter verderop op het cement. Een meter verderop.

In 1899 zijn er zeventig politiemensen die proberen een bevolking van ruim boven de 150.000 mensen in bedwang te houden. Opiumkits, bordelen, goktenten en kroegen zijn in de hele stad te vinden, in elke raciale en etnische enclave. In de loop van de volgende twee jaar stelt de stad 200 extra politiemensen aan. De misdaadcijfers stijgen.

Al zou het misschien gepast zijn om hier nog eens uit het werk van een groot dichter te citeren, het gaat niet door. In plaats daarvan een paar woorden van de heer Amberton Parker, lid van de beau monde, erfgenaam, toneelspeler, internationale superster: *Verliefd zijn is net als een cheque krijgen van twintig miljoen dollar voor de hoofdrol in een populaire nieuwe actiefilm, je denkt dat het fantastisch wordt, maar wanneer het eenmaal zover is, wordt het nog FANTASTISCHER!*

Ja, ja, ja, Amberton is verliefd, erg verliefd, echt verliefd, tot over z'n oren verliefd, zo verliefd dat hij geen schoenen met veters meer draagt omdat hij bang is dat hij ze niet gestrikt krijgt. Hoewel hij Kevin niet heeft gezien of gesproken sinds die belangrijke, allesbeslissende bijeenkomst van drie minuten in Kevins kantoor, is hij volkomen overtuigd van zijn liefde. Het zit diep, het is echt, en het is serieus serieus serieus, zo serieus als maar kan in deze wereld.

Hij zit met zijn mooie vrouw Casey op modieuze, maar toch gerieflijke ligstoelen aan de kant van hun zwembad. Ze hebben allebei slippers aan en ze dragen geen bovenkleding (zij heeft een sensationeel, zij het ietwat kunstmatig lichaam), hij drinkt een glas gekoelde rosé. Hun kinderen zitten aan het andere eind van het zwembad met hun kindermeisjes. Amberton zegt iets.

Het is idioot. Ik ga naar bed en denk aan hem, ik word wakker en denk aan hem, ik denk de hele dag aan hem. Ik voel zo'n groot verlangen dat het heel letterlijk, lijfelijk, pijnlijk is.

Hij neemt een slokje rosé. Casey zegt iets.

Ik ben blij voor je.

Dank je.

Wees wel voorzichtig.

Jazeker. Ik ken het protocol.

Geen woord hierover in het openbaar, met niemand hierover praten behalve met onze beste vrienden die geheimhoudingsverklaringen hebben getekend, geen woord hierover als de kinderen in de buurt zijn.

Ik ken het protocol, liefje, ik heb het protocol bedacht.

En vergewis je ervan dat het serieus is voor je helemaal uit je dak gaat.

Het is serieus. Het is zo serieus als maar kan in deze wereld.

Ze lacht. Hij glimlacht, zegt iets.

Het is serieus. Dat zeg ik je toch?

Wanneer zie je hem weer?

Ik weet het niet.

Speelt hij de onbereikbare?

Nee. Dat doe ik.

Jij?

Ja.

Weet je hoe dat moet?

Natuurlijk. Ik ben er de kampioen in.

Ze lacht weer, zegt iets.

Jij bent de kampioen van ik-ben-een-beroemde-filmster-ga-nu-met-me-naar-bed, en soms van ik-ben-een-beroemde-filmster-ga-nu-met-me-naar-bed-of-ik-zorg-dat-je-eruit-vliegt.

Dat heb ik nooit gedaan.

Jawel hoor.

Nietes.

Welles.

Hij lacht.

Vooruit, ik heb het gedaan. En het was leuk.

En jij hoefde beslist nooit de onbereikbare te spelen.

Dat deed ik twee keer in films.

Telt dat mee?

Ja.

Ik heb een blinde concertpianiste gespeeld die de toekomst van mensen kon zien door aan hun vingertoppen te voelen.

En daarmee heb je een Acteurs Gilde Award en een Freedom Spirit-penning gewonnen.

Zeker. Maar dat wil niet zeggen dat ik dit in het echte leven kan.

Hij doet alsof hij schrikt.

Kun je dat niet?

Ze glimlacht, geeft hem een plagerige tik, ze lachen allebei. Ze zegt iets.

Wat is je volgende stap?

Nou, ik zie hem morgen.

Waar?

Ik heb een vergadering met mijn team op kantoor.

Hij zit in jouw team?

Nu wel.

Heb jij dat geregeld of zij?

Ik heb Andrew gebeld en vroeg om Kevin erin op te nemen.

Weet Andrew waarom je het hebt gevraagd?

Niemand weet het, behalve jij, ik en mijn beminde.

Wat heb je als reden opgegeven?

Dat jij me zei dat hij een indrukwekkende jongeman was.

Ze lachen allebei.

Vind je niet dat je me het had moeten zeggen?

Ik zeg je het nu toch?

Hun yogaleraar arriveert, ze gaan hun studio in, en zoals van tijd tot tijd gebeurt doen ze hun yogasessie op hun slippers. Wanneer ze klaar zijn nemen ze een douche kleden ze zich aan ontmoeten ze elkaar in de keuken, waar ze lunchen met hun kinderen en de nanny's van hun kinderen. Na de lunch raadplegen ze hun respectievelijke therapeuten (zij heeft problemen met

haar vader, hij heeft problemen met zijn moeder) en vervolgens raadplegen ze samen een therapeut (ze hebben allebei problemen met roem en bewieroking). Wanneer hun therapie voorbij is (twee keer per week, drie keer als het een slechte week is), gaan ze terug naar hun kamers ze trekken hun slippers weer aan Casey draagt bovenkleding omdat de middagzon sterker pleegt te zijn ze zien elkaar bij het zwembad. Ze hebben allebei een stapel scripts die ze geacht worden te lezen. Omdat de scripts, zelfs naar hun maatstaven, zo vreselijk zijn, komen ze zelden verder dan de eerste tien bladzijden. Wanneer ze een script slecht vinden, althans zo slecht dat beiden zich voor geen goud zouden laten overhalen erin mee te spelen, gooien ze het met een brede lach over hun hoofden naar achteren, in het besef dat over niet al te lange tijd een van hun personeelsleden het zal komen oprapen en weggooien. Na een uur en vijf over z'n hoofden gegooide scripts geeft Amberton het op. Hij kijkt naar Casey zegt iets.
Ik denk dat ik eens ga winkelen.
Waar?
In Beverly Hills.
Waarom?
Misschien zie ik een kostuum voor morgen.
Heb je al niet een paar honderd kostuums?
Ik wil een nieuw kostuum. Een leuk nieuw perfect duur kostuum waardoor ik er zo geil uitzie dat zelfs heteromannen me zouden willen neuken.
Veel plezier.
Wil je mee?
Nee.
Wat ga jij doen?
Ze glimlacht.
Ik weet het nog niet.
Waarom kijk je me zo ondeugend aan?
Ze glimlacht weer.
Misschien ben ik een ondeugend meisje geweest.
Met wie?
Ken je het nieuwe kindermeisje?
Dat jonge meisje?
Jazeker.
Hoe oud is zij?
Net achttien geworden.
Nee toch?
Jazeker.
Waar zijn de kinderen?
Ze gaan naar het huis van een vriend.
Heeft zij de papieren getekend?
Uiteraard.
Hij staat op, glimlacht, zegt iets.
Ik hoef en wens verder niets te weten.

Zij glimlacht, zegt iets.

Veel plezier, en succes.

Hij maakt een buiging, loopt het huis in naar boven naar zijn kamer, neemt een snelle douche en kleedt zich aan hij draagt jeans en een T-shirt en sandalen. Hij stapt in zijn auto besluit in een zwarte Porsche met verduisterde ramen te gaan rijdt weg uit de garage de oprit af de poort door. Zoals altijd wachten er paparazzi op straat bij zijn huis een groepje mannen met camera's rond hun nek, SUV's en scooters wachten vlakbij, Amberton is naar een rijschool gegaan om te leren hoe ze kwijt te raken in de Porsche ze verdwijnen snel in de straten die door de heuvels van Bel-Air kronkelen.

Hij rijdt naar Sunset in oostelijke richting naar Beverly Hills. Hij komt langs de landhuizen, landgoederen, manors aan beide kanten van mediabonzen filmsterren pornobaronnen popsterren tv-producenten mannen en vrouwen die veel erfden als hij langs het allerberoemdste huis komt in bezit van de playboy die een mannenblad stichtte glimlacht hij, hij herinnert zich de feesten die hij er bezocht, de vrouwen waren zo geil dat hij haast graag hetero was geweest. Hij rijdt Beverly Hills binnen gaat in zuidelijke richting rijden over gewone straten ze zijn lang en recht hij geeft gas bereikt met de Porsche snel en moeiteloos 160 km/u raakt een verkeersdrempel en wordt gelanceerd er valt overal plezier te beleven voor de heer Amberton Parker plezier plezier plezier. Hij rijdt Rodeo Drive af probeert te beslissen waar hij wil winkelen de straat is een aaneenschakeling van de duurste en exclusiefste boetieks ter wereld. Geen ervan past bij zijn smaak vandaag, hij besluit naar het filiaal in Beverly Hills te gaan van een befaamde kledingzaak uit New York het zit op Wilshire daar kan hij meer bekijken, heeft hij veel meer keus.

Hij gaat naar de achterkant van de winkel rijdt naar een poort die naar een vipparking leidt in een kleine garage onder de winkel. Er komt een bewaker tevoorschijn Amberton draait zijn raampje naar beneden de bewaker wijst in een camera die boven het hek is gemonteerd en het hek gaat omhoog. Amberton rijdt naar binnen, parkeert, stapt zijn auto uit. Hij loopt naar een beveiligde deur die is zo'n vijf meter verderop. Eer hij de deur bereikt, is die open en iemand van de winkel, een buitengewoon knappe vrouw van voor in de dertig, staat op hem te wachten. Ze glimlacht, zegt iets.

Dag, mijnheer Parker. Fijn u weer te zien.

Hij glimlacht, spreekt met zijn publieksstem.

Dag, Veronica.

Waarmee kunnen we u vandaag van dienst zijn?

Hij betreedt de winkel, de deur gaat achter hem dicht. Hij bevindt zich in een kleine privéwachtkamer, er zijn banken en stoelen, smaakvolle prenten aan de muur, bloemen. Hij zegt iets.

Ik heb morgen een belangrijke vergadering en wil er een nieuw kostuum voor hebben. Een perfect kostuum.

Ik neem aan dat u dit graag privé wilt doen?

Ja.

Heeft u een bepaald iemand met wie u graag wilt werken?

Jij bent mijn favoriet Veronica, als je beschikbaar bent.

Natuurlijk ben ik dat, mijnheer Parker.

Ze stappen een privélift in die brengt hen omhoog ze stappen uit in een kleine gang die op een vergelijkbare manier is ingericht als de wachtkamer. Ze lopen de gang door, die vele deuren telt. Veronica stopt voor een van de deuren, opent die met een beveiligingskaart ze betreden een middelgrote kamer met een grote suède sofa, twee erbij passende stoelen, een met modebladen overdekte glazen tafel. Er staat een kleine koelkast in een hoek met twee kristallen drinkglazen en een fruitmand erbovenop. Er is een leeg kledingrek. Een deur die naar een kleedkamer leidt. Een manshoge spiegel. Amberton zit op de bank Veronica zit op een van de stoelen. Ze bespreken wat hij zoekt een mooi perfect kostuum zegt hij haar. Ze vraagt naar het merk het maakt hem niet uit hij wil gewoon mooi en perfect. Ze vraagt naar het budget hij zegt dat er geen is. Ze vraagt wanneer hij het moet hebben hij zegt morgenochtend.

Ze staat op zegt hem dat ze over een paar minuten terug is met wat voor hem uitgekozen dingen ze vraagt hem of hij iets nodig heeft hij zegt nee. Ze gaat weg. Hij pakt een van de modebladen op bladert het door hij is knapper dan alle mannen Casey is knapper dan alle vrouwen, hij legt het weg. Hij pakt er nog een op. Hetzelfde verhaal. Nog een, hetzelfde verhaal. Hij vraagt zich af hoe zijn leven er zou hebben uitgezien als hij niet zo knap was geweest. Waarschijnlijk zou hij een wereldberoemde professor zijn aan een of andere prestigieuze universiteit aan de Oostkust. Of misschien aan een universiteit in Engeland.

Er wordt op de deur geklopt Amberton zegt kom binnen. Veronica doet de deur open er zijn twee assistenten bij haar met donkere kostuums in beide armen er staat een kleermaker achter hen. Ze komen de kamer binnen Amberton komt overeind glimlacht hij is opgewonden, opgewonden. Hij begint naar de kostuums te kijken de meeste ervan komen uit Italië een paar uit Engeland hij laat zijn handen over de stoffen glijden handgekamd wolgaren, vicuña, lichtgewicht gabardine, geen ervan kost minder dan vijfduizend dollar. Hij past er een aantal, hij kijkt zorgvuldig hoe ze over zijn lichaam vallen, hoe hun kleuren zijn huid laten uitkomen. Twee kostuums bevallen hem maar hij kan niet kiezen tussen beide, het ene is zwart het andere grijs, ze zijn allebei gemaakt van vicuña (het weefsel van een zeldzame lama uit Peru). Hij besluit ze allebei te kopen hij beslist morgenochtend wel welk kostuum hij aan moet. De kleermaker neemt maten op geeft de verbeteringen aan haast zich de kamer uit om aan het werk te gaan. Amberton bedankt Veronica en haar assistenten ze zegt hem dat ze de kostuums later vanavond zullen bezorgen hij zegt dank je. Hij geeft iedereen een gulle fooi. Hij vertrekt, rijdt terug naar Bel-Air het verkeer op Sunset zit vast dus kost het veertig minuten. Het verkeer deert hem niet, hij luistert naar liefdesliedjes en hij droomt, liefdesliedjes en dromen.

Hij rijdt naar zijn hek de paparazzi zijn er nog het hek gaat achter hem dicht hij parkeert de auto gaat naar binnen. Hij eet met Casey en de kinderen. Ze hebben verse tandbaars en Aziatische groentes. De nanny's brengen de kinderen naar bed en Amberton en Casey bekijken een film in hun filmkamer. Ze bekijken een nieuw drama met twee van hun vrienden (al vinden ze hen eigenlijk niet aardig) in de hoofdrol. Het gaat over een dokter en een fotograaf die verliefd worden als ze in een oorlogsgebied in de derde wereld werken. Net nadat ze tijdens een mortieraanval hun relatie consumeren, loopt de dokter (de vrouw) een zeldzame ziekte op en overlijdt. De fotograaf publiceert een fotoboek over haar werk en wint een Pulitzer. Kort daarna gaat hij terug naar het oorlogsgebied en overlijdt hij ook. Het is een film waarvan je hart breekt en ze moeten er allebei om huilen. Wanneer de film voorbij is zitten ze allebei naar het scherm te staren en zeggen ze hoe teleurgesteld ze zijn dat ze de film weigerden (die was eerst aan hen aangeboden, maar voor te weinig geld). Ze kussen elkaar goedenacht (op de wang) en gaan naar hun respectievelijke vleugels van het huis.

Op een gegeven moment toen ze naar de film keken, zijn Ambertons kostuums bezorgd. Ze liggen in hangzakken op zijn bed. Hij haalt ze tevoorschijn laat zijn handen erover glijden, heel mooi, bijzonder mooi. Hij past ze allebei, ze zitten allebei perfect, een halfuur lang bekijkt hij zichzelf in beide kostuums vanuit allerlei gezichtshoeken, hij kan niet kiezen welk kostuum hij aan moet. Hij hangt ze in de kledingkast. Hij laat zijn handen er nog eens over glijden. Heel mooi, bijzonder mooi.

Hij gaat naar bed kan niet slapen. Hij zet een plasma-tv aan met een scherm van anderhalve meter vastgemaakt aan de verste muur, stopt er een dvd in met hoogtepunten uit Kevins footballcarrière die hij kocht via internet. Hij ziet Kevin rennen, gooien, touchdowns scoren, interviews geven in de kleedkamer, stelt de dvd zo af dat die steeds van voren af aan begint, bekijkt hem telkens weer. Hij ligt op z'n zij in bed zodat hij kan kijken terwijl hij in slaap valt (hij kan, om een of andere reden, niet op zijn rug slapen), hij wil dat Kevin het laatste beeld in zijn geest is als hij wegdrijft, hij drijft weg.

Hij wordt wakker en de dvd is nog aan de gang. Hij glimlacht wat een prachtige manier om een dag te beginnen, een nieuwe dag, een mooie dag in Los Angeles, de zon stroomt binnen door de ramen het is een dag die schitterend belooft te worden.

Hij gaat zijn bed uit en poetst zijn tanden. Hij kijkt in zijn kledingkast de kostuums zijn er nog. Hij loopt naar beneden Casey en de kinderen zijn in de achtertuin met de nanny's. Hij ontbijt kiwi's, tangelo's, muesli en granaatappelsap. Hij loopt naar buiten wat een mooie dag. Hij speelt verstoppertje met de kinderen en hij verstopt zich altijd achter dezelfde boom en ze vinden hem altijd en wanneer het zover is lachen lachen lachen ze. Na een uur is het tijd voor hem om zich klaar te maken.

Hij neemt een douche gebruikt zeep shampoo conditioner. Hij scheert zich, doet lotion op zijn huid, bet parfum in zijn nek, hij gebruikt zijn persoonlijke geurtje, het heet – Ahhh, Amberton – en het verkoopt enorm goed in Korea en Japan. Hij gaat naar de kledingkast en kijkt naar de kostuums en betast ze allebei. Hij weet dat hij een maagdenpalmblauw overhemd gaat dragen, hij trekt het overhemd aan en probeert allebei de colberts erbij, hij gaat in licht staan dat volgens hem veel zal lijken op het licht in de vergaderzaal op kantoor.

Het zwart straalt kracht uit. Het grijs heeft een zeker raffinement, en doet het prachtig bij het maagdenpalmblauw. Het zwart duidt op kracht en mannelijkheid. Het grijs wijst op een man met een hart, en met gevoelens. Door het zwart lijkt zijn lichaam hoekig, door het grijs lijkt hij lenig. Hij bespreekt de kwaliteiten van beide in zijn geest zwart of grijs hij gooit een munt op en zwart wint. Amberton ziet zichzelf graag als iemand die tegen de stroom in gaat, dus kiest hij voor grijs. Wanneer hij is aangekleed kijkt hij in de spiegel en hij is tevreden, meer dan tevreden hij is perplex. Hij haalt eens diep adem en inhaleert zijn geur, of zoals hij het graag noemt, zijn muskus, en hij denkt – Ahhh, Amberton.

Hij loopt naar de ingang van zijn huis er staat een auto op hem te wachten, een zwarte Mercedes limousine, de chauffeur houdt de achterdeur voor hem open. Hij glijdt naar binnen leunt achterover tegen het zachte leer, het is koel, schoon. De chauffeur doet de deur dicht, en terwijl hij naar de chauffeursdeur loopt, leunt Amberton naar voren en maakt een klein kastje open, waarin een fles champagne in een ijsemmer ligt. Hij pakt de fles op en verwijdert de kurk en terwijl hij zichzelf een glas inschenkt gaat de chauffeur achter het stuur zitten. Hij draait zich om en zegt iets.

Goedemiddag, mijnheer Parker.

Hi.

Zit u goed, mijnheer?

Zeker.

Heeft u iets nodig?

Het gaat geweldig, dank je.

We gaan naar kantoor, mijnheer.

We zijn er zo.

Als u iets nodig heeft, mijnheer, laat u het me alstublieft weten.

De chauffeur draait zich weer de andere kant op, een afscheiding van zwart glas komt omhoog. Amberton neemt een slokje van de champagne, die is perfect gekoeld, zoet met een gerijpte smaak die iets weg heeft van voorjaarsnarcissen en zomerkersen.

Het is een vlugge en gemakkelijke rit. Amberton nipt en proeft de champagne, en laat een aantal strategieën en scenario's door zijn hoofd gaan. Moet hij warm en vriendelijk zijn, grappig en zeer energiek, afstandelijk en ernstig, kil en klinisch? Hij probeert te bepalen hoe hij Kevin zal begroeten, zal hij hem de hand schudden, en in dat geval beide handen gebruiken en de eerste met de tweede bedekken, moet hij hem op de wang kussen (Nee Nee Nee Nee Nee)? En als ze eenmaal aan de vergadertafel zitten (er zijn gewoonlijk vier of vijf agenten in de zaal bij hem), moet hij dan naar hem kijken, een teken van herkenning geven, bijzondere aandacht aan hem besteden, hem volledig negeren? Hij besluit het voor de vuist weg te doen, te improviseren, op zijn instincten te vertrouwen. Hij nipt van zijn champagne, zet de airconditioning hoger.

Ze rijden de eigen garage van het kantoor in. Amberton stapt uit en loopt naar de deur. Zijn belangrijkste agent, die Gordon heet, en tevens de directeur van het bureau is, wacht hem op met twee van zijn assistenten (hij heeft er zes). Gordon is lang en knap, zijn zwarte haar is naar achteren gekamd als bij een bankier, hij draagt een onberispelijk zwart kostuum (misschien nog wel mooier dan dat van Amberton, Amberton overweegt dat kort, maar zet de gedachte van zich af). Hij is ongelooflijk slim, ongelooflijk gewiekst, ongelooflijk beleefd, ongelooflijk succesvol, en ongelooflijk rijk. Veel mensen zien hem als de machtigste man in Hollywood, al is dat niet iets wat hij ooit zou zeggen, en wanneer men hem ernaar vraagt, lacht hij en verandert hij van onderwerp. Anders dan heel wat agenten geeft hij echt om het welbevinden van zijn cliënten, en hij spant zich ongelooflijk in om hun carrières te bevorderen en te beschermen. Hij is de enige mens, afgezien van zijn vrouw, die Amberton vertrouwt en met wie hij zijn meeste geheimen deelt. Gordon glimlacht, zegt iets.
Amberton.
Amberton doet hetzelfde.
Gordon.
Mooi pak.
Dank je. Dat van jou ook.
Dank je. Het is vicuña.
Het mijne ook.
Ze lachen allebei, geven elkaar een hand.
Hoe gaat het met Casey en de kinderen?
Het gaat goed met ze.
We hebben vandaag een paar opwindende dingen voor je.
Ongetwijfeld.
Ze gaan het kantoor in. De assistenten volgen drie stappen achter hen. Ze lopen door een brede, witte gang vol kunst, stappen een privélift in (de assistenten nemen de trap). Ze stappen de lift uit en lopen door een volgende brede, witte gang vol kunst, aan het eind van de gang lopen ze een stel deuren met dubbel glas door. Ze betreden een grote vergaderzaal. De zaal is lang, breed, drie muren zijn wit, de andere is van glas. Er staat een grote, gepolijste ebbenhouten vergadertafel in het midden van de zaal, eromheen staan zwartleren Eames-stoelen. Een bijpassende kast van ebbenhout is tegen de lange muur gezet, boven op een van de uiteinden van de kast staan flessen Frans water, keramieken koffiekopjes en een zilveren koffieservies. Er zitten vier agenten in de kamer, twee mannen en twee vrouwen, ze dragen allemaal zwarte kostuums, Kevin is er niet bij. Ze staan op als Amberton en Gordon binnenkomen, ze glimlachen allemaal, ze begroeten Amberton en schudden hem de hand. Wanneer de begroeting achter de rug is, gaat iedereen zitten, Amberton zegt iets.
Is iedereen er wel?
Gordon reageert.
Een paar agenten haalden het niet.

Waar zijn ze?
Dat weet ik niet.
De vergadering begint, geen Kevin. Amberton wil weg, wil huilen, wil gillen en schreeuwen wil zijn koffiemok wegsmijten geen Kevin. Hij wil iedereen in de zaal vertellen waarom hij de vergadering belegde, ze allemaal vertellen dat hij verliefd is, wanhopig verliefd, en dat ze weer terug kunnen naar hun werk dit was enkel een list het spijt hem dat hij hun tijd verspilde. Ze spreken met hem over de rechten op een nieuwe actiefilm waarin hij een wetenschapper zou spelen wiens taak het is de wereld te redden van ecologische vernietiging. Ze vertellen hem over een prestigieuze televisiezender op de kabel die een miniserie van tien uur over Michelangelo wil maken. Ze paaien hem met een drama over een politicus met hepatitis c. Van dit alles dringt haast geen woord tot hem door. Hij heeft moeite zich te concentreren, zijn hoofd tolt, het lijkt of er een gat in zijn borst zit en zijn hart bonst en hij is lijfelijk geraakt. Hij wil huilen. Hij wil onder de tafel kruipen en zich tot een bal oprollen en huilen. Hij heeft zich niet meer zo gevoeld sinds hij een tiener was, toen zijn eerste liefde, een basketbalspeler die twee jaar ouder was dan hij, hun verhouding verbrak omdat hij vreesde dat zijn teamgenoten erachter zouden komen. Hij heeft in alles zijn zin gekregen sinds hij een tiener was. Zijn geld en roem volstonden altijd om hem alles te bezorgen, wat hij maar wilde, alles en iedereen. Hij wil Gordon vragen hem te omhelzen, zijn hand vast te houden. Hij wil zijn moeder opbellen en haar een slaapliedje voor hem laten zingen.
De vergadering duurt een uur het voelt als drie dagen. Wanneer het voorbij is bedankt hij iedereen en schudt hun handen weer, hij vraagt Gordon de scripts naar hem te sturen hij zal ze thuis lezen. Wanneer hij in de lift staat begint hij te trillen. Wanneer hij in de auto zit begint hij te huilen. Zijn gehuil vervalt snel in luid, onsmakelijk gejammer, en als de auto zijn poort door rijdt is zijn overhemd nat van de tranen en jankt hij. Als de auto naar zijn deur rijdt ziet hij nog een auto, een zwarte Lexus, die sprekend op Kevins auto lijkt, nabij zijn garage staan. Hij stopt met janken. Hij begint op een andere manier in paniek te raken. Hij trekt een spiegeltje naar beneden dat in een klep aan het dak zit ingebouwd. Hij veegt zijn gezicht af probeert zichzelf schoon te maken probeert zijn zelfbeheersing te herwinnen. Hij kijkt naar zijn overhemd er is niets aan te doen. Hij probeert een reden te verzinnen voor hoe hij eruitziet voor het geval Kevin echt binnen is hij zal hem zeggen dat hij zo ontroerd was door het verhaal van de politicus met hepatitis c dat hij instortte. Hij tikt tegen de glazen afscheiding en de chauffeur stapt uit en loopt naar zijn deur en maakt die open. Hij stapt de auto uit en hij overhandigt de chauffeur een briefje van $ 100 en bedankt hem. De zon staat hoog en het is heet. Hij kijkt naar zijn huis het is gigantisch en het is mooi. Kevins auto staat op zijn oprit. Zijn vrouw en kinderen zijn ergens waar hij geen last van ze heeft. Wat een dag.
Wat een dag!

In 1901 kopen Harrison Otis, de uitgever van de krant *Los Angeles Times*, en zijn schoonzoon, Harry Chandler, grote stukken land aan in Owens Valley, aan en net over de noordoostelijke randen van de provincie Los Angeles gelegen. De chef van het gemeentelijk waterbedrijf William Mulholland neemt J.B. Lippincott aan, die voor het US Land Ontginnings Bureau werkt, en in het geheim ook voor Otis and Chandler, om het gebied te onderzoeken, en men stelt vast dat met de Owens Rivier en het Owens Meer Los Angeles van voldoende water zou kunnen worden voorzien. Otis en Chandler kopen vervolgens grote delen op van de San Fernando Vallei, die geschikt zou zijn voor nieuwbouw met een goede watervoorziening, en kopen ook de rechten op het water in de Owens Vallei van een coöperatie van plaatselijke boeren en landeigenaren. Vervolgens gebruiken ze de krant om hysterie te scheppen over de afnemende watervoorraad, en een initiatief te bevorderen voor obligaties om het ontwerp en de aanleg van een nieuw waterstelsel te financieren. Als het initiatief met obligaties slaagt, verkopen ze de rechten op het water in de Owens Vallei met veel winst aan de gemeente Los Angeles. Mulholland begint met het ontwerp van het aquaduct van Los Angeles, dat het water uit de Owens Vallei naar de stad LA zal brengen, en dat het langste aquaduct ter wereld wordt met een lengte van even boven de 355 kilometer.

Dylan is al drie dagen niet naar z'n werk geweest. Kleintje belde hem op en zei hem een poos niet te komen, dat hij hem weer zou opbellen wanneer hij hem nodig had. Toen Dylan de telefoon opnam en Kleintjes stem hoorde begon hij te beven. Toen hij had opgehangen bleef hij beven. Een uur later beefde hij nog steeds. Het geld lag op een hoop op tafel een meter verderop. Toen het beven was gestopt legde hij het in een la bij z'n broeken en t-shirts. Toen begon hij weer te beven, dus verhuisde hij het naar een la met Maddies broeken en t-shirts.

Hij brengt Maddie 's ochtends naar haar werk, rijdt de hele dag doelloos met z'n motor rond door de stad. Hij belandt in gebieden die hij niet kent Sherman Oaks met de gemanicuurde gazons en landhuizen met zuilen, Reseda en Winnetka plat dichtbevolkt en monotoon, woningproject na woningproject, Brentwood brede lommerrijke straten het lijkt haast Ohio hij stuit op het voormalige huis van een beroemde moordenaar en stopt en staart het enige wat hij ziet is een poort en hoge platanen hij rijdt naar de poort toe en spuugt erop. Hij gaat West-LA in er zijn lange rechte straten met nette huizen en verkeersdrempels West-Hollywood in palmen langs de brede boulevards en de cafés zitten midden op de dag vol met mooie mannen en mooie vrouwen de mannen houden elkaars hand vast, kussen elkaar, de vrouwen houden elkaars hand vast, kussen elkaar. Hij rijdt Melrose over, met overal kledingzaken en platenwinkels en headshops en restaurants die komen en gaan alle panden zijn overdekt met graffiti men loopt voor op de rest van het land mode waait over uit Japan komt op Melrose terecht wordt opgepikt door New York en drie jaar later kun je het bij Wal-Mart kopen. Hij rijdt Hollywood door. De Streets of Dreams zijn sleets, vuil, gevaarlijk, vervallen, er lopen veel toeristen die verbijsterd staren naar iets wat in de verste verte niet lijkt op hun dromen over de glamour van Hollywood: agressieve bedelaars sommige oud wel negentig sommige jong net tien vallen hen lastig om geld, klantenlokkers schreeuwen naar hen om naar de supersterren in was te komen kijken, naar de wereldrecords, naar het-is-allemaal-waar, om naar strippers te komen kijken, danseressen, meisjes aan palen. Bouwvallige motels zitten vol verslaafden en dealers. In legendarische restaurants zitten er ratten in de hoeken en kakkerlakken tegen de muren. Verwaarloosde huizen hebben tuinen met vuil auto's en vergane opritten, auto's op blokken, banken op het trottoir met uitstekende vulling. Bendeleden op hoeken sommigen staan op de uitkijk sommigen staan te verkopen sommigen zijn moordenaars. Smerissen rijden heen en weer over Hollywood Boulevard hun aanwezigheid schrikt op geen enkele manier af. Wanneer hij Hollywood verlaat, is de enige film die Dylan zich daar kan voorstellen een horrorfilm. Hij gaat oostwaarts Los Feliz in bungalows langs de canyons de Hills overdekt met landhuizen tweedehandswinkels en restaurants vol acteurs regisseurs muzikanten kunstenaars sommigen hebben het gemaakt sommigen niet ze zijn allemaal overbewust van zichzelf van elkaar van hun kleren het voedsel dat ze eten alles zorgvuldig gekozen om een beeld op te houden van ernst, aandacht, stijl, ironie, zorgeloosheid. Eenmaal Los Feliz uit en het eigenlijke LA in rijdt hij door etnische buurten met opschriften in talen die hij niet kan lezen en niemand spreekt Engels het zijn Russen, Koreanen, Japanners, het zijn Armeniërs, Litouwers, Somaliërs, ze komen uit El Salvador en Nicaragua en Mexico, India, Iran, China, Samoa. Hij is vaak het enige blanke gezicht tussen de gekleurde menigte hij is vaak de enige autochtoon tussen de menigte immigranten. Hij kende één Afro-Amerikaans kind in zijn stad in Ohio, al sprak niemand daar van Afro-Amerikaans. Hij had Mexicanen, of wat volgens hem Mexicanen waren, aan het werk gezien in de bouw. Hij rijdt Watts in hij is de minderheid, hij rijdt Oost-LA in hij is de minderheid, hij rijdt door het centrum hij is de minderheid. Door zijn kleur kon hij gewoonlijk een deel van de machtsstructuur zijn, of in elk geval van de status-quo. Hier zegt zijn kleur niets. Hij is zomaar een menselijk wezen tussen een kolkende, zonovergoten massa menselijke wezens die allemaal proberen de dag door te komen met eten op tafel een dak boven het hoofd wat geld op de bank. Zomaar een.

Aan het eind van elke dag koopt hij ergens bij een burgerkot een tacostalletje een pizzatent het avondeten. Hij pikt Maddie op bij de 99-centwinkel en ze gaan terug naar het hotel en ze nemen samen een douche en ze eten in hun nakie aan hun tafel. Hij heeft vanavond pizza gekocht, en vanwege het geld ging hij zich te buiten aan extra kaas, extra saus, peperoni, paddenstoelen en uien, dubbel extra kaas. Ze gebruiken papieren handdoekjes als servetten. Hij zegt iets.

Ik hoop dat ze nooit terugbellen.

Ze zegt iets.

Denk je dat je er zo vanaf komt?

Ik weet het niet.

Je moet het eigenlijk teruggeven.

Dat kan ik niet doen.

Waarom niet?

Als ik ze zeg dat ik het meenam zullen ze me hard aanpakken, me vermoedelijk vermoorden.

Ook als je het teruggeeft?

Ja.

Waarom nemen we dan het geld niet gewoon mee en gaan we ergens anders heen?

Waarheen?

Overal.

Waar wil je heen?

Beverly Hills?

Zo veel geld is het ook weer niet.

Dat weet ik, ik maakte maar een grapje. Maar we zouden naar San Francisco of San Diego kunnen.

Als ik zomaar de benen neem zullen ze uitzoeken waarom. En ze hebben in steden over het hele land clubs.

Waarom geen andere club bellen die hen niet mag?

Zoals?

Bel de Hells Angels.

Dylan lacht.

De Hells Angels?

Ja.

Ik heb geen idee hoe ik de Hells Angels moet opbellen. Had ik dat wel, dan zouden ze niet met me praten. Als ze om een of andere reden wel met me praatten, zouden ze in de lach schieten.

Waarom?

De Hells Angels zijn de Koningen van de Motor Wereld. Die gaan hun tijd niet aan deze knapen verspillen. Deze knapen dromen er eigenlijk allemaal van Hells Angels te zijn.

Maar wat wil je dan?

Ik weet het niet. Misschien moet ik naar de kerk en bidden.

Dat deed je toch al je hele kindertijd?

Ja.

Wat leverde het je op?

Een waardeloze vader en een moeder die ons in de steek liet.

Misschien moet je gewoon hier bij me blijven.

Hij lacht.

Ja, je hebt waarschijnlijk gelijk.

De telefoon gaat over. Ze kijken naar elkaar, kijken naar de telefoon, kijken nog eens. Maddie zegt iets.

Wil je hem opnemen?

Nee.

Heb je iemand dit nummer gegeven?

Nee.

Weten ze waar we wonen?

Ik weet het niet.

Heb je het hun verteld?

Waarschijnlijk wel.

De telefoon gaat nog steeds over. Ze kijken er weer naar. Hij gaat over, gaat over, gaat over. Hij houdt op. Ze kijken naar de telefoon, wachten tot die weer overgaat. Dat gebeurt niet. Ze kijken weer naar elkaar. Maddie pakt nog een stuk pizza op, zegt iets.

Goede pizza.

Dubbel extra kaas.

En nog allerlei soorten troep. Ik begin het lekker te vinden.

Misschien moeten we gewoon alle poen aan pizza besteden.

Voor drieëntwintigduizend dollar pizza? We zullen niet meer in ons nakie eten, dat staat wel vast.

We zullen een grotere kamer en een groter bed nodig hebben.

En een pick-up in plaats van de motor.

Ze lachen allebei. Als Dylan nog een stuk pizza wil pakken, begint iemand op de deur te bonzen. Ze kijken weer naar elkaar. Gebons op de deur. Staren naar elkaar. Gebons. Maddie schudt haar hoofd. Gebons. Gebons. Gebons. Dylan gaat staan hij beeft weer. Gebons op de deur. Hij loopt erheen. Gebons. Maddie kijkt naar hem ze bijt op haar lip schudt haar hoofd ze wil zich ergens verstoppen maar ze kan zich niet bewegen gebons. Dylan staat voor de deur, kijkt weer naar Maddie er wordt op de deur gebonsd op de deur op de deur er wordt op de klotedeur gebonsd. Dylan zegt iets.

Hallo?

In 1874 legt rechter Robert Widney een lijn van vier kilometer aan voor een paardentram van zijn buurt bij Hill Street naar het centrum van Los Angeles. Binnen twee jaar zijn er vergelijkbare lijnen in Santa Monica, Pasadena en San Bernadino, en nog eens zes lijnen die door en rond het centrum van LA leiden. In 1887 wordt de Pico Street lijn geëlektrificeerd. In 1894 wordt de Los Angeles Consolidated Electric Railway Corporation opgericht die de plaatselijke paardentramlijnen gaat opkopen en ze elektrificeert. Ook worden alle trams rood geverfd en gaat men zichzelf De Rode Tram Lijn noemen. In 1898 koopt de Southern Pacific Railroad de Los Angeles Consolidated Electric Railway Corporation. Ook koopt men grote stukken onbebouwd land op aan de rand van Los Angeles. Deze maatschappij breidt het tramnetwerk van LA snel en sterk naar deze gebieden uit om vervolgens de grond aan projectontwikkelaars te verkopen. In 1901 splitst men Pacific Electric af om het tramnetwerk van Los Angeles te laten draaien. In 1914 is het het grootste publieke tramnetwerk ter wereld, met meer dan 900 Rode Trams die over 1850 kilometer spoor naar elk bevolkt gebied in de provincie Los Angeles rijden, en ook naar de provincies San Bernardino en Orange.

Esperanza's routine verandert. Mevrouw Campbell en Doug ontbijten elke ochtend samen, dus hoeft ze mevrouw Campbell geen ontbijt op bed meer te brengen. Doug vindt het ook fijn de ochtendkoffie te zetten, zodat ze ook van die plicht is ontheven. Omdat het verzorgen van de ochtendkoffie zo verschrikkelijk pleegde te zijn, en mevrouw Campbell, voor ze haar ochtendkoffie had gedronken, meer pleegde te schimpen dan ze gewoonlijk al deed, geeft de verandering Esperanza de kans haar dag kalmer, gemakkelijker en vrediger te beginnen, wat de rest van de dag, ongeacht hoe verschrikkelijk mevrouw Campbell misschien ook wordt, kalmer, gemakkelijker en vrediger maakt.

Doug vertrekt elke morgen meteen nadat hij en z'n moeder klaar zijn met hun ontbijt. Hij draagt altijd een wit katoenen shirt, vaak over het T-shirt heen waarop hij tijdens het ontbijt heeft gemorst, een kaki broek en Topsiders. Hij draagt een vol boeken gepropte rugzak van blauwe nylon die eruitziet als de rugzak die Esperanza gebruikte op de brugschool. Hij draagt een bruinleren aktetas waarin de letters DC zijn gedrukt – en hij rijdt op een kleine motorstep, met een mand voor de aktetas. Ze heeft geen idee waar hij heengaat of wat hij doet, en gewoonlijk komt hij pas terug nadat zij weg is. Toen hij voor het eerst kwam, nam zij aan dat hij na korte tijd weer verdwenen zou zijn, maar hij lijkt elke dag meer verankerd. Zijn kleren, die hij aanvankelijk in z'n koffer bewaarde, liggen nu in lades. Zijn foto's, waarop raketten staan en ruimteschepen en satellieten en ruimtestations, en die hij uitgespreid op een bureau in zijn kamer liet liggen, zijn aan de muur geplakt. Zijn tandenborstels (om een of andere reden heeft hij er zes) staan in een beker op de wastafel, z'n scheerapparaat ligt in het medicijnenkastje, zijn zeep ligt in de douche. Blijkbaar gebruikt hij geen deodorant.

Al spreken ze nooit met elkaar, Esperanza vindt Doug aardig. Soms als ze 's ochtends zijn moeder bedient of door de keuken loopt op weg naar een ander deel van het huis, betrapt ze hem erop naar haar te kijken, nu en dan glimlacht hij, en ze glimlacht altijd terug, al wil ze het niet en probeert ze het te onderdrukken. Al spreekt hij zijn moeder nooit rechtstreeks tegen, hij zegt haar vaak dat ze dwaas is of zich als een tiran gedraagt, en hij houdt haar voortdurend voor dat haar politieke inzichten achterhaald en absurd zijn (mevrouw Campbell vindt de huidige president goed, Doug noemt hem een hansworst). Terwijl zijn manieren en eetgewoontes haar aanvankelijk afstootten, vindt Esperanza die nu grappig en ontwapenend, ze meent dat hij is zoals hij is omdat het hem niet kan schelen hoe hij eet of eruit ziet zolang het maar z'n mond bereikt waarmee hij opgewekt kauwt en slikt. En voor iemand die zich zo van zichzelf bewust is als zij, is zijn totale onverschilligheid voor zijn uiterlijk verfrissend. Elke keer als ze naar haar dijen kijkt denkt ze aan hem en zijn gevlekte shirts en het eten op zijn handen en zijn gezicht en ze probeert haar eigen gevoelens over hoe zij eruitziet te vergeten. Het baat haar niet veel, maakt haar haat voor haar dijen niet minder, maar het geeft haar hoop, het geeft haar een heel klein beetje hoop.

's Avonds wanneer ze thuis is, nadat ze heeft gestudeerd en ze in bed ligt voor ze in slaap valt, denkt Esperanza aan Doug, vraagt zich af wat hij doet. Hij heeft een tv en een paneel voor videospelletjes in zijn kamer, Esperanza heeft gehoord hoe mevrouw Campbell op hem vit omdat hij laat op blijft en zijn dwaze spelletjes speelt, hij lacht en zegt dat het universum moet worden gered en draken moeten worden gedood en iemand moet het doen, waarom hij niet? Ze stelt zich voor hoe hij op de grond zit, een pizza of wat chips op de grond naast hem, hij zit met z'n afstandsbediening in de hand naar de tv te staren, is het universum aan het redden, draken aan het doden, aan het doen wat hij ook doet, stapt later in bed met zijn eten en een boek, valt in slaap met beide rond zich uitgespreid.

Een dag als elke andere dag zij wordt wakker maakt zich klaar neemt de bus loopt naar het huis gaat langs achter naar binnen. Zij gaat de kelder in en trekt haar werkkleding aan, zij loopt de trap op naar de keuken en net voor ze de deur door gaat haalt ze diep adem en bereidt ze zich voor op de nieuwste streken van mevrouw Campbell, ze staat in de deuropening en mevrouw Campbell is er niet, alleen Doug, die aan de tafel koffie zit te drinken en een kaneelbolletje eet. Hij kijkt op naar Esperanza en glimlacht en zegt iets.

Hallo, Esperanza.

Zij knikt, hij zegt iets.

Het is in orde. Je kunt met me praten. Mijn moeder is er niet.

Waar is ze?

Ik weet het niet zeker. Ofwel ging ze golfen in Palm Springs of kuren in Laguna of naar een paardenevenement in Santa Barbara. Ik zet haar geluid meestal af, daarom weet ik niet wat ze precies zei.

Esperanza glimlacht. Doug wijst naar een andere stoel aan tafel.

Wil je niet zitten?

Dat wil ze wel, maar ze blijft bang dat mevrouw Campbell van achter de deuropening zal verschijnen.

Nee dank u.

Drink even koffie met me.

Esperanza kijkt naar de deur.

Nee, dank u.

Doug lacht.

Je maakt je zorgen dat dit een of andere test is en zij zich achter de deur verstopt en ze tevoorschijn springt en naar je gaat schreeuwen als je ermee instemt een paar minuten bij me komen zitten.

Esperanza probeert het te bedwingen, maar ze glimlacht. Doug lacht.

Mijn moeder zit helemaal fout. Ik bedoel, ik hou van haar en zo, ze is mijn mam en ze baarde me en bracht me groot, maar het is fout dat jij zo bang van haar bent dat je niet hier gaat zitten om koffie met me te drinken.

Esperanza haalt haar schouders op. Doug zegt iets.

Ze is hier niet ik garandeer het.

Esperanza glimlacht weer, kijkt naar de deur, loopt ernaartoe en maakt hem open en kijkt in de eetkamer en om de achterkant van de deur heen er is daar niets en niemand. Ze komt weer terug, Doug glimlacht hij zegt iets.

Dat was een goeie.

Esperanza reageert.

Dank u.

Ga je nu zitten?

Graag.

Ze gaat tegenover hem zitten.

Wil je koffie?

Graag.

Ze wil overeind komen, hij beduidt haar dat niet te doen.

Ik ga het halen.

Hij staat op, loopt naar het aanrecht, pakt een kopje en het vult het met lekkere, zwarte, kokendhete koffie.

Melk of suiker?

Ze schudt haar hoofd, hij loopt terug naar de tafel en overhandigt haar het kopje en gaat zitten. Hij zegt iets.

Ik heb een belangrijke vraag.

Ze neemt een slokje van de lekkere, zwarte, kokendhete koffie en kijkt naar hem op.

Hoeveel van wat ik zeg begrijp je?

Ze glimlacht.

Ik denk dat je me begrijpt, maar weten doe ik het eigenlijk niet.

Ze blijft glimlachen.

De laatste keer dat ik thuis was werkte er een meisje dat de taal goed genoeg beheerste om op me te reageren, dus praatte ik de hele tijd met haar, en vervolgens kreeg ik van de mannen die in de tuin werken, die Engels spreken maar doen of ze het niet kunnen zodat ze geen zaken met mijn moeder hoeven te doen, te horen dat ze geen woord begreep van wat ik zei. Ik voelde me een enorme lul.

Esperanza lacht, praat. Ze gebruikt haar Mexicaanse accent.

Ik spreek Engels. Ik begrijp alles wat u zegt.

Hij glimlacht.

Fantastisch!

Kunt u een geheim bewaren?

Hij knikt.

Ik ben mijnheer Geheim-Bewaarder. Niemand kan zo goed een geheim bewaren als ik.

Ze praat laat het Mexicaanse accent vallen, praat accentloos.

Ik ben een Amerikaanse. Ik ben geboren in Arizona en groeide hier in LA op. Ik spreek perfect Engels. Het immigrantengedoe is een toneelstukje om zaken te kunnen doen met je mam. Ze zou me niet laten werken als ze dacht dat ik legaal was.

Hij lacht.

Krijg nou wat!

Esperanza lacht. Hij praat door.

Ontzaglijk goed. Je bedot de Oude Dame Campbell. Ik moet het de mannen buiten vertellen, die zullen het erg komisch vinden.

Ze weten het al.

Hij lacht harder. Esperanza zegt iets.

Je beloofde het geheim te houden.

Doug spreekt.

Dat doe ik. Maak je daar geen zorgen voor. Ik vind het prachtig. En zo kunnen we gemakkelijker vrienden zijn. Het wordt vervelend hier met alleen haar en mij. Het zal heerlijk zijn om een vriendin bij me in huis te hebben.

Esperanza glimlacht, neemt een slokje van haar koffie.

Jazeker.

Ik kan me niet voorstellen dat er veel lol aan is om hier te werken.

Dat klopt.

Waarom doe je het dan?

Ik heb het geld nodig.

Er moeten toch betere banen zijn?

Ik heb regelmatige werktijden, en nogal gunstige. Ik ben het weekend vrij. Ik krijg contant betaald en hoef helemaal geen belasting te betalen. Het kon slechter.

Je maakt een intelligente indruk.

Dat ben ik volgens mij.

Slaagde je voor de middelbare school?

Met lof.

Waarom ging je niet naar de universiteit?

Ik kreeg een studiebeurs, maar er gebeurde iets en uiteindelijk ben ik niet gegaan.

Wat is er gebeurd?

Dat is een lang verhaal.

Ik heb niets om handen.

Ik wil er eigenlijk niet over praten.

Goed.

Wat voor werk doet u?

Onderzoek bij Caltech.

Wat voor onderzoek?

Dat is nogal ingewikkeld.

Stel me maar op de proef.

Het onderzoeksgebied is kwantuminformatica. Wij proberen de theoretische wetten uit de kwantummechanica toe te passen op de praktische wereld van computersystemen. Een van de vragen waarop mijn onderzoeksteam zich richt is uit te vinden wat in de natuur de maximale rekenkracht is.

Esperanza lacht, praat.

Gaat me een beetje te ver.

Doug lacht.

Het gaat mij ook te ver. Het gaat voor iedereen die ik ken te ver. Daarom zijn we ermee bezig. Zodat het niet meer te ver voor ons gaat, dat is uiteindelijk het doel van elk onderzoek, van iedere toegepaste wetenschap. Wat we niet kennen kenbaar maken.

Klinkt opwindend.

Het biedt opwindende mogelijkheden. Maar in de dagelijkse praktijk is het slopend.

Slopend?

Ja.

Wilt u mijn baan voor een paar weken proberen?

Hij lacht.

De was van mijn moeder doen is erger dan slopend. Het zou een soort marteling voor me zijn, het zou me waarschijnlijk al gek maken ook maar in de buurt te komen van wat haar ondergoed moet zijn.

Ze lachen allebei. Esperanza staat op.

Het was leuk met u te praten, maar ik moet aan het werk.

Doug knikt, glimlacht.

Ik ook.

Bedankt voor de koffie.

Graag gedaan.

Ik zie u morgen vast.

Mijn mam zal nog wel weg zijn.

Echt?

Ja. Misschien kunnen we dit nog eens doen?

Ze glimlacht.

Misschien.

Hij glimlacht. Ze draait zich om en loopt weg, hij kijkt toe hoe ze vertrekt. Net voor ze de deur door gaat zegt hij iets.

Buen dia.

Ze stopt draait zich om en glimlacht weer.

U ook.

In 1900 koopt Burton Green een groot stuk land vijfentwintig kilometer ten westen van Los Angeles gelegen om olie te winnen. Na honderden putten te hebben geboord, die geen van alle noemenswaardige hoeveelheden olie voortbrengen, verdeelt hij het terrein in bouwpercelen van twee hectare en stelt hij een landschapsarchitect aan om een stad te ontwerpen. Zijn vrouw heeft in haar kinderjaren in Beverly Farms, Massachusetts, gewoond, en het echtpaar besluit hun nieuwe stad Beverly Hills te noemen.

Beatrice komt twee dagen later terug ze is zo opgefokt van de speed dat Oudje Joe haar oogleden kan zien trillen. Ze vraagt iets te eten hij vindt wat pizza van de vorige dag voor haar ze neemt twee hapjes en ze heeft genoeg.

Hij heeft drie dagen rust. Hij volgt zijn normale routine hij ontwaakt voor de dageraad en gaat op het strand liggen en ziet de zon opkomen en wacht op antwoorden er komt niets. Hij bedelt op de promenade en drinkt de chablis en eet voedsel van de vorige dag en slaapt op de grond van zijn toilet.

Zij komt terug. Het is avond hij is halfdronken en gelukkig. Ze heeft een plaats nodig om te slapen hij laat haar het toilet gebruiken hij blijft buiten naast een vuilcontainer wanneer hij wakker wordt is zij weg.

De twee volgende dagen geen teken van haar hij slaapt op de derde dag slaat iemand tegen de deur hij wordt wakker. Hij staat op en vraagt wie is daar zij zegt ik ben het, ik heb hulp nodig, ik ben het. Hij doet de deur open en ze staat daar opgefokt en trillend ze ziet er bang en hulpeloos uit, bang en alleen. Hij zegt iets.

Wat scheelt eraan?

Ze zitten achter me aan.

Wie?

Ik moet me verstoppen.

Wie zit er achter je aan?

Alsjeblieft.

Ze draait zich om kijkt de straat in kijkt naar beide kanten draait zich weer naar hem bang en hulpeloos, bang en alleen.

Ze komen. Ze komen voor mij.

Hij gaat opzij.

Kom binnen.

Ze gaat naar binnen, hij doet de deur achter haar dicht. Hij weet niet of ze paranoïde is door de speed of paranoïde omdat wie haar eerder in elkaar ramde wil proberen haar weer in elkaar te rammen of paranoïde omdat ze niet wel bij haar hoofd is. Hij doet de deur op slot. Het toilet is klein ze staan een paar centimeter van elkaar af.

Dank je.

Wie zit er achter je aan?

Dat slot is sterk, nietwaar?

Ja.

Zij zijn sterk.

Wie.

Als dat slot niet sterk is mollen ze het en trappen ze het er godverdomme zo af. Ik heb ze dat eerder zien doen. Zo sterk zijn ze, het is godverdomd idioot zo sterk als ze zijn.

Wie?

Ze schudt haar hoofd, het lijkt of ze gaat huilen. Hij stapt voorzichtig om haar heen, gaat op de wc-pot zitten, ze staat boven hem.

Wil je niet zitten?

Waar?

Op de vloer.

En als ik moet vluchten?

Dan kom je overeind en vlucht je.

Zij zijn sterker dan ik maar ik ben sneller.

Dat is mooi.

Ik ben echt snel wanneer ik het wil. Godverdomd supersnel.

Dat is mooi.

Ze kijkt naar de vloer.

Die vloer is nogal smerig.

Hij haalt zijn schouders op.

Vind ik wel meevallen.

Heb je een tandenborstel? Ik zal de vloer schoonmaken voor je.

Hij lacht.

Nee, dankjewel. Ga gewoon zitten.

Een tandenborstel is goed om je tanden mee schoon te maken, maar nog beter voor vloeren en troep.

Misschien een andere keer.

Ze kijkt weer naar de vloer, laat zich langzaam zakken, alsof ze niet weet wat er zal gebeuren als ze de vloer aanraakt. Wanneer ze helemaal zit, kijkt ze naar hem op, zegt iets.

Het gaat best.

Dat zei ik je toch.

Voorlopig gaat het best.

Voorlopig.

Ze kijkt nog eens naar de grond, rilt, bibbert, heeft kleine stuiptrekkingen. Joe kijkt naar haar, ze richt haar blik op een verfplekje op de vloer ze steekt haar wijsvinger uit en raakt de plek angstvallig en aarzelend aan. Ze rukt haar vinger terug, staart naar de verf, doet het nog eens en nog eens en nog eens. Ze kijkt weer naar Joe.

Dat zal me niet deren.

Nee.

Het is zomaar een vlekje.

Ja.

Ik denk dat ik het best red hier.

Het is veilig.

Zij zijn sterk, maar ik ben snel.

Snel is goed.

Ik ben godverdomd supersnel.

Dat is geweldig.

Joe zit de volgende drie uur bij haar. Het rillen en het bibberen en de stuiptrekkingen en het gepraat over de mannen die achter haar aan zitten gaan door. Ze zegt niet wie het zijn of waarom ze haar moeten hebben en Joe weet niet of ze echt bestaan of niet en het maakt ook niet uit omdat zij gelooft dat ze echt bestaan en zij gelooft dat ze achter haar aan zitten. Wanneer zijn innerlijke klok hem zegt dat het tijd is om naar het strand te gaan vraagt hij haar met hem mee te komen zij is bang om het toilet te verlaten. Hij zegt haar dat ze het wel redden. Zij schudt haar hoofd nee nee nee. Hij wil haar hand pakken ze trekt die weg. Hij vraagt haar of ze in het toilet wil blijven als hij weg is ze zegt nee, laat me alsjeblieft niet alleen, daarop wachten ze, ze willen dat ik alleen ben, ze zullen me te pakken nemen als ik alleen ben, blijf alsjeblieft bij me, blijf alsjeblieft, alsjeblieft. Als voor hem de tijd om naar het strand te gaan aanbreekt begint hij geërgerd te raken, begint hij zich af te vragen waarom hij zich over dit meisje ontfermt, waarom hij haar zijn toilet over laat nemen, zijn leven over laat nemen. Hij staat op, zegt iets.

Ik kan niet blijven.

Ze kijkt naar hem op, bang en wanhopig, bang en alleen.

Waarom niet?

Dat kan nu eenmaal niet.

Nee.

Ja.

Laat me niet alleen.

Je mag meegaan als je wilt, of je kunt hier blijven, maar ik ga.

Alsjeblieft, alsjeblieft, alsjeblieft.

Nee.

Ze smeekt.

Alsjeblieft.

Hij schudt zijn hoofd.

Nee.

Zodra we weggaan, pakken ze me.

Hij schudt zijn hoofd.

Er is niemand daar buiten. Er is niemand naar je op zoek. Je wordt door niemand gevolgd. Anders zouden ze wel op deze deur hebben gebonsd.

Ze kennen deze plek niet.

Er bestaat geen zij.

Zij staart naar hem. Hij staart terug.

Je zult me beschermen.

Hij grinnikt.

Ja.

Beloofd?

Ik beloof het.

Hij reikt naar de deur, zij staat op en gaat uit de weg. Hij doet de deur open en gaat naar buiten, wacht tot zij volgt. Ze steekt haar hoofd naar buiten, kijkt links en rechts de steeg in, die is verlaten. Voorzichtig stapt ze naar buiten, haar handen aan de deuropening voor het geval ze zichzelf in de ruimte terug moet trekken kijkt nog eens naar links en rechts er is niemand in de

buurt alleen auto's en vuilcontainers en lege fietsenrekken en blikjes en flessen en verpakkingen van voedsel en kranten. Oudje Joe glimlacht naar haar. Ze komt helemaal het toilet uit. Hij doet de deur op slot. Ze beginnen te lopen ze kijkt om zich heen haar ogen schieten heen en weer haar handen trillen haar neusvleugels welven alsof ze wie er ook achter haar aan zitten eerder kan ruiken dan zien. Ze lopen naar het strand, Joe voorop Beatrice achter hem ze blijft drie of vier stappen achter hem. Wanneer ze zijn plek bereiken, gaat Joe liggen. Ze gaat een meter verderop zitten, zegt iets.
Wat doe je?
Ik ga liggen.
Waarom?
Daarom.
Waarom daarom?
Gewoon daarom.
Je ligt hier zomaar?
Ja.
Elke dag.
Ja.
Ben je gek?
Hij grinnikt.
Sommige mensen vinden waarschijnlijk van wel.
Ja, dat kan ik me voorstellen.
Hij grinnikt weer, sluit zijn ogen. Beatrice vindt een schelpje in het zand, staart ernaar, begint het vanuit verschillende hoeken te bekijken, brengt het dicht bij haar ogen en onderzoekt het. Joe wacht tot ze weer begint te praten is opgelucht wanneer ze dat niet doet. Hij haalt diep adem, nog een keer, hij opent zijn ogen de lucht is grijs door de mist zoals 's morgens op het strand vaak het geval is de zon komt op en de lucht wordt wit de zon brandt het weg de lucht wordt blauw. Hij vergeet dat Beatrice een meter verderop zit wat ze ook in de zeeschelp heeft gevonden het heeft haar gekalmeerd, haar tevredengesteld, haar tot zwijgen gebracht. De tijd beweegt de ochtend begint zichzelf te vertonen stralen licht beginnen het grijs te doordringen en stukken wit verschijnen hij haalt nog eens diep adem, nog eens, nog eens. Joe opent zijn ogen, sluit zijn ogen, wacht ademt, opent, sluit, wacht. Hij hoort Beatrice iets zeggen hij negeert haar. Ze zegt het nog eens hij negeert haar. Nog eens luider nog eens zij praat zij zegt.
Nee.
Nee.
Nee.
Hij opent zijn ogen de lucht is grijs wordt wit.
Zij begint te schreeuwen hij gaat overeind zitten begint zich om te draaien. Zij schreeuwt er is geen woord meer nee zij schreeuwt enkel. Hij begint zich om te draaien de lucht is grijs wordt wit hij wordt in z'n gezicht getrapt en de lucht is zwart. Zij schreeuwt en Joe zakt weg in het zand en de lucht is zwart.

Howard Caughy koopt de eerste automobiel van Los Angeles, een Ford Model A, in 1904. Hij sterft drie weken later wanneer hij, na een avondje drinken en opium roken in een bordeel in Chinatown, tegen een boom rijdt. Zijn zoon, Howard Caughy Jr., koopt de tweede automobiel van Los Angeles, ook een Ford Model A. Twee weken nadat hij de automobiel heeft gekregen, probeert hij er een ravijn mee over te komen in de heuvels van Los Feliz. Dat mislukt, en ook hij sterft.

Amberton en Kevin zijn in Ambertons kamer. Amberton ligt in bed. Kevin is zich aan het aankleden. Ambertons kinderen zijn in het zwembad, aan de buitenkant van zijn kamer, hij kan ze horen lachen en spelen met hun nanny's. Amberton zegt iets.

Dat was heerlijk.

Kevin trekt zijn overhemd aan, negeert hem. Amberton blijft praten.

Ik bedoel, dat was verbijsterend heerlijk.

Kevin begint de knopen van zijn overhemd vast te maken, blijft Amberton negeren.

Op een schaal van een tot tien, zou ik het een veertien geven. Misschien een vijftien.

Hij maakt het bovenste knoopje vast, begint aan zijn stropdas, negeert Amberton.

Voel jij wat ik voel?

Hij legt een mooie dubbele Windsor aan.

Ik bedoel, is dit serieus?

Controleert de stropdas in de spiegel.

Ik kan niet geloven hoe serieus dit voor mij aanvoelt.

Kevin zoekt naar het colbert van zijn kostuum. Amberton gaat overeind zitten.

Zeg je nog iets?

Kevin blijft naar zijn colbert zoeken, zegt iets.

Wat wil je dat ik zeg?

Dat het net het beste uur van je leven was.

Je bedoelt een kwartier?

Amberton lacht.

Dat het net het beste kwartier van je leven was?

Dat ga ik niet zeggen.

Dat je mij geweldig vindt.

Dat zeg jij al vaak genoeg.

Dat ik je op je grondvesten heb laten schudden.

Kevin vindt zijn colbert, half onder het bed.

Je klinkt als een of ander slecht liefdesliedje uit de Top 40.

Hij trekt het colbert aan.

Ik hou van slechte liefdesliedjes uit de Top 40.

Hij brengt het colbert in orde.

Waarom verbaast dat me niet?

Amberton glimlacht.

Ik heb het gevoel dat je mij kent. Of je mij altijd al hebt gekend.

Kevin grinnikt.

Ik moet weer aan het werk.

Hij begint naar de deur te lopen. Amberton zegt iets.

Neem de rest van de dag vrij.

Kan niet.

Waarom niet?

Omdat ik moet werken.

Ik zal je baas opbellen.

Hij stopt bij de deur.

Nee, dat doe je niet.

Hij zal doen wat ik wil.

Hij heeft graag dat jij dat denkt.

Ik zal je voor vandaag betalen.

Ik ben geen hoer.

Ik wil je weer.

Nee.

Kevin loopt naar buiten. Amberton zit op zijn bed, ziet hem vertrekken. De kinderen spelen in het zwembad met hun nanny's.

In 1906 breekt de eerste grote bendeoorlog uit tussen de Dragon Boys (Chinezen), de Shamrocks (blanken, hoofdzakelijk Ieren), de Chainbreakers (negers) en de Rancheros (Mexicanen). De politie van Los Angeles, die te weinig mankracht en te weinig vuurkracht heeft, kan er geen eind aan maken. In de loop van achttien maanden worden zesendertig mensen vermoord, meestal met messen, knuppels en gebroken flessen. In 1907 voeren de Shamrocks als eersten een schietpartij uit terwijl je langsrijdt wanneer ze twee Chainbreakers neerschieten vanuit een rijdende tram. De oorlog eindigt wanneer leiders van de vier bendes afspreken elkaars gebied niet binnen te dringen.

Twee mannen komen de kamer in het zijn allebei leden van de motorclub ze zijn allebei fors en zo intimiderend als wat. Ze zeggen Dylan dat hij met hen mee moet komen hij vraagt waarom ze blijven gewoon staan en staren hem aan. Hij loopt naar Maddie toe, die in een stoel zit zij is zo bang dat ze niet kan bewegen. Hij leunt voorover, spreekt zacht, zodat de mannen hem niet kunnen horen.

Ik geloof dat ik met hen mee moet.

Wat willen ze?

Geen idee.

En als ze je nu wat aandoen?

Als ik *niet* met hen meega zullen ze me wat aandoen.

Wat moet ik doen?

Hier wachten.

En als je niet terugkomt?

Toe nou.

Ze vermoorden je misschien.

Als ze me gingen vermoorden, hadden ze dat al gedaan.

Dat denk ik ook.

Ik bedoel, kijk naar ze, het lijken aardige kerels.

Ze kijkt naar hen. Ze zien eruit als ongelooflijke klootzakken. Ze lacht. Dylan komt overeind, kust haar.

Bewaar wat pizza voor me, ik zie je straks.

Hij draait zich om, loopt naar buiten, de twee mannen volgen hem. Ze laten de deur open Maddie hoort hen weglopen ze staat op loopt naar de deur ziet hoe de mannen in een pick-up stappen Dylan moet van hen achterin gaan zitten terwijl ze het parkeerterrein af rijden kijkt hij naar haar op en zwaait. Zij wacht hij komt niet terug. Zij eet pizza kijkt naar de tv hij komt niet terug. Zij valt in slaap wordt wakker hij is nog steeds niet terug. Zij kleedt zich aan en gaat naar haar werk waar ze honderden en honderden artikelen verkoopt die voor 99 cent of minder zijn geprijsd en wanneer ze thuiskomt is hij nog steeds niet terug. Zij loopt de straat in en koopt wat gebakken kip en wat witte bonen in tomatensaus. Ze komt thuis en kijkt tv en wil eten, maar dat gaat niet. Hij komt niet thuis.

Hij blijft nog twee dagen weg. Ze eet of slaapt nauwelijks zolang hij weg is. Aan het eind van de tweede dag komt ze thuis met een zak chips en pudding hij ligt te slapen in hun bed. Ze laat de chips en de pudding vallen en de pudding spettert op de grond het kan haar niet schelen. Ze gaat naast hem liggen en begint hem te kussen ze kust zijn wangen zijn voorhoofd zijn neus zijn oren nek armen handen ze kust hem en huilt. Hij wordt wakker, glimlacht, zegt iets.

Hi.

Ze glimlacht.

Hi.

Hoe gaat het?

Ze glimlacht.

Waar was je?

Rondgereden.

Ze glimlacht.

Rondgereden?

Ja.

Ze glimlacht.

Zat je de hele tijd in de laadbak van die pick-up?

Nee, meestal zat ik achter op een motor.

Ze blijft maar glimlachen.

Dat klinkt leuk.

Helemaal niet leuk. Mijn rug doet me godverdomme toch zeer.

Wil je dat ik erover wrijf?

Ja.

Hij glimlacht, draait zich om.

Waarom zat je drie dagen achter op een motor?

Ze gaat op hem zitten, begint over zijn rug te wrijven.

Ze zochten naar de kerels die hun vrienden hebben vermoord. Ik heb ze gezien en weet hoe ze eruitzien. We hebben rondgereden om te proberen ze te vinden.

Heb je ze gevonden?

Nee, maar iemand anders van hun club wel.

Wat hebben ze met hen gedaan?

Geen idee.

Echt niet?

Ik heb mijn vermoedens. En waarschijnlijk heb jij precies hetzelfde idee, maar ik ken geen details en dat houd ik graag zo.

Ik maakte me echt zorgen.

Hij lacht.

Dat mag ik hopen.

Ik wist niet of je wel terug zou komen.

Ik weet ik had moeten bellen. Maar ze hielden me de hele tijd in de gaten.

Waarom?

Die kerels zijn paranoïde.

Waar heb je geslapen?

In de werkplaats, maar we hebben maar een paar uur per dag geslapen. Het was een obsessie voor hen die kerels te vinden.

En eten?

Snacks. Drive-ins. Best grappig om op een Harley naar een drive-in te gaan.

Vroegen ze naar het geld?

Nee.

Hebben ze het niet gemerkt?

Ik weet het niet. Ik heb ze er niet over horen praten en ik bracht het niet ter sprake.

Het ligt hier nog steeds.

Mooi.

Wat wil je ermee doen?

Het gebruiken om hier weg te komen.

En ons werk dan?

Ik ben al opgestapt.

Dat vonden ze goed?

Zolang ik er maar nooit met iemand over praat. Jij moet morgen maar opstappen.

Kan ik Dale een trap tegen z'n ballen geven voor ik wegga?

Hij lacht.

Natuurlijk.

Waar gaan we heen?

Naar iets beters dan hier.

Kunnen we niet terug naar het strand?

Zo dicht bij het strand als we ons kunnen veroorloven.

Ik wil een wit huis met een paalhek bij het strand.

Hij lacht. Zij spreekt weer.

Dat wil ik. Echt. Dat is nu mijn droom.

Dat kunnen we ons helemaal niet veroorloven.

Laten we het zo dicht mogelijk benaderen.

Akkoord.

Zij begint hem weer te kussen, hij is nu wakker en hij kust haar terug. De hele nacht bevrijden ze zich van drie dagen spanning, stress en angst op elkaars lichamen in elkaar op elkaar onder elkaar. Wanneer ze wakker worden pakken ze hun spullen in die passen in twee kleine rugzakken ze stappen op de motor en rijden naar de 99-centwinkel. Maddie zegt haar baan op. Dale vraagt haar om te blijven zegt haar dat ze hart en ziel van de winkel is ze lacht hem uit. Hij geeft haar een strookje papier met zijn nummers, op kantoor, thuis en mobiel, en zegt haar te bellen als ze van gedachten verandert. Ze gooit het weg als ze vertrekt.

Ze rijden naar de werkplaats. Dylan wil er de motor laten staan. Al houden ze van de oude rotmotor, en is het hun enige vervoermiddel in een stad waar, vanwege het ontbreken van behoorlijk openbaar vervoer, enig middel van vervoer onontbeerlijk is, ze willen de link tussen hen en de werkplaats zoveel en zo goed als maar kan verbreken. De poorten zijn dicht en er is niemand. Er is verkeer op straat, maar het is rustig. Er hangt dreiging in de lucht, dood, geweld. Ze parkeren de motor voor de poorten. Dylan en Maddie lopen weg ze zijn de enige voetgangers die je er ziet. En ze gaan weer eens naar het westen.

Naar het westen.

Ze lopen naar het westen.

De eerste film met hoofdfilmlengte, *The Story of the Ned Kelly Gang,* wordt in 1906 in Australië gemaakt. De tweede, *L'Enfant Prodigue,* wordt in 1907 in Frankrijk gemaakt. In 1908 vormen negen Amerikaanse filmmaatschappijen, op één na allemaal aan de Oostkust gevestigd, de Motion Picture Patents Company, ook bekend als de Edison Trust, het doel is niet-Amerikaanse en onafhankelijke belangen uit de filmindustrie te weren door technologie en onbelichte film te delen. In 1909 begint de Kamer van Koophandel van Los Angeles filmmakers die in de stad wilden filmen te stimuleren, en wijst op de overvloedige zonneschijn (elektrische belichting is kostbaar), het weer en de diversiteit aan beschikbare landschappen. In 1911 opent de eerste filmstudio in LA, Christie-Nestor Studios, de deuren. In 1914 zijn er vijftien studio's. In 1915 klaagt William Fox, de oprichter en eigenaar van Fox Film Corporation, de Motion Picture Patents Company aan wegens kartelvorming, de groep wordt als monopolist aangemerkt door het Federale Hof van de VS en ontbonden. In 1917 is Los Angeles de wereldhoofdstad van de filmproductie.

Een gesprek in Los Angeles. De deelnemers zijn mannen tussen de veertien en de dertig. Ze kunnen behoren tot elk ras, elke nationaliteit, etnische groep, en kunnen uit haast elk deel van de stad of provincie komen:

Je moet ons een scalp bezorgen.

Een scalp?

Ja, een godverdomde scalp.

Zoals de Indianen deden?

Net zoals de godverdomde Indianen deden.

Hoe kom ik godverdorie aan een scalp?

Je legt een klootzak om en hakt dan de bovenkant van z'n kop af.

Of je ramt hem gewoon flink in elkaar en hakt dan de bovenkant van z'n kop af. Dat is haast nog erger omdat de klootzak dan z'n hele leven met een idioot hoofd rond moet lopen.

Bij wie moet ik dat van jullie doen?

Als-ie maar kleuren draagt.

Bepaalde kleuren?

Maakt ons niet uit.

Dan hoor ik erbij?

Zo gaat het.

Hoeveel tijd krijg ik ervoor?

Een week.

En verder is er geen inwijding?

Is dit niet genoeg?

Het is nogal wat.

Wel de bedoeling. De bedoeling is ons te bewijzen dat je het ook meent.

Doe ik.

We zullen het zien.

Doe ik.

Zoals de klootzak zei, we zullen het zien.

Ik zal het jullie bewijzen.

Hou dan verdomme je kop en ga aan de slag.

Hebben jullie een wapen dat ik kan gebruiken?

Gelach uit diverse mannenmonden. Eentje zegt iets.

Ja, we hebben wapens.

Hebben jullie een kapmes of zulke troep?

Dat moet je zelf regelen.

Goed.

***

Er bestaan meer dan 1500 straatbendes in Los Angeles met naar schatting 200.000 leden.

***

Enkele van de Aziatische bendes in en rond Los Angeles: Westside Islanders, 4 Seas, Asian Killa Boys, Black Dragon, Tropang Hudas, Vietnamese Gangster Boys, Tiny Rascal Gang, Sons of Samoa, Asian Boyz, Crazy Brothers Clan, Exotic Foreign Creation Coterie, Korat Boys, Silly Boys, Temple Street, Tau Gamma Pinoy, Korea Town Mobsters, Last Generation Korean Killers, Maplewood Jefrox, LA Oriental Boys, Lost Boys, Mental BoyZ, Oriental Lazy Boys, Rebel Boys, Korean Pride, Asian Criminals, Avenue Oxford Boys, Born To Kill Gang, Cambodian Boys, China Town Boyz, Crazyies, Fliptown Mob, Flipside Trece, Ken Side Wah Ching, Korean Play Boys, Sarzanas, Satanas, Temple Street, Red Door, Real Pinoy Brothers, Scout Royal Brotherhood, The Boys, United Brotherhood, Bahalana Gang, Black Dragons, Original Genoside, Four Seas Mafia.

***

50 tot 60 procent van alle moorden die in de provincie Los Angeles worden gepleegd hebben met bendes te maken, elk jaar ongeveer 700.

***

Hij groeide op bij zijn moeder en drie broers, van wie twee andere vaders hadden dan hij. De vier jongens deelden een slaapkamer, zijn moeder sliep op een bank in de woonkamer. Ze werkte 's avonds in een filmtheater en ze kregen sociale bijstand en er was genoeg geld voor eten en de huur en tweedehandskleding, maar verder niets.

Op school ging het altijd slecht met hem. Vanaf de eerste dag dat hij ging, als zesjarige, had hij het gevoel dat de leraren bang voor hem waren. Misschien niet bang, maar beducht, en ze hadden beslist niets met hem op. Er waren nooit genoeg schoolboeken, en nauwelijks leermiddelen. Hij probeerde het een paar jaar, maar gaf het toen op. Hij ging elke dag, maar meestal wilde hij plezier maken en rondhangen. Wanneer leraren naar hem schreeuwden, vond hij dat leuk.

De enige mensen in zijn buurt die een beetje geld leken te hebben waren gangsters. Ze droegen mooie kleren en reden in mooie auto's en hadden diamanten horloges. Wanneer ze mensen zeiden wat ze moesten doen, deden die dat. Ze hadden vrienden die van hen hielden en hen respecteerden en voor hen vochten en met hen vochten.

Hij werd ingelijfd toen hij twaalf was. Hij liep naar huis en een paar iets oudere jongens kwamen om hem heen staan en zeiden hem dat hij bij hen zou horen en vervolgens sloegen ze hem. De volgende dag, toen hij naar school liep,

193

zag hij de jongens op een straathoek. Hij liep naar hen toe en ging bij hen zitten en lachte met hen. Hij ging niet naar school die dag, geen enkele dag meer. Hij begon kleuren te dragen na zijn eerste moord. Hij was dertien. Hij reed in een auto met andere jongens. Geen van hen was oud genoeg om te mogen rijden. Ze zagen een andere jongen die een kleur droeg die hun niet beviel, de kleuren van hun vijand. Ze gaven hem een wapen. Hij deed het raam open en begon te schieten. De jongen viel. Hij bleef schieten. Ze reden weg. Ze dumpten de auto en gingen terug naar hun straathoek waar ze het de rest van de dag vierden en wiet rookten en bier dronken. Hij zag de moeder van de jongen op het nieuws toen hij later die avond naar huis ging. Ze jammerde, huilde, haar buren hielden haar overeind. Hij keek ernaar met zijn eigen moeder, die geen idee had dat hij erbij was betrokken. Ze schudde eenvoudig haar hoofd, wachtte op het volgende onderwerp.

Dag in dag uit stonden ze op de hoek en rookten wiet en dronken bier en praatten en lachten en wanneer er mensen in mooie auto's uit betere buurten kwamen aanrijden, verkochten ze hun drugs. Ze gingen een paar keer per week achter hun vijanden aan, of wanneer er iemand uit hun eigen kring was neergeschoten en er vergelding, wraak nodig was.

Zijn drie broers, allemaal jonger dan hij, volgden zijn voetspoor. Een van hen stierf drie dagen nadat hij zich had aangesloten, hij werd in het hoofd geschoten vanuit een rijdende auto. Een tweede raakte verlamd bij net zo'n schietpartij. De jongste aarzelde, maar besefte dat hij geen andere keus had. Ze waren bij elkaar toen hij zijn eerste moord pleegde, hij schoot iemand neer die een andere kleur droeg en twee zussen van de jongen, een van hen was vier jaar. Ze zagen die avond een reportage over de moord op het nieuws met hun moeder, die geen idee had dat zij erbij waren betrokken. Ze schudde eenvoudig haar hoofd en wachtte op het volgende onderwerp.

***

Enkele van de blanke bendes in en rond Los Angeles: Armenian Power, de Nazi Low Riders, Aryan Nation, de Peckerwoods, de United Skinhead Brotherhood, de Crackers, het Front, StormFront, Heil Boys, Westside White Boys, Honky, de Spook Hunters, Dog Patch Winos, het Soviet Bloc, Russian Roulette, het Georgian Pack, Aryan National Front, East Side White Pride, het Fourth Reich, New Dawn Hammerskins, American Skinheads, Blitz, de Berzerkers.

***

Er werden tussen 2000 en 2005 meer dan 30.000 geweldsmisdrijven waarvan men aangifte deed gepleegd door bendeleden, onder meer moorden, verkrachtingen, mishandelingen en berovingen, binnen de gemeentegrenzen van Los Angeles. Geschat wordt dat een vijfde van de feitelijk gepleegde misdaden wordt gemeld en aangegeven.

***

Niemand kent hem. Niemand heeft hem ooit ontmoet. Niemand heeft hem ooit gezien. Hij belt twee keer per dag, om twaalf uur en om vijf uur, om de lopende zaken te bespreken. Tijdens de gesprekken geeft hij orders, bekijkt hij kasstromen, controleert hij binnengekomen ladingen, geeft hij oordelen over vrienden en vijanden, spreekt hij vonnissen over hen uit. Hij praat met twee mensen. Die runnen de onderneming voor hem. Een van hen doet dat al drie jaar, de andere zes jaar. Ze worden bijzonder goed betaald. Voor hun gezinnen wordt gezorgd wanneer zij weg zijn. Ze zijn allebei de vierde persoon in deze functie. Het eerste duo verdween nadat de onderneming gladjes genoeg liep om er nieuwe mensen bij te halen, en zij verdwenen omdat ze zijn identiteit kenden. De anderen zijn verdwenen omdat ze fouten maakten. Het is onvermijdelijk dat er fouten worden gemaakt. Het is onvermijdelijk dat zij zullen verdwijnen. Zij wisten van die onvermijdelijkheid toen ze met de baan begonnen. Ze deden dat omdat ze bijzonder goed worden betaald, en ze alles krijgen wat ze willen, drugs, geld, meisjes, jongens, wanneer ze maar willen. En voor hun gezinnen wordt gezorgd wanneer zij weg zijn. Nadat ze hun fout maken.

Ze werken op de vierde etage van een gebouw met tien lagen in het bezit van een lege vennootschap in het bezit van een lege vennootschap die in het bezit is van een lege vennootschap die in zijn bezit is. In de rest van het gebouw zitten er andere leden van hun organisatie, sommigen van hen doen werk dat als legaal geldt, voor het werk van de meesten geldt dat niet. De vierde etage is het veiligst omdat je die niet direct kunt benaderen. Als de politie van LA, de drugsbestrijding, de FBI, de dienst Alcohol, Tabak & Vuurwapens, de Belastingdienst, of enige andere rivaliserende, vijandelijke organisatie proberen tot hen door te dringen en informatie te krijgen over hun activiteiten, moeten ze hen ofwel van boven of van beneden benaderen, en eer ze op de vierde etage zijn zal alles wat ze willen of nodig hebben verdwenen zijn. De twee mannen verlaten de zwaar bewaakte etage zelden, en alles wat ze willen of nodig hebben wordt bij hen gebracht. De enige keer dat men in de buurt van de etage kwam, dat was het werk van een rivaliserende criminele organisatie, doodden de bewakers tweeëndertig man. Acht van de mannen werden ter plaatse neergeschoten en gedood. De anderen werden gevangengenomen en naar een pakhuis gebracht. Voor ze stierven wensten ze stuk voor stuk dat ze meteen neergeschoten en gedood zouden zijn.

De organisatie telt ongeveer 50.000 leden, al weet niemand het echt. Men beheerst het grootste deel van Spaanstalig Los Angeles, al zijn er een paar haarden van verzet en onafhankelijkheid over. Men beheerst ook het grootste deel van de drugshandel naar de stad. Andere groepen of organisaties die betrokken zijn bij de distributie en de verkoop van cocaïne, heroïne, methamfetamine en marihuana kopen het meeste in het groot bij hen in. Degenen die dat niet doen worden gewoonlijk uiteindelijk naar het pakhuis meegenomen, waar ze al snel wensen dat ze het wél bij hen hadden gekocht.

Afgezien van drugshandel is de organisatie ook betrokken bij wapenver-koop, prostitutie, afpersing, en het vervoeren en verkopen van illegaal geïm-migreerde arbeidskrachten. Met de winsten uit deze activiteiten koopt men onroerend goed, voor behuizing en voor bedrijven, en zet men een infra-structuur op, met onder meer eigen winkels, restaurants, rederijen, banken en scholen. Anders dan de meeste, zo niet alle organisaties van dit soort heeft men doelen en plannen voor de lange termijn. Van begin af aan had hij, waar hij ook vandaan mag komen, een visioen. Langzamerhand krijgt het enige realiteit. Hij wil het zuiden van Californië helemaal en volledig beheersen.

De meeste leden weten niet van zijn bestaan of weten niets van hem. Ze wor-den op dezelfde manier ingelijfd als andere bendes leden inlijven. Jonge, bo-ze mannen, vaak uit een instabiel gezin, krijgen geld, wapens, het gevoel te worden gerespecteerd, het gevoel ergens bij te horen, en worden zo los-geweekt om te kopen, verkopen, roven en moorden. Ze staan op straathoe-ken in gestreken katoenen en flanellen shirts en hun nek, armen en rug zijn overdekt met tatoeages. Ze dreigen, bedreigen, halen nu en dan uit. Ze vin-den het heerlijk deel van iets te zijn en ze zijn allemaal bereid daarvoor te do-den en te sterven. Af en toe wordt hun gevraagd ervoor te doden en te ster-ven. Ze werven andere leden die andere leden werven die andere leden werven. Ze zijn een leger geworden dat niet valt te bestrijden, bijna niet te overwinnen is, niet gestopt kan worden, en groeit, elke dag wordt het groter en krijgt het meer macht, het groeit elke dag.

De politie, of wie dan ook, kan er weinig aan doen. Arresteer je er een dan zijn er tien anderen, twintig anderen, vijftig anderen. Sluit je er een op dan wordt het vacuüm, als dat er was, onmiddellijk gevuld. Stop je er een in de gevangenis dan gaan ze op in de parallelle organisatie die ze daar hebben, een organisatie die de meeste gevangenissen in Californië beheerst. De lei-ders worden beschermd, letterlijk en figuurlijk, door iedereen onder hen, en kunnen ook onmiddellijk worden vervangen. De gezagsstructuur was op-gezet naar het voorbeeld van de gezagsstructuur die militaire organisaties gebruiken, die zijn ontworpen om schade te doorstaan en bij tegenslag te volharden. Toen men een gekozen functionaris van de gemeente onlangs vroeg wat hij van plan was aan de groep te doen lachte hij en zei – misschien sluit ik me bij hen aan als deze reprimande niet helpt. Toen men hem vroeg wat hij van plan was te doen om te proberen greep op hen te krijgen staarde hij recht voor zich uit en zei – Niets. Ik kan niets doen. De oorlog met hen is voorbij en zij hebben gewonnen. Ik kan niets doen.

***

90 procent van de misdrijven met een racistische achtergrond in de provin-cie Los Angeles wordt gepleegd door bendeleden, ongeveer 800 per jaar.

***

Enkele van de negerbendes in en rond Los Angeles: Be-Bopp Watts Bishops, Squiggly Lane Gangsters, Kabbage Patch Pirus, Straight Ballers Society, Perverts, Pimp Town Murder Squad, Project Gangster Bloods, Blunt Smoking Only Gang, Most Valuable Pimp Gangster Crips, Crenshaw Mafia Gang, Fruit Town Pirus, Fudge Town Mafia Crip, Family Swan Blood, Compton Avenue Crips, East Coast Crips, Gangster Crips, Samoan Warriors Bounty Hunters, Watergate Crips, 706 Blood, Harvard Gangster Crips, Sex Symbols, Venice Shore Line, Queen Street Bloods, Big Daddyz, Eight Tray Gangster Crips, Weirdoz Blood, Palm & Oak Gangsters, Tiny Hoodsta Crips, Rollin' 50s Brims, Dodge City Crips, East Side Ridas, Lettin Niggas Have It, Down Hood Mob, Athens Park Boys, Avalon Garden Crips, Boulevard Mafia Crips, Gundry Blocc Paramount Crips, Dawgs, de Dirty Old Man Gang.

***

In 2007 presenteerden de politie van Los Angeles en het bureau van de burgemeester van Los Angeles een lijst met de gevaarlijkste bendes van Los Angeles. In rangorde, en met hun etnische samenstelling en werkterrein, gaat het om:

1 **18th Street Westside.** Latino's/Mexicanen. Vrijwel de hele stad door.
2 **204th Street.** Latino's/Mexicanen. Omgeving van de haven/ Torrance.
3 **Avenues.** Latino's/ Mexicanen. Highland Park.
4 **Black P-Stones.** Afro-Amerikanen. Baldwin Village.
5 **Canoga Park Alabama.** Latino's/Mexicanen. Canoga Park/ West Valley.
6 **Grape Street Crips.** Afro-Amerikanen. Watts.
7 **La Mirada Locos.** Latino's/Mexicanen. Echo Park.
8 **Mara Salvatrucha, ook bekend als MS-13.** Latino's/El Salvadorianen. Vrijwel de hele stad door.
9 **Rollin' 40s NHC.** Afro-Amerikanen. South Central.
10 **Rollin' 30s Original Harlem Crips.** Afro-Amerikanen. Jefferson Park.
11 **Rollin' 60s Neighborhood Crips.** Afro-Amerikanen. Hyde Park.

***

De elf bovengenoemde bendes zijn verantwoordelijk voor ongeveer 7 procent van alle gewelddadige misdrijven in de gemeente Los Angeles waarvan aangifte is gedaan.

***

Een gesprek tussen een jongeman en een journalist. De journalist is een bezoeker uit Europa en schrijft een stuk over het leven in Amerikaanse steden. Het gesprek vindt plaats in de achtertuin van een klein vervallen huis.

Waarom heb je eigenlijk al deze honden?
Dat doe ik nu eenmaal. Ik fok deze klotehonden.
Hoeveel heb je er?
Op dit moment heb ik er zo'n vijftien. Soms heb ik er meer, soms heb ik er minder.
Het zijn allemaal pitbulls?
Amerikaanse Pitbullterriërs. Stuk voor stuk.
Waarom pitbulls?
Omdat het de ergste rotzakken zijn die je hebt.
En daarom houd je van ze?
Ik houd niet van die klootzakken. Ik fok ze godverdomme gewoon en verkoop ze.
Je houdt helemaal niet van ze?
Ik houd een klein beetje van ze wanneer ze klein en zwak zijn. Ze zijn leuk en grappig en blij, en ze geven graag likjes, maar dan maak ik ze vals.
Je maakt ze vals?
Je moet die rotzakken trainen. Ze hebben 't in zich, maar je moet het eruit halen. Je moet ze in elkaar slaan en ze honger laten lijden en ze om eten laten vechten. Dan krijgen ze er de smaak van te pakken, de smaak van bloed, en beginnen ze vals te worden.
Je slaat ze als ze puppies zijn?
Ik geef ze ongeacht hoe oud ze zijn op hun donder.
En als ze niet vals worden?
Dan laat ik de andere op ze oefenen.
Wie kopen deze houden?
Gangsters.
Gangsters? Zoals Al Capone of John Gotti.
Nee, geen gangsters zoals zij. Zoals de klootzakken die je op elke godverdomde straathoek in deze stad hebt.
Bendeleden?
Ja.
Wat doen die ermee?
Ze laten ze vechten om geld, er zijn toernooien en toestanden. Ze gebruiken ze om hun huis te bewaken. Soms hitsen ze ze op tegen klootzakken met wie ze een akkefietje hebben.
Tegen andere mensen?
Ja.
Wat gebeurt er dan?
Wat denk je godverdomme dat er gebeurt? Niemand kan op tegen een pitbull.
Heb je het zien gebeuren?
Dat niet, maar ik heb wel de gevolgen gezien, klootzakken met afgebeten armen of benen, met stukken van hun gezicht af gebeten, en ik heb over een paar andere klootzakken gehoord bij wie daar beneden heel gevoelige troep werd afgebeten. En ik heb ook nog wel erger dingen gehoord.

Wat dan?

Ik heb over die pakhuizen gehoord.

Wat doen ze daar?

Ze houden daar honden en ze maken die klootzakken echt gevaarlijk en geven ze nooit te eten. Ze hebben een put in het midden van het pakhuis, en wanneer er klootzakken moeilijk doen, gooien ze hen in de put met een paar woedende honden. Aan dat soort ellende valt niet te ontsnappen.

Denk je dat het waar is?

Ik heb geen reden om eraan te twijfelen.

***

Vijfennegentig van alle bendeleden is man. 50 procent is onder de achttien. 30 procent van degenen boven de achttien zit in de gevangenis. 90 procent zal op een gegeven moment een tijd in de gevangenis belanden. 15 procent maakt de middelbare school af. Minder dan 1 procent zal naar de universiteit gaan. 80 procent groeide op in eenoudergezinnen. 88 procent van de kinderen van bendeleden zal uiteindelijk ook in bendes belanden.

***

Een paar van de latinobendes in en rond Los Angeles: 18th Street, Clicka Los Primos, Big Top Locos, Diamond Street, Head Hunters, East LA Dukes, Krazy Ass Mexicans, Primera Flats, Varrio Nuevo Estrada, de Magician Club, Astoria Garden Locos, High Times Familia, Pacas Knock Knock Boys, Sol Valle Diablos, Brown Pride Surenos, Alley Tiny Criminals, King Boulevard Stoners, Washington Locos, Mexican Klan, Barrio Mojados, Street Saints, V13, 42nd Street Locos, Tiny Insane Kriminals, Unos Sin Verguenza, Bear Street Crazies, Midget Locos, Barrio Small Town, Villa Pasa La Rifa, Forty Ounce Posse, Compton Varrio Vatos Locos, Big Hazard, Varrio Nuevo Estrada, Michigan Chicano Force, Brown Pride Raza, Pacoima Humphrey Boyz, San Fers 13, Burlington Street Locos, Van Owen Street Locos 13, Big Top Locos, La Eme.

***

Op een brits liggen. Naar het plafond staren. Het is midden in de nacht. De brits bevindt zich in een cel die voor één man is bedoeld er zitten er drie in. Het is erger dan hij dacht dat het zou zijn. Veel veel erger. Zenuwslopender, angstaanjagender, gewelddadiger, saaier. Minuten duren uren, uren duren dagen, dagen duren een heel leven. Zenuwslopende eindeloze ogenblikken hij kan er op al die ogenblikken aan gaan, hij kan op al die ogenblikken een moord plegen. Hij is een moordenaar, net als beide andere mannen in de cel, net als bijna alle mannen in de gevangenis. Honderden moordenaars die bij elkaar leven, naar ras verdeeld, vol haat jegens elkaar, met helemaal niets anders om handen dan wachten tot de tijd voorbijgaat. Het is erger dan hij dacht dat het zou zijn.

Slapen gaat altijd moeilijk. Hij staat vijf of zes keer per nacht op. Voor hij hier belandde had hij nooit problemen met slapen. Voor hij hier belandde dacht hij nooit aan wat hij uithaalde. Ze passeren de revue in zijn gedachten. Stuk voor stuk. Hoe ze eruitzagen, waar hij ze te pakken nam, wie er bij hem was, waarmee hij het deed, hoe ze neergingen en hoe ze bloedden, het geschreeuw van de getuigen die het zagen maar altijd weigerden een verklaring af te leggen. Hij kende er niet één, had nooit met een van hen gesproken, had een aantal van hen nooit gezien voor hij het deed. En het deed er niet toe. Wie zij waren uit wat voor gezin ze kwamen de dromen die ze misschien hadden of misschien niet hadden, niets daarvan deed er godverdomme toe. Hij deed wat hij geacht werd te doen en hij deed het zonder erbij na te denken. Stapte gewoon in de auto en vertrok, leunde uit de auto, haalde de trekker over. Hij treurde nooit om een van hen omdat hij nooit tijd had om te treuren. Nu is dit het enige wat hij heeft. Tijd. Minuten duren uren, uren duren dagen, dagen duren een heel leven. Hij ligt in bed en staart naar het plafond. Hij kan niet slapen.

***

Zij is vierentwintig. Twee van haar broers werden neergeschoten, een stierf en een is verlamd vanaf z'n nek, en een andere broer werd doodgeslagen. Een van haar drie zusters werd vermoord. De andere twee hebben kinderen van wie de vaders dood zijn of in de gevangenis zitten. Ze heeft vier kinderen bij drie mannen. Een is er dood, een zit levenslang in de gevangenis vervroegde vrijlating uitgesloten, de derde besteedt zijn tijd vooral aan kaarten in het portiek van een nabij huis. Haar oudste kind is tien. Hij draagt al kleuren.

***

Terwijl het aantal bendeleden en het daarmee samenhangende aantal geweldsmisdrijven in de gemeente en in de provincie Los Angeles stijgen, wordt er vanwege bezuinigingen gesneden in de programma's van de staat en het land om het probleem aan te pakken door buurthulp en initiatieven van de wetshandhavers.

***

Een gesprek tussen een vader en een zoon. De vader is zesentwintig en de zoon is vijf.
Wat wil je worden als je groot bent?
Bendelid.
En verder?
Een druggebruiker.

En verder?
Een koelbloedige moordenaar.
Waarom wil je dat worden?
Omdat daar het geld zit, en ik wil geld.
Hoeveel geld?
Al het geld van de wereld.
Je bent mijn jongen. Ik ben trots op je. Je bent mijn jongen.

***

Het gemiddelde bendelid verdient per jaar minder dan de gemiddelde kassajuffrouw in de gemiddelde snackbar.

In 1904 koopt een tabakbaron Abott Kinney geheten een groot moeras ten westen van Los Angeles en trekt architecten en aannemers aan om een 'Venetië van Amerika' aan te leggen. Men graaft zo'n vijfentwintig kilometer grachten en laat die vollopen met water uit de Stille Oceaan, en er worden drie amusementspieren op het strand gebouwd, samen met een door restaurants en bars omzoomde promenade. Er worden aan de oevers van de grachten huizen gebouwd. Binnen vijf jaar is Venice Beach de grootste toeristische attractie aan de Westkust, en een van de grootste in het land. In 1929 wordt er even ten zuiden van Venice olie gevonden, op het schiereiland Marina del Rey. De gemeente Los Angeles annexeert beide gebieden vervolgens en laat de grachten vol beton storten.

Kelly. Geboren in Alabama, opgegroeid in Tennessee. Deed op haar vierde aan haar eerste schoonheidswedstrijd mee, ze werd derde in de Little Miss Chattanooga Jr. Princess-divisie. Trad op haar zevende in haar eerste toneel-stuk op, een Amerikaanse versie van *De notenkraker* gesitueerd op een var-'kensboerderij. Begon op haar negende te werken met een zangtrainer. Was model voor catalogi van plaatselijke warenhuizen tussen haar tiende en haar veertiende, won op haar vijftiende de Junior Miss Middle-Tennessee Schoonheidswedstrijd, werd op haar zestiende Reünie Meisje, op haar ze-ventiende Reünie Prinses, op haar achttiende Reünie Koningin. Werd door haar klas op de middelbare school gekozen als de Mooiste, Meest getalen-teerde, Meest kansrijke om te Slagen. Kreeg een volledige beurs als cheerlea-der voor de University of Tennessee. Vier jaar lang cheerleader op de univer-siteit, waarbij ze in het laatste jaar Eerste Cheerleader was. Studeerde met lof af in twéé hoofdvakken Theater/Kinderpedagogie. Verhuisde op haar drieëntwintigste naar Los Angeles om een carrière als zangeres te beginnen. Ze is 1 meter 75, heeft blond haar en blauwe ogen, weegt 52 kilo. Ze is serveer-ster in een restaurant dat in het teken staat van de jaren vijftig, ze zingt daar ook de liedjes uit een populaire Broadwayshow, telkens en telkens en telkens opnieuw. Ze is nu negenentwintig.

∗∗∗

Eric. Hartenbreker op de middelbare school. Reed en rijdt nog steeds op een motorfiets. Won nooit een prijs voor wat dan ook, maar ging naar bed met al-le meisjes die wel wonnen. Verhuisde op z'n achttiende naar Los Angeles om acteur te worden. Eén meter 88, lang bruin haar, 84 kilo. Werkt als hulpkel-ner in een duur restaurant in Beverly Hills. Hij is nu tweeëndertig.

∗∗∗

Timmy. De clown van de klas. De jongen met wie je binnen een minuut lacht. Het grappigste kind van de straat, en ik bedoel grappig grappig. Ik heb het zonder meer over het grappigste klotekind dat er ooit in de straat is ge-weest!!!! Kort en mollig. Zwart haar. Rozerode wangen. Z'n vader was een al-coholist die z'n moeder sloeg. Z'n moeder was depressief en sprak zelden. Ze woonden ergens op de derde etage zonder lift in Astoria, Queens. Zijn ou-ders probeerden meer kinderen te krijgen, maar wisten die niet te verwek-ken. Vrijwel sinds de dag van z'n geboorte hield Timmy van twee dingen: mensen aan het lachen maken en eten. Ze voedden elkaar. Hoe meer hij at, hoe slechter hij zich voelde, hoe slechter hij zich voelde hoe groter zijn behoefte was om mensen aan het lachen te maken zodat hij zich een beetje beter zou voelen. Hij begon op zijn twaalfde komische sketches te schrijven. Hij oefende ze voor de spiegel en hield elke zaterdag om 17.00 uur een voorstelling op de hoek van zijn straat. Hij begon veel publiek te trekken, en voor de eerste keer in zijn leven waardeerden de mensen hem, en bewonderden de mensen hem. Hij ging twee jaar lang door met zijn shows op zaterdag, toen dwong zijn vader hem in het weekend te gaan werken bij een slagerij in de buurt. Toen hij van de middelbare school kwam, ging hij naar de universiteit techniek studeren. Hij begon in komedieclubs te werken en deed mee aan openpodiumavonden. Hij verliet de universiteit drie maanden voor hij zou afstuderen en verhuisde naar Los Angeles. Hij was tweeëntwintig. Hij is nu portier bij een komedieclub en doet nog steeds mee aan openpodiumavonden. Hij is vierenveertig.

***

John. Gitaarvirtuoos. Afkomstig uit Cleveland. Verhuisde met zijn band naar Los Angeles op z'n 20ste. Werkt achter de balie van een autoverhuurkantoor. Is 29.
Amy. Model. Afkomstig uit New York. Verhuisde op haar 23ste naar Los Angeles om actrice te worden. Werkt als cocktailserveerster in een dure hotelbar. Is 27.
Andrew. Zelfbenoemd genie. Afkomstig uit Boston, ging naar de universiteit van Harvard. Verhuisde op z'n 23ste naar Los Angeles om scenarioschrijver te worden, en op den duur regisseur. Werkt achter de toonbank van een videowinkel. Is 30.
Jennifer. Van drie markten thuis. Uit Chicago. Werd op het gebied van zingen, dansen en acteren als een wonderkind beschouwd. Bezocht Northwestern met een volledige beurs. Verhuisde op haar 22ste naar Los Angeles, met visioenen de stad stormenderhand te veroveren en zich in drievoudige roem te koesteren. Werkt als hulpcheffin in een kledingzaak. Is 27.
Greg. Begon op z'n 10de korte films te maken. Studeerde met lof af aan een prestigieuze filmschool. Verhuisde naar Los Angeles om regisseur te worden. Werkt als kaartjesknipper bij een wassenbeeldenmuseum.
Ron. Bodybuilder. Wilde in actiefilms spelen. Werkt bij een sportschool.
Jeff. Acteur. Werkt in een eendenpak in een pretpark.
Megan. Actrice/model. Doet exotische dansen.
Susie. Actrice. Serveerster.
Mike. Acteur. Ober.
Sloane. Actrice. Serveerster.
Desiree. Actrice/zangeres. Serveerster.
Erin. Actrice. Werkt in een schoenwinkel.
Elliot. Scenarioschrijver. Werkt in een bar.
Tom. Scenarioschrijver. Bakt pizza's.
Kurt. Acteur. Bezorgt pizza's.

Carla. Zangeres/danseres. Serveert kippenvleugels in een T-shirt en hotpants.

Jeremy. Eeneiige tweeling. Acteur. Werkt achter de bar in een café.

James. De andere eeneiige tweeling. Acteur. Werkt achter de bar van een ander café (ze probeerden in dezelfde zaak te werken maar de klanten raakten erdoor in de war).

Heather. Actrice. Beter lijf dan Carla. Serveert kippenvleugels in het bovenstukje van een bikini en hotpants. Krijgt meer fooi dan Carla.

Holly. Actricetje. Draagt een *E.T. the Extra-Terrestrial*-pak in een pretpark.

***

Kevins ouders vonden hem altijd maar raar. Als kind sprak hij graag met vreemde stemmetjes en verzonnen accenten, die hij toeschreef aan denkbeeldige landen. Ze probeerden hem ervan af te brengen, maar hij weigerde. Ze kwamen met aanmoedigingspremies: geld, uitstapjes naar de plaatselijke kartbaan, boeken, nieuwe sportschoenen, zo veel ijs als hij wilde maar niets hielp. Hij sprak met vreemde stemmetjes en verzonnen accenten. De tijd kwam dat ze niet goed meer wisten hoe zijn echte stem klonk.

Op zijn veertiende las hij *King Lear*. Hij was een beetje jong om zo'n diep stuk klassieke Engelse letterkunde te snappen en te verteren, maar hij deed het toch maar, jongens nog aan toe hij deed het. Hij werd verpletterd, weggeblazen. De woorden troffen hem, drongen in hem door, raakten hem, op een manier die niet te vergelijken was met wat hij ooit had meegemaakt. Vanaf die dag wijdde hij zichzelf aan theater. Wanneer hij niet op school was, zat hij in zijn kamer toneelstukken te lezen, hij begon bij de Grieken en ging zo verder, en in stilte monologen te reciteren. Hij schakelde definitief over op een stijf, deftig Brits accent en begon zowel thuis als op school middeleeuwse kleding te dragen, op school probeerden verbijsterde beambten hem aanvankelijk tegen te houden, maar ze gaven het op toen hij dreigde hen aan te klagen wegens het schenden van zijn rechten op grond van het Eerste Amendement. Uiteraard werd hij getreiterd, kreeg hij op z'n donder van footballspelers, hij werd door iedereen gemeden, zelfs door de minst populaire kinderen op school. Het deerde hem niet. De woorden van de meesters stroomden door hem heen, vervulden hem, en troostten hem op een manier die geen van hen ooit zou of kon begrijpen. Zij hadden elkaar; hun lessen en spelletjes en feestjes en dansavondjes en alle banale drama's die hun dagen beheersten. Hij had de meesters, de giganten uit de theatergeschiedenis, de titanen van het podium. Hij had drama van groot formaat.

Hij ging op z'n zestiende van school en vertrok naar Engeland, waar hij als een wonderkind gold. Twee jaar lang werkte hij als invaller op de podiums van West End en toen keerde hij terug naar Amerika, naar New York, waar het hart van het Amerikaanse Theater zo luid en duidelijk klopt, en hij schreef zich in aan Juilliard, de meest prestigieuze toneelschool van het land.

Het was meer van hetzelfde op Juilliard. Hij maakte indruk op zijn leraren. Hij speelde zijn klasgenoten weg. Hij nam de grootste, veeleisendste rollen op zich en liet ze doodeenvoudig lijken. Broadway, niet meer dan een paar straten verder, begon het in de gaten te krijgen. Talentenjagers kwamen alles bekijken wat hij deed, agenten boden aan zijn belangen te behartigen, producenten wilden stukken rond hem opzetten. Hij genoot van de aandacht, maar hij had grotere plannen, grotere dromen, Broadway was er altijd nog, hij wilde HOLLYWOOD! Hij slaagde als beste van zijn klas, zoals verwacht, en omdat hij was aangewezen voor de afscheidsrede hield hij de toespraak aan het begin van het nieuwe leerjaar, dat deed hij in de stijl van Molière, de grote Franse toneelschrijver uit de zeventiende eeuw. De volgende dag verhuisde hij naar Los Angeles. Hij was tweeëntwintig.

Er is een vreemd verschijnsel in Los Angeles dat zich voordoet wanneer artiesten van buiten de film- en tv-wereld, zoals toneelacteurs, toneelschrijvers, romanschrijvers, schilders en toneelregisseurs, naar de stad komen. Mensen uit de sector, in het algemeen leidinggevenden en agenten, willen met hen samenwerken en met hen gezien worden, ongeacht of ze werkelijk talent hebben, omdat het idee bestaat dat ze, omdat ze van de Oostkust komen, of uit Europa, en omdat ze horen bij wat je als de *Hoge Kunst* kunt zien, slimmer zijn, meer prestige hebben, en ze op de een of andere wijze beter zijn dan hun tegenhangers in Californië. Heel wat carrières zijn verwoest door het verschijnsel, menig veelbelovend toneelschrijver veranderde in een tv-zwoeger, menig romanschrijver in een mummelende scenarioschrijver, menig podiumacteur in een gelikte ster in komische series, en menig toneelregisseur in een regisseur van reclamespotjes. Kevin was goed bekend met dit verschijnsel, maar hij kwam naar de stad met een visioen, hij was vastbesloten aan het visioen vast te houden en het nooit op te geven, een visioen van een roemrijke en vernieuwende toekomst: hij wilde de werken van de oude Grieken, Aeschylus, Sophocles, Euripides, op de vele schermen van Amerika brengen.

Agenten en producenten werden aanvankelijk door zijn idee aangetrokken. Hij tekende bij een prestigieus bureau en had een ontwikkelingsplan (een regeling waarbij je wordt betaald om te proberen een script te schrijven) ondertekend bij een topproducent bij een belangrijke studio. Toen hij ontwerpen van de scripts, in feite niet meer dan transcripties van de toneelstukken, begon in te leveren, schrokken de producent en de studio hevig. Ze zeiden hem dat ze het niet konden rechtvaardigen tientallen miljoenen dollars in een film te steken over een gewelddadige jongeman die zijn vader vermoordt en z'n moeder bezwangert. Ze vroegen hem wat dingen te herschrijven, wat hij weigerde. Ze lieten hem stilletjes vertrekken.

Dat was zeven jaar geleden. Ondanks tegenslag na tegenslag na tegenslag heeft Kevin zijn droom niet opgegeven. Hij werkt 's avonds in een restaurant waar de Middeleeuwen herleven, daar blijft hij zijn groot scala aan accenten en personages bijvijlen, en hij treedt er op als ceremoniemeester voor toernooien en zwaardgevechten, en overdag telefoneert hij en belegt hij vergaderingen in een poging investeerders voor zijn films te vinden. Er komen geen aanbiedingen meer voor werk, en de agenten willen niet langer zijn belangen behartigen, en de meesten van zijn klasgenoten van Juilliard hebben nu een succesvolle loopbaan, maar dat doet er allemaal niet toe. Hij heeft een droom. Los Angeles is de plaats waar dromen werkelijkheid worden. Hij zal nooit opgeven. Of zoals hij misschien zegt, met de verbuigingen uit Manchester van omstreeks 1545, *Ye not will yield for further on the battle lies and ye night is dark but thy lord willeth provideth thy light!!!!*

***

Allison. Model. Verhuisde op haar achttiende naar Los Angeles om een Playboy Bunny te worden. Ze is nu 19 en doet porno.
Katy. Actrice. Verliet haar echtgenoot en drie kinderen om een ster te worden. Werkt in een supermarkt. Huilt zichzelf elke nacht in slaap.
Jay Jay. Acteur. Verhuisde op z'n vierde naar LA met zijn moeder. Hij is nu negen. Hij woont in een motel en krijgt thuis les. Zijn moeder is serveerster.
Karl. Thuis een waaghals. Verhuisde op zijn achttiende naar Los Angeles om stuntman te worden. Geeft les in karate. Hij is nu 30.
Lee. Acteur/model. Verhuisde op z'n eenentwintigste naar Los Angeles. Ober, en nu en dan barkeeper. Hij is nu 27.
Brad. Acteur. Verhuisde op z'n twintigste. Werkt als uitsmijter. Hij is nu 30.
Barry. Zanger. Verhuisde op z'n achttiende. Werkt achter het loket in het Wassenbeelden Museum. Hij is nu 31.
Bert. Schrijver. Verhuisde op z'n vierentwintigste. Barkeeper. Hij is nu 50.

***

Toen Samantha geboren werd, in een ziekenhuis in Cleveland, hield de dokter haar omhoog, keek naar haar, en zei – Wow, *dat* is een mooie baby. Toen ze een zuigeling was en een peuter, hielden mensen haar moeder vaak staande en vroegen naar haar te mogen kijken, en nu en dan vroegen ze of ze een foto van haar mochten maken. Jongens begonnen op de kleuterschool om haar te vechten, al waren ze allemaal ook bang van haar. In de vijfde klas zag een modellenscout haar en belegde een ontmoeting met haar ouders en zei hun dat ze als tiener miljoenen kon verdienen als ze bereid waren haar naar New York te sturen. Het leek hun een interessante gedachte, maar ze vonden het geluk van hun dochter veel belangrijker dan haar mogelijkheden om geld te verdienen. Toen ze in de achtste klas zat, kwam de modellenscout, die inmiddels agent was en altijd een foto van Samantha op een schoolbord voor zijn bureau had hangen, opnieuw naar haar kijken. Ze was zonder meer mooier dan de eerste keer dat hij haar zag. Hij had opnieuw een ontmoeting met haar ouders en hij zei hun hetzelfde, Samantha kon miljoenen verdienen als ze haar zouden toestaan fotomodel te worden. Samantha, die altijd had geprobeerd haar schoonheid te bagatelliseren, en er bijzonder terughoudend en bescheiden tegenover stond, was onverschillig onder het plan. Ze ging graag met haar vriendinnen om, ze ging graag naar school, ze keek graag met haar vader naar de wedstrijden van de Browns en de Indians, ze ging graag naar het winkelcentrum met haar moeder. Ze zag uit naar de middelbare school, naar haar eerste afspraakje, naar haar eerste dans op een reünie, haar eerste bal. Maar de man klonk overtuigend, dus stemde ze erin toe het te proberen.

Die zomer gingen ze, in gezinsverband, toen ze vakantie had, naar New York. Het bureau had een luxehotel voor hen geregeld en twee weken lang trachtte Samantha model te zijn. Er werden foto's van haar gemaakt, ze werd gecast, nam elke opdracht aan waarvoor ze werd gevraagd, veroorzaakte grote opschudding in de modewereld. Haar ouders gingen met haar mee naar de sessies, waar zij in de watten werd gelegd door visagisten, kappers en stilisten, waar fotografen haar zeiden hoe mooi ze was, waar de cliënten haar zeiden hoe trots ze waren dat zij hun merken wilde vertegenwoordigen. Al genoot ze van de aandacht en vond ze de complimentjes vermakelijk, ze verveelde zich enorm, en vond het uren moeten wachten voor een paar minuten werk (het maken van de foto's rekende ze mee) ondraaglijk. Het enige wat ze wél leuk vond was een televisiespotje dat ze maakte voor een shampoofabrikant. Ze had maar één regel tekst – Dit is mijn haar, dit is jouw haar – maar ze bracht die gráág. Voor de auditie repeteerde ze het een paar honderd keer, waarbij ze het iedere keer anders zei, ze veranderde haar toon, haar presentatie, de houding die ze aannam terwijl ze het zei. Ze besefte heel goed dat wat ze aan het doen was nogal dwaas was en een beetje banaal, maar ze vond het leuk werk, en ze repeteerde tot ze het naar haar gevoel perfect onder de knie had. Toen de camera's liepen, glimlachte ze en bracht ze het op een vrolijke, vriendelijke, toegankelijke manier, met de bedoeling op de toevallige kijker en de consument van haarproducten over te brengen: dit is mijn haar en het bevalt me zeer, het zou ook jouw haar kunnen zijn, glimlach maar en gebruik deze shampoo. Het was perfect. De regisseur begon te applaudisseren en de grote baas van de shampoofabriek straalde.

Toen hun tijd in New York om was, keerden Samantha en haar ouders terug naar Cleveland, en Samantha wist dat ze geen fotomodel wilde worden, of er niet genoeg om gaf om haar meisjesjaren ervoor op te geven, maar dat ze actrice wilde worden. Ze begon aan de middelbare school, ging bij de toneelclub, begon in het weekend toneelles te nemen. Ze had haar eerste afspraakje, op haar zestiende, met een jongen die ze haar hele leven al kende, ze kuste hem die avond en vele volgende avonden niet, maar ze kuste hem op de reünie en ging ook met hem naar het bal. Hij was in zijn laatste jaar de aanvoerder van het honkbalteam, een van de beste pitchers van Ohio en heel het land, en hij werd geselecteerd door een profploeg. Ze had volle tienen en hoge examencijfers en besloot weer naar New York te gaan om toneel te studeren, daar kon ze de school betalen door ernaast modellenwerk te doen. Ze gingen na de zomer uit elkaar. Ze hadden, ondanks een ongelooflijke, bijna bovenmenselijke inspanning van zijn kant, nooit seks gehad.

Haar jaren op de universiteit waren gemakkelijk, leuk. Ze was fotomodel, studeerde toneel, werkte in het theater. Haar schoonheid verliet haar niet, nam toe toen ze ouder werd, toen ze in haar lichaam groeide. Zij werd een vrouw, een zo geweldige vrouw dat het verkeer tot stilstand kwam, hoofden op hol raakten, harten werden gebroken. De mannen zaten achter haar aan, en nu en dan had ze een afspraakje, maar ze concentreerde zich op het acteren, op wat ze ná de school zou gaan doen, namelijk naar Los Angeles verhuizen en een vooraanstaande actrice worden.

Toen ze in LA aankwam, op haar tweeëntwintigste, werd ze onmiddellijk opgemerkt. Een producent sprak haar aan in een café en vroeg haar uit, ze zei ja en ze gingen samen eten. Na het eten zei hij dat hij een agent voor haar zou zoeken en haar een filmrol zou bezorgen als ze met hem mee naar huis ging, alleen zei hij het veel directer en minder beleefd. Ze was nooit intiem met een man geweest, ze bewaarde zichzelf voor wie haar eerste liefde zou worden, en toen de producent met z'n voorstel kwam, stond ze op en liet ze hem zonder antwoord aan tafel achter. Ze ging naar huis, dat was destijds een vervallen flatje in een buurt van LA die het Film Getto wordt genoemd, en waar vele jonge aankomende acteurs, schrijvers, regisseurs en muzikanten wonen voor ze aan de slag komen, ze huilde zichzelf in slaap. Ze wist, net als iedereen in het wereldje, dat dit soort dingen gebeuren, maar ze had nooit gedacht dat iemand het met haar zou proberen. Welkom in Los Angeles. Ze huilde zichzelf in slaap.

Het gebeurde nog eens en nog eens. Zij zei nee, nog eens en nog eens. Ze kreeg een baantje als serveerster in een luxueus restaurant en nam acteerlessen en probeerde een agent te krijgen. Ze kwam als er audities waren waaraan iedereen mee kon doen en speelde mee in stukken in kleine alternatieve theaters in Culver City en Silver Lake. Ze kreeg een agent, een jonge ambitieuze agent op een groot kantoor, en kreeg een paar kleine rollen in films voor tieners en drama's van een uur. Ze speelde altijd de mooie, maar ongrijpbare ingénue, en ze wist dat dit werk bij het opbouwen van je loopbaan hoorde. Ze deed mee aan een aflevering van een komische serie, ze speelde het droommeisje van de hoofdrolspeler. Ze speelde in een medisch drama. Ze speelde een toegetakeld slachtoffer van een ongeluk.

Ze had een afspraakje toen ze het telefoontje kreeg, een afspraakje met een advocaat met wie ze omging en van wie ze geloofde te kunnen houden. Haar moeder was aan de telefoon. Haar vader was ziek. Hij had maagkanker, misschien te behandelen, maar gewoonlijk ongeneeslijk. Ze stortte in aan tafel. De advocaat bracht haar naar huis en hielp haar met het regelen van de reis. Hij bleef die avond bij haar, hij hield haar vast als ze huilde, en 's ochtends hielp hij haar bij het inpakken, en die middag reed hij haar naar het vliegveld. Toen ze hem een afscheidskus gaf, wist ze dat ze van hem hield, maar ze wist ook dat hij wat langer zou moeten wachten. Haar vader had kanker. Het was misschien te behandelen, maar gewoonlijk ongeneeslijk.

Toen ze uit het vliegtuig stapte ging ze meteen naar het ziekenhuis. Haar vader lag in bed, overal draden, slangen en apparaten, een gehechte snee over de voorkant van zijn maag. Hij sliep, en haar moeder zat naast hem, haar ogen waren rood en gezwollen. Samantha begon onmiddellijk te huilen. Daarmee ging ze een week lang door. Haar vader probeerde positief te zijn over de situatie, en Samantha en haar moeder gerust te stellen, maar ze wisten allemaal dat het slecht ging, erger dan slecht, ze wisten hoe het zou aflopen. Er sijpelde bloed uit de snee, en ze wisten hoe het zou aflopen.

Ze keerde terug naar Los Angeles. Haar vader begon met chemo en bestraling. Zijn verzekering dekte het grootste deel van de behandeling, maar de rekeningen begonnen zich op te stapelen. Er stond een nieuw ziekenhuisbed in hun slaapkamer, een rolstoel, er kwamen verpleegsters aan huis, extra medicijnen, het kostte allemaal geld, uitzonderlijk veel geld. Samantha legde bij wat ze kon, wat niet veel was, en ze kwelde zichzelf met de miljoenen die ze had kunnen verdienen maar liet lopen, de miljoenen waarmee nu voor haar vader gezorgd had kunnen worden, de miljoenen die, daarvan was ze overtuigd, zijn leven hadden kunnen reden, als ze maar, als ze maar.

Ze zat in een café toen ze werd aangesproken. Een jonge vrouw vroeg haar waar de rok die ze droeg vandaan kwam ze begonnen te kletsen en dronken samen een kop thee. De vrouw was lang en blond en mooi, ze zei dat ze ook een actrice was, al concentreerde ze zich de laatste tijd op andere dingen, ze konden met elkaar opschieten en gaven elkaar hun nummers toen ze vertrokken. Twee dagen later zagen ze elkaar weer, twee dagen nadien weer. Samantha vertelde haar over haar vader over de zich opstapelende rekeningen. De vrouw zei dat ze misschien wist hoe ze moest helpen, als Samantha interesse had. Samantha zei ja, de vrouw vroeg hoeveel ervaring Samantha met mannen had. Samantha zei haar dat ze maagd was. De vrouw glimlachte en zei het komt wel goed met je vader.

Samantha verkocht haar maagdelijkheid een week later. Ze kreeg er $ 50.000 voor. De koper was een Arabische prins die in Bel-Air woonde en alleen seks wilde met maagden. Ze huilde voordien, tijdens en nadien. De prins zei haar dat de meeste meisjes huilden, en dat degenen die niet huilden onbevredigend voor hem waren. Toen ze zijn huis verliet, dacht ze erover met haar auto tegen een boom te rijden, of van een viaduct af. Toen ze thuiskwam, ging ze de douche in en bleef daar de rest van de dag. Toen de advocaat die avond belde, brak ze met hem, zei dat hij haar nooit meer mocht bellen. Toen hij vroeg waarom zei ze dat ze er niet over wilde praten. Toen hij aandrong, begon ze weer te huilen en hing op.

Dat was drie jaar geleden. Haar vader is dood, maar hij stierf in gerieflijke en rustige omstandigheden. Toen haar ouders haar vroegen hoe ze het geld had verdiend dat ze hun gaf, zei ze hun dat ze weer als model was begonnen. Toen ze vroegen het werk te mogen zien, zei ze hun dat ze voornamelijk in Japan werkte, waar oudere Amerikaanse modellen nog steeds geld konden verdienen. Ze ging met een of twee mannen per week naar bed. Ze kreeg per sessie tussen de $ 2000 en $ 10.000 betaald, afhankelijk van wat zij wilden dat ze deed, of wat zij met haar wilden doen. Afspraakjes, tenminste de gebruikelijke afspraakjes, maakte ze niet meer, ze ging alleen nog met mannen uit als die haar honorarium wilden betalen. Ze stopte met acteren, al had ze gehoord, wist ze dat een aantal andere vrouwen uit haar beroep uiteindelijk een zeker succes met acteren hadden behaald, daarbij was een vrouw die een Academy Award had gewonnen, en een die haar eigen televisieshow had. Ze hoopte dat ze op een gegeven moment een regisseur of een producent zou ontmoeten, iemand die haar zou betalen voor haar diensten maar meer in haar zou zien dan wat ze was, en dat ze haar een kans zouden geven en haar carrière weer op het juiste spoor zouden krijgen. Als het niet lukte, hoopte ze simpelweg iemand te ontmoeten met genoeg geld om zich over haar te ontfermen. Ze besefte dat het een klant moest zijn, want mannen die geen klant waren en erachter kwamen wat zij deed of wat zij was, zouden haar laten zitten of de banden met haar verbreken.

's Avonds, wanneer ze in haar flat was, op bed, alleen, dacht ze aan die eerste auditie, jaren geleden, voor het shampoospotje, en de opwinding die ze voelde toen ze het opnam. Zij dacht aan al het werk dat ze had verzet om zich op haar komst naar Los Angeles voor te bereiden, ze dacht aan haar moeder en wat die zou denken als ze op de hoogte was, ze dacht aan de advocaat. In zekere zin acteerde zij nog steeds, al bracht dat haar geen enkele troost of voldoening. In zekere zin was haar vorm van acteren moeilijker dan iets op een podium of een scherm. Zij dacht aan de prins. Zij dacht aan de mannen, al de mannen, en hoe die keken voor ze in op haar begonnen. Ze dacht aan haar vader. Die stierf tenminste in vrede.

***

Geschat wordt dat 100.000 mensen per jaar naar Los Angeles verhuizen in de hoop op een carrière in de amusementsindustrie. Ze komen uit heel Amerika, uit heel de wereld. Thuis waren ze sterren, ze waren slim of grappig of getalenteerd of mooi. Bij hun aankomst sluiten ze zich aan bij de 100.000 die het jaar voordien kwamen, en ze wachten op de 100.000 die het jaar nadien zullen komen, het jaar nadien, het jaar nadien, het jaar nadien.

***

David. Acteur. Barkeeper. Kwam op z'n 23ste, hij is nu 40.
Ellen. Zangeres. Serveerster. Kwam op haar 18de, ze is nu 21.
Jamie. Actrice. Draagt een muizenpak. Verhuisde op haar 28ste, ze is nu 38.
John. Gitarist. Hulpkelner. Kwam op z'n 22ste, hij is nu 26.
Sarah.
Tom.
Stephanie.
Lindsay.
Jarrod.
Danika.
Jose.

Bianca.
Eric.
Karen.
Edie.
Sam.
Matt.
Terry.
Rupert.
Brady.
Alexandra.
Meredith.
Connie.
Lynne.
Laura.
Jimmy.
Johnny.
Carl.

In 1913 wordt het voltooide aquaduct van Los Angeles geopend, het kan de stad van vijf keer zoveel water voorzien als benodigd is. Niet ingelijfde delen van de provincie Los Angeles, waaronder vrijwel heel de San Fernando Vallei, en verschillende kleinere steden, zoals San Pedro, Watts, Hollywood, Venice en Eagle Rock, die geen van alle een eigen watervoorziening hebben, worden bij de stad getrokken. In de volgende tien jaar worden de grenzen ervan nog verder uitgebreid tot de stad bijna 1300 km² omvat.

Mevrouw Campbell verlengt haar uitstapje. Doug en Esperanza drinken drie ochtenden achter elkaar samen koffie. Ze praten en lachen. Doug zet de koffie en ruimt op wanneer ze klaar zijn. Een kenmerkend gesprek tussen hen. Esperanza zegt iets.

Hoe was je dag gisteren?

Goed. Prettig en rustig. Ik zat de hele dag achter een computer. Aan het eind van de dag doet m'n oogbol zeer, maar dat vind ik nooit erg.

Waar was je mee bezig?

Naar getallen en vergelijkingen staren en doen alsof ze me iets zeiden. Hoe was jouw dag?

Fantastisch. Ik deed de gastenkamers en de badkamers boven. Ik probeerde een nieuw middel om de tegels te reinigen, maar het beviel me niet.

Waarom niet?

Niet genoeg glans toen ik het wegwreef.

Is glans belangrijk?

Belangrijker dan wat ook. Een tegel zonder glans is als een band zonder rubber.

Het hoort gewoon niet.

Precies.

Heb je er ooit aan gedacht je eigen merk tegelreiniger op de markt te brengen?

Nee.

Misschien moet je dat doen.

Een interessant idee. Misschien kan ik me speciaal richten op de groep van illegale-immigranten-dienstmeisjes.

Waarom jezelf beperken? Je moet de dingen groot zien. Je moet de dingen ENORM zien!

De huismoedermarkt van de blanke voorsteden?

Waarschijnlijk wordt het een kaskraker.

De Heer weet dat er gebrek is aan kwaliteitsproducten.

Je kunt het – *Esperanza's Glans* – noemen.

Best een goede naam.

Goed? GOED? Het is godverdomme een geweldige naam.

Zij lacht.

Ja, het is een geweldige naam. Zo geweldig dat je waarschijnlijk gewoon flessen met gekleurd water kunt vullen en er de naam opplakken en binnen een paar maanden zou je zo rijk zijn dat mijn mam jouw wastafels schoon komt maken.

Ze lacht weer.

Misschien heb je gelijk.

Misschien gelijk? Aan m'n reet! Ik heb gelijk, Esperanza, ik heb gelijk.

En zo ging het maar door en door tussen hen, tot een van hen besloot dat ze aan het werk moesten. Wanneer het zover was, en Doug weg was, bleef Esperanza de rest van de dag aan hem denken, denken wat hij misschien deed, denken aan alles wat ze die morgen hadden besproken, denken aan wat misschien tussen hen gebeurde als ze elkaar ergens anders hadden ontmoet. Een of twee keer per dag ging ze naar zijn kamer, ze maakte de deur open, stond achter de deuropening te staren. Het was altijd een rommel in de kamer: her en der kleren, boeken lagen op stapeltjes, een hoop hulzen van videospelletjes, posters met ruimteschepen, planeten en astronauten aan de muren. Esperanza komt in de verleiding de kamer binnen te gaan. Niet om te snuffelen, maar omdat zij wil ervaren hoe het is in zijn ruimte te verkeren, tussen zijn bezittingen, dingen aan te raken die hij aanraakt. Ondanks hun gesprekken 's morgens, ondanks het feit dat ze zo dicht bij elkaar zijn, heeft zij hem in feite nooit aangeraakt. Elke keer dat zij hem wilde aanraken, of had kunnen aanraken, werd ze bang, bang voor hoe hij aan zal voelen en voor wat zij door hem gaat voelen, bang dat ze misschien niet hetzelfde voelen, bang dat wat voor gevoel ze ook heeft het haar misschien uiteindelijk pijn doet. Als ze zijn bezittingen aanraakt, heeft ze het resultaat in de hand. Zijn bezittingen zullen haar nooit uitlachen of haar in de steek laten, nooit van haar wegkijken, nooit over haar oordelen. Ze staat in de deuropening ze zijn een meter van haar vandaan. Ze staart ernaar.

Op de ochtend nadat mevrouw Campbell terug is, vreest Esperanza bij het wakker worden de komende dag, ze mist haar ochtendkoffie met Doug nu al. Terwijl ze zich klaarmaakt, denkt ze eraan ontslag te nemen, het huis in te lopen en mevrouw Campbell te zeggen verrek toch (heel haar leven lang heeft Esperanza nooit iemand gezegd verrek toch, maar ze zou bereid zijn die gewoonte voor mevrouw Campbell te beëindigen). Nadat ze mevrouw Campbell had gezegd verrek toch, zou ze Doug kussen, hem zonder meer op zijn heerlijke lipjes kussen (en misschien ging ze ook nog naar zijn tong op zoek!) zolang als hij haar haar gang zou laten gaan. Als ze daarmee klaar was, zou ze zich omdraaien en weglopen, hen beiden verbijsterd en duizelig achterlatend.

Tijdens de rit naar Pasadena en de wandeling naar het huis zakt haar de moed in de schoenen. Tegen mevrouw Campbell verrek toch zeggen, hoe leuk en enorm bevredigend ook, zou ingaan tegen alles wat haar ouders haar hebben geleerd, en zou haar meer in verlegenheid brengen dan mevrouw Campbell. Doug kussen zou de dapperste en stoutmoedigste daad van haar leven zijn, maar ze bezit niet de koelbloedigheid en de dapperheid om het echt te doen. Elke stap in de richting van de kelder is moeilijker, deprimerender, elke stap voelt als een stap dichter bij het ongeluk. Als ze door de poorten loopt ziet ze Doug in de keuken bezig met de koffie en ze hoopt dat mevrouw Campbell misschien niet thuis is gekomen en ze hetzelfde kunnen doen als ze de afgelopen paar dagen deden. Dan hoort ze haar stem, dat kwaadaardige gekakel. Ze zegt Verdomme Doug, koffie zetten is Esperanza's werk, niet het jouwe, gooi die pot alsjeblieft leeg zodat zij een pot kan zetten wanneer ze hier aankomt, als ze hier op een redelijke tijd aankomt. Doug zegt nee mam het is goed zo ik doe het graag zelf. Mevrouw Campbell zegt Doug, nu meteen, gooi die pot nu leeg, anders doe ik het zelf. Esperanza schudt haar hoofd. O, wat zou het heerlijk zijn. Verrek toch jij gemene oude dame. O, wat zou het heerlijk zijn.

Zij opent de deur van de kelder loopt de trap af mevrouw Campbell is boven haar nog steeds aan het kakelen iets over de suiker die te klonterig is. Onder aan de trap haalt zij eens diep adem en loopt naar het haar aangewezen domein een bedje haar werkkleding hangt over een rek een tafeltje. Er staat een bloem op de tafel, één enkele rode roos in een eenvoudige glazen vaas. Er ligt een briefje onder de vaas ze pakt de vaas op, pakt het briefje op, er staan geen woorden op alleen een glimlachteken met rode pen getekend. Ze staart er een ogenblik naar, glimlacht, legt het neer. Ze staart naar de roos, glimlacht, haalt die uit de vaas en ruikt eraan. Boven is mevrouw Campbell nog steeds aan het kakelen, ze zegt Doug, we hebben haar om deze dingen voor ons te doen. Esperanza zet de roos terug in de vaas en begint haar werkkleding aan te trekken. Doug is boven. Het verrek toch is geschrapt, over de kus denkt ze nog eens na.

In 1914 wordt het Panama Kanaal opengesteld. De haven van Los Angeles is de dichtstbijzijnde grote Amerikaanse haven, en wordt de voornaamste bestemming voor vrachtschepen die ten westen van de Verenigde Staten varen. Sinds 1920 is het de grootste haven aan de Westkust, Seattle en San Francisco worden voorbijgestreefd, en na New York de op één na grootste in het land.

Joe wordt wakker hij voelt zand onder zich z'n ogen zijn gesloten z'n hoofd bonst. Hij hoort stemmen het zijn stemmen die hij kent Lelijkerd Tom, Al uit Denver en Oehoe. Al is een alcoholistische bedelaar van in de vijftig die onder de pier van Venice slaapt, en Oehoe is een alcoholist van in de dertig die overdag op het strand slaapt en 's nachts op een klimrek zit waar hij vieux drinkt en uilengeluiden maakt. Lelijkerd Tom praat.

Moeten we er de smerissen bij halen?

Al uit Denver aan het woord.

Om de sodemieter niet.

Waarom niet?

Omdat ze ons zullen arresteren.

We hebben niks gedaan.

Dat maakt niet uit.

We moeten wat doen om te worden gearresteerd.

Nee hoor.

Wat moeten we dan?

Wachten tot hij wakker wordt.

Wanneer gaat dat gebeuren?

Hoe moet ik dat weten.

Het kan wel even duren.

Ja, dat zou kunnen.

Heb je iets te drinken?

Nee.

Heb je geld?

Nee.

En jij, Oehoe, heb jij iets te drinken?

Oehoe knikt.

Wat heb je?

Oehoe voelt in z'n zak, haalt er een kwartliter goedkope whisky uit.

Mag ik een beetje?

Oehoe knikt, geeft het aan Al, die een slok neemt.

Wow. Dat is afschuwelijk.

Oehoe knikt. Al geeft de fles door aan Lelijkerd Tom, die een slok neemt. Hij glimlacht nadat hij het heeft ingeslikt.

Afschuwelijk? Aan m'n reet. Het is geweldig.

Hij geeft de fles door aan Oehoe, die een slok neemt en niks zegt. Al kijkt naar Tom, zegt iets.

Je hebt een slechte smaak, Tom. Die troep is afschuwelijk.

Sodemieter op.

Je hoeft niet zo akelig te doen.

Ik vind lekker wat ik lekker vind. En als er alcohol in zit, vind ik het lekker.

Als er geen alcohol in zit, vind ik het niet lekker. Zo ben ik nu eenmaal.

Waarschijnlijk is dat geen gezonde aanpak.

Kan me niet schelen.

Dan verander ik mijn uitspraak: je hebt geen slechte smaak, je hebt een ongezonde smaak.

Verrek toch.

Je hoeft niet zo akelig te doen, Tom.

Verrek toch.

Wanneer hij er niet meer tegen kan, opent Oudje Joe z'n ogen, zegt iets.

Hou alsjeblieft op.

Lelijkerd Tom zegt iets.

Hij is godverdorie wakker.

Al uit Denver zegt iets.

Nu hoeven we de smerissen er niet bij te halen.

Joe gaat overeind zitten.

Wat is er gebeurd?

Lelijkerd Tom zegt iets.

Ik heb het niet gezien.

Al uit Denver zegt iets.

Ik ook niet.

Lelijkerd Tom zegt iets.

Maar Oehoe wel.

Al uit Denver zegt iets.

Hij kwam ons halen nadat het was gebeurd.

Lelijkerd Tom zegt iets.

Hij zat op zijn klimrek.

Al uit Denver.

Net als altijd wanneer hij zijn dronkenschap niet uitslaapt.

Oudje Joe kijkt naar Oehoe, praat.

Wat is er gebeurd?

Oehoe neemt weer een teugje van zijn kwartliter, antwoordt. Hij heeft een zachte stem, een kinderstem, en hij spreekt zelden. Doet hij het wel, dan kiest hij z'n woorden zorgvuldig en is hij moeilijk te horen. Oudje Joe, Lelijkerd Tom en Al uit Denver leunen allemaal in zijn richting.

Je deed hetzelfde als je iedere dag doet, alleen was het meisje bij je en ze tekende cirkels in het zand. Drie van de lui met zwarte capuchons kwamen recht op je af en toen je overeind ging zitten trapte een van hen je tegen het hoofd.

Wat hebben ze met het meisje gedaan?

Ze sloegen haar in het gezicht en namen haar mee en een van hen liep achter haar en zou haar tegen haar achterhoofd timmeren als ze langzamer was gaan lopen en ze huilde en ze vroeg hun haar met rust te laten.

Heb je die kerels eerder gezien?

Zeker. Soms lopen ze laat op de avond op de promenade te loeren, om mensen te beroven en mensen te slaan.

Wonen ze op de promenade?

Ergens die kant op.

Hij wijst naar het noorden.

Herinner je je nog meer?

Oehoe neemt nog een slok.

Ik was bang. Ik was echt heel bang. Ik wilde van het rek af en komen helpen maar ik was te bang.

Het is goed, Oehoe.

Het spijt me.

Dat hoeft niet, je hebt er geweldig aan gedaan deze kerels te halen om te komen helpen toen het voorbij was. Precies wat je had moeten doen. Geweldig gedaan. Ik ben je er eentje schuldig.

Oehoe knikt.

Is het goed als ik nu ga slapen?

Joe glimlacht.

Ja. Ga maar slapen.

Oehoe glimlacht en staat op en vertrekt. Wanneer hij weg is, zegt Lelijkerd Tom iets.

Wat denk je?

Joe zegt iets.

M'n hoofd doet zeer.

Al zegt iets.

Mijn hoofd doet iedere verdomde ochtend zeer. Wanneer je eenmaal begint te drinken, gaat het wel weg.

Joe zegt iets.

Dit komt niet door een kater.

Al zegt iets.

Weet ik, maar het principe is hetzelfde: pijn in je hoofd, dronken worden, geen hoofdpijn meer.

Joe zegt iets.

Misschien zo meteen. Nu bedenken wat me met Beatrice aan moeten.

Al zegt iets.

Wie is godverdomme Beatrice?

Joe reageert.

Het meisje.

Tom zegt iets.

Dat meisje betekent problemen, man. Gewoon laten gaan.

Joe zegt iets.

Ze is een kind.

Al zegt iets.

Ze is geen kind.

Joe zegt iets.

Ze is niet ouder dan zeventien.

Al zegt iets.

Dat betekent niet dat ze nog een kind is.

Joe zegt iets.

Deze kerels doen haar wat aan.

Tom zegt iets.

Dat is onze zorg niet.

Joe zegt iets.

Als het hier gebeurt wel.

Al zegt iets.

Er gebeurt hier in de buurt zo veel ellende waarmee wij niets te maken hebben. Ik zag een paar weken geleden een of andere dronkenlap met z'n auto in de oceaan belanden. Had niets met mij te maken dus ik liep weg.

Joe zegt iets.

Ellende in de burgermanswereld heeft niets met ons te maken. Maar als het in ons wereldje gebeurt, moeten we er iets aan doen.

Tom zegt iets.

Mijn wereldje bestaat uit de slijterij, de toeristen die me geld geven, en mijn slaapzak.

Al zegt iets.

Mijn wereldje bestaat uit de slijterij, de pier, en de Heer daarboven, al heeft-ie me verlaten.

Joe zegt iets.

Dat meisje is te jong om hier te leven. En die klootzakken met hun capuchons zullen haar alleen maar gebruiken en toetakelen. Hoe je er ook naar kijkt, het is fout.

Joe staat op, begint weg te lopen. Lelijkerd Tom vraagt iets.

Waar ga je heen, Joe?

Zonder te stoppen of om te draaien, antwoordt Joe.

Ik ga proberen er iets aan te doen.

In 1915 schrijft en regisseert D.W. Griffith *The Clansman*, ook bekend als *The Birth of a Nation*. De film, die in en rond Los Angeles wordt opgenomen, stelt de Klu Klux Klan voor als een heldhaftige troep soldaten die zich weert om het Zuiden opnieuw op te bouwen en het zuidelijke erfgoed te bewaren na de Burgeroorlog. De film verpulvert de kaartverkooprecords en wordt de meest succesvolle film ooit gemaakt. De film lokt ook filmmakers uit het hele land, die zich naar Los Angeles haasten op zoek naar eenzelfde succes. Griffith richt later met een groep acteurs en regisseurs United Artists op, en sterft in 1948, zonder een cent, in een logement in Hollywood.

Esperanza loopt naar boven de koffie is gezet maar mevrouw Campbell dringt erop aan dat ze het nog eens doet. Ze doet dat, en serveert de koffie, en die bevalt mevrouw Campbell niet, en ze laat het haar nog eens doen. Doug probeert bezwaar te maken mevrouw Campbell zegt hem zich met zijn eigen zaken te bemoeien. Esperanza zet een tweede pot en de tweede pot is beter, maar niet perfect, en mevrouw Campbell laat het haar nog eens doen. Wanneer Doug weer bezwaar maakt, zegt mevrouw Campbell hem dat hij een mening mag hebben wanneer hij eerst de rekeningen betaalt. Esperanza zet een derde pot en serveert die en mevrouw Campbell vindt de koffie redelijk, maar dan ook maar net. Doug staart naar de tafel. Esperanza wrijft de hoeken schoon. Mevrouw Campbell drinkt haar koffie en leest de krant. Als Doug vertrekt, kijkt Esperanza naar hem en hoopt dat hij naar haar zal kijken, een teken van herkenning zal geven, misschien naar haar zal glimlachen als hij kan. Zijn gezicht is rood, hij houdt zijn hoofd naar beneden, en hij loopt weg.

De rest van de dag loopt mevrouw Campbell Esperanza door het huis achterna bij haar werk, ze maakt aanmerkingen, dwingt haar vrijwel alles wat ze doet over te doen, opzettelijk maakt ze een troep van dingen als Esperanza ze net heeft schoongemaakt zodat Esperanza ze opnieuw schoon moet maken. Als Esperanza vraagt naar haar lunch, zegt mevrouw Campbell haar dat ze geen lunch verdient en er ook geen krijgt. De twee keer dat Esperanza van het toilet gebruik moet maken, staat mevrouw Campbell bij de deur, ze kijkt op haar horloge en klopt om de halve minuut tot Esperanza klaar is. Als ze zover is, laat mevrouw Campbell haar het toilet boenen.

Er komt geen eind aan de dag. Esperanza denkt erover te stoppen, gewoon weg te lopen. Ze denkt aan Doug waardeert zijn poging om het voor haar op te nemen en voelt zich opgelaten over de manier waarop z'n moeder hem vernederde, hij straalde schaamte uit toen hij het vertrek verliet. Ze denkt aan de bloem in de kelder. Alleen daarom gaat ze door. Doug liet een bloem voor haar achter, een bloem, voor de eerste keer in haar leven liet een man een bloem voor haar achter, een roos, een rode roos, een volmaakt mooie rode roos in een simpele vaas van helder glas. Het was geen komedie en de roos was niet voor de grap achtergelaten en het was geen vergissing en de roos was niet voor iemand anders. Hij is van haar, haar bloem, een volmaakt mooie rode roos in een simpele vaas van helder glas. Als hij lachte toen hij de roos achterliet, was dat omdat hij blij was over zijn daad. Van een vergissing was geen sprake.

Esperanza is klaar met de laatste badkamer mevrouw Campbell zegt haar dat ze teleurgesteld is in haar en hoopt dat ze morgen harder en beter zal werken. Esperanza glimlacht en knikt en wacht tot ze weg mag wanneer het zover is loopt ze naar de kelder loopt ze de trap af wanneer ze beneden is ziet ze Doug op de rand van haar ledikant zitten. Hij kijkt op, zijn gezicht is nog steeds rood hij ziet er moe en gekweld uit, hij zegt iets.

Hi.

Ze glimlacht.

Hi.

Hoe was je dag?

Vreselijk.

Dat dacht ik al.

Wat doe je hier beneden?

Ik wilde met je praten.

Hoor je eigenlijk niet aan het werk te zijn?

Ik zei hun dat ik me niet lekker voelde, wat nog waar is ook, en nam vanmiddag vrij.

Je ziet er niet zo goed uit.

Lichamelijk ben ik in orde. Ik voel me gewoon klote.

Niet doen.

Toch wel.

Niet doen.

Sorry.

Het is goed.

Nee hoor.

Wel.

Ze behandelt me zo m'n hele leven al.

Dat kan ik me voorstellen.

Wat haat ik dat wijf.

Je moet medelijden met haar hebben.

Nee.

Ik wel.

Jij bent een beter mens dan ik ben.

Zij glimlacht.

Dat ben ik niet.

Hij glimlacht.

Geef het gerust toe. De meeste mensen zijn betere mensen dan ik.

Ze lacht.

Ik vind je leuk.

Hij blijft glimlachen.

Mooi zo. Ik vind jou ook leuk.

Ik heb een vraag.

Wat?

Hoe lang ben je al hier beneden?

Een paar uur.

Zomaar te zitten?

Ja.

Bevalt het je hier beneden?

Hij lacht.

Nee.

Ze kijkt naar haar bloem, die nog steeds in de vaas staat.

Dank je voor de bloem.

Hij lacht weer.

Ik hoopte dat de momenten dat we bij elkaar waren nadat je de roos had gezien een beetje anders zouden verlopen dan ze zijn verlopen.

Geen enkel moment in mijn leven dat volgens mij geweldig zou worden werd dat ooit. Zo gaat het nu eenmaal.

Dat vind ik niet leuk.

Niets aan te doen.

Hij staat op, glimlacht, ze is een meter van hem vandaan.

Ik ben zenuwachtig.

Ze glimlacht.

Waarom?

Ik wil dat je dit als een geweldig moment, een geweldige dag beschouwt.

Ze lacht. Hij praat.

Ik meen het.

Hij zet een stap naar voren. Ze zegt iets.

Wat doe je?

Hij zet nog een stap naar voren.

Ik ben een nerd, dus ik ben hier niet goed in.

Nog een stap.

Waarin?

Nog een stap, hij is een paar centimeter van haar vandaan, ze kan hem zien trillen, hij glimlacht zijn lippen trillen, hij steekt zijn handen naar haar uit, ze trillen.

De bevolking van Los Angeles groeit tussen 1900 en 1925 van 175.000 mensen tot 1.750.000 mensen.

Joe loopt terug naar het toilet eer hij daar aankomt doet zijn hoofd zo zeer dat hij beseft dat z'n nieuwe baan als Held van de promenade vandaag niet zal beginnen. Wanneer hij bij het toilet is, ziet hij dat z'n spullen eruit zijn gehaald en tegen de vuilcontainer zijn gezet. Hij loopt ze door om te kijken of er iets weg is zijn extra kleren zijn er zijn slaapzak is er zijn toiletgerei is er. Hij reikt naar de deur hij wil zijn geheime chablis uit de spoelbak halen maar de deur zit op slot hij legt zijn oor tegen de deur hij kan een toerist horen drentelen die ongetwijfeld te veel taco's en te veel suikerspin en te veel chocoladetaart heeft gegeten hij hoopt dat ze vlug klaar zijn z'n hoofd doet godverdomd zeer. Hij gaat zitten, leunt tegen de vuilcontainer, sluit zijn ogen. Zodra hij begint te ontspannen, hoort hij een stem.

Joe.

Hij opent zijn ogen, Larry, de baas van de tacokraam, die om commerciële redenen de naam Ricardo draagt wanneer hij aan het werk is, staat voor hem. Larry is kort en dik, heeft lang blond haar en blauwe ogen.

Wat is er, Larry?

Het is Ricardo als we open zijn.

Wat is er, Ricardo?

Je kent de regels, nietwaar.

Ja.

Je moet het toilet uit zijn voor we opengaan.

Ik weet het.

Je rotzooi lag er vanmorgen nog in. Je was nergens te vinden.

Ik werd beroofd.

Wat?

Niet echt beroofd, omdat er bij mij niets te stelen valt. Maar ik werd tegen m'n hoofd getrapt toen ik vanmorgen op het strand was en ik raakte buiten bewustzijn.

Werkelijk?

Ja.

Wie gaat jou nou verdomme tegen je hoofd trappen? Je bent een oude man.

Niet zo oud.

Larry lacht.

Ik weet dat je zegt dat je niet oud bent, maar ik geloof die onzin niet. Je bent op z'n minst zeventig.

Ik ben negenendertig.

Vijfenzeventig.

Negenendertig.

Vijfenzeventig.

Doet er niet toe.

Je zou niet zoveel moeten drinken.

Het spijt me van vanochtend.

Doe het niet nog eens.

Als Roberto je betrapt, wordt hij razend.

Roberto?

De eigenaar.

Ik dacht dat hij Tom heette.

Roberto. Commercie. Net als bij mij.

In orde.

Is je hoofd in orde?

Het doet zeer.

Wil je een aspirine?

Nee. Ik ga me bedrinken.

Het toilet wordt doorgespoeld. De deur gaat open. Voor ze de toerist zien, worden ze bedwelmd door de lucht, een soort mengeling van dood, kaas en zure melk. De toerist komt erachteraan een zwaarlijvige, door de zon verbrande blanke man met een strak Muscle Beach t-shirt, een bermudashort en een neon zonnebril. Hij zegt sorry en stapt om Larry heen. Zodra hij weg is, houdt Larry z'n hand voor z'n neus, zegt iets.

Zo vergeet je vast je hoofdpijn.

Oudje Joe, die ook z'n hand voor z'n neus houdt, lacht.

Tot ziens, Ricardo.

Tot ziens.

Larry gaat weg. Oudje Joe komt overeind en loopt het toilet in. Hij tilt het deksel van de spoelbak op er liggen daar twee flessen hij haalt er een uit en vertrekt zo vlug als hij kan. Hij loopt terug naar het strand. Hij vindt een mooie plek met schaduw op het gras aan de rand van het strand, pal onder een palmboom. Godverdomme wat bonst zijn hoofd. Hij drinkt uit de fles en het begint beter te gaan met zijn hoofd. Wanneer hij zijn eerste fles op heeft gaat hij naar de vuilcontainer van zijn favoriete pizza-adres en vindt een paar mooie stukken peperoni van een dag eerder, hij eet ze op terwijl hij op het cement naast de vuilcontainer zit. Hij gaat terug naar het toilet, pakt zijn tweede fles, gaat terug naar de boom, drinkt de fles langzaam leeg, kijkt naar de hordes toeristen, enkelen van hen gooien munten bij zijn voeten, kijkt naar de politie die naar de toeristen kijkt, kijkt naar de buurtbewoners die naar de politie kijken. Wanneer hij de tweede fles op heeft, is het goed met zijn hoofd. Hij gaat liggen en doet een dutje. Voor hij in slaap valt denkt hij aan Beatrice, hoopt dat ze in orde is, al weet hij dat het niet zo is, denkt hij aan wat hij kan doen om haar te helpen, om haar hier weg te krijgen, om een veilige plek voor haar te vinden. Hij zou het vandaag gaan doen, alles, haar laten ontkomen en haar held zijn. Vandaag lukte het niet. Misschien morgen wel.

In 1923 koopt de plaatselijke tenniskampioen en projectontwikkelaar Alphonzo Bell Sr. 242 hectare land en begint met de bouw van wat hij The Bel-Air Estates noemt, later wordt het de stad Bel-Air. Het wordt opgezet als een plaats waar rijke, blanke zakenmannen en hun gezinnen de stad Los Angeles kunnen ontvluchten.

Elke stad kan grappig zijn, en elke stad heeft bepaalde dingen of feiten die grappig zijn. Grappige dingen horen is echt een plezierige, en soms verhelderende bezigheid. En natuurlijk is het nog grappig ook!!! Hier is Grappige Feiten Los Angeles, aflevering 1.

Na gevechtsvlieger bij de Marine te zijn geweest in de Tweede Wereldoorlog, was George Herbert Walker Bush, de drieënveertigste vicepresident van de Verenigde Staten en de eenenveertigste president van de Verenigde Staten, in de late jaren veertig boorkopverkoper in Los Angeles.

Het is verboden augurken te verwerken in het industriegebied van het centrum van Los Angeles.

Een klein deel van de as van Mahatma Ghandi wordt bewaard in de Self Realization Fellowship Lake Shrine Tempel in Pacific Palisades. Het gaat om het enige deel van Ghandi's resten dat ergens buiten India wordt bewaard.

De economie van de provincie Los Angeles is groter dan die van zesenveertig van de vijftig staten van de Verenigde Staten van Amerika.

De stad Los Angeles schuift ongeveer 0,6 cm per jaar naar het oosten.

Het is verboden binnen de gemeentegrenzen van Los Angeles aan een pad te likken.

Het is verboden kuddes van meer dan 2000 schapen over Hollywood Boulevard te leiden; kuddes beneden de 2000 zijn toegestaan zolang de eigenaar een vergunning heeft.

Het is mensen toegestaan om in de stad Los Angeles met rotsen te trouwen. Een dergelijk huwelijk werd voor het eerst gesloten in 1950, toen een secretaresse van een auto-onderdelenfabriek, Jannene Swift geheten, met een groot stuk graniet trouwde.

In de haven van Los Angeles wordt ieder jaar bijna 185 miljoen ton vracht verwerkt.

Om een of andere reden die, uitgebreid wetenschappelijk onderzoek ten spijt, onopgehelderd blijft, wegen aardappelchips in Los Angeles meer dan in enig ander deel van Amerika.

Er zijn vijfenzestig mensen in Los Angeles die wettelijk Jezus Christus heten.

Er wordt in Los Angeles meer pornografie geproduceerd dan in de rest van de wereld bij elkaar.

Elk jaar laten ongeveer 100.000 vrouwen in de provincie Los Angeles hun borsten vergroten.

Lol lol lol, iedereen weet dat dit soort feiten een massa lol oplevert.

Elk jaar ondergaan in Los Angeles ongeveer 75.000 mensen een rinoplastische behandeling (rinoplastie is het deftige woord voor sleutelen aan je neus).

De Veilig Ingeleverde Baby Wet van de provincie Los Angeles bepaalt dat het ouders is toegestaan elke baby binnen drie dagen na de geboorte naar elk ziekenhuis of elke brandweerkazerne te brengen die hiervoor is aangewezen, en afstand van de baby te doen zonder arrestatie of vervolging te hoeven vrezen.

54 procent van de bewoners van de provincie Los Angeles slikt elke dag vitamines, terwijl in de rest van het land 22 procent van de burgers dat doet.

In 1886 was de officiële leus van het Toeristenbureau van Los Angeles – Los Angeles is het Chicago van Californië!

De grootste betonnen donut ter wereld, 12 meter hoog en 23 ton zwaar, staat in Los Angeles.

Het is verboden in de gemeente Los Angeles kinderen onder de zestien van snuiftabak te voorzien of die toe te dienen.

Er worden vier keer meer hamburgers gegeten in de provincie Los Angeles dan in de rest van Californië bij elkaar.

In 1976 gingen de artsen van alle openbare ziekenhuizen in de provincie Los Angeles in staking waarop het gemiddelde aantal sterfgevallen per dag met 20 procent daalde.

In 1955 werd het volledige skelet van een 25 meter lange, blauwe vinvis van 110 ton onder de grond gevonden in Oost-Los Angeles, ongeveer 55 kilometer van de Stille Oceaan.

Het is binnen de gemeentegrenzen van Los Angeles verboden om twee kinderen onder de twee gelijktijdig in een badkuip te zetten.

Nog een beetje lol, en dan is het tijd om te vertrekken! Maar geen zorgen, er komt op z'n minst nog een aflevering, en mogelijk nog twee of drie afleveringen van Los Angeles Grappige Feiten!!!!!!!!

De gemiddelde inwoner van Los Angeles verbruikt 250 taco's per jaar.

De gemiddelde inwoner van Los Angeles verbruikt elk jaar 30 liter cola met koolzuur en coffeïne.

Los Angeles is de enige grote stad in de wereld met een actieve bevolking van wilde poema's. Gemiddeld worden elk jaar drie mensen binnen de gemeentegrenzen gedood en opgegeten door de poema's.

De gemiddelde inwoner van Los Angeles eet elk jaar 13 kilo gebakken kip, 23 kilo friet, 8 liter ijs, 5 kilo tortillachips en drinkt 325 flesjes bier.

In 1993 werd een wedstrijd gehouden om het Los Angeles Convention and Exhibition Center na een ingrijpende verbouwing en uitbreiding een nieuwe naam te geven. De winnende naam, gekozen uit meer dan tienduizend inzendingen, was *Los Angeles Convention Center*.

In 1909 wordt Glenn Martin de vierde mens die een vliegtuig ontwerpt, bouwt en erin vliegt wanneer hij opstijgt vanaf de rand van een sinaasappelplantage in Zuidwest-Los Angeles. In 1910 houdt Los Angeles de eerste luchtvaartshow ter wereld op Dominguez Field, die trekt 250.000 toeschouwers. In 1914 opent Caltech z'n eerste luchtvaartlaboratorium. In 1917 kondigt Woodrow Wilson een uit de nationale middelen gefinancierd project aan om 20.000 vliegtuigen te bouwen voor het leger van de Verenigde Staten. In 1921 richt Donald Douglas in Santa Monica Douglas Aircraft op, men bouwt er het eerste vliegtuig waarmee, in 1924, om de wereld wordt gevlogen. Het wordt de grootste vliegtuigbouwer ter wereld, en de aanduiding DC op de toestellen wordt een veelzeggend symbool van Amerikaanse luchtvaarttechniek.

Amberton en Casey zitten achterin in een Mercedes limousine. Er rijden vier suv's met paparazzi achter hen aan. Er zitten drie paparazzi achter op motorfietsen die al slingerend naast hen komen rijden. De ruiten van de limo zijn donkerder gemaakt dan wat technisch gesproken door de wet is toegestaan, zodat je alleen foto's kunt maken van een donker gemaakt raam. De paparazzi laten zich niet afschrikken.

Ze gaan naar een filmpremière. Het is een actiefilm over vier mensen die dna van buitenaardse wezens in hun lichaam hebben, daardoor beschikken ze over bijzondere krachten. Een van hen heeft ogen in haar achterhoofd, en ze kan kilometers ver zien. Een ander heeft het vermogen om alles wat hij aanraakt te laten smelten. De derde heeft de kracht van duizend man, de vierde kan de stralen van de zon aanwenden met lenzen die in haar vingernagels groeien. Ze hebben allemaal het voorgevoel dat de buitenaardse wezens, van wie het dna in hun lichamen zit, naar de aarde aan het terugkeren zijn om die te verwoesten. Ze verenigen zich en beginnen een hevig gevecht met de buitenaardse wezens. Ze worden grote helden, en de enigen die het leven op aarde verdedigen. Aan het eind van de film gaan er twee van hen dood, maar er wordt een vijfde mens/buitenaards wezen ontdekt die wonderbaarlijke genezingen kan verrichten, en ze worden weer tot leven gewekt (vervolgfilms, het draait allemaal om die klote vervolgfilms). Een van Caseys beste vriendinnen speelt de vrouw met lenzen in de vingers, en Amberton heeft twee films gedraaid met het man/vrouw productieteam dat de film heeft gemaakt. Amberton en Casey zijn allebei uitgedost in designkleding (die ze gratis hebben gekregen), en hebben stilisten aan huis laten komen om hun haar en make-up te doen. Er zit een lijfwacht op de voorstoel, naast de chauffeur, en de afscheiding tussen hen staat omhoog. Casey zegt iets.

Hoeveel berichten heb je achtergelaten?

Amberton zegt iets.

Vijftien.

Heb je ooit vijftien berichten voor iemand ingesproken zonder te worden teruggebeld?

In de tiende klas.

Voor wie?

Een meisje dat Laurel Anders Whitmore heette.

Elegante naam.

Ja. Ze had blond haar, blauwe ogen en kwam uit een goed milieu. Het geilste meisje van de Upper East Side. Ik was bezeten van haar. In feite heb ik vermoedelijk wel vijftig berichten voor haar ingesproken zonder iets terug te horen.

Waar is ze nu?

Ik hoorde laatst dat ze nog steeds in New York woont, aan 5th Street en 85th Street, haar echtgenoot leidt een hedgefund en haar drie voorbeeldige blank-Brits-beschaafde kinderen zitten op particuliere scholen. Ik hoorde ook dat ze een mama-kont heeft.

Een mama-kont?

Ja. Ze werd mama en met elk kind verdubbelde haar kontomvang.

Dan is die dus zo'n zestien keer groter dan aanvankelijk?

Ja. Zo ongeveer.

Casey lacht.

Ook al wist ik dat ik op jongens viel, het kostte me jaren om over haar heen te komen. Uiteindelijk zette ik het van me af met een zielenknijper, en we stelden vast dat ik bezeten van haar was omdat ze me aan mijn moeder deed denken.

Tsss.

Inderdaad. Heel heel duister.

De auto remt af, er wordt op de afscheiding geklopt, en die gaat een stukje naar beneden. De lijfwacht, die zeer fors is, en voor hij de persoonlijke beveiliging in ging voor een naamloze regeringsinstelling werkte, zegt iets.

We zijn er over vijf minuten.

Casey en Amberton zeggen gelijktijdig iets.

Dank u.

De afscheiding gaat omhoog, gaat dicht. Zonder te spreken leunen ze allebei naar voren en halen spiegeltjes naar beneden die in het dak van de Mercedes zijn ingebouwd. Ze controleren hun haar, make-up. Ze hebben allebei doosjes bij zich met bijwerkmake-up en haarproducten. Casey voegt wat poeder toe, Amberton wat rood. Casey doet een beetje extra conditioner op wat volgens haar gebroken haarpuntjes zijn, Amberton voegt hairspray toe aan de kogelbestendige helm van haar die z'n stilisten hebben gebouwd. De auto remt weer af, gaat in de rij voor de Rode Loper staan. Ze hebben dit vaak genoeg meegemaakt om te weten dat ze niets meer kunnen veranderen of verbeteren, of op een bepaalde manier nog mooier of perfecter kunnen maken dan het al is. Ze stoppen hun doosjes weg, en klappen de spiegeltjes dicht. Ze kijken naar elkaar. Amberton zegt iets.

Je ziet er zo godverdomd geil uit dat als ik van die kant was je zou nemen, vol vuur, gewoon hier, op deze bank, nu meteen.

Ze glimlacht, lacht.

Geldt omgekeerd ook.

Ze doen een high five. De auto stopt, de afscheiding verdwijnt de lijfwacht kijkt naar hen, zegt iets.

Klaar.

Ze antwoorden allebei.

Ja.

De lijfwacht stapt de auto uit, loopt naar de achterdeur. Amberton neemt Caseys hand, ze kijken het raam uit, waar een horde fotografen en reporters op hen wacht. Achter de fotografen en reporters staan er tribunes vol schreeuwende fans, velen van hen hebben ook camera's. De lijfwacht grijpt naar de deur. Amberton en Casey halen eens diep adem. De deur gaat open.

Hoe vaak je het ook is overkomen, er is niets wat je kan voorbereiden op de ervaring dat je uit een auto stapt tussen een menigte mensen die jouw naam schreeuwen en flitslichten in je gezicht duwen. Het is beangstigend, verwarrend, opzwepend. Amberton en Casey stappen uit, Casey eerst, Amberton vlak achter haar, de lijfwacht houdt zijn lange zware armen voor hen, wat als een soort hek werkt. Er worden handen naar hen uitgestoken, er wordt wild naar hen gezwaaid, mensen proberen foto's tijdschriften posters en pennen naar hen toe te duwen. De flitslichten lijken een of ander gek geworden knipperlicht, een eindeloze verblindende desoriënterende muur van ontploffend wit. Amberton houdt Caseys hand vast houdt die stevig vast de lijfwacht roept achteruit duwt trekt tegen de massa Amberton en Casey blijven vlak achter hem ze glimlachen allebei en wuiven met hun vrije hand. Ze zijn acteurs. Ze acteren dat ze niet van streek zijn, niet in de war, niet aangedaan. Ze hebben allebei stalkers die misschien ergens tussen de menigte staan ze hebben allebei gekken die hun hinderlijke brieven, foto's sturen, die kunnen ergens tussen de menigte staan. Ze houden elkaars hand vast en glimlachen en wuiven en acteren en hopen dat ze de tent halen waar de pers met de juiste papieren op een minder onbeschaafde manier, slechts een béétje onbeschaafder, foto's van hen zal maken.

Ze zien hun publiciteitsmensen, ze hebben er allebei een, naast elkaar bij de ingang van de tent staan. Beiden zijn vrouwen, beiden half in de dertig, beiden zijn aantrekkelijk, dragen zwarte designkostuums, houden klemborden vast, dragen oordopjes in hun linkeroor. Ze zijn partners van een pr-bedrijf in Beverly Hills dat uitsluitend werkt voor film- en televisiesterren. Ze heten Sara (zij werkt met Amberton) en Dara (Casey), en ze zijn elkaars beste vriendinnen sinds de middelbare school. Amberton en Casey spreken niet in het openbaar, geven geen interviews of fotosessies, of hebben op welke manier dan ook enig contact met de media zonder eerst met hen te overleggen.

De lijfwacht ziet de publiciteitsmensen baant zich een weg door de menigte Amberton en Casey vlak achter hem, ze glimlachen en wuiven nog steeds, ze acteren nog steeds. Wanneer ze bij Sara en Dara komen worden er kussen gewisseld kleine kusjes op elke wang. Sara kijkt naar hun kleding, zegt iets.

Wat zien jullie er geweldig uit!

Amberton en Casey antwoorden allebei.

Bedankt. Jullie ook.

Dara zegt iets.

Jullie halen vast de lijst van best geklede gasten.

Ze glimlachen allebei.

Sara kijkt naar Caseys japon, zegt iets.

Is dat Valentino?

Casey en Dara zeggen allebei iets.

Chanel.

Sara kijkt naar Amberton, zegt iets.

Armani?
Amberton zegt iets.
Uiteraard.
Het is echt mooi.
Op maat gemaakt.
Dat is te zien.
Casey zegt iets.
Wat staat er vanavond te gebeuren?
Dara reageert.
Het gebruikelijke. Misschien een beetje erger.
Sara zegt iets.
We dachten foto's en geen interviews.
Dara zegt iets.
Alle shows vroegen het, maar zo af en toe laten we hen graag zweten.
Amberton zegt iets.
Klinkt prima vind ik.
Casey zegt iets.
Ik ook.
Ze lopen naar de rode loper, die in feite eerder op stug rood kunstgras lijkt, en ze beginnen de gang door te lopen. Ze volgen de ongeschreven regels van de rode loper: niet in de weg lopen bij andermans foto, niet kieskeurig doen (als één fotograaf plaatjes van je komt schieten, komen ze allemaal), glimlach, poseer, scherts met de fotografen, blijf doorlopen zodat iedereen aan de beurt komt, haal geen mensen in of beroof hen niet van hun schijnwerpers, doe alsof je alle anderen op de rode loper kent en bevriend met hen bent (een grote gelukkige club beroemde mensen die dikke vrienden zijn en voortdurend met elkaar omgaan). Hoewel Amberton wordt afgeleid en probeert Kevin te ontdekken in de rij van niet-beroemde premièrebezoekers, die achter de fotografen en journalisten binnenkomen (een van zijn spionnen op kantoor heeft hem gezegd dat Kevin zou komen), speelt hij zijn rol goed, glimlacht (hij heeft een glimlach van een miljoen watt, JA EEN MILJOEN WATT!!!!!), poseert, kust zijn vrouw (geen tong), zwaait, acteert. Sara en Dara zijn altijd een meter van hen vandaan, dienen als een schild, beantwoorden vragen zodat Amberton en Casey die niet hoeven te beantwoorden, begeleiden hen zodat de rij op de loper in beweging blijft. Wanneer ze klaar zijn, wisselen ze weer kussen, een heleboel klotekussen op de rode loper, en gaan Sara en Dara terug naar het begin van de rode loper in afwachting van de aankomst van hun andere cliënten (al zijn Amberton en Casey hun grootste en belangrijkste cliënten zodat de anderen soms de loper, tijdelijk, met een ondergeschikte afwerken).
Wanneer ze de rode loper eenmaal achter de rug hebben, begeven Amberton en Casey zich naar de ingang van het theater. De voetafdrukken, handafdrukken, en in één geval de gezichtsafdruk van vroegere en van een paar hedendaagse superssterren van de cinema staan in blokken beton. Amberton kijkt er niet naar, uit ergernis dat hij er niet bij staat, en na op deze plaats tientallen

premières te hebben bijgewoond maakt hij altijd een omweg, en hij weet zonder te hoeven kijken precies waar ze zijn, om erover te lopen en met z'n voeten op de blokken met de afdrukken van de levende supersterren, die hij minder goed vindt dan zichzelf, te trappen. Wanneer hij niet aan het trappen en stampen is, schudden hij en Casey handen, omhelzen ze mensen, wisselen ze meer kussen uit. Ze zien een studiobaas die ze haten, Casey geeft hem een kus Amberton schudt zijn hand ze vragen naar elkaars kinderen. Ze zien een regisseur die Amberton uit een film liet gooien die ze samen opnamen ze wisselen omhelzingen uit, glimlachjes, schouderklopjes. Casey ziet een paar van haar rivales met elkaar kletsen (ze bidt regelmatig dat de bliksem een van hen of hen allebei treft) ze loopt naar hen toe zegt hallo tegen ze laat zich een paar keer met hen fotograferen kust hen, ze maken de indruk heel goede vriendinnen te zijn (als het niet met bliksem lukt, kan het misschien met een auto-ongeluk). Amberton komt een andere actiester tegen handen worden geschud, en ze schudden ze alsof ze met elkaar neuken, ze lachen om elkaars grappen, bewonderen elkaars kostuums, zeggen samen een biertje te gaan drinken, allebei mompelen ze zachtjes – jij godverdomde klootzak – wanneer ze afscheid nemen. Ze komen producenten tegen, agenten, managers, schrijvers, andere acteurs en actrices, studiobazen, hoge pieten. Ondanks het feit dat veel van deze mensen elkaar diep verachten, lijkt het of ze allemaal verliefd zijn, zwaar, oprecht en waanzinnig verliefd. Kus op de wang, klopje op de schouder, omhels me eens, maatje, laten we ons op de foto zetten. En vervolgens, ga alsjeblieft alsjeblieft alsjeblieft meteen naar de wc en naai jezelf.

Het licht, zowel in als buiten het theater, gaat een paar keer aan en uit overal het teken dat de show, of in dit geval de film, zo gaat beginnen. Amberton en Casey gaan samen met alle anderen naar binnen. Ze lopen door de centrale gang naar het midden, daar zijn vipgedeeltes afgezet voor beroemdheden en de mensen die de film maakten en erin spelen. Afgezien van de vipgedeeltes zijn de plaatsen bij premières gewoonlijk een kwestie van wie het eerst komt het eerst maalt. Kleine zakjes met popcorn en frisdrank worden als tussendoortje aangeboden. Amberton en Casey mijden beide (in popcorn zitten koolhydraten potverdorie), en bereiken hun plaatsen, tussen de plaatsen van enkele andere algemeen erkende wereldwijde amusementssupersterren. Ze installeren zich op hun stoelen. Casey werpt Amberton een glimlach toe en geeft hem een leuke kus (ze acteren nog steeds!!!) en ze wachten tot de film begint. Amberton zegt hi tegen een producent die hij eens dreigde dat hij beter uit de stad kon verdwijnen.

Wanneer de lichten zijn gedempt en de film loopt, leunt Amberton achterover en sluit hij zijn ogen. Hij heeft Kevin niet gezien, vraagt zich af of hij hier is. Ondanks de explosies, de opeenvolging van actiescènes, intergalactische strijd, en buitenaardse wezens van twaalf meter lang op een enorm scherm voor hem, verliest hij zichzelf in zijn liefde, lust en verlangen, hij verliest zichzelf in herinneringen aan de keren, hoe kort en vluchtig die ook waren, dat hij met Kevin samen was, verliest zichzelf in zijn dromen over een toekomst, over het plan dat hij dit alles op een dag achter zich zal laten en een nieuwe levenskoers zal gaan varen met een echte, oprechte, 100 procent vriend in hart en nieren. Volgens hem kan dat best Kevin zijn. De football-ster en de filmster. Misschien kunnen ze een bed & breakfast beginnen, misschien kunnen ze naar Europa toe en de rest van hun leven naar kunst kijken, misschien kunnen ze een eiland kopen.

Na een buitengewoon harde ontploffing stoot Casey Amberton aan, die opent zijn ogen en draait in haar richting. Ze zegt iets, heel zacht (je weet nooit wie meeluistert), ze zegt iets.

Kijk je?

Nee?

Heb je er wel íets van gezien?

Nee.

Wat doe je dan?

Over Kevin dromen.

Ga je een eiland met hem kopen?

Amberton glimlacht.

Wie weet.

Je moet toch wel even kijken.

Is het goed?

Nee.

Helemaal niet?

Nee, het is erbarmelijk.

Wordt het een succes?

Ja, een enorm succes.

Ik wil niet kijken, ik droom liever.

We gaan nadien naar het feestje. Je moet er iets over zeggen.

Ik red me wel.

Zeker weten?

Ja.

Amberton draait weg, sluit z'n ogen weer. Hij vraagt zich af of Kevin ooit naar Zuid-Frankrijk is geweest, naar Buenos Aires, Fiji. Op het scherm zetten de buitenaardse wezens een verwoede aanval in. De heldhaftige mensen met strengen dna van de buitenaardse wezens bereiden een tegenaanval voor. Half Miami verdwijnt in een flits. Groene laserstralen regenen neer op Tower Bridge. Vliegende schotels worden neergeknald op de top van de berg Fuji. Het wordt een enorm succes.

Aan het slot van de film applaudisseert iedereen. Zoals gebruikelijk is, en in de filmwereld als fatsoenlijk en respectvol wordt beschouwd, blijft de menigte zolang de aftiteling duurt zitten, zelfs bij de namen op het eind voor mensen die banen met vreemde en onverklaarbare namen hebben. Wanneer de aftiteling voorbij is, gaat het licht aan en staat iedereen op en begint het theater uit te stromen. Dit is de enige keer wanneer je er niets aan hebt een vip te zijn. Er zijn geen gangen voor vips, geen speciale uitgangen. Het is uitgesloten om met behulp van je vipstatus de andere mensen te vermijden die ook proberen te vertrekken. Omdat iedereen uit het wereldje komt, en men het dus veilig acht, wachten de lijfwachten gewoonlijk buiten op de sterren, tenzij er bijzondere omstandigheden zijn, zoals een buitengewoon hinderlijke stalker of narigheid met de pers (er zijn gevallen geweest van journalisten die mensen op premières in de val hebben gelokt omdat zij ten onrechte aannamen dat ze veilig waren tussen hun gelijken). Wanneer je als ster of als bijzonder rijk en belangrijk persoon die een lijfwacht waard is buitenkomt, neemt de lijfwacht meteen een positie bij je in en begeleidt je naar je auto. Terwijl Amberton en Casey langzaam de gang door gaan, kijkt Amberton heel het theater door of Kevin er is. Hij weet dat hij een zwart kostuum zal dragen, maar dat doen vrijwel alle mannelijke bezoekers. Hij weet dat hij waarschijnlijk langer is dan de meeste mannen in de zaal, de gemiddelde lengte van de gemiddelde filmster, producent, regisseur of zakenman uit de amusementswereld is 1 meter 68. Hij weet ook dat hij zwart is, en hoewel er volop zwarte acteurs en actrices zijn, en een paar zwarte regisseurs, zijn er bijna geen zwarte agenten, managers, producenten of bazen. Hij kijkt de menige door maar hij ziet hem niet hij blijft kijken. O, Kevin waar zijt gij, geliefde Kevin? Hij kijkt de menigte door en houdt de hand van z'n vrouw vast en hij loopt langzaam de gang door, waar zijt gij?

Ze komen het theater uit de meeste mensen zijn weg alle paparazzi zijn er nog steeds. Ze vinden hun lijfwacht terug overal flitslicht ze gaan naar hun auto, het feest is vier straten verderop en het is veiliger erheen te rijden. Het kost veertig minuten om er te komen. Casey belt naar huis om na te gaan hoe het met de kinderen gaat Amberton staart het raam uit, het enige wat hij wil is een glimp, van een seconde misschien twee, hij wil hem gewoon zien. Het enige wat hij te zien krijgt zijn korte blanke kerels in zwarte kostuums met ongelooflijk geile vrouwen bij zich en fans in t-shirts en korte broek die schreeuwen en krijsen en die achter de bescherming van de autoruiten idioot lijken.

Wanneer ze bij het feest aankomen gaan ze naar de vipingang (goddank worden ze weer als vips behandeld) en ze worden onmiddellijk naar het vipgedeelte geleid, dat is afgezet en wordt bewaakt. In theorie is iedereen in de zaal een vip, of zou dat buiten Los Angeles zijn, dus is dit vipgedeelte in feite een vvipgedeelte, of misschien zelfs een vvvipgedeelte, of als alle supersterren opdagen een vvvvipgedeelte. Het bestaat uit tien of twaalf vertrekjes, in elk vertrek is een serveerster. Midden op alle tafels van de vertrekken staat een gekoelde fles champagne. Er is eten, al letten filmsterren, zowel mannen als vrouwen, altijd op hun lijn, en als je geen champagne wilt, is verder ongeveer alles verkrijgbaar, ook alle stoffen en chemicaliën die tegen de wet zijn. Amberton en Casey behoren tot de laatste sterren die arriveren (er daagden er niet genoeg op om het vvvvip te maken), en onderweg naar hun tafel houden ze halt en zeggen ze dag tegen de sterren van de film, die ze gelukwensen met hun werk, tegen de regisseur die ze feliciteren en een genie noemen, en tegen de producenten die ze omhelzen en op de wang kussen en die ze hun welgemeende en oprechte felicitaties aanbieden omdat ze zo'n prachtige, prachtige film hebben gemaakt. Wanneer ze gaan zitten, zijn ze uitgeput. Casey zegt iets.

Denk je dat het eten door de beugel kan?

Amberton zegt iets.

Ga je er iets van nemen?

Misschien.

Kun je het binnenhouden?

Hangt ervan af hoeveel ik eet.

Gewoonlijk heeft het eten met de film te maken. Wat voor voedsel eten buitenaardse wezens?

Die eten mensen.

Denk je dat er mensen op het menu staan?

Dat zou indruk maken.

Amberton wenkt de serveerster, die naar hem toekomt, iets zegt.

Waarmee kan ik u van dienst zijn, mijnheer?

Wat voor eten staat er vanavond op het menu?

Kipkluifjes in de vorm van mensenvingers, kippenpoten in de vorm van mensenbenen, minihamburgers in de vorm van een mensenhart, en het drankje van de avond is bloody mary.

Amberton en Casey lachen allebei. Casey zegt iets.

Kun je me een bord met een beetje van alles brengen?

De serveerster antwoordt.

Uiteraard.

Amberton zegt iets.

En twee bloody mary's, alsjeblieft.

Natuurlijk.

De serveerster verdwijnt. Casey en Amberton kijken uit over het feest. Een sterke aanwijzing hoezeer een studio een film al dan niet waardeert, of er al dan niet in gelooft, is de hoeveelheid geld die ze in een premièrefeest steken. Als ze op een groot succes rekenen of ze op een of andere manier verplichtingen hebben tegenover een van de hoofdrolspelers of verantwoordelijken voor de film, reken dan op een groot feest. En groot kan inhouden een feest van drie miljoen dollar, een feest van vijf miljoen dollar, op z'n minst in één geval werd er tien miljoen dollar aan een premièrefeest besteed. Dit is een groot feest, waarschijnlijk ergens tussen vier en vijf miljoen dollar. Er zijn verschillende bars, verschillende plaatsen waar je eten kunt krijgen, alle obers en serveersters (behalve die in het vvvipgedeelte die in het zwart zijn) zijn gekleed als buitenaardse wezens, er is een beroemde Engelse dj, ingevlogen om voor de muziek te zorgen, verschillende delen van de zaal zijn zo ingericht dat ze op de verschillende steden in de film moeten lijken. Er zijn twee- of driehonderd mensen te gast, niet iedereen die naar de film mag, mag ook naar het feest, ze buiten allemaal de gulheid van de studio uit. En hoe verschrikkelijk een film ook mag zijn, mensen zeggen er zelden iets ongunstigs over op een premièrefeest, zeker niet als de studio er geld in heeft gestoken. Dat komt deels omdat het onbeleefd is, deels omdat mensen niet iets willen zeggen dat hun later misschien wordt aangerekend, deels omdat ze een idiote indruk zullen maken wanneer ze om een of andere reden ongelijk krijgen en de film een succes wordt. In een bedrijfstak vol verraad en meedogenloosheid is het een vreemd verschijnsel. Het is ook een van de redenen dat bazen, producenten, regisseurs en sterren verbijsterd en verward zijn wanneer iets waarvan zoveel werd verwacht, iets waarover ze géén negatief woord hebben gehoord, flopt wanneer het publiek het te zien krijgt.

De serveerster gaat met het eten terug naar Amberton en Casey. Casey pakt een van de kipkluifjes op, ze lijken inderdaad op mensenvingers. Ze glimlacht, zegt iets.

Griezelig.

Amberton reageert.

Ik vind het geil.

O ja?

Hou van vingers in m'n mond.

Ze lacht, houdt het kluifje omhoog.

Wil je het?

Hij glimlacht.

Niet zo eentje.

Ze lacht weer, neemt een hapje, kauwt. Ze knikt, zegt – het is lekker – met haar mond vol, neemt nog een hapje. Amberton neemt een slok van zijn drankje, tuurt de zaal door, veel kan hij niet zien, de zaal is te druk en er gebeurt te veel, alle zeven steden staan vol feestvarkens die zich vol gratis eten en drinken proppen. Uit een ooghoek ziet hij de lijfwachten opzij stappen, hij draait zich om om te zien wie eraan komt, zijn agent Gordon wuift naar hem, Gordon wordt meteen gevolgd door Kevin, ze dragen allebei zwarte kostuums. Amberton glimlacht, gebaart hen te komen. Wanneer ze bij hem zijn, schudt hij hun allebei de hand, vraagt hun te gaan zitten. Gordon gaat naast hem zitten, Kevin gaat naast Casey zitten. Amberton zegt iets.

We zochten jullie, jongens.

Gordon zegt iets.

We maakten het rondje.

Casey zegt iets.

Nog interessante mensen gezien?

Gordon zegt iets.

Dezelfde mensen die altijd bij deze dingen zijn. Kevin kent ze nog niet allemaal, dus heb ik hem aan een paar mensen voorgesteld.

Amberton zegt iets.

Hoe ging het?

Kevin reageert.

Goed, geloof ik. Ik gaf gewoon een hand en zei dag.

Casey zegt iets.

En je kreeg visitekaartjes.

Kevin tikt op de zak van zijn jasje, zegt iets.

Ik kreeg er nogal wat.

Gordon zegt iets.

Vanwege zijn prestaties op het footballveld. Kevin heeft het voordeel dat hij buiten het vak heel bekend is. De meeste mensen, in elk geval de mannen, weten al wie hij is en praten graag met hem.

Amberton glimlacht, zegt iets.

Meestal hetero's.

Gordon reageert.

Je zou verbaasd staan.

Hij en Gordon lachen allebei, Kevin lijkt in verlegenheid gebracht. Casey zegt iets.

Wat vond je van de film?

Kevin zegt iets.

Geweldig. Wordt een enorm succes.

Gordon zegt iets.

Kevin vertegenwoordigt momenteel een van de buitenaardse wezens.

Casey zegt iets.

Een van de hybriden, of een van de echte buitenaardse wezens?

Kevin zegt iets.

De belangrijkste vrouw bij de volbloed buitenaardse wezens. Die met de grote eetlust.

Amberton zegt iets.

Ze was geweldig.

Kevin zegt iets.

Ik zal haar vertellen wat je zei, dat zal veel voor haar betekenen.

Casey zegt iets.

Hoe heb je haar gevonden?

Kevin reageert.

Ik kende haar van de universiteit. Zij was een cheerleader.

Amberton zegt iets.

En ooit gedacht dat je op een dag haar agent zou zijn?

Kevin zegt iets.

Nee, maar er is zoveel gebeurd waarvan ik nooit had gedacht dat het zou gebeuren of kon gebeuren.

Amberton glimlacht. Casey neemt een hap van een kipkluifje. Gordon, die niet weet wat er gaande is tussen Amberton en Kevin, knikt en zegt iets.

En er gaat nog veel meer gebeuren. Je hebt een geweldige carrière in het verschiet.

Kevin zegt iets.

Dank je.

Gordon ziet een andere cliënt, staat op en verontschuldigt zichzelf. Amberton kijkt naar Kevin, glimlacht, zegt iets.

Dat je het maar weet, je hoeft je niet raar te voelen. Casey weet alles.

Kevin zegt iets.

Wat?

Casey zegt iets.

Ik weet alles over jullie tweeën. Amberton en ik vertellen elkaar alles. Je hoeft je niet raar te voelen met mij erbij. Ik vind het geweldig dat je met mijn echtgenoot slaapt.

Kevin zegt iets.

Ik weet niet goed wat ik moet zeggen.

Amberton zegt iets.

Je zou me kunnen zeggen dat je van me houdt.

Casey zegt iets.

Of je zou kunnen zeggen – Bedankt Casey, wat gaaf.

Kevin zegt iets.

Of ik zou kunnen zeggen dat ik volgens mij een fout heb gemaakt en dat volgens mij dit gesprek ongelooflijk misplaatst is.

Amberton lacht.

Zeg dat nou niet. Het is niet leuk.

Casey zegt iets.

En zelfs als je er zo over denkt, is het nu te laat. Je zit in een rijdende trein, die niet stopt.

Kevin zegt iets.

Wat heeft dat te betekenen?

Amberton, die tegenover Kevin zit, legt z'n voet op de zijkant van Kevins been, zegt iets.

Laten we gewoon van de avond genieten, Kevin.

Casey zegt iets.

We hebben eten, champagne, elkaars gezelschap, onze eigen serveerster, een paar honderd van onze beste vrienden en ergste vijanden, en er staat een auto op ons te wachten als we willen vertrekken.

Kevin kijkt naar Amberton, zegt iets.

Kun je je voet weghalen, alsjeblieft?

Amberton glimlacht, zegt iets.

Hoger?

Weg.

Weet je het zeker?

Ja, ik weet het zeker.

Amberton glimlacht, duwt z'n voet een beetje omhoog. Kevin reikt onder de tafel, duwt de voet met kracht weg. Amberton wendt voor dat het pijn doet, zegt iets.

Au!

Kevin zegt iets.

Dat deed geen pijn.

Toch wel.

Kevin staat op.

Volgens mij is het tijd dat ik vertrek.

Casey zegt iets.

Dat zou een grote fout zijn.

Kevin zegt iets.

Volgens mij niet.

Casey glimlacht.

Je snapt het niet, hè, Kevin?

Wat snap ik niet?

Ga zitten.

Zoals ik zei, ga ik weg.

Als je weggaat, ben je werkloos voor je deze ruimte hebt verlaten. Nu gaan zitten.

Kevin kijkt naar Casey ze glimlacht, hij kijkt naar Amberton hij glimlacht. Hij gaat zitten. Zij zegt iets.

Mijn echtgenoot is verliefd op jou. Dat mag volgens jou een belachelijk idee zijn, maar voor hem ligt dat anders. Zijn gevoelens zijn heel oprecht, ze komen recht uit zijn hart. Waarom je het ook deed, omdat je 't stiekem met mannen doet, omdat je echt homo bent, of omdat je dacht dat het goed zou zijn voor je carrière, je hebt besloten met hem naar bed te gaan. Dat was je niet verplicht. Uiteindelijk zou z'n obsessie vervlogen zijn. Maar je hebt het gedaan. Je besloot toe te staan dat de omgang lichamelijk werd. Dat heeft nu consequenties. Dat kan bijvoorbeeld betekenen dat je hem moet toestaan onder tafel je dij te wrijven tijdens een première. Dat kan betekenen dat je weer met hem naar bed moet. Dat kan iets anders betekenen, zoals met hem weggaan, of hem opzoeken in z'n camper bij z'n volgende film, of de deur van je kantoor dichtdoen wanneer hij op bezoek komt. Het betekent níet dat je kunt weglopen wanneer je er zin in hebt, of dat je de hele dag door kunt gaan zonder op zijn telefoontjes te reageren, of dat je hem op enige manier kunt grieven zonder dat je gevolgen hoeft te verwachten. Misschien is ons huwelijk onconventioneel, maar ik houd van mijn man. Hij is mijn beste vriend en mijn maatje. We hebben een prachtig leven samen en een prachtig gezin. Ik ga jou niet toestaan hem op enige manier te grieven, of zijn geluk of dat van ons gezin in gevaar te brengen. Doe je dat wel, dan laat ik je daarvoor de prijs betalen.

Kevin staart naar haar. Zij staart terug. Hij zegt iets.

Dus je verwacht dat ik doe wat hij maar wil, wanneer hij maar wil?

Jazeker. Tot hij het niet meer wil.

Dat gaat niet door.

Zeker wel.

Om de dooie dood niet.

Ze glimlacht.

Je bent nieuw in het vak. Ik heb begrip voor je onwetendheid, je naïviteit. Laat dit een les voor je zijn. Filmsterren krijgen wat ze willen, wanneer ze het willen, omdat wij de reden zijn dat mensen geld betalen om naar de film te gaan. Niemand gaat naar de bioscoop om een agent te zien, of een producent, of een schrijver of een of andere dwaze studiobaas, ze gaan om ons te zien. Amberton en ik zijn twee van de grootste filmsterren ter wereld. Jij werkt voor het bureau dat ons vertegenwoordigt. Dat bureau verdient miljoenen dollars, tientallen miljoenen dollars aan ons. Het is hun werk en jouw werk voor ons klaar te staan. Jouw verleden als een of andere superheld van het universiteitsfootball mag interessant en best geinig zijn, het betekent niets voor mensen die zo beroemd zijn als wij. Als wij willen dat je eruit vliegt, kan dat met een telefoontje worden geregeld. Als we ervoor willen zorgen dat je nooit een andere baan vindt in dit vak, kan dat met een telefoontje worden geregeld. Als we willen dat je weg moet wezen uit de stad, kan dat met een telefoontje worden geregeld. Zo staan de zaken ervoor, en dat komt omdat mensen over de hele wereld geld betalen om ons te zien. Als je het wilt proberen, ga je gang. Maar ik zou je aanraden je bek te houden en je door mijn echtgenoot te laten beminnen.

Kevin staart haar aan. Zij staart terug. Gordon loopt terug naar de tafel, hij is klaar met zijn andere cliënten, zijn andere zaken, hij glimlacht, hij zegt iets.

Alles goed hier?

Casey kijkt op, zegt iets.

We hebben het heerlijk.

Gordon gaat zitten, praat met Casey.

Ik hoorde net dat we morgen een aanbod voor je krijgen.

Echt, wat dan?

Acht miljoen voor een drama over een overspelige huisvrouw in Connecticut.

Heb je het script gelezen?

Nee, maar het is van een echt goeie schrijver. Ik laat het je morgen bezorgen.

Ik zal het meteen lezen.

Casey en Gordon blijven praten. Kevin kijkt naar Amberton. Amberton glimlacht, legt z'n voet terug op Kevins dij, legt hem hoger.

In 1924 produceren de filmstudio's van Hollywood 960 hoofdfilms, en in de jaren tussen 1920 en 1927 maken ze ergens tussen de 700 en 900 films per jaar. In 1927 wordt door Warner Brothers *The Jazz Singer* geproduceerd en uitgebracht, met in de hoofdrol Al Jolson, het is de eerste film in de geschiedenis met synchrone dialogen, geluidseffecten en muziek.

Dylan en Maddie betrekken een kamer in een goedkoop motel aan Lincoln Boulevard in Venice. Lincoln staat ter plaatse bekend als Stinkin' Lincoln. Je hebt er veel goedkope motels, uitdragerijen, snackbars, discountwinkels, handelaren in gebruikte auto's. Langs bepaalde delen heb je een paar straten verderop huizen die miljoenen dollars opbrengen. Op andere delen heb je een paar straten verderop huizen die als crackhuizen worden gebruikt en vol krakers zitten. Hoe de buurt ook is, Lincoln blijft hetzelfde. Het stinkt er.

Het motel is min of meer gelijk aan het vorige: twee lagen, kleine verwaarloosde kamers, huurders zonder werk en met problemen. Dylan en Maddie zijn niet van plan lang te blijven, vanwege het geld hoeven ze niet lang te blijven. Ze zoeken de hele dag naar een huis of een flat. Ergens wonen waar ze niet het gevoel krijgen vies te zijn. Maddie wil een huis met een hek van witte palen bij het strand. Dylan wil Maddie gelukkig maken. Ze nemen lijsten met panden in de krant door, gaan naar een internetcafé en zoeken ze online op. Er zijn weinig huizen met een wit paalhek bij het strand. En degene die er wel zijn kosten veel geld, drie- of vierduizend dollar per maand. Ze hebben twintigduizend dollar. Ze weten dat ze er zuinig mee moeten zijn. In andere delen van het land mag men het misschien een fors bedrag vinden, hier niet.

Ze gaan landinwaarts zoeken. Hoe verder van de oceaan, hoe minder hoog de huren. Ze kijken in Palms, Mar Vista, West-Los Angeles, Culver City. Ze kopen een oud geel brommertje voor tweehonderd dollar. Het is geen auto, of een pick-up, of een Harley, en het haalt maar veertig kilometer per uur, maar het rijdt, en ze kunnen er allebei op rijden, en ze lachen erom en hebben er plezier mee. Ze slingeren, en ze dragen allebei helmen die eruitzien als helmen uit de Tweede Wereldoorlog. Ze noemen het brommertje 'de makelaar' omdat het dienstdoet als hun huizenmakelaar, ze pendelen ermee van de ene afspraak naar de andere, en nadat ze zijn ingehaald door een fiets als ze over San Vincente rijden, een drukke oost-westverkeersweg in het midden gescheiden door een rij cipressen, schildert Dylan een paar helderrode vlammen op de zijkant. Wanneer ze er voor de eerste keer op uit gaan na het aanbrengen van de vlammen, zien ze hoe mensen om hen lachen als ze hen zien. Ze glimlachen en wuiven. Ze zijn jong en vrij en hebben wat geld in hun zak en ze weten dat ze om deze reden thuis zijn weggegaan, dat dit misschien hun Californische droom is.

Na vijf dagen vinden ze een flat. Een groot appartement met één slaapkamer, een koelkast van namaak roestvrij staal en een namaak marmeren badkamer en blauw nageschilderde Meng & Glans op de muren en namaak berberkleden op de vloeren van namaak vurenhout. Het is een flat in een appartementencomplex aan een straat met vele appartementencomplexen nabij het

Westside Pavilion (een groot winkelcentrum met twee warenhuizen en een verzameling eethuisjes) in West-LA. Er is een sportzaal in de kelder en een zwembad in de tuin. Omdat er zo veel vergelijkbare appartementen in het gebied zijn, is de huur redelijk. Maddie vindt het een heerlijke flat. Dylan vindt het er aanvankelijk misschien te luxueus, wanneer hij weer een baan als monteur krijgt wil hij niet dat er overal vet en olie op komt. Maddie zegt hem dat zij het huis zal schoonhouden, dat ze het ook in het motel deed maar het was er zo smerig dat je het nauwelijks zag. Ze besluiten te proberen de flat te krijgen. Ze hebben geen echte kredietgeschiedenis, dus vraagt de beheerder een extra waarborgsom. Ze rekenen de eerste maand en de laatste maand en de waarborgsom contant af, en ze tekenen het contract. Wanneer ze het kantoor van de beheerder uit lopen met de sleutels, begint Maddie te huilen.

Ze slapen er die nacht voor de eerste keer. Ze slapen op de vloer in elkaars armen. De volgende dag gaan ze naar een discountmeubelzaak en kopen een bank en een tafel en een staande lamp en een bed en een nachtkastje en een schemerlamp. Ze gaan naar een discountsuperstore en kopen een pannenset en een bestekset en een set borden en schotels en glazen. Ze gaan naar een discountijzerwarenwinkel en kopen een zwabber en een bezem en wat gloeilampen en wat schoonmaakspullen. Ze gaan terug naar hun flat en brengen de rest van de dag op elkaar en in elkaar door, in de slaapkamer, woonkamer, keuken, op de vloer van de badkamer, in de douche, op elkaar, in elkaar.

De volgende dag begint Dylan een baan te zoeken Maddie blijft thuis en regelt alles met hun nieuwe spullen bergt ze op en wacht op het bezorgen van de meubels. Dylan loopt elke garage binnen die hij ziet, elke winkel waarvoor hij misschien geschikt is, elk tankstation. Hij loopt het parkeerterrein van een grote openbare golfbaan op, zoekt naar het kantoor. Wanneer hij het vindt, staat de deur een beetje open, hij klopt. Een mannenstem zegt iets.

Wie is daar?

Dylan is de naam.

Ken ik je?

Nee, mijnheer.

Wat wil je?

Een baan, mijnheer. Wat dan ook.

Dylan hoort een stoel over de vloer glijden, de deur gaat open. Een kale man met een snor en een enorme buik zit op een gedeukte houten stoel die eruitziet of hij onder zijn gewicht kan bezwijken. Hij kijkt even naar Dylan, zegt iets.

Je bent blank.

Ja, mijnheer.

Er komen hier nooit blanke kinderen binnen om een baan te zoeken.

Ik ben geen kind, mijnheer.

Hoe oud ben je?

Negentien.

De man lacht.

Je bent godverdomme nog een baby.

Als u het zegt, mijnheer.

Naar wat voor soort baan ben je op zoek?

Alles is goed, mijnheer.

Ben je naar de universiteit geweest?

Nee, mijnheer.

Willen we doorgaan, moet je om te beginnen stoppen met dat klotewoord mijnheer.

Dat is goed.

Mijn naam is Dan.

Dat is goed, Dan.

De meeste mensen noemen me Dikke Dan. Een paar anderen noemen me Rotzak Dan.

Ik zal je gewoon Dan noemen.

Maakt niet uit, ik geef er echt geen reet om, maar niet mijnheer.

Begrepen.

Ben je ergens goed in?

Ik kan dingen repareren.

Wat voor dingen?

Ongeveer alles, maar ik ben vooral goed in machines.

Grasmaaimachines?

Jazeker.

Ben je ooit caddie geweest?

Nee.

Weet je wat het is?

Golftassen dragen voor rijkelui.

Rijkelui horen op privéclubs thuis. Dit is een openbare golfbaan. Wij krijgen lui die willen dat ze rijk waren.

Ik neem aan dat hun tassen ook moeten worden gedragen.

Ja, en ze kunnen net als rijkelui lullig doen.

Ik kan tassen dragen.

Heb je moeite met negers?

Nee.

Met Mexicanen?

Nee hoor.

Al de andere caddies zijn negers en Mexicanen.

Vind ik prima.

Waarschijnlijk krijg je de wind van voren omdat je een blanke jongen bent.

Is ook prima.

Je krijgt tien dollar per uur plus fooi. Vertel verder niemand wat ik je betaal. Ik betaal de Mexicanen op de fooi na niets omdat het allemaal illegalen zijn, en ik betaal de negers het minimumloon plus fooi.

Dank je.

Ga erheen en vraag naar Shaka. Hij is de grote neger die over het hokje van de caddies gaat. Zeg hem dat ik je heb aangenomen.

Goed.

De enige andere blanke die hier werkt, is de prof van de club. Hij denkt dat hij godverdomme Tiger Woods of zo'n onbenul is. Als hij echt iets voorstelde, zou hij op tournee zijn of bij een echte club werken. Ze noemen mij Rotzak Dan, maar hij is een grotere rotzak dan ik ben.

Hoe heet hij?

Tom. Noem hem Tommy Boy, al heeft hij daar een hekel aan.

Dylan lacht. Dan wijst naar de baan.

Het is druk, dus eropaf. Misschien dat je er vandaag nog een ronde uit kunt persen.

Goed.

En als je problemen krijgt, kom terug en zeg het me, dan ransel ik die klootzakken stuk voor stuk af.

Ik red me wel.

En je moet aan het eind van de dag bij me terugkomen en wat formulieren voor me invullen.

Goed.

Erop af.

Nogmaals dank, Dan.

Maak je niet druk.

Dan doet de deur dicht, Dylan hoort de stoel terug over de vloer glijden. Dylan glimlacht, kan niet geloven hoe eenvoudig hij net een baan kreeg, hij denkt dat het misschien leuk is een caddie te zijn. Hij zag een paar jaar geleden op de kabel-tv een film over het bestaan van een caddie, de caddies zaten bij elkaar, werden dronken, staken de draak met de golfers, en gingen nu en dan naar bed met de vrouwen en dochters van de golfers. Aan dat laatste zou hij zich niet te buiten gaan, maar de rest zou geweldig zijn, en hij zou het beslist prachtig vinden de verhalen te horen over caddies die naar bed gingen met de vrouwen en dochters van de golfers. In de film werd een van de caddies een geweldige golfspeler en hij won een enorm ingezet bedrag, groot genoeg voor hem en zijn vriendin om binnen te zijn. Hij vraagt zich af hoe moeilijk het kan zijn: met de golfstok zwaaien, de bal raken, bal gaat het gat in. Misschien moet hij het eens proberen, misschien ligt de toekomst daar.

Hij draait zich om en loopt het parkeerterrein over naar een groepje van drie gebouwtjes rond een enorme green. Een van de gebouwen is een snelbuffet, het tweede de studio van de prof, het derde wordt omringd door golfkarretjes en jongemannen die frisdrank drinken en roken. Hij neemt aan dat het gebouw met karretjes en de rokers het hokje voor de caddies is daar gaat hij heen. Wanneer hij aankomt vraagt hij een van de jongemannen naar Shaka, hij wijst naar een open deur aan de achterkant van het gebouw. Dylan loopt erheen kijkt naar binnen een lange dikke man van in de vijftig zit aan een bureau overdekt met briefjes met tijden en scorekaarten. Hij heeft golfkleding aan, een bruine sportpantalon een gestreept shirt en een pet. Hij heeft een donkere huid en kort haar, voor Dylan aanklopt kijk hij over zijn schouder, zegt iets.

Kan ik je helpen?

Ik ben Dylan. Dan stuurde me. Hij zei me dat ik was aangenomen als een caddie.

Het is nog waar ook hè?

Ja.

Shaka draait rond op zijn stoel.

Kom binnen.

Dylan stapt het kantoor in aan de muren hangen kalenders en foto's die uit golfbladen zijn geknipt. Shaka bekijkt hem van alle kanten, glimlacht.

Godverdomme een blanke jongen.

Dylan glimlacht. Zegt niets. Shaka lacht in zichzelf, zegt weer iets.

Godverdomme een blanke jongen met zo'n magere reet.

Ja, mijnheer.

Noem me geen mijnheer. Je kunt Rotzak Dan mijnheer noemen als je iemand mijnheer wilt noemen, maar mij niet.

Goed.

Weet je hoe lang hij al hoopt hier een blanke jongen als caddie te krijgen?

Nee.

Een verdomd lange tijd, man, een godverdomd lange klotetijd.

Dylan lacht.

Begrijp me goed, ik vind het prima als er hier een blanke jongen werkt, maar voor we je aan het werk zetten, moet ik een ding van je weten en jij moet een ding van mij weten.

Dat is goed.

Hoeveel betaalt hij je?

Ik weet niet of ik je dat moet vertellen.

Shaka lacht.

Je wilt hier godverdomme werken, dus ga je het me vertellen. Hij kan je hier wel naartoe sturen, maar ik kan nee zeggen.

Maar als je het nu te veel vindt?

Hij lacht weer.

Er is niemand op deze baan die te veel betaald krijgt. Ik wil alleen zien hoe erg Rotzak Dan nu eigenlijk discrimineert.

Hij zei tien dollar per uur plus fooi.

Shaka fluit.

Potverdorie, Rotzak Dan is superslecht.

Dylan lacht.

Ik ga hem een klote T-shirt geven met groot ss erop.

Dylan lacht weer.

Wil je, nu ik dit weet, graag weten wat je moet weten?

Natuurlijk.

Weet je wat Shaka is?

Je naam?

Ja, maar weet je waar die vandaan komt?

Nee.

Shaka Zulu was in de negentiende eeuw een koning in Afrika. Hij was een grote koning die de Zulu-natie verenigde en een leger drilde dat zo veel angst inboezemde dat z'n vijanden hun land liever opgaven dan tegen hen te vechten. Ik ben naar Shaka Zulu, de koning, genoemd. Nu ben ik duidelijk geen koning van een grote natie en heb ik geen leger, maar ik ben nog steeds Shaka, en dit hier, dit caddiehoofdkwartier, dit is mijn koninkrijk. Wat ik zeg gebeurt. Daarover wordt niet gediscussieerd. Als je een probleem hebt met een andere caddie, moet je ermee naar mij komen en ik neem een besluit. Aan democratie doen we niet, en er komt hier geen revolutie. De enige keer dat revolutie dreigde, heb ik de revolutionair apart genomen, hem aan de achterkant van z'n broek opgepakt en hem letterlijk op straat gegooid. Zo gaat het hier. Zo treden we op. Begrijp je me?

Dylan knikt, zegt iets.

Je bent Shaka, je bent de koning.

Shaka glimlacht.

Goed gezegd, blanke jongen. Ik ben Shaka. Ik ben de koning.

En ik ben Dylan. Uit Ohio.

Shaka lacht.

Welkom in mijn koninkrijk, Dylan.

Hoe laat moet ik hier morgen zijn?

Morgen? Je begint nu meteen.

Goed.

Je bent eerder caddie geweest?

Nee.

Kom dan binnen en ga zitten. Ik breng het je magere reet meteen bij.

Dylan loopt naar binnen gaat zitten op een vouwstoel naast Shaka's bureau. Shaka steekt z'n hand in een la en haalt een boekje tevoorschijn dat het Handboekje voor Caddies heet.

Een caddie zijn is geen hersenchirurgie. Lees dit als je er zin in hebt. Belangrijk is het niet. Maar als Rotzak Dan het vraagt, zeg hem dan dat je het hebt gelezen.

Dylan pakt het boekje, stopt het in zijn zak.

In orde.

Het werk is simpel. Je draagt de tas, je likt de speler z'n reet. Je overhandigt ze golfstokken, en als ze er iets over vragen, moet je akkoord gaan met welke golfstok ze ook zeggen, en je likt hun reet. Je veegt de stok schoon als die vuil is, je likt de speler z'n reet. Als ze vragen hoe ver ze van de vlaggenstok af zijn, doe je een gok, en je likt hun reet. Je houdt de vlaggenstok overeind als ze aan het putten zijn, je likt hun reet, je legt de zoden terug die door hen zijn losgeraakt, je likt hun reet. De meesten van de spelers hier zijn niet best, dus laat hen denken dat ze wel goed zijn door hun reet te likken. De goede spelers moet je het gevoel geven dat ze Jack godverdomde Nicklaus zijn door hun reet te likken. Wanneer ze de boel bedriegen, en dat doen ze allemaal, laat ze doen en stem met ze in, en lik hun reet, en wanneer het zakken zijn, en een heleboel van hen zijn zakken, en je ze tegen hun kop wilt slaan met een klotegolfstok, lik je hun reet. Zoals ik zei, het is geen hersenchirurgie.

Dat was een geweldige uitleg, Shaka.

Je likt m'n reet?

Ja.

Shaka lacht.

Met jou komt het godverdomme wel in orde.

Dank je.

Ga naar buiten en stel jezelf aan iedereen in de buurt voor. Waarschijnlijk zien ze je liever niet, maar wanneer je je niet gedraagt als een of andere Blank Boven klootzak, stappen ze er wel overheen. En zeg ze nooit hoeveel je betaald krijgt.

Akkoord.

Ik zie je morgen om 6.00 uur.

Dank je.

Shaka knikt, Dylan staat op en vertrekt. Hij loopt naar buiten er lummelen een paar mannen rond, enkelen van zijn leeftijd en een aantal van in de dertig en voor in de veertig. Hij stelt zich aan hen allemaal voor, sommigen reageren helemaal niet, een paar zeggen dag, een paar zeggen wat moet je. Wanneer hij klaar is gaat hij zitten, leunt tegen de muur van het hokje. Hij kijkt naar de mannen, de Mexicanen blijven bij elkaar, ze praten en betogen in het Spaans, de Afro-Amerikanen blijven bij elkaar, ze spelen kaart, ze praten met zachte stem. Niemand praat met hem, besteedt enige aandacht aan hem. Na een halfuur of zo staat hij op en vertrekt. Het is twintig minuten lopen over Pico Boulevard terug naar de flat. De ene kant op ziet hij, in de verte, het ommuurde, bewaakte, zwaar versterkte terrein van de Fox-studio's. De andere kant op wordt de straat geflankeerd door winkelgalerijen, snackbars en tankstations. Dromen aan de ene kant, realiteit aan de andere. Hij bewoont de realiteit.

Het is een lichte, simpele wandeling, de zon schijnt de lucht is blauw het is 24 graden er staat een briesje weer een dag in Los Angeles. Dylan loopt de straat door geniet van het weer stopt bij een supermarkt koopt een paar chocoladecakejes met vanille-ijs Maddie vindt cakejes lekker al sinds ze een klein meisje was. Wanneer hij het complex bereikt zitten er mensen bij het zwembad neemt de lift naar hun verdieping het is er schoon hij loopt de gang door hij kan niet geloven hoe fijn het er is hij opent de deur van hun flat het ruikt naar hamburger. Maddie staat in de keuken, ze heeft een schort aan. Er staat overal gerei, potten, pannen, dozen. Ze glimlacht, zegt iets.

Hi.

Hi.

Hoe ging het?

Ik heb een baan.

Geweldig. Wat?

Ik ben een caddie.

Golf?

Ja.

Weet je iets van golf?

Niets.

Ze lacht.

Hoe kreeg je de baan?

Omdat ik een blanke jongen ben.

Ze lacht weer.

Wat heeft dat te betekenen?

Ze hebben me aangenomen omdat ik blank ben.

Ik dacht dat dat illegaal of zoiets was.

Ik neem aan van niet.

Ik heb bijzonder eten voor je gemaakt.

Wat?

Een eenpansgerecht met hamburger, macaroni en cornflakes.

Potverdorie.

Onze eerste zelf bereide maaltijd sinds we hier wonen.

Dat is godverdomme geweldig, laten we gaan eten.

Maddie haalt een kasserol uit de oven het is macaroni en kaas vermengd met hamburgervlees overdekt met gegratineerde kaas en cornflakes. Ze schept er enorme lepels vol van op borden de kaas komt ervan af in lange hete draden. Ze gaan aan tafel zitten ze heeft een fles gewone cola voor Dylan en een fles cola light voor zichzelf. Ze doet de lichten uit (al is het buiten nog licht) en steekt twee kaarsen aan die midden op tafel staan. Ze zegt iets.

Ik vind ons huis heerlijk.

Ik ook.

En ik vind ons nieuwe bestaan hier heerlijk.

Ik ook.

En ik het vind het met jou heerlijk.

Ik ook.

Zij heft haar glas.

Het is ons gelukt.

Hij glimlacht, hij heft het glas.

Het is ons gelukt.

Ze toasten en kussen hun gekus loopt uit de hand ze eten niet meteen ze blijven niet aan tafel zitten. Wanneer ze terugkomen, zijn ze hongerig Maddie neemt twee porties Dylan vier. Wanneer ze klaar zijn ruimt Maddie de vaat op en zet de kasserol in de koelkast Dylan neemt een douche ze komt erbij ze lachen om de vier standen op de douchekop houden van het water dat nooit opraakt, nooit ophoudt. Ze vallen op bed neer weer in elkaar blijven op al moet Dylan vroeg naar zijn werk. Ze lezen niet. Ze missen het televisiekijken niet.

Dylan staat de volgende morgen op loopt naar zijn werk de straten zijn leeg, de lucht gloeit grijsblauw. Het is rustig en stil. Neon etalagelichten werpen vage schaduwen rood blauw en geel over het beton. Auto's staan stil en onbeweeglijk langs het trottoir, stoplichten knipperen ze doen er nu niet toe. Er zijn geen vogels, insecten, geen dieren. Eenzame palmen in vierkantjes modder omgeven door blokken van cement zijn de enige levende wezens die

je ziet. Er zit een zacht, ongrijpbaar, bijna onhoorbaar gezoem in de lucht, het is afkomstig van kabels, de borden, lantaarns langs de straten. In de verte ziet Dylan de berggordel die de stad omgeeft, kan de lichtjes zien van de huizen waarmee de heuvels bespikkeld zijn. Daar voorbij meer lucht, het grijsblauwe gloeien. Als hij de baan nadert ziet hij activiteit, de terreinknechten ronden hun werk af de caddies maken zich klaar. Rotzak Dan staat midden op het parkeerterrein in een mobieltje te praten en een sigaret te roken, Shaka is in z'n kantoor hij zit aan z'n bureau een krant te lezen. Dylan gaat naar Shaka's kantoor, klopt op de deur. Shaka draait zich om, zegt iets.
Goede morgen.
Jij ook.
Wat wil je?
Wat moet ik eigenlijk doen?
Jij bent de nieuwe. Je staat achteraan in de rij.
Hoe weet ik hoe de rij eruitziet?
De dienstjaren zijn bepalend. We schrijven het niet op of zo, iedereen weet het gewoon. Als er onenigheid ontstaat, kom ik naar buiten en regel het.
Geweldig. Dank je.
Een fijne dag.
Dylan draait zich om, loopt naar de achterkant van het hokje, gaat op een klein stukje gras aan de rand van het parkeerterrein zitten, waar een aantal van de andere caddies zit. Hij zegt dag tegen een paar, knikt naar een paar andere, en hoewel ze allemaal naar hem kijken, reageert geen van hen. Om 5.45 uur komen de eerste golfers. De eerste teetijd is 6.00 uur. Elke acht minuten, volgens het schema in elk geval, begint een volgende groep van vier golfers te spelen. Velen van hen maken geen gebruik van caddies. Ze rijden op golf-wagentjes, gebruiken handkarren, of dragen hun eigen tassen. Degenen die wel van caddies gebruikmaken hebben vaak caddies van wie ze eerder gebruik hebben gemaakt en vragen speciaal naar hen. Dylan zit en wacht. De vroege ochtend wordt ochtend ochtend wordt late ochtend hij zit en wacht. De late ochtend wordt het middaguur. Het middaguur wordt vroege namiddag. De eerste paar caddies die vertrokken komen terug, en omdat hij zo kort in dienst is, wordt hij teruggeduwd naar het eind van de rij. Hij wacht. Hij probeert met de andere wachtende caddies te praten, maar niemand heeft interesse. De dag verstrijkt. De enige keren dat hij van z'n kont komt zijn wanneer hij iets gaat eten of naar de wc gaat. De laatste teetijd, slechts voor negen holes van de baan met achttien holes, is om 6.00. Om 6.10 staat hij op en klokt hij uit en loopt hij naar huis. Het is spitsuur de straten staan vol (al zijn de trottoirs leeg). Chauffeurs laten hun claxon horen, schreeuwen naar elkaar, maken het gebaar met de vinger, hij ziet er een een beker cola naar een ander gooien. Wanneer hij terug is in de flat, heeft Maddie een schotel met tonijn en noedels voor hem klaarstaan. Ze eten en nemen een douche en kruipen in bed. Er is niets om te lezen, geen tv. Ze gaan drie uur later slapen.
Wanneer hij de volgende dag op z'n werk verschijnt, volgt dezelfde routine. Wanneer hij thuiskomt heeft Maddie hamburgers en Pieper Partjes voor hem

klaarstaan ze eten kruipen in bed hetzelfde. De volgende dag op het werk verloopt eender het eten bestaat uit vissticks en pudding bed hetzelfde. De volgende dag zijn de andere caddies openlijk vijandig tegen Dylan ze zeggen dat hij naar huis moet, een andere baan moet nemen, dat blanke jongens niet welkom zijn, dat hij niet terug moet komen. Wanneer hij thuiskomt heeft Maddie gekookte hotdogs en diepvriesfriet klaar voor het eten ze eten kruipen in bed hetzelfde. De volgende dag beginnen de Mexicanen hem Guerro te noemen en de negers beginnen hem Armoedzaaier te noemen, de Mexicanen tikken met sigarettenpeuken tegen hem aan en twee van de jonge negers gaan aan beide kanten naast hem zitten met golfstokken. Wanneer hij thuiskomt heeft Maddie maïsbroodjes en uiringen en chocoladeijsjes als dessert wanneer ze in bed kruipen valt Dylan meteen in slaap. De volgende dag wordt er tegen hem geduwd en wordt hij bedreigd de sigarettenpeuken beginnen hem te raken en vlak bij hem wordt met de golfstokken gezwaaid hij zit en wacht en hoopt dat hij op een gegeven moment een tas te dragen krijgt en over de baan mag lopen, nog steeds heeft hij geen van beide gedaan, zijn beurt komt nooit hij wordt geraakt door sigarettenpeuken en is bang voor de golfstokken. Aan het eind van de dag roept Shaka hem bij zich op zijn kantoor. Dylan zit op de stoel naast zijn bureau, Shaka zegt iets.

Hoe gaat het?

Prima.

De dag dat je werd aangenomen inbegrepen ben je hier nu een week.

De beste week van mijn leven.

Shaka lacht.

Iets geleerd?

Dat een blanke jongen bij niemand in de smaak valt.

Nooit eerder gemerkt?

Ik groeide op in een stad waar alleen maar blanke jongens waren.

En viel iedereen bij elkaar in de smaak?

Nee.

Zie je?

Zie ik wat?

Blanke jongens vallen bij niemand in de smaak, en zelfs vallen blanke jongens niet bij elkaar in de smaak.

Dylan lacht.

Het is waar, man. Over de hele wereld haten mensen Amerikaanse blanke jongens. Waarschijnlijk de meest gehate soort op de planeet.

Ik probeer me gewoon te redden, m'n leven een beetje te verbeteren.

Ja, ik ken het gevoel. Dat proberen we allemaal. En om eerlijk te zijn, je lijkt te deugen.

Dank je.

Deze afgelopen week is een test geweest. Het is iets wat we met elke nieuwe caddie hier doen. We doen 't om te zien of ze de baan echt willen, en of ze bereid zijn zich wat gezeik te laten welgevallen om de baan te krijgen.

Echt waar?

Ja. Het is me een klus, man. Elke dag vanaf 6.00 uur, soms twaalf of veertien uur op een dag. En de golfspelers kunnen rotzakken zijn. Je denkt dat jij slecht werd behandeld toen je op een beurt wachtte, wacht maar tot je ziet hoe sommigen van die klootzakken zich gedragen.

Wat zou er dan gebeurd zijn als ik geprobeerd had mezelf te verdedigen?

Waartegen?

Tegen mensen die me uitschelden, met peuken tegen me aan tikken, me met golfstokken achterna zitten.

Ik had je gezegd niet terug te komen.

Wat een rotstreek.

Ik kan me voorstellen dat je het zo ziet, maar zo pakken we het hier aan. Zo vallen onbetrouwbare, onevenwichtige aankomende werknemers af. Een groot verschil tussen jou en de andere kerels met wie we dit deden is dat jij tien dollar per uur kreeg betaald. De meesten zaten hier een week in de ellende en gingen met lege handen naar huis. Ik wilde ook zien of jij je kunt redden tussen een stel gekleurde mensen. Of je het nu weet of niet, er bestaan tussen ons allemaal verschillen, en een paar daarvan hebben met de kleur van onze huid te maken. Een lastige blanke jongeman zou me een hoop problemen bezorgen.

Het blijft een rotstreek.

Het leven is een rotstreek, je moet het ermee doen.

En wat nu?

Nu mag je tassen gaan dragen en fooi binnenhalen en met rotzakken omgaan.

Dylan lacht.

Je weet het mooi te brengen.

Ik zeg waar het op staat. En als het om banen gaat, is dit volgens mij lang geen slechte. Je wordt er niet rijk van, maar je kunt ervan bestaan. Elke dag schijnt de zon, dus elke dag heb je golfers, en elke dag hebben ze iemand nodig om hun tassen te dragen. Blijf kalm, precies zoals je deze week bent geweest, en je zult moeiteloos wennen.

Goed.

Niet haatdragend?

Nee hoor.

Tot morgen.

Tot morgen.

Dylan staat op loopt het kantoor uit. Er zijn twee groepen caddies, een groep Mexicanen en een groep negers, die zich klaarmaken om er voor vandaag mee op te houden. De groepen vermengen zich, maar niet veel, leden uit beide groepen komen naar hem toe, zeggen dag, stellen zichzelf voor, schudden hem de hand, bieden hem sigaretten aan, bieden hem bier aan. Hij glimlacht, zegt bedankt, drinkt een biertje en hoewel hij niet rookt, neemt hij een trekje van een sigaret. Hij begint onmiddellijk te hoesten en de andere caddies beginnen te lachen en wat er in de loop van de afgelopen zeven dagen ook mag zijn gebeurd met het lachen verdwijnt het. Hij blijft voor een tweede biertje, nog een, hij weet dat hij te laat zal komen voor het eten hij blijft voor nog een biertje. Blanke Jongen heeft een paar nieuwe vrienden, de eerste niet-blanke vrienden ooit, hij blijft voor nog een biertje.

De wandeling naar huis duurt twee keer zo lang het is warmer de kleuren helderder geluiden luider, hij gaat zitten en neemt even rust voor een matrassenwinkel, hij neemt voor de tweede keer rust voor een winkel met tropische vissen. Hij doet de deur open, Maddie zit aan tafel er is een bak met gebakken kip aardappelpuree en witte bonen in tomatensaus. Er staat een appeltaart op het aanrecht, en er ligt ijs in de vriezer. Ze staat op zegt iets.

Gaat het met je?

Hij glimlacht, antwoordt.

Ja.

Je bent dronken.

Zo'n beetje.

Ze lacht.

Met wie werd je dronken?

Mijn collega's.

Ik dacht dat ze je haatten.

Het was een soort testgedoe. Ze doen het met iedereen geloof ik dat ze me vertelden of zoiets.

Ze lacht weer.

Geloof ik dat ze je vertelden of zoiets?

Ja, iets dergelijks.

Ik heb je lievelingskostje.

Dat ruik ik.

Hij inhaleert, glimlacht.

Gebakken kip en piepers en bonen. Het ruikt echt lekker, superlekker.

En taart.

Ik ben dol op taart.

Weet ik.

Kunnen we nu gaan eten als het je schikt?

Gefeliciteerd met je eerste week.

Dank je, schat.

Hij glimlacht, het is een halfdronken idiote glimlach. Het maakt Maddie niet uit, in zekere zin vindt ze het grappig. Ze neemt hem bij de hand leidt hem naar de tafel helpt hem te gaan zitten. Ze vouwt een servet in zijn shirt zodat dat als een slabbetje werkt ze schept hem een groot bord kip, piepers en bonen op wanneer ze het voor hem neer zet kijkt hij naar haar op en glimlacht en zegt iets.

Ik hou zoveel van jou.

Ze glimlacht.

Ik hou ook van jou.

Ze kussen en hij probeert er meer van te maken dan een kus ze duwt hem speels weg terug in zijn stoel vouwt zijn slabbetje weer terug hij glimlacht weer, zegt weer iets.

Ik hou zoveel van jou.

Ze lacht.

Eet nu gewoon je verdomde eten maar op.

Hij begint te eten, binnen een paar happen zit er eten op zijn handen en op zijn gezicht en op het slabbetje en op zijn shirt en op zijn broek, over tafel ligt eten verspreid. Maddie kijkt meer naar hem dan dat ze eet, hij is net een kind dat niet beter weet dan happen te nemen als het nog eten in z'n mond heeft, het eten wegveegt met z'n handen en het over z'n gezicht smeert, z'n vork verkeerd vasthoudt stukjes met z'n vingers oppakt, hij ziet er ongelooflijk gelukkig en tevreden uit. Wanneer hij klaar is met zijn eerste portie krijgt hij er nog een, wanneer hij daarmee klaar is krijgt hij er nog een. Terwijl hij met zijn derde portie bezig is zet ze de taart in de oven warmt die op. Als hij klaar is met zijn vierde portie, en de bak met kip leeg is, heeft ze een stuk warme appeltaart met vanille-ijs voor hem klaar. Hij eet die vooral met zijn handen wanneer hij klaar is likt hij het bord schoon hij krijgt nog een stuk doet precies hetzelfde. Wanneer hij klaar is leunt hij achterover in zijn stoel, wrijft over zijn buik, zegt iets.

Dat was de beste maaltijd van mijn leven.

Maddie glimlacht.

Mooi.

Ik denk dat ik moet overgeven.

Hij staat op en rent naar de badkamer. Maddie kijkt toe hoe hij wegloopt hij verdwijnt uit het gezicht ze hoort de deur van de badkamer openvliegen hoort hem de wc-bril optillen hoort hem, hoort hem. Terwijl hij bezig is, ruimt zij de tafel af, legt het overgebleven eten, wat aardappelen en wat bonen, ongeveer de helft van de taart en de helft van het ijs, in de koelkast. Ze doet de deur dicht hoort hem ademen loopt naar de badkamer. Hij zit op de vloer naast de wc. Er zitten nieuwe strepen op z'n kin en shirt. Ze zegt iets.

Gaat het?

Ik denk dat ik naar bed moet.

Ja, dat zou een goed idee zijn.

Hij begint op te staan zij helpt hem. Ze wast zijn gezicht helpt hem bij het tandenpoetsen trekt z'n shirt uit brengt hem naar hun slaapkamer legt hem op bed. Hij wil wat rotzooien ze lacht en zegt nee hij zegt dat hij een kus wil ze biedt hem een wang aan hij kust die zacht probeert er vervolgens aan te likken. Ze lacht en duwt hem weg hij valt vrijwel onmiddellijk in slaap. Zij loopt terug naar de keuken pakt een paar bladen die ze kocht bij de supermarkt meer verhalen over beroemdheden en rijkaards hun kleren en auto's, hun huizen en vakanties, hun liefdeleven. Ze wonen nog steeds een paar kilometer verderop. Ze lijken een beetje dichterbij.

Dylan wordt de volgende dag wakker gaat naar z'n werk draagt zijn eerste tas krijgt een fooi van dertig dollar. Maddie heeft het eten, hete kippenvleugeltjes uit de diepvries gevuld met blauwschimmelkaas voor hem klaar. Ze kruipen in bed blijven lang wakker. Hij gaat de volgende dag naar zijn werk draagt twee tassen krijgt een fooi van twintig dollar en nog een van dertig het eten staat klaar weer de schotel met noedels en tonijn ze kruipen in bed. Hun leven vervalt in een gemakkelijke routine. Dylan werkt, Maddie maakt schoon doet de was kookt, wanneer ze niet met deze dingen bezig is, kijkt ze naar praatprogramma's of zit ze bij het zwembad bladen te lezen. Dylan wordt een echte caddie, leert hoe hij golfers advies moet geven over de afstand tot de vlaggenstok, welke stok moet worden gebruikt, hoe de omstandigheden hun spel kunnen beïnvloeden. Hij leert als een kampioen reten te likken leert wat hij moet doen voor grotere fooien hij kijkt hoe mensen zichzelf voor schut zetten door te gillen, te schreeuwen, met golfstokken te smijten, golfstokken te breken, met elkaar te gaan vechten, idiote bedragen in te zetten op een spel waarvan ze geacht worden te genieten. Maddie vergroot haar keukenrepertoire ze leert dingen te bereiden die niet uit de diepvries of een doosje komen ze maakt haar eigen gebakken kip, omeletten met ham en kaas, entrecote van de grill, meerval uit de koekenpan, ze maakt haar eigen appeltaart. Ze gaan vroeg naar bed blijven lang wakker.

Al proberen ze zuinig te zijn met hun geld, en leven ze zo goedkoop als ze kunnen, geleidelijk raken ze door het mazzeltje van de motorrijders heen. Het bedrag daalt naar vijftienduizend, naar twaalfduizend, naar tienduizend, naar achtduizend. Dylans inkomen is, in een goede maand, amper genoeg om de huur te betalen, ze hebben het erover naar iets minder duurs te verhuizen ze willen het geen van beiden ze vinden hun flat heerlijk, hun thuis, hun droom, de reden dat ze zijn weggelopen. Maddie begint een baan te zoeken parttime overdag ze solliciteert bij supermarkten, cafés, kledingzaken, restaurants. Ze heeft een paar gesprekken krijgt geen telefoontjes. Ze solliciteert bij een schoonheidssalon, bij een dierenwinkel, er is plaats voor iemand achter de kassa bij het autoloket van hun favoriete burgertent, gesprek, geen telefoontje. Het geld wordt minder ze redden het nog maar binnenkort niet meer. Het wordt minder.

Dylan komt thuis na een lange dag twee tassen de ene was een dokter die Dylan de schuld gaf voor de meeste van zijn slechte slagen en maar tien dollar fooi gaf de ander een pennenverkoper die dronken werd en schreeuwde. Maddie heeft het eten op tafel kip parmigiano en pasta Dylan kan een taart ruiken misschien kersen. Er staan kaarsen op tafel. De servetten zijn gevouwen. Ze gaan zitten voor ze beginnen te eten zegt hij iets.

Is er iets bijzonders?

Waarom denk je dat er iets bijzonders is?

Is dat een kersentaart?

Bosbessen.

Hij glimlacht.

Kaarsen, servetten, een nieuw gerecht en een nieuwe taart. Er is iets bijzonders.

Ze glimlacht.

Wat is er volgens jou voor bijzonders, Sherlock Holmes.

Heb je een baan?

Nee.

Een goed sollicitatiegesprek?

Nee.

Valt er iets te vieren dat ik ben vergeten?

Nee.

Een verjaardag?

Ze lacht.

Nee.

Wat dan?

Ik heb een besluit genomen.

Wat?

Je weet dat ik alle roddelbladen lees als ik bij het zwembad zit?

Ja.

Die gaan allemaal over die beroemde lui, actrices en zangeressen en modellen en zo.

Ja.

Nou, ik denk dat ik actrice wil worden.

Actrice?

Ja, ik wil een filmster worden.

Echt?

Wat denk je?

Als je dat wilt, doe dan je best.

Ze glimlacht.

Dat wil ik niet echt.

Nee?

Ik heb wat ik echt wil.

En dat is?

Ik ben zwanger.

Op 17 oktober 1929 begint de bouw van de Effectenbeurs van Los Angeles. De oprichters van de beurs willen concurreren met de Effectenbeurs van New York en die uiteindelijk vervangen. Op 24 oktober 1929, een dag die gewoonlijk bekendstaat als Zwarte Donderdag, beleeft de aandelenmarkt op de Effectenbeurs van New York de grootste daling in één dag uit de geschiedenis. Op 29 oktober 1929, een dag die gewoonlijk bekendstaat als Zwarte Dinsdag, storten de aandelenmarkten in de Verenigde Staten in elkaar. Drie weken later gaat de Effectenbeurs van Los Angeles failliet.

Het stadscentrum. Het bruisende midden. De stadskern, het centrale zaken-district, de immense skyline. Het kloppende, kloppende hart van een belangrijk stedelijk gebied. Het uitzicht vanaf een snelweg in de verte gewoonlijk wordt het aangekondigd door een muur van torenflats van staal, glas en beton een baken voor degenen die worden aangetrokken door de hoop op iets meer met dromen van een belangrijker leven degenen met ambities die te groot zijn voor kleine steden. Zoals voor de meeste superstenen in de wereld geldt, ontstond de stad Los Angeles door een belangrijke waterbron. Toen de stad groeide, verdween het water, er werd te veel van gebruikt en het raakte op. Kleinere steden in, rond en aan de randen van Los Angeles gingen aanvankelijk in de stad op om voor water te zorgen, en later omdat ze het water nodig hadden dat Los Angeles via de aquaducten aanvoerde. In plaats van op een centraal punt te beginnen en op een natuurlijke wijze, in een lang tijdsbestek, naar buiten te groeien, moesten allerlei centrale punten, de haven van Los Angeles, Santa Monica, Burbank, Century City, Hollywood, Oost-Los Angeles, Pasadena, San Gabriel en Zuidcentraal-Los Angeles met elkaar wedijveren. Sommige gedijden, maar andere niet. Centrale overheidsinstellingen en culturele instellingen die in Los Angeles Centrum waren gevestigd bleven daar, maar kantoren en bedrijven verhuisden naar veiliger, minder drukke gebieden die de werknemers sneller en eenvoudiger konden bereiken. Bewoners van het centrum trokken weg uit het gebied omdat de banen elders waren. Snelwegen die oorspronkelijk waren aangelegd om toegang te bieden tot het centrum werden knooppunten die reizigers naar andere bestemmingen voerden. De onroerendgoedmarkt stortte in. Gebouwen en grond werden voor spotprijzen gekocht door projectontwikkelaars die wolkenkrabbers lieten bouwen die leeg bleven. De leegte die ontstond door vluchtende bewoners werd opgevuld door enorme aantallen dakloze verslaafden en alcoholisten. Gevestigde immigrantengemeenschappen werden eilandjes die meer leken op de landen waar de immigranten vandaan kwamen dan op Zuid-Californië. Bij daglicht waren veel straten in het centrum leeg, na het invallen van de duisternis werden ze gevuld door de verslaafden en alcoholisten. Veertig jaar lang veranderde daar niets aan. Er zijn nu veranderingen op komst, langzame veranderingen, maar er is niets veranderd. Hier volgt een onderzoek naar het centrum, hoe het vroeger was, hoe het nu is, en hoe het zal zijn.

***

Niemand weet wie op de proppen kwam met de term Skid Row (achter-buurt), of waar die vandaan kwam. Het kan Seattle zijn geweest, misschien

San Francisco, sommigen zeggen Vancouver en andere zeggen New York. Terwijl al deze steden Skid Row-buurten hebben, en blijven twisten over de term en daarop aanspraak maken, heeft het centrum van Los Angeles, geen discussie mogelijk, de grootste, diepst gewortelde en gevaarlijkste Skid Row-buurt van het land. Al ging het in zekere zin altijd zo, in de vroege jaren zeventig begon de gemeente Los Angeles formeel met wat men een beleid van *insluiting* noemde. Insluiting betekende dat je de ergste zwervers en daklozen van de stad bijeenbracht en ze in één enkel gebied insloot. Men geloofde, en sommigen geloven het nog steeds, dat je door deze mensen in te sluiten gemakkelijker toezicht op ze kon houden, ze gemakkelijker kon controleren, ze gemakkelijker kon helpen. Dertig jaar lang werden velen van de ergste, zwaarst verslaafde en meest gewelddadige mannen en vrouwen van de stad naar Skid Row gebracht, soms door de politie, soms door mensen van de rechtbank, soms door werknemers van opvanghuizen en hulpposten in andere delen van de stad, en daar achtergelaten. Eenmaal daar, zonder geld opvang of hulp, moesten ze zichzelf redden, wat gewoonlijk vechten, stelen, gebruiken en vaak moorden inhield.

Skid Row omvat een gebied van vijftig straten aan de oostkant van het centrum, en heeft ergens tussen de tien- en vijftienduizend inwoners. 30 procent van de bewoners is hiv-positief, 40 procent is geestesziek, 50 procent heeft een bepaald soort soa. 65 procent heeft een strafblad en 70 procent is verslaafd aan drugs en/of aan alcohol. Voor 75 procent gaat het om negers, 80 procent is man, 98 procent is werkloos. Je hebt hulpposten en zwervershotels aan de rand van Skid Row, ze omringen het, omsingelen het. Ze bieden bijna 6000 mensen per dag eten en onderdak. De rest leeft op straten die overdekt zijn met roet dat, volgens door de Gezondheidsdienst uitgevoerde proeven, vijfentwintigmaal giftiger is dan ongezuiverd afvalwater. Ze wonen in kampementen van kartonnen dozen, blikken hokjes, ze wonen in tenten en slaapzakken, ze wonen op de grond. Ze gillen naar elkaar, schreeuwen naar elkaar, slapen met elkaar, gebruiken drugs en drank met elkaar, neuken elkaar, vermoorden elkaar. Ze leven tussen vuilnis, ratten, uitwerpselen. Er is geen stromend water en geen elektriciteit. De enige beschikbare banen, en die zijn altijd beschikbaar, hebben met het verkopen van drugs en prostitutie te maken. De plaatselijke politie heeft het meeste werk van Californië. De plaatselijke brandweer heeft het meeste werk van het land. 90 procent van de mensen die in Skid Row leven, sterven in Skid Row. Het gemeentehuis is nog geen anderhalve kilometer verderop.

***

In 1885 begon een Japanse zeeman, Hamonosuke Shigeta geheten, in het centrum van Los Angeles het eerste Japanse restaurant van de Verenigde Staten. In de loop van de volgende tien jaar kwamen er drie bij, evenals een Japans casino en twee Japanse bordelen, een daarvan had als bijzonderheid uit Japan ingevoerde geishameisjes. In 1905, na nog eens vier restaurants, twee markten, een tweede casino en drie bordelen erbij, begon men het gebied tussen First Street en San Pedro Street in het centrum Little Tokyo te noemen. In 1906 verhuisden 4000 Japanse immigranten zuidwaarts vanuit San Francisco nadat de aardbeving de stad had verwoest. In 1907, net voor het Nationale Herenakkoord immigratie uit het buitenland verbood, verhuisden 15.000 Japanners naar Los Angeles. Die leefden bijna allemaal in of rond Little Tokyo.

In de volgende dertig jaar groeide en bloeide Little Tokyo, het werd de grootste van de drie in de Verenigde Staten gewortelde Japanse gemeenschappen, met bijna 40.000 bewoners. Anti-Japanse gevoelens, die in het hele land sterk waren, maar bijzonder sterk in Californië, dwongen Little Tokyo in de eigen behoefte te gaan voorzien, tot een sterk isolement. En hoewel de nationale wetgeving het Japanse immigranten niet toestond onroerend goed te bezitten, werden er tempels gebouwd, groeiden de markten, werden er Japanse scholen gesticht. Ten tijde van de aanvallen op Pearl Harbor omvatte het zestig straten in het centrum van Los Angeles.

Meteen na Pearl Harbor werd Regeringsdecreet 9066 uitgevaardigd, dat de nationale regering de macht gaf iedereen van Japanse afkomst die binnen honderd kilometer van de westkust van de Verenigde Staten woonde gevangen te zetten. Honderdveertigduizend Japanse Amerikanen die in Californië, Oregon en Washington woonden werden gearresteerd en geïnterneerd in wat Verzamelcentra heetten, maar in werkelijkheid gevangenissen waren. Little Tokyo verdween. De panden, in het bezit van blanke Amerikanen, maar sinds twee of drie generaties door Japanners bewoond, stonden leeg, en op de straten, eens gevuld met Japanse immigranten, was het stil.

Toen de oorlog voorbij was, en de in kampen geïnterneerde burgers werden vrijgelaten, vestigden er zich weer zo'n 3000 in Little Tokyo. Wetten die grondbezit hadden belet werden ingetrokken, maar de panden bleven leeg, en wat eens een levendige, dynamische gemeenschap was geweest, stierf min of meer.

In 1970, toen men hoopte dat men door het gebied nieuw leven in te blazen een toegangspoort voor Japanse investeringen en bedrijvigheid zou scheppen, gaf de gemeente Los Angeles een gebied van zeven straten officieel de naam Little Tokyo, en men begon met het Plan Herontwikkeling Little Tokyo. De Japanners kwamen niet in groten getale terug, maar een aantal Japanse bedrijven opende zijn eerste Amerikaanse kantoor in het gebied, een bedrijf begon een hotel, en de gemeenschap die nog bestond werd versterkt. Vandaag de dag blijft Little Tokyo beperkt tot het door de gemeente aangewezen gebied. Je hebt er markten, restaurants, tempels, het hotel is er nog, je hebt er winkels die Japanse kleding, meubels, kunst verkopen. Anders dan in het verleden, hoef je niet te vrezen dat het zal verdwijnen.

***

Jeans nodig? Hebbes. Eigenlijk heb je 600 verschillende merken te pakken. Een rok nodig? Je kunt uit tienduizenden kiezen. Schoenen nodig? Je kunt uit honderdduizenden kiezen. Een tas nodig, een riem, een hoed, juwelen, een horloge, een sjaal, koffers? Je hebt het allemaal, hebt het godverdomme allemaal. Een zonnebril nodig, parfum, cosmetica? Sportkleding nodig, avondkleding, positiekleding? Zwemkleding nodig, een stropdas, wat ondergoed? Misschien heb je een slipje van kant nodig, of een korset, of lieskousen? Het is er allemaal. Dit en nog zoveel meer, nog zo heel veel meer. Het heet het Centrum Mode District, en het bestaat uit negentig straten mode. Eraan denken kan overweldigend zijn, en het is zonder meer opwindend!!! Negentig klotestraten met mode. Ja, het is waar. Allemaal bij elkaar. Negentig straten.

Het Centrum Mode District begon z'n bestaan als het District van Verdorvenheid. In de negentiende eeuw had je in de straten overal bars, bordelen, opiumkits en gokhuizen, de plaatselijke hotels verhuurden kamers per dag, per uur of per kwartier, vuurgevechten waren normaal. Een van de belangrijkste verkeerswegen van het district, Santee's Alley geheten, tegenwoordig bekend vanwege de vervalste tassen, ceintuurs en dvd's, werd vernoemd naar een prostituee van wie bekend was dat ze met liefst vijftig mannen per dag seks had. Vele andere minder arbeidzame vrouwen haalden twintig of dertig mannen per dag. Opium en later cocaïne werden openlijk verkocht en openlijk gebruikt, alcohol vloeide als water (en omdat het LA is, waren er tijden dat er waarschijnlijk echt meer alcohol dan water was), zakkenrollers en dieven overspoelden de straten. Men gelooft, al is het niet bevestigd, dat de eerste *Vrouw doet het met ezel-show* in het district werd opgevoerd, en men gelooft, al is het niet bevestigd, dat de eerste bondage en sm-studio van Amerika in het district werd geopend. Als iets kon, ongeacht hoe walgelijk, pervers, belachelijk of duivels het ook was, gebeurde het ergens in dit district.

Vanwege het aantal vrouwen uit het vak, en soms mannen of jonge jongens die als vrouwen waren verkleed, werden er kledingzaken geopend. De meeste specialiseerden zich in wat je avondkledij kunt noemen, andere verkochten namaak politie-uniformen, habijten van nonnen en priestergewaden, dierenpakken, clownspakken. Bij de eeuwwende, toen opium en cocaïne onwettig werden (ja, beide pleegden legaal te zijn, hiephoi, hiephoi), en alcohol en prostitutie de belangrijkste handel in het gebied werden, groeide het aantal kledingzaken. In 1920, toen de Drooglegging begon, werden bijna alle bars en bordelen gesloten, of naar minder opvallende en meer discrete locaties overgebracht. De kledingzaken bleven. Andere verschenen, en in lege panden werden kledingfabrieken opgezet. Velen van de vrouwen die in andere hoedanigheden in de panden hadden gewerkt, werden naaisters, snijsters, of deden de was. Arbeid was er genoeg en niet duur, onroerend goed was er genoeg en niet duur. Binnen enkele jaren verwierf het district een nieuwe naam.

Tegenwoordig heb je meer dan 2000 groothandels in kleding en 4000 detailhandels in het gebied. Het geldt als hét centrum aan de Westkust voor het fabriceren van kleding en de groothandel in mode. Men heeft er eigen merken, eigen beroemde ontwerpers, eigen modeshows. En terwijl de bedrijfstak in de rest van het land krimpt, groeit die in LA doordat er nog steeds goedkoop onroerend goed beschikbaar is evenals goedkope, vaak illegale arbeid. Een paar sokken nodig? Die hebben ze. Rubber laarzen? Zonder meer. Wil je grote maten, geen probleem, en hetzelfde geldt voor kleine maatjes, en elke maat daartussenin. En als je een bepaald pak wilt, iets waarvan je niet wilt dat je vrienden, je buren of je collega's het weten, nou, dat kun je ook nog steeds krijgen.

***

Het Centrum Speelgoed District. Twaalf straten met pret, pret, pret. Felle kleuren, harde geluiden, flikkerende lichten. Dit deel van dit stad zou geen beschrijving behoeven. Stel je een enorme speelgoedwinkel voor. Stel je voor dat er soms auto's door de gangen rijden. Zo nu en dan is er misschien een achtervolging door de politie of een beroving. Dat is het Speelgoed District van Los Angeles.

***

Het enige stuk van het centrum van Los Angeles dat echt aan de kern van een belangrijk stedelijk gebied doet denken is Bunker Hill. Het is, geografisch, het hoogste punt van het centrum van Los Angeles. Het staat ook vol met wolkenkrabbers, die je op een heldere dag van tachtig kilometer ver kunt zien. Het is er druk, de trottoirs zijn vol, op elke stoeprand staan auto's geparkeerd. Het is lawaaierig en vuil, maar niet weerzinwekkend. Er zijn vierentwintig uur per dag mensen wakker.

Oorspronkelijk, laat in de negentiende eeuw, werd het opgezet als een deftige woonwijk. Indertijd zat je net boven de belangrijkste buurten met kantoren en banken van Los Angeles, en aan de voet van de heuvel stroomde de Los Angeles Rivier. Er werden victoriaanse herenhuizen gebouwd en verkocht aan rijke zakenlieden en hun gezinnen, en een privétreintje reed de heuvel op en af. Toen er immigranten in de stad begonnen te verschijnen, en het tramsysteem reizen naar de stad gemakkelijker en gerieflijker maakte, verruilden veel bewoners Bunker Hill voor Pasadena, Beverly Hills en Bel-Air. Aan het eind van de Eerste Wereldoorlog waren de meeste herenhuizen omgebouwd tot panden met appartementen. Toen de bedrijven uit het gebied begonnen weg te gaan, werden de panden met appartementen logementen. In de jaren dertig, toen de ring van snelwegen, autowegen en interstatelijke wegen die het centrum van Los Angeles omringen werd aangelegd, raakte de buurt afgesneden en geïsoleerd. Vele van de logementen werden onbewoonbaar. Ze werden vaak gebruikt als locaties voor horror- of misdaadfilms. Vaker speelden er zich echte horror- en misdaadtaferelen in af.

In 1955 keurde de gemeente Los Angeles het Bunker Hill Herontwikkelings

Plan goed. Alle gebouwen op Bunker Hill werden verwoest en het terrein werd geëgaliseerd. Ontwikkelaars kregen fiscale stimulansen om nieuwe gebouwen neer te zetten, en hoogtebeperkingen, waardoor de meeste gebouwen binnen de gemeentegrenzen beneden de 45 meter waren gebleven, werden opgeheven. Bijna tien jaar lang gebeurde er niets. Bunker Hill was er gewoon, een enorme hoop bruine modder, met een paar boompjes, omgeven door snelwegen, autowegen en interstatelijke wegen. Toen, zonder dat er een bijzondere reden voor was, alleen omdat iemand besloot de eerste te zijn en een paar anderen volgden, begon men er gebouwen neer te zetten, hoge gebouwen, echt hoge gebouwen, met als hoogtepunt, in 1990, de US Bank Tower, het op zeven na hoogste gebouw van de Verenigde Staten, en het hoogste gebouw ten westen van de Mississippi. Het maakte niet uit dat niemand ruimte in de gebouwen wilde huren (de leegstandscijfers behoorden en behoren tot de hoogste van het land), en het maakte niet uit dat ze pal in het midden van een actief aardbevingsgebied stonden. Ze schoten maar omhoog, het ene na het andere na het andere. In de vroege jaren nul, na het voltooien van een aantal belangrijke culturele projecten, onder meer de Walt Disney Concert Hall en het Museum van Hedendaagse Kunst, werd een aantal van de kantoorpanden omgebouwd tot wooncomplexen, en een aantal nieuwe wooncomplexen verscheen. Mede door de opkomst van het nabije Kunst District en de herontwikkeling van het Staples Center (thuisbasis van de Los Angeles Lakers) is Bunker Hill weer een aantrekkelijk adres geworden. Appartementen worden voor miljoenen dollars verkocht, en er worden in het gebied nieuwe markten, boetiekjes en gezondheidscentra geopend. Mensen verhuizen uit gebieden buiten het centrum van Los Angeles, terug het centrum in. En nu, nadat men vijftig jaar op vooruitgang heeft gewacht, en men alles heeft gedaan om die aan te moedigen, denkt de gemeente aan maatregelen om de vooruitgang, via de sociale woningwet, af te remmen, door te eisen dat een percentage van alle nieuwe huizenprojecten beneden de marktprijzen wordt verkocht aan bewoners van de stad met een laag inkomen. Als dat nieuwe plan werkt, wordt de vooruitgang misschien genoeg afgeremd om straks Bunker Hill opnieuw te moeten egaliseren.

∗∗

Ooo de glorie van de spoorwegen, o de glorie. Ze verschenen en reden met rotzooi rond en ze heersten over de rails en ze heersten over het land en ze kwijnden weg. Zolang het duurde was het glorieus, uiterst glorieus. Maar zoals aan alle dingen en alle mensen, kwam er een eind aan. En toen het gebeurde, in de late jaren veertig, nadat transport over de weg en door de lucht goedkoop en gemakkelijk was geworden, bleven de spoorweggebouwen, eens gebruikt om de vele producten die de spoorwegen vervoerden in op te slaan, leeg achter. Overal in Amerika lege panden. Ook in Los Angeles.
Vele van deze lege panden (eens gevuld met spoorwegglorie), stonden bij elkaar tussen Alameda Street en de Los Angeles Rivier (nu een enorm kanaal

van beton vooral gebruikt voor dragraces en het dumpen van lijken). In de jaren zeventig stuitten kunstenaars, die vaak grote ruimtes nodig hebben om te kunnen werken en die bijna altijd berooid zijn, op de panden die grote open ruimtes op zolder hadden, en ze trokken erin. In de vroege jaren tachtig merkte de gemeente het gebied en de panden erin aan als een Artist-in-Residence-Gebied, wat inhield dat je je om er te kunnen wonen moest aanmelden en aantonen dat je op enig gebied actief was in de kunst. Het AIR-Gebied werd een gemeenschap die in de eigen behoefte voorzag. Je had er een avondwinkel, een café, een paar bars. De omliggende straten waren gevaarlijk, vol kale stukken grond en lege panden in gebruik bij drugsdealers, drugsverslaafden en prostituees. Het was een eiland van verfijning in een stedelijke woestenij. Kunstenaars die een afkeer hadden van de commercie van de amusementsindustrie voelden zich er op hun gemak, kunstenaars zonder geld voelden zich er op hun gemak, kunstenaars die tussen andere kunstenaars wilden wonen voelden zich er op hun gemak.

Maar aan alle goede dingen komt een eind, vaak een treurig onstuimig ongelukkig eind. De oorzaak voor zo'n einde kun je gewoonlijk tot een van deze drie dingen terugbrengen: geld, ziekte, verloren liefde. Kunstenaars hebben altijd een ongemakkelijke verhouding gehad met geld. Ze hebben het nodig, maar hebben vaak een afkeer van wie het bezitten. Zolang er geld en kunst en mensen zijn geld aan kunst willen uitgeven zijn geweest, werden oorspronkelijk door kunstenaars opgezette gemeenschappen overspoeld door mensen met geld die van hun levensstijl willen proeven, ondanks het feit dat de realiteit van de levensstijl van kunstenaars veel harder, eenzamer en saaier is dan je je voor kunt stellen. Toen de rest van het centrum veiliger en aanvaardbaarder werd en het stadsherstel vorderde, werd het AIR-Gebied aantrekkelijker voor mensen om in te wonen. Net als in de rest van het centrum werden de beperkende maatregelen in de AIR aangepast of afgeschaft om de ontwikkeling te bevorderen. In 2001 werd het Southern California Institute of Architecture (SCI-arc), een avant-garde architectuurschool waaraan enkelen van de belangrijkste architecten in het land zijn opgeleid, verplaatst naar het Kunstenaars District, men betrok een oud, gerenoveerd pakhuis. Daarop volgde een aantal projecten voor woningen, ook in oude pakhuizen. De kunstenaars, voornamelijk huurders, bleken niet in staat hun huren op te brengen, en begonnen weg te trekken. Galerieën, die aanvankelijk om dezelfde redenen in het gebied waren gevestigd als de kunstenaars, verenigden zich en openden Gallery Row, waarmee verzamelaars meer gebaat zijn dan de kunstenaars zelf. De oorspronkelijke markt ging dicht, de bars gingen dicht, ze werden vervangen door duurdere versies of ketens. Alles waaraan de kunstenaars probeerden te ontsnappen kwam bij hun voordeur. En dus zijn ze verhuisd, of gaan ze verhuizen.

***

Het Juwelen District. Met z'n negen straten is het kleiner dan het Speelgoed District en het Mode District. Maar jongens nog aan toe, wat fonkelt het er. Het is, wat verkoopcijfers betreft, het grootste juwelendistrict in de Verenigde Staten, met elk jaar transacties voor meer dan drie miljard dollar. Het district telt meer dan 3000 groothandels in juwelen, ze handelen vooral in diamanten, en er zijn genoeg bewapende bewakers in het gebied om een leger mee te vormen. Zoals het Speelgoed District lijkt het op één enorme juwelierszaak met auto's door de gangen en zo nu en dan een autoachtervolging door de politie. Anders dan in het Speelgoed District zijn er geen berovingen. Men houdt de rovers ook voor juwelendieven en ze worden zonder waarschuwing neergeschoten.

**

Je kunt het eten van anderhalve kilometer afstand ruiken: knapperige Pekingeend en Generaal Tso's kip, spareribs van de barbecue, gebakken rijst met alles erbij. Chow mein-noedels en geroosterd varken en gehakte biefstuk congee, gebakken biefstuk chow fun en moo goo gai pan en bonenpuree à la Szechuan. De geur drijft kilometers van de stomende keukens vandaan, alles in het spoor ervan wordt erdoor overweldigd. Sommigen vinden de lucht afschuwelijk en ziekmakend. Voor anderen is het als de zang van een sirene, ze worden naar een buurt vol culinaire verrukkingen gelokt. Het gaat inderdaad over Chinatown.

Chinatown is de oudste etnische buurt in de stad (al kun je verdedigen dat de hele stad een reeks etnische buurten is en altijd geweest is, verbonden door een overheid en een politiemacht). Ergens in de late jaren veertig of vroege jaren vijftig van de negentiende eeuw begonnen mensen uit China die meewerkten aan de bouw van spoorlijnen en wegen zich in Los Angels te vestigen. In 1865 was Chinatown een toevluchtsoord geworden voor de werklieden en hun gezinnen. In 1870 waren er een paar honderd bewoners. In 1871 leidde een bendeoorlog tussen rivaliserende Chinese bendes ertoe dat een blanke man in het kruisvuur van een vuurgevecht belandde en om het leven kwam, zijn vrouwelijke metgezel raakte gewond. Vijfhonderd blanke herrieschoppers gingen naar Chinatown om wraak te nemen en 20 Chinese mannen werden vermoord. Ze verwoestten ook de hoofdstraat van Chinatown, Calle de Los Negros geheten (het was oorspronkelijk een Afro-Amerikaanse buurt) en staken de winkels daar in brand, ze hingen de lijken van drie Chinezen aan palen in andere delen van de stad om andere etnische groepen te waarschuwen voor de gevolgen als je blanke mannen en vrouwen wat aandeed. Chinatown werd herbouwd en begon op te bloeien, met een paar duizend nieuwe bewoners, en men gaf in de stad de toon aan als het ging om wasgoed en gokken. In 1882 werd de Chinezen Zijn Uitgesloten Wet aangenomen, die het onmogelijk maakte dat vreemdelingen of Amerikanen van Chinese afkomst onroerend goed konden bezitten, en de grond waarop Chinatown stond werd eigendom van het gemeentebestuur, dat het aan projectontwikkelaars en particuliere grondbezitters verkocht. Desondanks bleef Chinatown groeien. Een grote bloei was er tussen 1885 en 1910, veroorzaakt door zowel de legale als de illegale economie. De bevolking steeg tot bijna 10.000, en men ging volledig in de eigen behoeften voorzien. In 1913 liepen de huurcontracten van velen van de Chinese bedrijvenbezitters op hun zaken en woningen af, en toen de verhuurders weigerden ze te vernieuwen, gingen ze en masse weg. De landeigenaren verkochten het onroerend goed aan spoorwegmaatschappijen (o de glorie!) die de meeste panden sloopten. De panden die niet aan de spoorwegen werden verkocht werden aan de gemeente verkocht, die ze ook sloopte (ze houden van bulldozers in het gemeentehuis), en er Union Station bouwde. De meeste Chinezen verspreidden zich over omliggende gemeentes zoals Monterey Park en San Gabriel, of gingen helemaal weg uit de stad. Degenen die bleven woonden in een gemeenschap die letterlijk en figuurlijk was verwoest. Chinatown was teruggebracht tot een paar straten met restaurants, één enkele boeddhistische tempel, en een winkel die vliegers en speelgoeddraken verkocht.

In de jaren dertig begon een plaatselijke Chinees, Peter SooHoo geheten, met voorstellen voor een nieuw Chinatown en daarvoor lobbyde hij. Hij ontwikkelde plannen voor een buurt die gebouwd zou worden in de stijl van klassieke Chinese architectuur met moderne Amerikaanse trekken, er zouden scholen komen, markten, tempels, restaurants, een grote poort om bezoekers te verwelkomen, allemaal rond een centrale promenade gebouwd. In 1937 werd een gebied uitgekozen, een paar straten van Old Chinatown vandaan, en de grond werd aangekocht met fondsen die helemaal door de Chinese gemeenschap bijeen waren gebracht. In 1938 ging het stuk van New Chinatown dat al klaar was open. Binnen een jaar liepen er tienduizenden bezoekers door de poort.

New Chinatown werd ouder, en werd Chinatown toen het niet meer nieuw was. De afgelopen zeventig jaar is het op dezelfde plaats gebleven, met min of meer dezelfde grenzen. Er mag een restaurant dichtgaan, maar dan gaat er altijd een nieuw restaurant open, er mag een winkel verhuizen, maar die verhuist naar vlakbij. De poorten zijn er nog, de promenade is er nog, er is een gedenkteken voor de Chinese mannen die in 1871 werden vermoord. Het is een stabiele gemeenschap, verschillende generaties oud, en deze keer gaat die niet meer weg. En je kunt het eten ruiken, het geweldige eten, mu shu varkensvlees, voorjaarsrolletjes, vis maw dikke soep, peultjes met knoflook van anderhalve kilometer afstand.

***

Civic Center is een gebied aan de noordkant van het centrum van Los Angeles waar zich de meeste overheids- en bestuurskantoren van de gemeente Los Angeles bevinden. Je hebt er het gemeentehuis, het Parker Center (het hoofdbureau van de politie van LA) is er, de gerechtsgebouwen van gemeente, provincie, staat en land zijn er, je hebt er de Hall of Records, de Kenneth

Hahn Hall of Administration, waar zich de niet uitvoerende instellingen van de gemeentelijke bureaucratie bevinden. Niemand, volstrekt niemand heeft eigenlijk enig idee wat er gebeurt in deze buurt. Het is er altijd druk en bedrijvig, en je hebt er mensen die kennelijk aan het werk zijn, maar niemand weet wat ze in feite de hele dag doen, als ze iets doen. Al meer dan 200 jaar is het een mysterie.

In 1932 organiseert de gemeente Los Angeles de Olympische Zomerspelen van de tiende Olympiade. Los Angeles is de enige stad in de wereld die zich kandidaat stelt voor de spelen, en vanwege het instorten van de wereldeconomie en de Grote Depressie lieten vele landen verstek gaan.

Dylan en Maddie liggen in bed. Dylan staart naar het plafond, Maddie heeft haar hoofd op zijn borst. Dylan zegt iets.
Ik wacht nog steeds tot je zegt dat je een grapje maakt.
Gaat niet gebeuren.
Wat gaan we nu doen?
Betere ouders worden dan onze ouders waren.
We zijn jong. Misschien wel te jong.
Mijn mam kreeg me toen ze zestien was.
Dat bedoel ik nu.
Ik zal nooit worden zoals zij.
Jij wordt een geweldige moeder. Zonder meer. Ik maak me alleen zorgen.
Waarover?
Geld, de toekomst, hoe gaan we dit aanpakken, geld, de toekomst.
Zij lacht.
We redden het wel.
Er komt geen mazzeltje meer.
Ik neem wel een baan.
Wie zal dan voor de baby zorgen?
We verzinnen wel wat.
Ik heb liever dat je thuis bent.
Dan blijf ik thuis.
Maar we kunnen het niet betalen.
Wat wil je dan?
Ik weet het niet.
Ik laat het niet weghalen.
Dat zeg ik ook niet.
We kunnen het wel aan, Dylan.
Ik wil er alleen over nadenken.
Ik wil er niet over nadenken.
Toe nou.

In 1933 worden door een brand in de Santa Monica Canyon veertig huizen verwoest en komen zestig mensen om, en bij een aardbeving in San Gabriel worden dertig huizen verwoest en komen vijftien mensen om. In 1934 worden door een brand in de Mandeville Canyon twintig huizen verwoest en komen tien brandweerlieden om, en bij een aardbeving in Long Beach worden zeventig gebouwen verwoest en komen honderdvijftig mensen om. In 1935 komen door een overstroming in San Fernando twintig mensen om. In 1936 komen door een modderlawine in Eagle Rock veertig mensen om.

Amberton en Kevin op Ambertons bed het is midden in de namiddag. Amberton zegt iets.
Hou je van me?
Dat meen je toch niet?
Hou je van me?
Je meent het wel.
Ik wil weten of je van me houdt.
Nee.
Hou je ervan bij me te zijn?
Nee.
Hou je ervan de liefde met me te bedrijven?
Nee.
Maar je houdt toch wel van mijn lichaam?
Nee.
Mijn gezicht?
Nee.
Mijn haar?
Nee.
Waarom ben je hier?
Je liet me geen keus.
Er is altijd een keus.
Ik onderhoud mijn vriendin, mijn moeder, mijn oom en tante, zes nichten en neven.
Ik zal ze voor je onderhouden.
Ik wil dat je uit hun buurt blijft.
Je bent geil wanneer je boos bent.
Ben je klaar?
Nee.
Wanneer ben je wel klaar?
Ik begin nog maar net.

In 1935 stuurt de politie van Los Angeles, in opdracht van de burgemeester, een bataljon politiemensen naar de grens met Nevada om lifters, vooral met de Mexicaanse nationaliteit, te beletten de staat Californië in te gaan. Ze keren na vier dagen terug en vertellen dat ze niet in staat waren de immigratie-stroom te stoppen.

Het is laat en het is donker Oudje Joe en Lelijkerd Tom zitten achter een auto gehurkt. Oudje Joe zegt iets.

Daar heb je ze.

Wat doen ze?

Waar lijkt het op?

Op high worden.

Dat doen ze inderdaad.

Wat gaan wij doen?

Hen in de gaten houden.

En dan?

Hen langer in de gaten houden. Hun gewoontes leren kennen.

En dan?

De strijd aangaan.

Het zijn slechte kerels. Wil je dit echt?

Het zijn slechte kerels, maar ik ben godverdomme Oudje Joe.

Dat bedoel ik nou.

Ze zijn zwaar, zwaar in de problemen.

Je bent godverdomme gek.

Kijk naar het meisje.

Ze ziet er niet al te best uit.

Twee zwarte ogen.

Dat kun je van hieruit zien?

Ik zag haar eerder op de dag.

Ze weet waarmee je bezig bent?

Nee.

Misschien wil ze niet dat je dit doet.

Ze weet nu eenmaal niet beter.

Zelfs als dat zo is, wil ze misschien niet dat je dit doet.

Ik doe het niet voor haar.

Voor wie dan wel?

Voor mezelf.

In 1937 wordt er grond gekocht door de gemeente Los Angeles en men begint met de bouw van wat Los Angeles International Airport zal worden, ook bekend als LAX.

Esperanza en Doug op het ledikant in de kelder. Esperanza zegt iets.

Nee.

Mijn ma komt pas over drie of vier uur thuis.

Daar heeft het niets mee te maken.

Wat is er dan?

Ik ben bang.

Waarom?

Gewoon bang.

Waarom?

Je zult me niet meer leuk vinden.

Dat is onzin.

Je weet niets.

Ik weet alles wat ik moet weten.

Dat doe je niet.

Wel.

Het is eerder gebeurd. Mannen dachten dat ze me leuk vonden. En toen keken ze verder.

Ik denk niks, ik weet het al.

Je weet het niet.

Wat kan er nu zo erg zijn?

Ik wil er niet over praten.

Ik ben ook niet volmaakt, weet je. Ik ben nogal dik en ik word kaal en ik ben verschrikkelijk op feestjes en ik gedraag me meestal als een kind van twaalf.

Dat vind ik zo leuk aan jou.

En ik vind jouw onvolmaaktheden leuk. Stuk voor stuk.

Je kent ze nog niet allemaal.

In feite vind ik waarschijnlijk wat volgens jou onvolmaaktheden zijn volmaakt.

Zoals?

Je hebt een moedervlek in je nek. Die vind ik mooi. Je handen zijn ruw door het werken, maar vrouwen die werken zijn sexy. En je dijen. Jij vindt ze waarschijnlijk te groot. Ik vind ze het mooiste wat ik ooit heb gezien. Ze waren na je ogen en je verlegen glimlachje het eerste wat me opviel. Ze zijn geweldig. Ze wiegen helemaal.

In 1939 staat Los Angeles, al wonen er maar in drie steden in de Verenigde Staten meer mensen, van de belangrijke stedelijke gebieden in Amerika elf-de als het gaat om autoverkopen, en veertiende als het gaat om benzineverbruik.

Niet alle feiten zijn grappig. Sommige wel, sommige zijn echt godverdomd grappig, maar niet allemaal. **Aflevering 1 van Niet Zo Grappige Feiten Los Angeles.**

Los Angeles is de meest vervuilde stad van de Verenigde Staten van Amerika.

Er worden elk jaar ongeveer 6000 misdaden tegen bejaarden gepleegd, elk jaar speelt bij 1000 misdaden discriminatie een rol, er zijn elk jaar 60.000 gevallen van huiselijk geweld, waarbij in 10.000 van de gevallen wapens worden gebruikt.

Vaak spoelt er rioolwater en medisch afval aan op de stranden van Venice, Santa Monica, de Pacific Palisades en Malibu.

De stortplaats van de provincie Los Angeles krijgt elke dag ongeveer 18.000 ton vuilnis binnen.

Je hebt in Los Angeles meer opslagbedrijven dan in enige andere Amerikaanse provincie. Men biedt bijna 4 miljoen vierkante meter opslagruimte aan in meer dan 1500 bedrijven.

Je hebt meer dan 12.000 mensen in de gemeente Los Angeles die hun baan omschrijven als *inner van rekeningen*.

Er zijn meer dan 60.000 mensen werkzaam in de pornografie.

Er zijn omstreeks 7500 mensen werkzaam in de landbouw (verbaasd waarschijnlijk dat er iemand in deze sector werkt).

Vijftienduizend leerlingen per jaar verlaten voortijdig de middelbare school in de provincie Los Angeles.

Je hebt 240 striptenten in de provincie Los Angeles (kun je ook onder grappig rangschikken).

Het 24ste tot en met 39ste kiesdistrict voor het Congres van de Verenigde Staten bevinden zich in de provincie Los Angeles.

Zevenhonderdduizend mensen per jaar in Los Angeles ontvangen voedselbonnen.

Meer dan 1,6 miljoen mensen leven beneden de armoedegrens.

Omstreeks 2,7 miljoen mensen hebben geen ziektekostenverzekering.

Er overlijden vijfenzeventigduizend mensen per jaar in Los Angeles (echt niet grappig). Hart- en vaatziekten zijn de belangrijkste doodsoorzaak, kanker de tweede.

Negenentwintig cent van elke dollar belastinggeld wordt besteed aan het handhaven van de wet. Vijftien cent van elke dollar belastinggeld wordt besteed aan riolering en zuivering van het afvalwater. Acht cent van elke binnengehaalde dollar belastinggeld wordt besteed aan wegonderhoud. Anderhalve cent van elke dollar belastinggeld wordt besteed aan onderwijs.

Elk jaar worden honderdvijfentwintigduizend dieren in beslag genomen. 95.000 laat men inslapen.

Negentigduizend mensen raken gewond bij auto-ongelukken.

Vierhonderdvijfentwintigduizend mensen per jaar lopen een seksueel overdraagbare ziekte op.

Er zijn 750.000 alcoholisten en drugsverslaafden.

Er zijn elk jaar ongeveer 1500 zelfmoorden.

Gemiddeld zitten er per dag in alle gevangenissen van de provincie Los Angeles 33.000 mensen.

Er worden elk jaar ongeveer 150.000 arrestaties verricht.

53 procent van alle middelbare scholieren in Los Angeles heeft marihuana gerookt (FOUT, FOUT, FOUT. MOET WORDEN GERANGSCHIKT ONDER GRAPPIG OF ECHT GRAPPIG OF ECHT ECHT ECHT GRAPPIG).

In 1937 wordt een bomaanslag gepleegd op het huis van Clifford Clinton, een belangrijke criticus van Frank Shaw, burgemeester van LA. Harry Raymond, een onderzoeker die Clintons beschuldigingen over corruptie op het bureau van de burgemeester nagaat, krijgt met een bomaanslag op zijn auto te maken. Beide mannen overleven het, maar raken ernstig gewond. Politiemensen uit LA bekennen later de bomaanslagen te hebben uitgevoerd op last van de burgemeester.

Hij kust haar lippen haar nek glijdt met z'n handen door haar haar naar beneden over haar rug langs haar zij zijn handen tillen haar blouse op, haar blouse op. Hij klungelt zij lacht hij geneert zich tilt haar blouse op hij klungelt zij trekt hem zijn shirt uit kust zijn nek zijn borst zij neemt zijn handen in haar hand kust die ze kust zijn handen.

Ze zijn in zijn kamer. Zijn moeder is weg. Ze is een vriendin gaan bezoeken in Palm Springs die op een golfbaan woont en lid is van een tennisclub en die een kok heeft en een dienstmeisje en vier tuinmannen allemaal Mexicanen. Ze is een uur na het ontbijt vertrokken, Doug vertrok meteen na het ontbijt, hij ging naar een stripboekenzaak en bracht twee uur door in de hoek met nieuwe uitgaven en kwam terug toen hij zeker wist dat zijn moeder weg was. Esperanza wist niet dat hij terug zou komen. Ze was een ladekast aan het afstoffen wilde de vensterbanken af gaan nemen toen hij naar binnen liep met een boeket rozen, volmaakt bloeiende dieprode rozen, dauw op de bloembladen, volmaakt rood. Hij gaf ze aan haar en ze glimlachte en liep naar hem toe en sloeg haar armen om hem heen en begon hem te kussen en hij liet de bloemen vallen en ze kusten, kusten en hij trok zich terug en hij glimlachte en hij zei iets.

We hebben twee dagen.

Ze glimlachte, zei iets.

Weet je 't zeker?

Ja.

Wat wil je doen?

Wat wil jij doen?

Beantwoord mijn vraag niet met een vraag.

We kunnen doen of dit ons huis is. Doen alsof we hier wonen.

Jij woont hier.

Ik bedoel dat we hier als een stel leven.

Ik kan 's nachts niet blijven.

Dan doen we overdag of we hier wonen.

Als je moeder thuiskomt en het huis niet schoon is wordt ze woest op me.

Ik zal iemand inhuren om het huis te doen.

Ze kennen de routine niet.

Ben je bang?

Ja.

Ik zal je geen pijn doen.

Weet ik.

Je hoeft niet bang te zijn.

Toch ben ik het.

Wil je iets weten?

Wat?

Ik ben ook bang. Ik ben echt bang.

Je hoeft niet bang te zijn.

Ik heb een lekkere meid en ze vindt me echt leuk. Ik wil het niet verprutsen.

Ik ben geen lekkere meid.

Zeker wel.

Nee.

Jawel, en nu moet ik iets bedenken om het niet te verprutsen.

Je gaat het niet verprutsen.

Ze kuste hem weer het was een lange diepe kus, zijn handen begonnen langs haar rug te glijden, de zijdes van haar lichaam, ze waren allebei onbeholpen, onervaren, onzeker. Hij trok zich terug, glimlachte, zei iets.

Wil je ergens anders heen?

De kelder.

We hebben een maand lang in de kelder gevreeën.

Het is veilig.

Laten we naar mijn kamer gaan.

Waarom?

Het is mijn kamer. We hebben er een bed.

Als ik stop zeg moet je me beloven dat je ook stopt.

Dat beloof ik.

Ze kuste hem weer trok zich terug raapte de bloemen op. Hij nam haar hand en leidde haar naar zijn kamer. Ze ging naar de badkamer vulde de wastafel met lauw water en zette de rozenstengels in het water, de bloemen staken eruit. Ze liep terug zijn kamer in en hij friemelde aan de cd-speler. Hij draaide zich om en glimlachte en zei iets.

Wat voor muziek vind je mooi?

Ik vind traditionele Mexicaanse muziek mooi en ik vind lichte hits mooi.

Ik hou van lichte hits. En ook van metal, echt hard, echt stevig en echt heavy.

Zij glimlachte.

Lichte hits, alsjeblieft.

Ik speel de metal later wel.

Zij lachte en hij zette James Taylor op en ze liep naar hem toe en ze vielen op het bed neer, ze vielen neer. Ze kusten, hun tanden botsten, ze friemelden aan elkaars blouses. Ze rolden onhandig over de stapels lakens en dekens, zij bovenop, hij bovenop, zij weer. Ze zette zijn bril af liet die op de vloer vallen. Hij maakte de knoopjes van haar uniform los ze hield hem tegen toen hij probeerde het uit te trekken. Hij stak zijn handen uit naar de haakjes van haar bh zij hield hem tegen. Hij knorde wanneer hij haar kuste hij was zenuwachtig, angstig. Zij verlangde naar hem maar kon zichzelf niet laten gaan ze aarzelde tussen hem overheersen en schroom. Hij kuste haar nek zij duwde hem weg één spoor en ze zou haar baan verliezen. Zij kuste zijn nek toen ze wilde ophouden trok hij haar terug en zei meer, meer. Ze bleven kussen, de randen van hun lippen schuurden hij liet zijn handen naar boven over haar benen glijden zij hield hem tegen. Kussen. Hij probeerde nog eens zij hield hem nog eens tegen. Kussen. Ze houdt hem nog eens tegen. Een uur lang zijn ze aan het kussen. Hij probeert het nog eens, ze houdt hem tegen, trekt zich terug, zegt iets.

Nee.

Waarom?

Daarom.

Ik vind ze prachtig.

Nee.

Alsjeblieft.

Ik zal niet hoger gaan.

Nee.

Hij beweegt naar de rand van het bed, zet z'n voeten op de vloer.

Kom hier.

Waarom?

Hij steekt zijn handen naar haar uit.

Kom hier.

Ze neemt zijn hand, beweegt naar de rand van het bed, gaat naast hem zitten. Hij stapt van het bed af en gaat op z'n knieën voor haar zitten. Haar grijze jurk hangt op haar knieën ze heeft haar zwarte sokken aan hij kijkt in haar ogen diepbruin en hij legt zijn handen op haar enkels. Hij glimlacht, zegt iets.

Ze zijn mooi.

Ze glimlacht. Hij beweegt zijn handen omhoog naar haar kuiten, zegt iets.

Erg mooi.

Ze glimlacht weer hij beweegt zijn handen naar haar knieën, z'n vingers rond de voorkant, z'n duimen in de holte achter, hij zegt iets.

Prachtige knieën.

Ze blijft glimlachen. Hij wrijft over de achterkant van haar knieën en kietelt haar en zegt iets.

Echt prachtig.

Ze lacht, hij kijkt haar nog steeds in de ogen.

Dit is het soort knieën die een man kunnen ruïneren.

O ja?

Zonder meer.

Hij beweegt zijn handen omhoog.

En dit.

Omhoog.

Dit zijn de allermooiste onderdijen ter wereld.

Hij glimlacht ogen gesloten.

Ongelooflijk.

Zij is bang, zijn handen erop, eromheen.

Ongelooflijk.

Ze staren naar elkaar zij legt haar handen boven op zijn handen. Ze zijn net onder haar roklijn op het punt waar haar vlees uitbarst, waar haar dijen vorm beginnen te krijgen. Hun handen samen hun ogen gesloten. Zij is bang. Hij zegt iets.

Je kunt me vertrouwen.
Weet ik.
Ik ga je geen pijn doen.
Weet ik.
Ik vind ze prachtig.
Weet ik.
In elkaars ogen. Hun handen beginnen langzaam omhoog te bewegen. Hij glimlacht, zij haalt diep adem, een zenuwachtige beschroomde glimlach. Jurk begint omhoog te komen, vlees onthult zichzelf. In elkaars ogen handen die langzaam bewegen, gaan waar niemand voordien gegaan is, waar ze nooit iemand heen heeft láten gaan. In dit huis in Pasadena. Een rijke blanke man uit een vooraanstaande familie op z'n knieën voor een Mexicaans-Amerikaans meisje uit de lagere middenklasse dat doet alsof ze een immigrante is zodat ze de bus kan nemen om het huis van z'n moeder schoon te houden. Haar handen op zijn handen. Ze staren in elkaars ogen. Hij glimlacht en zij haalt diep, diep adem, zij haalt adem. De jurk komt omhoog het vlees vertoont zichzelf de huid is lichter dan de huid op haar handen, armen, voeten, lichter dan de huid van haar gezicht. Hij spreidt zijn vingers erover duwt ze erin, hij glimlacht en zij haalt diep adem, hij zegt iets.
Je bent schitterend.
Ze glimlacht.
Zij zijn schitterend.
Handen die naar boven bewegen, vlees in.
Jij bent de geweldigste allerschitterendste vrouw die ik ooit heb ontmoet.
Ze staren in elkaars ogen.
Ik hou van jou.
Ze glimlacht.
Ik hou van jou en van hen en ik hou ervan je te kussen en ik hou ervan je vast te houden en ik hou van onze uren samen, het is de beste tijd van mijn leven geweest.
Handen die naar boven bewegen jurk die omhoog komt ontbloot ze glimlacht en haalt diep adem helemaal bloot ze glimlacht en ze zegt iets.
Ik hou ook van jou.
Hun handen bij elkaar.
Ik hou ook van jou.
Waar niemand, niemand, hun handen, haar vlees, niemand, staren, glimlachen. Als hij op wil staan, gaat de deur achter hem open. Ze kijken elkaar niet meer aan hij draait zich om zijn moeder staat daar ze houdt haar handtas in de ene hand de andere is leeg. Ze zegt iets.
Jij smerige Mexicaanse hoer.
Hij zegt iets.
Wat doe je hier, mam?
Ze stapt naar voren.
Wat doe *jij* hier, Doug? Dat is de echte vraag nietwaar? WAT DOE JE HIER MET DEZE SMERIGE KLEINE MEXICAANSE HOER.

Doug draait zich om, in de richting van zijn moeder. Esperanza staat snel op strijkt haar rok naar beneden. Mevrouw Campbell stapt naar voren.

Jij kutwijf.

Bedaar, mam.

Ze stapt naar voren.

Jij klein kutwijf hoe durf je aan mijn zoon te zitten.

Ze stapt naar voren en voor Doug kan reageren geeft mevrouw Campbell Esperanza een klap. Doug probeert tussenbeide te komen en ze geeft weer een klap en krabt met haar nagels over Esperanza's gezicht. Esperanza deinst terug, mevrouw Campbell begint te schreeuwen.

HOER. HOER. HOER.

Ze slaat haar weer, Doug probeert haar weg te trekken, ze ontglipt hem.

SMERIGE HOER.

Slaat haar weer.

MEXICAANS STUK STINKHOER.

Esperanza stort in en begint te snikken. Doug grijpt z'n moeder bij de schouders.

HOE DURF JE, JIJ KLEINE HEKS.

Doug trekt z'n moeder weg, ze trapt naar Esperanza, die snikt en heeft zich tot een balletje opgerold, schreeuwt naar haar.

JIJ SMERIGE MEXICAANSE SLET.

Esperanza ziet haar kans schoon en rent naar de deur.

IK ZOU JE MOETEN TERUGSTUREN NAAR JE MODDERHUT JIJ HOER.

Rent.

HOER, HOER, HOER.

Rent.

Het huis door ze snikt naar de kelder ze snikt het huis uit ze snikt ze kan mevrouw Campbell horen schreeuwen.

Rent.

In 1941 is het tweede grootschalige watertransportproject van de provincie Los Angeles, het 400 kilometer lange Colorado Aquaduct, voltooid. Het voert water aan uit het Havasumeer in Arizona door de Mojavewoestijn Zuid-Californië in, en de aanvoercapaciteit is bijna vierhonderd miljoen liter per dag. Het vervangt het Los Angeles Aquaduct als de belangrijkste wateraanvoer voor de gemeente en de provincie Los Angeles.

Oudje Joe op het strand met Lelijkerd Tom, Al uit Denver, Vier Teen Tito en twee andere mannen, Fruitdrank, die onder de luifel van een fruitdrankhokje slaapt, en Citroendrank die, als een onwankelbare optimist, vaak het gezegde gebruikt – Citroendrank van citroenen maken. Al zijn vuren niet toegestaan op het strand, ze zitten rond een vuurtje dat ze stoken van uit vuilcontainers bij elkaar gescharreld afval en hout, een paar warmen blikjes eten boven het vuur. Drinken en slapen zijn ook niet toegestaan op het strand, ze drinken allemaal en een paar zullen later op het zand slapen, heel waarschijnlijk naast het vuur, met alcohol in de hand.

Ze houden Krijgsberaad. Joe heeft hen allemaal benaderd vroeg hun om hem te helpen Beatrice te helpen. Aanvankelijk wilde niemand hem helpen, behalve Citroendrank, die zei ja natuurlijk, Joe, ik sta klaar om je te helpen zo succesvol te zijn als je maar wilt. Om hen over te halen heeft Joe hun allemaal gratis eten en zuipen aangeboden, hij heeft geen idee hoe hij dat gaat betalen. Op dit moment maakt hij zich meer zorgen over zijn plan, dat hij probeert aan hen uit te leggen. Hij zegt iets.

We zullen wapens meenemen, flessen of stukken hout, en we zullen een paar deksels van vuilnisbakken stelen om als schilden te gebruiken...

Al uit Denver valt hem in de rede.

Schilden?

Joe antwoordt.

Ja.

Al zegt iets.

Het zijn de Middeleeuwen niet.

Joe zegt iets.

Je hoeft er geen te dragen, goed?

Al antwoordt.

Goed.

Citroendrank zegt iets.

Ik vind schilden prachtig, Joe. Ik zal er een dragen.

Vier Teen zegt iets.

Ik ook.

Fruitdrank.

Ik ben nummer drie.

Lelijkerd Tom.

Ik zal er een dragen als ik meer drank krijg.

Joe haalt eens diep adem.

Op Al na krijgt iedereen een schild. Zijn we eenmaal gewapend, dan nemen we wat modder om onszelf te camoufleren.

Al.

Je kunt de pot op.

Citroendrank.

Vind camoufleren prachtig.

Joe.

Niemand hoeft het te doen als je niet wilt, maar de operatie zal zo effectiever zijn.

Lelijkerd Tom.

Oké.

Fruitdrank.

Ook oké.

Joe.

Dan zullen we ons in drie groepen van twee verdelen. Een groep zal langs de rand van het strand lopen, een over de promenade, een door de steeg.

Citroendrank.

Ik zou graag bij jou in de groep zitten, Joe.

Joe.

Klinkt goed.

Fruitdrank.

En ik dan, Citroendrank?

Citroendrank.

Er zijn andere mogelijkheden, allemaal schitterende mogelijkheden.

Lelijkerd Tom.

Ik zal met jou meegaan, Fruitdrank.

Vier Teen.

Zo te horen blijven jij en ik over, Al.

Al.

Godverdomme.

We hebben dus de groepen. We sluipen daarheen. Als iemand dat tuig ziet, fluit je.

Al.

Zou niet weten hoe.

Tito.

Ik wel.

Fruitdrank.

Ik ben bang van gefluit.

Citroendrank.

Hoe kun je bang zijn van gefluit?

Fruitdrank.

Iets uit m'n kindertijd. Wil er niet over praten.

Oudje Joe.

Maak maar geluid, fluiten, een schreeuw misschien, iets. Als iemand geluid maakt, gaan de andere groepen naar hen toe. Wanneer we bij elkaar zijn, omsingelen we het drietal en grijpen we het meisje.

Al uit Denver.

En wat doen we dan met haar?

Joe.

Zorgen dat ze wordt geholpen.

Vier Teen.

En als ze nu terugvechten?

Joe.

Daarom hebben we wapens en schilden.

Lelijkerd Tom.

Die wil ik eigenlijk niet gebruiken.

Joe.

Misschien moeten we wel.

Citroendrank.

Ik voorzie een gemakkelijke overwinning. Net zoiets als het *Bang maken en ontzag inboezemen*-verhaal dat de President afstak.

Fruitdrank.

Ik dek jullie van achter. Voor het geval een van hen langs jullie heen loopt en probeert weg te komen.

Joe.

Het zijn bluffers. Bluffers druipen altijd af wanneer ze oog in oog met je staan. We moeten gewoon samen blijven, als een team optreden.

Lelijkerd Tom.

Teamwork.

Al.

Teamwork.

Vier Teen.

Teamwork.

Fruitdrank.

Teamwork.

Citroendrank.

Vind teamwork prachtig.

Joe.

Laten we gaan.

Ze staan op Joe trapt het vuur uit. Ze lopen naar Speedway beginnen naar wapens te zoeken ze lopen heen en weer over de voetgangersstraten op zoek naar vuilnisbakdeksels. Ze ontmoeten elkaar bij Joes toilet ze zijn allemaal gewapend. Ze lopen naar de grasstrook die langs de promenade loopt vinden een palmboom met een kleine moddercirkel eronder. Ze smeren de modder op hun nekken, gezichten, armen, ze zijn *gecamoufleerd*! Joe bekijkt iedereen nog eens, verzekert zich ervan dat iedereen klaar is, zegt iets.

Tijd voor de slag.

Citroendrank juicht.

JOEHOE!!!

Joe.

Laten we ons verdelen en beginnen over de promenade te lopen. Ze hangen meestal in het gras bij het parkeerterrein aan het eind van Rose rond, maar ik heb ze ook gezien in de steeg achter het Sunshine Café en ik heb ze zien slapen op het zand.

Fruitdrank.
Ik ben zenuwachtig.
Joe.
Dat zijn we allemaal.
Lelijkerd Tom.
En als ze niet bij elkaar zijn?
Joe.
Ze zijn altijd bij elkaar.
Al uit Denver.
En als het meisje niet bij hen is?
Joe.
Ze is altijd bij hen.
Vier Teen Tito.
Als ze drank hebben kunnen we die pakken?
Joe.
Als er een fles chablis is, neem ik die.
Ze lachen allemaal. Joe zegt iets.
Laten we gaan.
Ze verdelen zich Citroendrank en Oudje Joe, Lelijkerd Tom en Fruitdrank,
Al uit Denver en Vier Teen Tito en ze beginnen noordwaarts te lopen naar
Joes vijanden te lopen. Citroendrank en Joe nemen de promenade, Lelijkerd
Tom en Fruitdrank nemen het strand, en Al en Tito nemen Speedway Steeg.
Als ze weggaan, neemt Citroendrank Joe bij de arm, kijkt hem aan, zegt iets.
Ik vind dit zoiets moois, Joe. Het is net zoiets als John Wayne zou doen. En
het wordt een enorm succes. Dat weet ik gewoon.
Joe zegt iets.
Dank je, Citroen.
Omhels me, man. Ik wil een grote omhelzing.
Joe lacht, ze omhelzen elkaar, Citroendrank geeft Joe een schouderklop, ze
laten elkaar los, ze beginnen langzaam over de promenade te lopen. Afgezien van andere dakloze mannen en vrouwen, die bijna allemaal slapen, en
de paar die niet slapen zijn dronken, is de promenade verlaten. Aan de kant
van het strand zijn er straatlantarens die brede bogen geel tl-licht werpen, de
meeste winkels, restaurants en stalletjes langs de kant van de steeg zijn donker, al brandt bij enkele van de betere buitenverlichting. De promenade zelf
is een lang grijs stuk stil en onbeweeglijk mooi volkomen stil als een brede
grijze lijn die zich in eindeloos zwart uitstrekt. Joe en Citroendrank blijven
aan de kant van de steeg, ze snellen zo vlug als ze kunnen van het ene donkere stuk naar het andere. Joe gaat voorop en Citroendrank blijft vlak achter
hem. Ze zeggen niets, ze dragen allebei gebroken stukken lat met onaangenaam scherpe uiteinden en gedeukte metalen deksels van vuilnisbakken. Ze
kijken allebei nauwlettend uit naar het meisje en het drietal ze zien een rat
in een gebouw verdwijnen, een opossum die uit een afvalcontainer eet, stille
vogels die slapen in een nest op een palmtak, een rondlopende zwerfhond,
een kat die slaapt op de stoep van een behandelingscentrum, een paartje op

het strand ze zijn niet dakloos ze slapen niet. Als ze het stukje gras naderen waar volgens Joe het meisje en het drietal zullen zijn bewegen ze langzamer, voorzichtiger, ze blijven langer in de duisternis. Ze gaan naar een klein parkeerterrein ingeklemd tussen twee T-shirtwinkels ze gaan naast een verroeste kampeerauto zitten. Ze kijken in de richting van het grasveld, waar ze schaduwen zien bewegen, stemmen. Citroendrank zegt iets.

Zijn ze dat?

Joe zegt iets.

Ik kan het niet zeggen.

Volgens mij zijn ze het.

Kan best.

Ze lopen weg wanneer ze ons zien.

Dat betwijfel ik.

Ik zou weglopen als ik ons zag.

Het zijn smeerlappen.

We redden het meisje en zorgen dat ze wat hulp krijgt. Het zal een sprookje lijken dat zich afspeelt op het strand in Californië. We zullen haar mooie schoenen bezorgen.

Joe grinnikt zachtjes, houdt de schaduwen in de gaten. Ze komen in het licht het zijn ze absoluut drie mannen met capuchons en het meisjes ze hebben allemaal flessen in de ene hand sigaretten in de andere. Joe kijkt naar Citroendrank, zegt iets.

Je had gelijk.

Citroendrank glimlacht, zegt iets.

Het wordt een prachtige nacht.

Kun je fluiten?

Als een trein.

Joe grinnikt weer.

Laat maar horen. Maar niet te hard.

Het wordt perfect.

Citroendrank stopt z'n vingers in z'n mond blaast erdoorheen en een hoog, krassend geluid doorbreekt de nacht. Het meisje en het drietal stoppen onmiddellijk en keren zich in de richting van Joe en Citroendrank die achter de auto hurken en op hun vrienden wachten. Vrijwel meteen horen ze Lelijkerd Tom en Fruitdrank gillen en schreeuwen. Ze wenden zich in de richting van het lawaai, net als het meisje en het drietal doen, en ze zien Tom en Fruitdrank door het zand rennen, hun stokken in de ene hand, schilden in de andere. Joe kijkt naar hen en naar Citroendrank, zegt iets.

Met het verrassingselement is het gedaan.

Citroendrank zegt iets.

Dat hebben we niet nodig.

Dat zullen we vast merken.

Het gaat helemaal lukken.

Ze staan op en beginnen naar het meisje en het drietal te lopen die zien nu vier mannen met stokken en schilden op zich af komen. De grootste van hen kijkt in Joes richting, zegt iets.

Wie zijn jullie godverdomme?

Joe zegt iets.

We zijn hier voor Beatrice.

De man lacht.

Beatrice?

Joe.

Ja.

Ze heeft je gezegd dat haar naam Beatrice was?

Is dat dan niet zo?

Man lacht weer.

Nee, dat is niet zo.

De andere twee lachen, het meisje glimlacht. Lelijkerd Tom, Fruitdrank, Citroendrank en Joe staan in een halve cirkel om hen heen, ze hebben allemaal hun stokken opgeheven. Joe kijkt naar het meisje.

Hoe heet je?

Ze schudt haar hoofd.

Het doet er niet toe.

Zeker wel. Hoe heet je?

Ga weg, Oudje.

Joe staart naar haar.

Je hebt hulp nodig. We willen je helpen.

Ga weg.

Joe staart naar haar, zij kijkt naar de grond en het drietal lacht honend. De grootste van hen stapt naar voren.

Nu jullie weten dat jullie niet gewenst zijn, is het tijd dat jullie oprotten stommelingen.

Joe staart naar haar, ze weigert hem aan te kijken. Citroendrank stapt naar voren.

Jongeman, deze dame is duidelijk overstuur. Ik durf te wedden dat ze zich niet uit vrije wil zo gedraagt. We zijn hier gekomen om haar bij jullie weg te halen en een betere plek voor haar te vinden. We gaan niet weg eer we dat doel hebben bereikt.

Donder godverdomme op. Dat wijf is van mij ik mag met haar doen wat ik wil, en dat blijft godverdomme zo.

Joe staart naar haar, zij kijkt naar de grond.

We nemen haar mee.

Verrek maar.

Citroendrank begint naar voren te lopen, de grootste trekt een pistool uit z'n riem. Citroendrank stopt. De grootste zegt iets.

Je gaat geen rottigheid uithalen, klootzak.

Citroendrank loopt terug. Lelijkerd Tom en Fruitdrank draaien zich onmiddellijk om en beginnen te rennen.

Jullie doen het al voor ik het vraag.

De andere twee lachen, Citroendrank en Joe beginnen achteruit te lopen, Joe zegt iets.

We gaan.
Hij heft het wapen.
We gaan.
Spant de haan.
Laten we gaan, Citroen.

Joe en Citroendrank laten hun stokken en schilden vallen en draaien zich om en beginnen weg te rennen. Terwijl Joe wegrent draait hij zich om hij ziet het geheven wapen het wordt gericht. Hij schreeuwt naar Citroendrank ze zijn op weg naar het terrein waar ze zich schuilhielden hij draait zich om wapen geheven, gericht, hij hoort het schot iets als een slag, een knal, een kleine ontploffing. Hij ziet de achterkant van Citroendranks schedel verdwijnen. Hij ziet hem vallen, met z'n gezicht naar beneden. Hij stopt hij is buiten adem, begint weer te rennen, kijkt op, de grootste rent in zijn richting z'n wapen geheven. Joe draait zich om en blijft rennen hij heeft het lichaam van een oude man een heel oude man hij blijft rennen het terrein op het terrein over de zijkant van een gebouw om hij stopt, kijkt om. Citroendrank ligt met z'n gezicht naar beneden op de rand van de promenade. Een straatlantaren flikkert erboven en werpt een gele boog over de onderste helft van zijn lichaam. De achterkant van zijn schedel is weg een plas bloed begint langzaam naar het zand, de zee de stromen. De grootste van hen staat met een wapen over Citroendrank gebogen. De andere twee en het meisje lopen naar hem toe. Het wapen wordt afgevuurd het lichaam schokt het wapen wordt afgevuurd het lichaam schokt. Al dood dus maakt het geen sodemieter uit.

Het wapen wordt afgevuurd het lichaam schokt.

Nog eens.
Nog eens.
Nog eens.

Tijdens de Tweede Wereldoorlog zetten wapen- en vliegtuigfabrieken grootschalige productielijnen in de provincie Los Angeles op om vliegtuigen, oorlogsschepen, wapens en munitie te vervaardigen die dienen voor de oorlog tegen Japan aan het Stille Oceaanfront. Aan het eind van de oorlog is de provincie Los Angeles de allergrootste producent van wapens en vliegtuigen ter wereld.

Amberton, Casey en de kinderen zijn in Malibu. Amberton heeft een van z'n stemmingen, een donkere stemming, een zwarte stemming, een godverdomd diepzwarte stemming. Hun personeel, nanny's voor de kinderen, een chef, twee persoonlijke assistenten, twee huishoudsters, is bij hen. Wanneer Amberton een van z'n stemmingen heeft, vertelt hij het via een briefje aan z'n assistent, en de assistent vertelt het de rest van het personeel, die volgen wat *Ambertons stemmingsregels* heten: probeer niet in één kamer te zijn met Amberton, als je in één kamer met hem bent ga zo snel mogelijk weg, kijk niet naar hem, als je toevallig naar hem kijkt kijk hem absoluut niet aan, praat niet tegen hem, als hij tegen jou praat, kijk naar de grond en geef zo snel en efficiënt mogelijk antwoord, wat je ook hoort of ziet, bel niet de politie, de brandweer of de ambulance. De stemming kan een dag duren of een maand duren. Er is vaak geen peil op te trekken wanneer de stemming komt, en er is vaak geen peil op te trekken wanneer de stemming gaat. De stemming komt en gaat, blijf godverdomme uit de buurt ervan.

Maar déze stemming, deze thermonucleaire mix van verdrietige, verontwaardigde, verwarde gevoelens werd veroorzaakt doordat Kevin weer eens weigerde Amberton te ontmoeten of met hem te spreken. Aan het eind van hun laatste ontmoeting, drie weken geleden achter in een gepantserde suv waarin Amberton een proefrit maakte, beëindigde Kevin hun verhouding, in zijn ogen tenminste, door een naakte en bibberende Amberton, die net had voorgesteld om donzige dierenpakken te gaan dragen en in die pakken een weekend rollenspelletjes te doen, te vertellen dat hij genoeg had van Amberton en van – zoals hij het noemde – diens dolgedraaide smerigheid. Amberton meende dat hij een grapje maakte, en dat hij een flits van opwinding in Kevins ogen zag toen hij de pakken noemde. Kevin stapte zo vlug als hij kon de suv uit en jogde, al droeg hij een kostuum en een stropdas, met gezwinde pas weg.

Sindsdien is er geen contact geweest, ondanks tussen de dertig en vijftig telefoontjes per dag, een aantal bezoeken aan Kevins kantoor (hij deed z'n deur dicht en op slot en wachtte tot Amberton verdween, één keer moest hij op kantoor slapen en in een frisdrankfles piesen) en het bezorgen van bloemen, bonbons, dure kostuums en een sportauto (die allemaal terugkwamen) bij Kevin thuis. Aanvankelijk dacht Amberton dat Kevin weer moeilijk-te-krijgen speelde, maar na de nachtelijke patstelling bij z'n kantoor besefte hij dat moeilijk-te-krijgen nooit-meer-te-krijgen was geworden. Hij bracht een dag door met kuren hij kreeg een massage, een gezichtsbehandeling, werd gewreven met stenen, gepedicuurd, gemanicuurd, op verschillende manieren geschoren, getrimd, gewaxt, het hielp niet. Hij bracht een dag door met drie duurbetaalde tiener escortboys, het hielp niet. Hij bracht een deel van een dag door met winkelen en kocht voor een paar honderdduizend dollar kleding, juwelen en kunst het hielp niet. De stemming begon, de stemming is gebleven. Nadat hij in hun tuin in een boom was geklommen en zes uur lang weigerde naar beneden te komen, stelde Casey voor dat ze naar het strand zouden gaan, waar je geen bomen hebt om in te klimmen.

Omdat hij beroofd was van een paar van zijn minder gebruikelijke uitlaatkleppen voor het uiten van zijn stemming, heeft Amberton zich gewend aan een routine waarbij lichaamsoefening en eten, het kleuren van z'n haar en dingen kapot smijten een rol spelen. Wanneer hij wakker wordt, gaat hij twee uur naar hun eigen sportzaaltje en doet hij oefeningen met een privé-trainer. Wanneer hij klaar is, neemt hij een gigantisch ontbijt, vervolgens dwingt hij zichzelf dat uit te braken door z'n vingers in z'n keel te steken. Na het overgeven en tandenpoetsen laat hij z'n stilist komen en z'n haarkleur aanpassen, die heeft hij de afgelopen week elke dag veranderd, soms drastisch door zijn hele hoofd een andere kleur te geven, en soms subtieler met lichtere stukken en strepen. Wanneer z'n haar klaar is loopt hij het huis door, het personeel raakt erdoor in paniek en ontvlucht elke kamer die hij binnengaat, en hij pakt zomaar iets op, een vaas, een televisie, een tafeltje, een stereo om ze kapot te smijten, gewoonlijk door ze zo hard als hij kan op de vloer te gooien (een van de assistenten vervangt het voorwerp onmiddellijk nadat het kapot is gesmeten). Na het smijtwerk komt z'n trainer terug en hij doet weer oefeningen, eet weer, geeft weer over.

Vandaag wordt zijn routine verstoord door een bezoek van zijn agent Gordon, een advocaat van het bureau, en nog een advocaat die voor Amberton werkt. Ze komen voor de lunch, die door de kok wordt bereid (ahi met een korstje van sesam met uni sashimi en zeewiersalade). Na zijn ochtendlijke oefeningen ontbijt en overgeven, heeft Amberton de stilist zijn haar gitzwart laten schilderen (ernstig, voor de gelegenheid, heel ernstig), en hij is een uur bezig met het kiezen van z'n korte broek en een t-shirt (strak of los, geribbeld of niet, met dichte hals of v-hals, zonder mouwen of korte mouwen), en hij kiest voor een zwarte, geplooide korte broek en een strak, zwart, geribbeld t-shirt met korte mouwen. Hij zit bij het zwembad als Gordon en de advocaten aankomen, ze dragen allemaal zwarte kostuums, roomkleurige overhemden en glanzende zijden stropdassen. Hij staat op schudt iedereen de hand zegt dag, ze gaan zitten, hij zegt iets.

Wat is er aan de hand?

Gordon.

Hoe gaat het met Casey en de kinderen?

Geen idee, ik heb ze een week of zo niet gezien.

De advocaat van het bureau, die Daniel heet, zegt iets.

Zijn ze hier niet?

Ik heb een stemming. Wanneer ik in een stemming ben, mijden ze me.

Ambertons advocaat, die David heet, zegt iets.

Zo'n erge stemming?

Ja, zo een, David. Een erge stemming. Een diepe, deprimerende, door en door ongelukkige stemming waarin ik stomme dingen doe en mezelf laat gaan,

eenvoudig omdat ik daar rijk genoeg voor ben. Zo'n stemming is het weer.
Gordon.
Kunnen we op een of andere manier helpen?
Amberton.
Door me te vertellen waarom jullie hier zijn, je eten vlug op te eten, en me
dan aan mijn zelfvernietiging over te laten.
Gordon kijkt naar de twee advocaten, die allebei naar hem knikken. Hij kijkt
weer naar Amberton, zegt iets.
Ik had vanmorgen een vervelende ontmoeting.
Amberton.
Met wie?
Gordon.
Met Kevin.
Amberton.
Is hij hierover even erg in de war als ik?
Gordon.
Hoezo?
Amberton.
Wanneer je iemand verlaat van wie je houdt, doet dat pijn. Ik weet dat ik pijn
heb, dus ik neem aan hij ook.
Gordon kijkt naar de advocaten, die er allebei zorgelijk uitzien. Gordon zegt
iets.
Dat was niet helemaal wat hij zei.
Amberton.
Wat zei hij?
Gordon.
Dat je jezelf aan hem opdrong en hem lastigviel.
Amberton kijkt geschrokken, echt en oprecht geschrokken.
Zo is het niet gegaan.
Daniel zegt iets.
Je erkent dat je een relatie met hem had?
David zegt iets.
Dit is allemaal off the record, dus technisch gesproken erkent hij niets.
Daniel zegt iets.
Akkoord.
Amberton.
We werden verliefd. Seksueel en emotioneel gaven we aan die liefde toe. Vol-
gens mij is hij niet zo gemakkelijk en open over zijn seksualiteit als ik met
die van mij ben, daarom beëindigde hij de relatie. Het was iets moois, zoiets
als de allergezondste kleurrijk bloeiende bloem, zolang het duurde, het was
zoiets als een bloem uit de hemel. Nu is het of er een bom in mijn hart is afge-
gaan. Waarschijnlijk word ik nooit meer de oude.
Gordon.
Ik wil je niet beledigen, Amberton, maar volgens mij heeft Kevin een andere
interpretatie van wat er tussen jullie gaande was.

Amberton.

Dat geloof ik niet. Volgens mij is dat zelfs uitgesloten.

Gordon kijkt naar Daniel en knikt, Daniel maakt een tas open en haalt er een bandrecorder uit. Hij zet die op tafel. Gordon zegt iets.

We werden gistermiddag gebeld door een advocaat die Kevin vertegenwoordigt, die is weggegaan op kantoor met al z'n dossiers. We hebben vanmorgen een ontmoeting met ze gehad. Kevin had naast andere zaken, veel andere zaken, deze opname van een voorval dat plaats had toen jullie tweeën samen waren.

Hij knikt weer naar Daniel, Daniel drukt op play, je kunt de stemmen van Kevin en Amberton duidelijk horen, al klinken ze een beetje hol en er is wat geruis.

Amberton: Ik wil het nu meteen.

Kevin: Nee.

Amberton: Je kunt geen nee tegen me zeggen.

Kevin: Dit is fout.

Amberton: Wat er fout is, is dat je me onthoudt wat ik wil.

Kevin: Alsjeblieft.

Amberton. Nu meteen. Zoals ik het fijn vindt.

Kevin: En als ik het niet doe?

Amberton: Dan pleeg ik een paar telefoontjes. Je raakt je baan kwijt, je moeder raakt haar huis kwijt, en de toekomst vervliegt.

Kevin: Dat zou jij niet doen.

Amberton: Ik hou van je, Kevin.

Kevin: Zeg dat alsjeblieft niet.

Amberton: Ik hou van je Kevin. Zorg alsjeblieft dat ik je geen pijn hoef te doen.

Daniel zet de bandrecorder af. David schudt het hoofd. Gordon staart naar zijn onaangeroerde, maar prachtige ahi in een sesamkorstje. Amberton zegt iets.

Ongelooflijk wat er tegenwoordig allemaal kan met technologie.

Daniel.

Neem me niet kwalijk?

Amberton.

Het is duidelijk een vervalsing.

Gordon.

Volgens mij niet, Amberton.

Amberton.

Dat was ik niet.

David.

Laten we hier geen spelletjes spelen, Amberton.

Amberton.

Het enige spelletje dat hier wordt gespeeld is het afpersingsspelletje.

Gordon.

Doe ons dit alsjeblieft niet weer aan, Amberton. Alsjeblieft.

Amberton.

Ik doe niks.

Gordon.

Het is in het verleden te vaak gebeurd. We moeten je toestemming hebben om het te kunnen oplossen.

Amberton.

Laat me met hem praten.

Daniel en David gelijktijdig.

Nee.

Amberton.

Alsjeblieft, dit is gewoon een misverstand.

Daniel en David gelijktijdig.

Nee.

Amberton.

Alsjeblieft.

Gordon.

Hij vraagt tien miljoen dollar, Amberton. We denken dat we hem naar acht kunnen krijgen. Ik hoef niet te zeggen dat als iets van wat hij heeft in de openbaarheid komt, je carrière zwaar geschaad zal worden.

Amberton.

Het maakt me niet meer uit. Ik ben bereid het allemaal op te geven.

Daniel.

Als hij begint, volgen er vast een paar van de anderen.

David.

Die zijn allemaal aan handen en voeten gebonden door de schikkingsafspraken.

Daniel.

Degenen die jou bekend zijn.

David.

Ja, degenen die mij bekend zijn.

Gordon.

Amberton, wat denk je ervan?

Amberton schudt zijn hoofd, veegt een traantje weg. Gordon zegt iets.

Wil je dat ik Casey haal zodat we kunnen horen hoe zij over de kwestie denkt?

Amberton.

Nee.

Gordon.

Geef je ons toestemming om met hem te praten, om te proberen dit te regelen?

Amberton.

Ik wil hem zien.

Daniel en David gelijktijdig.

Nee.
Amberton veegt tranen weg.
Ik wil hem zien.

In 1943 is er een grootschalige rel in Oost-Los Angeles als militairen uit plaatselijke bases van leger, marine en mariniers het gebied overstromen om te zoeken naar Mexicaanse mannen die zogeheten *zoot suits* dragen. Men nam aan dat de rellen begonnen toen een man in een zoot suit naar de zuster van een marinier floot toen ze door een straat liep. Enkele honderden Mexicaanse mannen belanden in het ziekenhuis, en drie worden er vermoord. Twee dagen na het einde van de rellen neemt de gemeenteraad van Los Angeles een motie aan waarin zoot suits binnen de gemeentegrenzen van Los Angeles worden verboden.

Dylan en Maddie wachten op regen. Een week, twee, drie wachten ze op regen en die komt nooit. Het weer is altijd eender: zonnig, omstreeks vijfentwintig graden, een milde bries, dag na dag is het weer eender, ze wachten op regen en die komt nooit. Dylan vraagt Shaka om een ochtend vrij, Shaka zegt dat hij het aan Rotzak Dan moet vragen, Dylan vraagt het aan Rotzak Dan die zegt dat hij het aan Shaka moet vragen. Dylan vraagt het weer aan Shaka, Shaka vraagt hem waarom Dylan zegt dat hij met Maddie naar een dokter moet Shaka zegt goed.

Ze nemen een taxi Maddie wil niet meer op het brommertje rijden. Ze zien het gebouw, een onopvallend gepleisterd kantoorgebouw met twee lagen, van een straat verderop zien ze dat er demonstranten op de stoeprand staan. Maddie kijkt naar Dylan ze is heel bang vraagt hem de taxichauffeur te zeggen dat hij door moet rijden hij zegt nee, we moeten gaan, ze zegt alsjeblieft, hij zegt nee, we moeten gaan. Ze rijden de stoeprand op. Demonstranten met borden omsingelen de auto op de borden staan afbeeldingen van dode bebloede baby's, afbeeldingen van artsen met schietschijven om hen heen, afbeeldingen van Christus de Almachtige, ze schreeuwen de woorden moordenaar, killer, dood, God, straf. De taxichauffeur keert zich om, zegt iets.

Jullie weten zeker dat jullie er hier uit willen?

De demonstranten omsingelen de auto, schreeuwen tegen het glas, houden hun borden voor Maddies ogen. Dylan zegt iets.

Ja.

De demonstranten schreeuwen.

Het kost twaalf vijftig.

Maddie neemt Dylan bij de hand. Hij zoekt z'n geld met de andere hand geeft het aan de chauffeur, zegt iets.

Kunt u op ons wachten?

De borden dode baby's schietschijven Christus.

Nee.

Een onopvallend gepleisterd gebouw met twee lagen Maddie zegt iets.

Ik wil er niet heen, Dylan.

Hij steekt zijn hand naar de deur uit.

We moeten wel.

Maakt die open. Het geschreeuw wordt sterker, het gegil schrikbarend hard, hij stapt de auto uit houdt Maddie bij de hand ze doet haar ogen dicht houdt haar andere arm als een schild rond haar hoofd de demonstranten gaan voor hen opzij, maar schreeuwen, gillen, zwaaien met hun borden. Dylan loopt snel naar de deur die wordt geopend door een jonge vrouw hij houdt Maddie bij de hand trekt haar met zich mee loopt snel naar de deur geschreeuw. Ze lopen de deur door, die gaat achter hen dicht, het schreeuwen en gillen wordt gedempt. Maddie houdt haar arm als een schild boven haar hoofd. Haar ogen zijn nog steeds dicht. Jonge vrouw zegt iets.

Waarmee kan ik jullie van dienst zijn?

Dylan zegt iets.

We hebben een afspraak met een adviseur.

Hoe laat?

Tien uur.

De wachtkamer is aan de andere kant van de gang.

Ze loopt de gang door, Dylan begint haar te volgen en trekt Maddie met zich mee. Ze verzet zich, haalt haar arm naar beneden, zegt iets.

Ik wil het niet doen.

We gaan vandaag niets doen.

Ik ben bang.

We gaan gewoon met iemand praten.

Ik wil naar huis.

We hebben afgesproken dat we met iemand zouden praten. Dan gaan we naar huis en nemen de beslissing.

Laat me dit niet doen.

We praten gewoon.

De jonge vrouw staat stil en wacht op hen. De demonstranten schreeuwen moordenaar, killer, dood, God, straf. Maddie beeft. Dylan slaat zijn armen om haar heen, zegt iets.

Ik hou van je.

Laat me dit dan niet doen.

We redden het wel.

Alsjeblieft.

We gaan gewoon praten.

Hij kijkt naar de jonge vrouw en knikt en begint Maddie de gang door te leiden. Na een paar stappen trekt hij zich terug maar houdt wel haar hand vast de jonge vrouw laat hen plaatsnemen in een kamertje met stoelen langs de muren, tafels in de hoeken, tijdschriften op de tafels en in rekken boven de tafels. Maddie schuift met haar stoel zodat die tegen de stoel van Dylan komt leunt tegen hem grijpt zijn arm beet als ze bij hem op schoot kon zitten zou ze het doen. Er hangen posters aan de muren die veilige seks bepleiten, verantwoorde anticonceptie, adoptie, daarop vrolijke paartjes die glimlachen, lachen, elkaars handen vasthouden. Geen van hen ziet eruit of ze killers, moordenaars of zondaren werden genoemd, geen van hen ziet eruit of ze van angst beven. Maddie staart naar de vloer, Dylan kijkt afwisselend naar haar en naar de posters. Hij probeert haar gerust te stellen. Twee minuten duren vijftien uur.

Hun naam wordt geroepen ze staan op lopen naar een deur ze worden begroet door een vrouw van in de veertig eenvoudig en fris gekleed in een witte blouse en een beige rok. Ze volgen haar door een korte gang een fris kantoortje in meer posters aan de muren. Ze zit achter een fris bureau zij zitten op stoelen tegenover haar. Zij zegt iets.

Ik heet Joan.

Dylan zegt dag Maddie probeert te glimlachen Joan zegt iets.

Waarmee kan ik jullie van dienst zijn?

Dylan vertelt haar dat Maddie zwanger is. Joan vraagt of ze zeker weten dat ze zwanger is Dylan vertelt haar dat ze drie tests hebben gedaan allemaal positief. Joan vraagt of ze weten wat ze met de zwangerschap aan willen, Dylan zegt nee, daarom zijn we hier, Maddie begint te huilen. De vrouw vraagt aan Maddie waarom ze huilt ze schudt haar hoofd ze kan niet praten, Dylan vertelt de vrouw dat Maddie hier niet wil zijn, dat voor haar de enige keuze is de baby te houden. De vrouw zegt dat ze dat begrijpt, dat de beslissing ongelooflijk moeilijk is, dat ze alle mogelijkheden zouden moeten overwegen, ze serieus serieus moeten overwegen, voor ze een keuze maken. Dylan knikt. Maddie huilt. De vrouw geeft hun een paar brochures. In de brochures staat informatie over medische procedures hoe ze verlopen en waarom ze veilig zijn, over adoptie en hoe je een kind aan een ander geeft, over het kind houden, de financiële feiten, de feiten over kinderen krijgen als je erg jong bent, religieuze implicaties. De vrouw neemt de brochures met Dylan en Maddie door Dylan leest met haar mee Maddie grijpt zijn arm beet en staart naar de vloer. Wanneer ze klaar zijn belt de vrouw een taxi voor hen en loopt met hen mee via de achterdeur naar een parkeerterrein waar de taxi wacht er zijn demonstranten aan de rand van het terrein minder dan aan de voorkant maar genoeg om te worden gehoord, ze gillen, schreeuwen, zwaaien met hun borden. Terwijl de taxi langzaam langs de demonstranten rijdt duikt Maddie weg legt haar hoofd op Dylans schoot ze huilt de hele rit naar huis. Dylan probeert met haar te praten ze kan niet praten schudt enkel haar hoofd. Wanneer ze terugkomen in hun flat gaat zij naar hun slaapkamer doet de deur dicht hij probeert naar binnen te gaan om met haar te praten, haar te troosten, ze vraagt hem haar met rust te laten hij zegt laat me helpen zij zegt laat me met rust. Hij verlaat de flat koopt haar favoriete eten nacho's en taco's bij een Mexicaanse snackbar hij gaat naar een supermarkt koopt haar favoriete druivenfrisdrank en nieuwe nummers van zes roddelbladen hij gaat naar huis ze is nog steeds in hun kamer hij probeert de deur open te maken die zit op slot. Hij klopt zij zegt wat is er hij vertelt haar over het eten en de frisdrank en de bladen. Ze reageert niet. Hij eet in z'n eentje en slaapt op de bank.

Het Controle Orgaan Luchtvervuiling van Los Angeles wordt in 1946 opgericht om de oorzaak te kunnen ontdekken van de bruine wolk die boven de stad hangt en te kunnen besluiten hoe die moet worden bestreden en verspreid. In 1949, na een intense lobby door zowel de auto- als de oliefabrikanten, en tegen de aanbevelingen en standpunten van het Controle Orgaan Luchtvervuiling van Los Angeles in, wordt het openbare tramsysteem, dat ooit het grootste van de wereld was en nog steeds door een meerderheid van de bevolking van de stad wordt benut, buiten gebruik gesteld en afgebroken. Men vervangt het door een kleine vloot bussen.

Ze komen om te rocken. Ze willen lang rocken en ze willen hard rocken, ze willen de hele dag rocken en de hele godverdomde nacht rocken. Ze komen met lang vlassig haar, met hanenkammen, kaal, ze komen met schone armen, tatoeages, sporen van injectienaalden, ze komen in jeans, rolschaatsbroekjes, leer. Ze komen omdat rock in hun bloed zit en in hun gebeente, ze komen omdat ze rock eten, rock slapen, rock schijten en, het allerbelangrijkste, ze dromen van rock.

Ze noemen het Rock School, hoewel de officiële naam Academy of Popular Contemporary Music is. Het begon achter in een gitaarwinkel toen een verkoper, die ook lekker hard rockte in een plaatselijke metalband, een accountant, die binnenkwam omdat hij een Flying v Electric zocht, aanbood te leren spelen. De accountant vertelde het zijn vrienden en enkelen van hen wilden het mysterie van de rock leren kennen, zij vertelden het aan hun vrienden die óók graag wilden leren hoe ze op de juiste manier zo hard konden rocken. Hoewel de verkoper zich er aanvankelijk wat ongemakkelijk bij voelde om niet-rockburgers te leren hoe te leven en zijn levensstijl te rocken, of in elk geval te doen alsof ze zo leefden en rockten, moest hij wel omdat het niet best ging met zijn band en hij het geld goed kon gebruiken.

Een jaar later, toen hij zag dat de lessen van z'n verkoper klanten opleverden, en hij de mogelijkheid zag om meer geld te verdienen met meer leerlingen aan wie hij een gitaar kon verkopen, deed de eigenaar van de zaak de verkoper een voorstel, en ze openden, aan de overkant van de straat waar de winkel was, een officiële school, of zo officieel als iets in de wereld van de rock maar kan zijn. Het was meteen een succes en tot verrassing van beide eigenaren waren vele studenten jong, kenden ze hun rock, en wilden ze gewoon hun instrumenten leren bespelen. Ze begonnen een afdeling voor leadgitaar, voor ritmische gitaar, voor bas, voor drums en voor keyboard (soms rockt een keyboard, maar gewoonlijk niet, dus hielden ze het beperkt). Een band die op de school bijeenkwam had een hit, en bracht de invloed van de school ter sprake, er kwamen meer studenten. Een tweede band met een hit, meer studenten. Ze kochten een pand, een derde band, meer studenten, kochten er nog een, een vierde, meer studenten. In de loop van de volgende vijf jaar kochten ze nog twee panden en voegden ze theoretische vakken toe, bijvoorbeeld geschiedenis van de rock, achtergronden van rock, liedjes schrijven, lyriek, de invloed van rock op de cultuur, en ze begonnen met verschillende onderafdelingen, bijvoorbeeld voor pop metal, classic metal, death metal, classic rock, blues, R&B, en punk (al kan geen punker met zelfrespect echt op z'n instrument spelen en haten ze allemaal die godverdomde school). Er begonnen studenten uit het hele land te komen, uit de hele wereld, en ze komen nog steeds. Het enige wat ze willen doen is rocken, de hele dag en de hele nacht, in het klaslokaal, in oefenruimtes, op gangen en pleinen, bij schooluitvoeringen, op een gegeven moment in plaatselijke bars and clubs, en als ze geluk hebben en goed zijn op de radio, tv, en in stadions overal ter wereld. Rock. Lang leve de rock. De hele dag en de hele nacht, als een godverdomde orkaan. Rock.

***

Ze komen vanwege hun familie, die gewoonlijk in landbouwgebieden wonen in Korea, China, Cambodja, Thailand. Ze worden aangeworven door mannen die de gebieden afstruinen voor talent, hoe knapper hoe beter, hoe jonger hoe beter. Ze krijgen te horen dat ze werk krijgen, een plek om te wonen, dat ze geld zullen verdienen voor hun familie, dat ze een beter leven zullen krijgen, dat ze een toekomst zullen hebben.

Ze maken de oversteek in groepen van vijftien of twintig, achter in vrachtcontainers met weinig of geen licht, geen stromend water, geen elektriciteit, die via de haven van Los Angeles worden aangevoerd. Op elke reis gaan er een of twee dood, de anderen moeten met hun lijken leven. Als de containers worden geopend, worden ze in raamloze busjes gepropt en naar een raamloos pakhuis gebracht waar ze een douche krijgen en eten en kleding, meestal lingerie. Ze verzorgen hun haar en doen make-up op. Ze worden vertoond.

Er komen kopers Aziatische mannen en vrouwen van middelbare leeftijd. De kopers inspecteren hen, porren aan hen, duwen aan hen, soms nemen ze hen mee naar kamertjes met matrassen en testen ze. Ze onderhandelen over wat ze moeten kosten, alles tussen de vijfduizend en vijfentwintigduizend dollar. Ze stoppen ze in raamloze busjes. Ze brengen hen naar hun nieuwe huizen. Ze brengen hen naar wat hun Amerikaanse Droom had moeten zijn.

Ze wonen bij elkaar in één enkele kamer in onopvallende gebouwen verspreid over de stad en de provincie. Vier vijf zes soms tien jonge vrouwen in één enkele kamer de vloer is overdekt met oude matrassen. Ze delen een toilet. Ze maken noedels klaar op een kookplaatje. Ze kijken tv al begrijpen ze het meeste wat er wordt gezegd niet. Ze delen kleren en ze delen make-up en ze delen elementaire behoeften als zeep, shampoo, tandpasta. Ze blijven altijd binnen.

Er komen mannen, aangetrokken door het bord waarop Massage staat of door de rubrieksadvertenties voor volwassenen in onafhankelijke kranten en tijdschriften. Ze beginnen te komen om 8.00 's morgens en ze blijven komen tot middernacht. Niemand van hen verwacht werkelijk een massage, of als ze dat wel doen is dat maar een onderdeeltje van waar ze op uit zijn. Ze willen jonge Aziatische vrouwen die doen wat hun vrouwen niet doen, wat hun vriendinnen niet doen, wat ze elders niet kunnen krijgen. Ze betalen vijftig dollar voor een halfuur, honderd voor een uur. Ze betalen aan een man, gewoonlijk een grote, gewapende man, en ze gaan naar een kleine donkere kamer met een massagetafel. De meisjes gaan één voor één naar de kamer tot de man er een van hen uitkiest. Nadat de keuze is bepaald, gaat het meisje naar een badkamer en haalt een handdoek, wat lotion, condooms, en gaat terug naar de kamer van de man en doet de deur dicht. Wanneer ze klaar zijn, krijgt het meisje als ze het goed heeft gedaan een fooi. Ze mag de helft van de fooi zelf houden, en moet de andere helft aan het huis betalen. Wat naar het huis gaat wordt afgezet tegen de prijs waarvoor ze is aangekocht, plus 50 procent rente per week. Haar aandeel van wat ze verdient wordt gewoonlijk teruggestuurd naar haar familie. Op een goede dag kan een meisje vijftien of twintig mannen ontmoeten, op een slechte dag niet één. Als het meisje hard werkt kan ze zichzelf uiteindelijk afbetalen. Kan ze dat niet, dan wordt ze gebruikt tot ze niet langer in trek is. Ze wordt ofwel het huis uit gegooid of achtergelaten op een straathoek.

∗∗∗

Ze komen om te werken. Ze komen te voet, in trucks, met treinen, door tunnels. Ze hebben weinig of geen opleiding. Ze hebben geen geld. Velen van hen hebben familie in de streek, maar hun familieleden verkeren in dezelfde omstandigheden. Geen papieren. Geen kans op legaal werk. Geen middel om te profiteren van vele van de mogelijkheden die een land en een stad vol dromen bieden.

Ze staan ergens op straat. Ze komen bij dageraad. De zon schijnt altijd 's winters is het 24 graden, 's zomers is het 40. De straat staat vol gedeukte pick-ups, veel daarvan zijn van hen. Sommigen van hen hebben ploegen gevormd die bij bepaalde pick-ups horen, ze zitten in de auto's, zitten erop, hangen eruit. Zo'n honderd meter verderop is een bouwmarkt, tienduizend vierkante meter ontwerpen, gereedschappen en materialen. Legale burgers, van wie er velen een eigen huis bezitten, en van wie de familie ergens in het nabije of verre verleden naar dit land emigreerde, gaan de winkel in en schaffen alles aan wat ze voor hun plannen nodig hebben. Enkelen van hen voeren de plannen zelf uit. De meesten van hen niet. Ze laadden de spullen in hun auto, rijden de straat in en gaan naar de stoep.

De mannen drommen samen rond de auto's. De meesten van hen spreken geen Engels, maar kennen een paar goed gekozen woorden waardoor lijkt of ze het wel kunnen. Of ze de taal nu spreken of niet, wat de chauffeur van de auto ook nodig heeft, timmerwerk, schilderwerk, loodgieterswerk, werk in de tuin ze weten hoe het moet. Als het raampje naar beneden gaat schreeuwen ze ik werk hard, ik lever goed werk, ik werk de hele dag goedkoop, ze duwen elkaar weg, stoten tegen elkaars knieën, schoppen elkaar, vechten om de plaatsen het dichtst bij het raampje, het enige wat ze willen is werken, en ze zullen lang en hard werken, het enige wat ze willen is een dagloon. Ze proberen de aandacht van de chauffeur te trekken, en als ze die eenmaal hebben, proberen ze met onderhandelingen iets goeds voor zichzelf te bereiken hoe langer het werk duurt hoe beter, hoe hoger het uurloon hoe beter. Als ze worden uitgekozen proberen ze hun broers, vaders, neven, ooms, vrienden te laten uitkiezen. Ze stappen snel in de auto of wijzen naar de chauffeur van de pick-up waar ze bij horen als er een pick-up nodig is. Een goed loon is tien per uur een geweldig loon vijftien. Elk loon is beter dan niks. Als ze niet worden uitgekozen wachten ze. Ze zitten en ze wachten ze zullen de hele dag wachten in de hoop dat ze misschien een uurtje kunnen werken. Als de zon ondergaat gaan ze naar huis. Sommigen hebben een gezin sommigen niet sommigen slapen in hun pick-ups of auto's sommigen slapen op straat. De volgende dag komen ze bij dageraad.

***

Ze komen om te ontsnappen. De meesten zijn afkomstig uit stadjes in de Midwest, het Zuiden, het Zuidwesten. Hoewel velen van hen nog kinderen zijn, elf, twaalf, dertien, veertien, vijftien ontsnappen ze aan hun kindertijd, ontsnappen ze aan lichamelijke mishandeling, geestelijke mishandeling, seksuele mishandeling toen ze er niet meer tegen konden vluchtten ze, vluchtten ze westwaarts, vluchtten ze naar Californië, naar de lichtjes van Hollywood Boulevard.

Er zijn er honderden. Ze leven in groepen onder bruggen en viaducten. Ze slapen samen, eten samen, zorgen voor elkaar, houden van elkaar, doen elkaar pijn. De groepen hebben altijd een leider gewoonlijk een tienerjongen gewoonlijk iemand die een flinke periode op straat heeft geleefd. Overdag gaan ze naar Hollywood Boulevard, zitten naast de in het beton vastgelegde sterren, bedelen, schooien en af en toe, als ze wanhopig zijn, beroven ze de toeristen. Ze zoeken eten in afvalcontainers. Ze krijgen kleren bij hulpposten. Ze kopen en verkopen drugs. Ze kopen en verkopen zichzelf. Ze kopen en verkopen elkaar.

De meeste mensen, toeristen werknemers van plaatselijke winkels en restaurants en theaters, de politie, negeren hen. Het kan vervelend voor hen zijn naar kinderen te kijken in haveloze kleren meestal zwarte kleren vieze gezichten geklit haar met vuil overdekte vingers. De meesten zijn broodmager door het tekort aan eten en het drugsmisbruik. Als er sterfgevallen zijn proberen ze hen te identificeren en hun familie te informeren gewoonlijk worden ze van de armen begraven.

Ze blijven zo lang als ze kunnen een dag week maand sommigen blijven jaren. Sommigen gaan naar huis. Velen sterven. Enkelen gaan naar hulpposten of behandelcentra. De onfortuinlijken, al zeggen sommigen het omgekeerde, verdwijnen gewoon. Wanneer ze volwassen worden gaan ze weg het wordt moeilijker om te schooien moeilijker aardig te worden gevonden moeilijker om tussen kinderen te leven. Ze vluchten ergens heen. Al weten ze inmiddels dat je niet kunt ontsnappen, niet kunt ontsnappen.

***

Ze komen naar golven zoeken. Op fietsen met zadeltassen en te voet met rugzakken in oude pick-ups met slaapzakken in van hippies gekochte kampeerauto's. Velen groeiden op in door land omsloten staten zonder zout water ze zagen surfen op de tv of op video ze lazen bladen vol foto's van mannen met lang haar in korte broek druipnat omringd door mooie meisjes. Sommigen probeerden het op gezinsvakanties en ontdekten zichzelf anderen hebben het hun leven lang gekend. Ze vinden allemaal rust en vrede alleen op het water zijn gelukkig met de kalmte waaraan ze hun levens wijden.

Ze wonen op een kluitje bij elkaar in goedkope flats in El Segundo, Playa del Rey, in Marina en Venice. Sommigen parkeren op terreinen langs de oceaan ze verhuizen elke paar dagen sommigen wonen op kampeerterreinen in Malibu sommigen slapen op het zand. Ze nemen een baan in restaurants, bars, in surfwinkels, als taxichauffeurs, alles waardoor ze 's morgens vrij blijven als het getij hoog is en het strand leeg en ze lopen met hun planken en peddelen naar een plaats waar brekers beginnen te krullen. Sommigen hebben geen baan willen geen baan zouden liever verhongeren dan door iets te doen dat ze verachten tijd op te offeren die ze op het water hadden kunnen doorbrengen. Een paar kunnen ervan leven ze reizen de wereld over om aan wedstrijden mee te doen komen naar huis wanneer ze vrij zijn. Voor hen allemaal zijn banen enkel een middel niets meer, niets meer.

Hoeveel zijn er twee- of driehonderd misschien vijf-, misschien zeshonderd mannen en enkele vrouwen. Velen kennen elkaar en zijn aardig sommigen niet en ze vermijden elkaars stranden vermijden elkaars golven. Als je niet welkom bent breken ze je plank gaan ze over je heen in het water snijden ze je met hun kiel. Aan land zijn ze misschien vrienden roken ze samen wiet drinken bier op het water is het hunne van hen en ze zullen ervoor vechten om het te beschermen. Het is een droom hun leven geen spanning geen verwachtingen geen ambitie alleen houden van iets waarvan ze echt en innig houden iets wat hen nooit zal verlaten, hen nooit zal verloochenen. Het is zand en zout, water en golven, liefde.

***

Ze komen in naam van God. Stilletjes en onder verzonnen namen valse papieren met echte visums studenten en leraren, onderzoekers, godsdienstige mannen vol haat. Ze verachten Amerika verachten de decadentie van Los Angeles ze walgen van de overdaad, het narcisme, de verspilling. Ze willen het vernietigen. Ze willen de bewoners vermoorden.

Ze leerden hun vak in Afghanistan, Pakistan, Iran, Irak. Ze zagen hun broeders sterven in de naam en wilden hen volgen. Ze zijn getraind in dood en ellende en hoe daarvoor te zorgen ze zijn getraind in de woorden van een boek dat volgens hen rechtvaardigt wat ze doen maar dat klopt niet.

Ze kijken. Ze luisteren. Ze treffen voorbereidingen. Ze praten alleen met hun eigen mensen. Ze hebben plannen die zijn gebaseerd op wat ze zien en ze hebben de spullen om hun plannen te verwezenlijken. Sommige plannen zijn beperkt een café een restaurant een winkel die dingen verkoopt waarvan zij walgen. Sommige plannen zijn groter, scholen, winkelcentra, regeringsgebouwen, godshuizen waar ongelovigen en joden valse afgoden vereren. In sommige plannen worden hele stukken stad besmet ziekenhuizen in brand gestoken een haven vernietigd een luchthaven met de grond gelijkgemaakt. Honderdduizend mensen bij een footballwedstrijd. Driehonderdduizend bij een optocht.

Ze wonen in rustige straten in huizen die er gewoon uitzien flats zoals alle andere ze rijden in auto's die niet opvallen ze vermijden aandacht. Ze missen hun baarden maar dat is goedgekeurd. Ze missen hun gewaden maar dat is goedgekeurd. Ze missen hun broeders maar geloven dat ze hen weer zullen zien als het voorbij is. Ze wonen in rustige straten en wachten op een teken, een bericht, met elkaar verbonden woorden die hun meer zeggen zeggen dat hun tijd is gekomen. Ze wonen in rustige straten en ze wachten op hun dood en ze bidden naar het Oosten dat ze jou dan met zich mee kunnen nemen.

In 1950 wordt Richard Nixon, inwoner van Los Angeles, gekozen om de staat Californië te vertegenwoordigen in de Senaat van de Verenigde Staten.

Ze komen om te leven. Ze komen omdat de hulp die ze nodig hebben niet te krijgen is in de steden, staten of landen waar zij wonen. Krijgen ze die hulp niet, dan zullen ze misschien wel allemaal, in elk geval velen van hen sterven. Thuis vragen ze hun dokters wat ze moeten doen, waar ze heen moeten de dokters zeggen naar het westen, ga naar het westen, wie weet is dat je enige hoop, ga naar het westen.

Het is de grootste medische instelling zonder winstoogmerk aan de Westkust. Er werken 2000 artsen en 7000 man ondersteunend personeel. Het is de medische instelling met het grootste kapitaal aan de Westkust het overgrote deel van het kapitaal is afkomstig van particuliere giften. Het wordt als de beste medische instelling in de westelijke Verenigde Staten beschouwd en als een van de beste ter wereld. Het werd gesticht aan het begin van de twintigste eeuw door een rijke familie die wilde zorgen dat joden die door andere ziekenhuizen werden afgewezen medische zorg kregen. Men discrimineerde er niet dus begonnen er vanwege de kwaliteit van de zorg anderen te komen. Het groeide breidde uit verhuisde groeide verder breidde verder uit verhuisde nog eens. In de jaren zeventig verhuisde het naar een terrein van acht hectare aan de rand van Beverly Hills. Het groeide en het breidde uit en er staan nu achttien gebouwen verspreid over het terrein en er zijn plannen voor meer.

Loop door de gangen het is een van de weinige plaatsen in de stad waar ras niet telt, religie niet telt afkomst niet telt. Het kind van Poolse immigranten die in Iowa wonen krijgt chemotherapie vanwege lymfklierkanker. Een Arabische prins wordt aan z'n hart geopereerd. Een gangster uit Watts herstelt van een schotwond. Een filmster krijgt een kind. Een Japanse zakenman wordt behandeld voor een hersentumor. Een zeventigjarige Mexicaanse tuinman die geen Engels spreekt en nooit heeft gestemd of belasting heeft betaald krijgt een nieuwe heup. Een Armeniër wordt geopereerd aan nierstenen, een Rus wordt aan z'n ogen geopereerd, een jood uit Syrië krijgt een nieuw hart. Niet geld of het binnenhalen van een gift is hier het belangrijkste het gaat om gezondheid en zorg en herstel om diensten bieden waardoor de wereld een aangenamer oord wordt. Bij een vrouw van 315 kilo uit Arizona die tien jaar niet heeft gelopen wordt de maag verkleind. Een brandwondenslachtoffer van vier jaar uit Oakland ondergaat een reeks huidtransplantaties. Een tienermeisje krijgt reconstructieve chirurgie aan haar gezicht na geraakt te zijn door een dronken chauffeur. Leven is hier het belangrijkste.

***

Ze komen voor onderwijs aan de vijfenzeventig hogescholen en universiteiten van Los Angeles. Velen van hen worden aangetrokken door de gedachte aan een zonnig klimaat. Velen komen omdat ze denken dat ze hun vrije tijd zullen doorbrengen tussen filmsterren en artiesten die platen maken en dat zij terwijl ze studeren het leven kunnen leiden dat ze op tv en in bladen zien. Velen komen omdat sommige van de instellingen de beste van het land zijn, de beste van de wereld. Velen komen eenvoudigweg omdat ze worden toegelaten.

Er zijn ongeveer 1,2 miljoen studenten in de provincie Los Angeles. 8 procent van hen is neger, 20 procent latino, 13 procent is Aziaat, 12 procent komt van buiten de Verenigde Staten en 45 procent van de studenten die een opleiding beginnen haalt een of andere graad. De grootste instellingen zijn University of California Los Angeles, met 37.000 studenten, en California State University Long Beach, met 31.000 studenten. Op Hebrew Union College zitten 57 studenten, op de Rand School of Policy 60. Een heeft een budget van 800.000 dollar per jaar. Een ander heeft een budget van 1,7 miljard. Er zijn tien juridische faculteiten in Los Angeles, twee medische faculteiten, twee faculteiten voor tandheelkunde, en dertien priesteropleidingen. Aan zesenvijftig instellingen kun je een onderwijsbevoegdheid halen. Twee bieden een graad in voortgezette theoretische astrofysica. De afdelingen aan de instellingen bestrijken meer dan 600 andere onderwerpen, onder meer de productie van ahornstroop, homomuziekwetenschap, Hitlerkunde, dansen van de Peloponnesus, de fallus, niet-gewelddadig terrorismekunde, zonnepsychologie, droomfiascotherapie en het bedenken en maken van soaps.

Wanneer ze klaar zijn, als ze ooit slagen, gaat een aantal van de studenten terug naar de andere 50 staten en 190 landen waar ze vandaan kwamen. 60 procent van hen blijft evenwel in Los Angeles. Ze zijn werkzaam in elk soort baan dat beschikbaar is, op elk gebied, maar minder dan 3 procent van alle afgestudeerde studenten aan alle instellingen van Los Angeles is op hun specifieke vakgebied werkzaam. Ze sluiten zich aan bij 7 miljoen andere arbeidskrachten met een universitaire graad, op één plaats in de wereld na hebben nergens zo veel werknemers een universitaire opleiding.

***

Ze komen om te neuken, zuigen, likken en kreunen. Ze komen voor enkelvoudige penetratie, dubbele penetratie, driedubbele penetratie. Ze komen voor bondage, sm, groepsseks. Ze komen voor interraciaal, anaal, latex, poolside, snowballing, bodystocking, creampie en piledriving. Sommigen van hen genieten er echt van, allemaal verwachten ze ervoor te worden betaald. Ze gaan naar de San Fernando Vallei, ook bekend als Porno Vallei, of Siliconen Vallei, waar 95 procent van alle Amerikaanse pornografie wordt geproduceerd. Al zijn betrouwbare cijfers moeilijk te vinden of te controleren, men schat dat in deze bedrijfstak jaarlijks tussen de $ 10 en 14 miljard wordt omgezet.

Het is een bedrijfstak die op de rug van vrouwen drijft, of liever gezegd op vrouwen die op hun rug liggen, of die staan, zitten, voorovergebogen, benen omhoog, benen gekromd, het gezicht naar beneden, soms op schommels, soms in kooien. Hoewel mannen er een noodzakelijk onderdeel van zijn, zijn het niet de mannen die het geld in het laatje brengen. Makers van porno hebben meisjes nodig, jonge geile frisse meisjes, meisjes die bereid zijn alles te doen wat ze vragen zo vaak als ze dat vragen met wie ze maar naar voren schuiven en dat voor de camera te doen zodat mensen over de hele wereld het kunnen zien, gewoonlijk op video of via internet. Er is geen gebrek aan meisjes in Los Angeles. Er is geen gebrek aan meisjes die tegen betaling bereid zijn seks te hebben voor de camera. Hoewel er scouts zijn die de straten van de stad afstruinen naar talent, en potentieel talent vaak benaderen met de simpele woorden – hoeveel zou 't me kosten je voor een film te mogen neuken – komen er elk jaar duizenden meisjes, en vrouwen, naar LA in de hoop aan porno mee te kunnen doen. Het zijn vrouwen van alle leeftijden (ja, er is fetisjisme waarbij je kijkt naar oudere vrouwen die seks hebben), alle maten (ja, er is fetisjisme dat met zwaarlijvige vrouwen te maken heeft), alle rassen. Ze zijn tot vrijwel alles bereid om maar een ster te worden. En ja, pornosterren kunnen even beroemd zijn als hun minder vrijzinnige tegenhangers in de traditionele amusementsindustrie. Een pornomeisje met een merknaam kan met films, sessies voor tijdschriften, een eigen website waarop je je moet abonneren en persoonlijk aanbevolen producten als dildo's vibrators en sekspoppen miljoenen en miljoenen dollars per jaar verdienen. Ze hebben toegewijde fans, fanclubs die hen bij elke stap intens volgen, in concessie gemaakt films met vele vervolgdelen (en vele orgasmen!!!). Sommigen hebben televisieshows op de kabel, een enkeling rolde in een loopbaan met niet-pornografische film en televisie.

Maar voor de meesten is er geen roem, geen fortuin, geen nog-lang-en-gelukkig. Er is dag in dag uit niets anders dan geestloze, zinloze, liefdeloze seks. Ze pakken alles aan wat er op hun weg komt of wat hun agenten (ja, er zijn ook talentenbureaus die alleen werken voor pornomeisjes) voor hen kunnen vinden. Ze worden geopereerd om hun lichamen te verbeteren of te veranderen (je hebt ook plastisch chirurgen bij wie de hele praktijk bestaat uit ingrepen voor de porno-industrie). Ze verdienen genoeg om hun rekeningen te betalen maar het is geen vetpot, en zij die niet genoeg verdienen werken vaak bij in die andere seks-voor-geld-industrie. Alcoholisme is algemeen, drugsverslaving grijpt om zich heen. Hoewel hiv heel weinig voorkomt, en de meeste pornoproducenten hiv-testen eisen voor ze opnames gaan maken, lopen velen van de vrouwen andere door seks overdraagbare ziektes op zoals herpes, chlamydia, hepatitis, menselijk papillomavirus (genitale wratten), bacteriële vaginitis. De tijd om succesvol te worden is, bepaalde fetisjismes uitgezonderd, erg kort, en de meeste meisjes die komen worden na hun 25ste verjaardag niet langer als begerenswaardig beschouwd. Sommigen gaan naar huis, en hopen dat niemand die ze kennen iets van hen heeft gezien, en ze proberen een nieuw, conventioneler leven te beginnen. Sommigen blijven en gaan werken als strippers, escortmeisjes of ze proberen in de zakelijke kant van porno terecht te komen. Sommigen worden echtgenotes en moeders en kijken op hun uitstapje naar gefilmd amusement terug als een jeugdzonde, een wild avontuur dat hen een paar jaar gelukkig maakte. Sommigen gaan eraan onderdoor, ze sterven verslaafd, ziek en eenzaam.

De psychologische effecten kun je moeilijker bepalen, ze verschillen van meisje tot meisje, van vrouw tot vrouw. Sommige vrouwen, vaak degenen met het meeste succes, hebben geen enkel merkbaar of zichtbaar psychologisch effect te duchten, en houden in alle oprechtheid zeer van hun werk en kunnen zich niet voorstellen iets anders te doen. Zij geloven dat wat zij doen letterlijk en figuurlijk miljoenen en miljoenen mensen op de wereld genot bezorgt. Het is niet illegaal en niemand dwingt hen het te doen, en het is hun recht, volkomen hun recht om hun droom na te jagen en die te verwezenlijken. Anderen lopen onherstelbare schade op, voelen zich slachtoffer, uitgebuit, ze hebben een lage dunk van zichzelf, lijden aan depressies, angststoornissen, ze kunnen geen normale betrekkingen onderhouden.

Ongeacht hoeveel succes ze hebben, of ze nu fluffers zijn (vrouwen die, buiten beeld, zorgen dat de mannelijke acteurs tussen de opnames een stijve penis houden), anale specialistes, golden-showermeisjes, tenenzuigsters of wereldberoemde pornosterren met een merknaam, ze komen willens en wetens, jaar na jaar na jaar, naar een stad die hen verwelkomt, van hen houdt, hen gebruikt, hen filmt, hen verkoopt, jaar na jaar, ze komen.

∗∗∗

Ze komen op bezoek een eindeloze stroom toeristen 25 miljoen per jaar ze geven $13 miljard uit en zijn goed voor 400.000 arbeidsplaatsen. Aangetrokken door de betovering van roem, fortuin, glamour en zon vullen ze nacht na nacht de 100.000 hotelkamers de stroom eindigt nooit. Ze komen voor Disneyland, Universal Studio's, voor de 2500 sterren die zijn vastgelegd op de Walk of Fame op Hollywood Boulevard. Ze komen voor Venice Beach, de Pier van Santa Monica. Ze komen om te winkelen op Rodeo Drive, Robertson Boulevard, Melrose Avenue. Ze komen voor de Lakers en Clippers, de Angels en Dodgers, de Galaxy en de Kings. Ze komen voor Griffith Park de La Brea Tar Pits Huntington Gardens. Ze komen voor LegoLand, Wild Rivers Waterpark, Magic Mountain. Ze komen om de Queen Mary te zien. Ze komen om de Sunset Strip te zien. Ze komen voor de huizen van filmsterren, hoewel ze meestal slechts de oprijlanen en veiligheidshekken van de sterren te zien krijgen. Ze komen om in de stoelen te zitten van Mann's Chinese Theatre, het Pantages Theatre, het Kodak Theatre, de El Capitan, het Cinerama Dome. Ze komen om door de gangen te lopen van het LACMA, de MOCA, het Getty Museum, het Museum of Tolerance, het Guinness Book of World Records Museum, het Petersen Auto Museum, het Norton-Simon, het Hammer. Ze komen om in de zon te zitten op het stuk zand van 43 kilometer dat begint in Manhattan Beach en eindigt in Malibu. Ze komen om te lachen in de Comedy Store, de

Laugh Factory, de Improv. Ze komen voor Spago, de Ivy, Mortons. Ze komen om buiten te staan bij de Oscars, de Golden Globes, de Grammys. Ze komen om beroemdheden te zien, al lukt dat bijna nooit. Ze komen om naar de renpaarden te kijken in Hollywood Park Race Track. Ze komen om verbaasd te staan in het Magic Castle. Ze komen om te luisteren in de Hollywood Bowl en het Greek Theatre en de Wiltern. Ze komen om te feesten in de Roxy, de Viper Room, Whiskey A Go Go, in Area, Café des Artistes, Freddys. Ze komen om te logeren in Chateau Marmont, het Pennisula, het Beverly Hills Hotel, Hotel Bel-Air, het Mondrian, Shutters. Ze komen om te zien wat ze op televisie en in films zien, waarover ze horen in liedjes, waarover ze dromen wanneer ze hun bestaan willen vergeten 25 miljoen per jaar die $ 13 miljard uitgeven.

* * *

Ze komen voor de vrijheid. Dertigduizend Perzen die het bewind van ayatollahs ontvluchten. Honderdvijfentwintigduizend Armeniërs die ontsnappen aan de Turkse genocide. Veertigduizend Laotianen die mijnenvelden ontlopen. Vijfenzeventigduizend Thais die ontbreken in seksshows in Bangkok. Twee miljoen Mexicanen die bij elkaar wonen. Twintigduizend Bulgaren die niet Russisch willen zijn. Vijftigduizend Ethiopiërs die elke avond te eten hebben. Honderdduizend Filipinos met een stabiele regering (min of meer). Tweehonderdduizend Koreanen niet meer Noord of Zuid. Vijfendertigduizend Hongaren die niet Russisch willen zijn. Zeventigduizend mensen uit Guatemala met een kans op echte banen. Tachtigduizend mensen uit Nicaragua verlost van oorlog. Negentigduizend mensen uit El Salvador met een kans op echte banen. Twintigduizend Vietnamezen die naar Amerika kwamen om een Amerikaanse oorlog te ontlopen. Vijftienduizend mensen uit Samoa die de oceaan overstaken. Dertigduizend Cambodjanen die leven zonder Rode Khmer. Het zijn allemaal de grootste gemeenschappen ter wereld van volkeren buiten hun vaderland. Ook zevenhonderdduizend joden hebben een veilig leven. Vijftigduizend Japanners die niet zijn begraven. Vijfduizend Serviërs en vijfduizend Kroaten die niet in oorlog zijn. Achtduizend Litouwers die niet Russisch willen zijn. Zesduizend mensen uit Oekraïne die niet Russisch willen zijn. Vierhonderdvijftig Fransen die een hekel hebben aan Amerikaanse koffie en aan Amerikaanse mensen. Vierduizend Roemenen die niet Russisch willen zijn. Tweehonderd Duitsers die in mooie auto's rijden. Dertigduizend Indianen aan wie het toebehoort. Vijfenzeventigduizend Russen die niet Russisch willen zijn en McDonald's eten en het kapitalisme omhelzen.

In mei 1955 schaffen de politie en de brandweer van Los Angeles op ras gebaseerde beperkingen om mensen in dienst te nemen af en stellen ze hun eerste zwarte medewerkers aan. Later die maand is er een aardbeving, een grote brand en een modderlawine. Plaatselijke predikanten beweren dat de rampen een straf van God waren voor de aanstellingen.

Esperanza blijft in haar kamer. Haar moeder brengt haar eten, haar vader komt elke avond binnen voor hij naar bed gaat en zit bij haar. Ze wil gewoonlijk niet praten, ze ligt maar in bed, hij zit naast haar en houdt haar hand vast.

Ze gaat niet terug naar het huis van Campbell. Ze blijft uit de buurt van Pasadena. Ze doet geen poging om contact op te nemen met Doug of z'n moeder. Overdag kijkt ze televisie, vooral naar Mexicaanse soaps. 's Nachts staart ze naar de muur. Ze probeert niet aan Doug te denken, maar, zoals vaak gebeurt wanneer je ergens niet aan probeert te denken, denkt alleen maar aan hem, uur na uur, nacht na nacht. Ze herinnert zich de eerste keer dat ze hem zag, mollig, een jamvlek op z'n shirt (die ze er later met een krachtige vlekkenverwijderaar heeft uit gekregen), iets wat eruitzag als een stukje van een Engelse muffin zat in zijn mondhoek geplakt. Ze herinnert zich hoe moeilijk het was haar lachen in te houden toen hij voor de eerste keer een raar gezicht trok achter de rug van zijn moeder. Ze herinnert zich de lucht diep en zuiver van de eerste roos die hij haar gaf, de geur van zijn adem niet slecht een beetje als sinaasappelsap toen hij haar voor de eerste keer kuste, zoals hij aanvoelde compact zwaar en warm toen ze voor de eerste keer samen op haar bed lagen. Zij denkt aan de ogenblikken voor zijn moeder thuiskwam de ogenblikken dat ze alleen in zijn kamer waren zijn handen op haar dijen hij staarde naar haar glimlachte zijn woorden ik hou van jou ze geloofde hem gelooft hem nog steeds. Zo alleen in haar kamer doet het meer pijn omdat het onder andere omstandigheden goed had moeten uitpakken of goed uitgepakt was, het doet meer pijn wanneer er verkeerde redenen voor zijn. Zijn moeder.

Eén week twee drie haar ouders eerst vol begrip maken zich steeds meer zorgen. Haar moeder probeert met haar te praten wanneer ze haar een maaltijd brengt vele van de maaltijden blijven onaangeroerd Esperanza antwoordt nooit. Haar vader probeert met haar te praten als hij naast haar zit hij vertelt haar hoeveel mogelijkheden zij heeft hoe slim en mooi hij volgens haar is ze antwoordt nooit. Haar neven en nichten kloppen op de deur, niets. Haar ooms en tantes kloppen op de deur, niets. Ze wordt overal magerder behalve haar dijen. Ze gaat niet onder de douche ze riekt. Ze stopt met haar tanden poetsen vreselijke adem, haar haar wordt klitterig. Haar moeder brengt haar eten dat niet wordt aangeroerd, haar vader zit naast haar en praat tegen haar ze geeft nooit antwoord. Ze herinnert zich zijn handen, ze waren zacht en glad de handen van een man die nooit met z'n handen had gewerkt, een beetje dikkig, soms vlekken van inkt, soms vlekken van eten.

Op de vierde zondag van haar isolatie wordt Esperanza wakker ze grijpt naar de afstandsbediening zet de televisie aan. Een van de Spaanstalige kanalen heeft een weekendmarathon van een populaire serie over een familie in Baja die een hotel bezit. Verliefdheden van de familieleden op personeel en gasten bloeien op en gaan over, er zijn huwelijken en scheidingen, twisten en verhoudingen, af en toe moet er een moord worden opgelost. Als zij kijkt, dreigt een jonge vrouw zelfmoord te plegen door in de schroef van het familiejacht te springen, de jonge vrouw heeft een affaire gehad met de vijfentachtig jaar oude familiepatriarch hij beëindigde die toen z'n vrouw er achter kwam en hem met een barbecuevork stak. De jonge vrouw gilt, schreeuwt, scheldt de oude man uit, smeekt hem haar terug te nemen, waarschuwt hem dat als hij haar niet terugneemt hij zal doodgaan met het beeld van hoe zij in stukjes gehakt in zee verdwijnt. Esperanza lacht om haar, lacht om haar situatie, lacht om het idee dat de oude man uiteindelijk voor haar zou kiezen, dat hun liefde echt een kans had. De jonge vrouw blijft gillen en schreeuwen en wanneer de scène eindigt, met de jonge vrouw die aan haar vingertoppen aan de achterreling van het jacht hangt en de oude man die op weg gaat naar de kajuit voor een drankje en een massage, zet Esperanza de tv uit, stapt ze uit bed, neemt ze een douche en kleedt ze zich aan. Ze poetst haar tanden (het geel verdwijnt snel en gemakkelijk) en verzorgt haar haar (alsof ze naar een bal gaat) en doet make-up op en trekt een jurk aan en loopt naar de keuken, waar haar ouders koffiedrinken voor ze naar de kerk gaan. Ze zijn verrast haar te zien. Ze glimlachen allebei, staan op en omhelzen haar, haar vader tilt haar op en draait haar in het rond en zegt amo a mi hija, yo falté a mi hija en zij lacht het is de eerste keer in bijna een maand dat ze heeft gelachen en het doet een beetje pijn maar het voelt vooral geweldig, bijna perfect alsof ze iets waarvan ze hield had verloren en terugvond zij lacht. Wanneer haar vader haar neerzet kust hij haar op de wangen en zegt haar dat ze er prachtig uitziet, ze glimlacht en vraagt of het goed is dat ze met hen meegaat naar de kerk. Haar vader slaat zijn handen tegen elkaar en zegt si, mi hija perfecta hermosa, en haar moeder barst in tranen uit, en vijf minuten later lopen ze samen het huis uit.

Ze zitten op de voorste rij. Jorge zingt elk lied uit volle borst mee. Ze gaan samen ter communie. Graciella (die de financiën van het gezin beheert) maakt haar portemonnee leeg in het offerblok. Aan het eind van de dienst mengen ze zich onder de andere parochianen voor de kerk tot iedereen weg is, en onderweg naar huis stelt Jorge voor dat ze gaan brunchen in een restaurant dat Mexicaanse Franse toast maakt, waarbij men tortilla's gebruikt in plaats van gewoon brood, men overdekt dat met bruine suiker en kaneel. Halverwege de maaltijd kijkt Jorge naar Graciella en trekt z'n wenkbrauwen een beetje op zij schudt haar hoofd een beetje hij doet het nog eens met meer nadruk zij schudt haar hoofd weer. Esperanza merkt wat hij doet weet dat hij iets wil zeggen wat naar zijn gevoel belangrijk is, zij zegt iets.

Wat is er, papa?

Hij veinst verbazing.

Hoe bedoel je?

Ze lacht.

Is er iets waarover je met me wilt praten?

Waarom denk je dat?

Zo subtiel ben je niet, papa.

Ik ben erg subtiel.

Ze lacht weer.

Heb ik gelijk?

Misschien.

Esperanza kijkt naar haar moeder.

Heb ik gelijk, mama?

Graciella knikt.

Ja, je hebt gelijk.

Esperanza kijkt opnieuw naar haar vader.

Wat is er, papa?

Jorge steekt zijn hand uit, neemt Graciella's hand.

We houden erg veel van je, Esperanza.

Dat weet ik.

We willen dat je gelukkig bent. Een gelukkig leven hebt.

Dat weet ik, papa.

Toen je vorige maand thuiskwam wisten we dat er iets mis was. Toen je niet uit je kamer wilde komen, niet wilde eten of met ons praten, wisten we dat er echt iets mis was. Wij denken ...

Graciella valt hem in de rede.

Vooral je papa.

Jorge knikt.

Vooral ik denk dat als er iemand in je leven was, zoals je mama en ik elkaar hebben, je gelukkiger zou zijn.

Ik wil niet dat je me uithuwelijkt, papa.

Natuurlijk niet. Welk meisje wil dat haar vader dat doet? Niet één meisje wil dat. Maar wij, en vooral ik, maakten ons grote zorgen om je. Je bent zo verlegen en zo bescheiden, je weet niet eens hoe mooi je bent, hoe bijzonder je bent. Wanneer ik zie dat je verdrietig bent raakt me dat diep. De afgelopen maand, elke avond nadat ik je kamer verliet, ging ik naar bed en huilde mezelf in slaap.

Graciella zegt iets.

Elke nacht, Esperanza. Als een baby'tje.

Esperanza zegt iets.

Het spijt me, papa.

Jorge zegt iets.

Dat hoeft niet. Jij voelde je eigen pijn. Ik had pijn omdat ik je niet kon helpen. Dus besloot ik te bedenken hoe ik je zou kunnen helpen wanneer het weer beter met je zou gaan, en ik wist dat je beter zou worden, omdat iedereen tot het bittere einde, wat voor jou nog heel ver weg is, altijd beter wordt. Dus wat heb ik gedaan?

Graciella zegt iets.

Wacht tot je dit hoort.

Jorge glimlacht.

Ik heb me aangesloten bij een vrijgezellengroep voor jonge Mexicanen met een goede baan.

Esperanza begint te lachen.

Ik heb het je neef Miguel voor me laten opzoeken op de computer. Het heet Talk & Tequila, een club in Oost-LA waar jonge Mexicanen met een goede baan elkaar beter kunnen leren kennen.

Graciella zegt iets.

En hij ging. Ik probeerde hem tegen te houden, maar hij was erg koppig.

Jorge.

Inderdaad. Ik ging. Ik betaalde twintig dollar om naar hun feestje voor de geboortedag van Benito Juárez te gaan. Iedereen staarde me aan en een van de leden van de groep vroeg me wat ik daar deed.

Esperanza.

Wat zei je?

Jorge.

Dat ik me jong voelde en vader van beroep was.

En wat zei hij?

Hij vroeg me of ik daar was om na te gaan of het veilig zou zijn voor mijn dochter.

Ze lachen allemaal.

En ik zei hem ja, daarom was ik daar, en dat mijn dochter de bloem van Oost-LA is en ik wilde zien of daar haar waardige mannen waren.

Esperanza.

En waren die er?

Jorge.

Ja. Advocaten en artsen, leraren en verkopers. Allemaal waardige jonge Mexicanen met een goede baan.

Esperanza.

Maar er is een probleem, papa.

Wat dan?

Ik heb geen goede baan, ik ben dienstmeisje.

Graciella.

Daar heeft hij een oplossing voor.

Jorge.

Een prachtige oplossing.

Esperanza.

Wat dan?

Jorge.

Studenten die zich voorbereiden op een goede baan kunnen zich bij de groep aansluiten. Esperanza.

Ik ben een dienstmeisje. Een dienstmeisje zonder werk.

Graciella.

Zeg dat nu niet.

Jorge.

Je bent de Bloem van Oost-LA.

Esperanza.

Ik ben m'n beurs kwijt. Ik denk niet dat ik die terug kan krijgen.

Jorge.

Je moeder en ik zijn naar de bank geweest. Ze zeiden ons dat we met een advocaat moesten gaan praten. We hebben met een advocaat gepraat die stuurde ons naar het gemeentekantoor. Het gemeentekantoor stuurde ons naar drie andere kantoren en die stuurden ons uiteindelijk terug naar de advocaat die ons een heleboel papieren in liet vullen. We hebben jouw naam op de akte van het huis gezet. We bezitten het huis zonder hypotheek van de bank. Het is geen villa maar het is een huis met een tuin en na al die jaren is het best wat waard. De bank zei dat ze je een lening zullen geven, een speciale studielening met het huis als onderpand, zodat je weer kunt gaan studeren. Wanneer je studeert, heb je uitzicht op een goede baan en kun je naar kennismakingsavonden en ik zal buiten op je wachten.

Esperanza glimlacht.

Dankjewel, papa.

Jorge.

Het was een idee van je moeder.

Esperanza.

Dank je, mama.

Graciella.

We houden van je, Esperanza.

Jorge.

Ja. Meer dan van wat ook. De enige keer dat ik nog eens huil is op jouw bruiloft.

Esperanza lacht.

Ik hou ook van jullie.

Sinds 1958 worden in Los Angeles de meeste auto's verkocht van het land en verbruiken de zes miljoen inwoners per persoon meer benzine dan de inwoners van enige andere stad ter wereld.

Joe rent weg van de promenade, al is voor hem rennen eerder vlug lopen op een stijve, onhandige manier. Hij neemt een steeg die van oost naar west loopt, hij gaat landinwaarts, naar het oosten, weg van Citroendrank, die ergens op het beton achter hem dood ligt. Hij weet niet waar hij heen gaat. Hij weet niet waar zijn andere vrienden zijn, wat ze doen. Hij is bang om terug te gaan naar zijn toilet het meisje weet waar hij woont en misschien komen ze hem vermoorden. Mogelijk vermoorden ze zijn vrienden of proberen ze hen te vinden zodat ze hen kunnen vermoorden. Mogelijk gaat het goed met zijn vrienden, zitten ze zich samen te bedrinken of pizza uit een afvalcontainer te eten, mogelijk zijn ze bij de politie, hij weet het niet, weet niet wat hij moet doen of waarheen hij moet gaan, hij wil gewoon weg van wat hij heeft gezien, van het lichaam van zijn vriend die dood op het beton ligt.

Hij steekt Pacific Avenue over. Je hebt er hetzelfde soort huizen als in de voetgangersstraten langs het strand, kleine Californische bungalows met stoepen van drie treden en veranda's aan de voorkant, sommige zijn geschilderd in heldere kleuren rood, blauw geel een is er paars en roze. Ze zijn goed onderhouden en op de opritten en langs de stoepranden staan Europese auto's de meubels in de veranda's kosten meer dan hij in een jaar, misschien twee jaar, bij elkaar kan bedelen, hij blijft naar het oosten lopen. Hij steekt Main Street over, die door Santa Monica en Venice loopt, in Santa Monica heb je veel cafés en bars en winkels die designkleding verkopen en speciale handcrèmes, gezichtscrèmes, crèmes voor alles wat je je voor kunt stellen. In Venice heb je een enorm pand met een stalen bril van vijftien meter bij de ingang er zat vroeger een duur reclamebureau in nu zijn ze weg, de rest van de straat is verlaten, lege parkeerterreinen, pakhuizen, een sportschool.

Hij steekt Main Street over loopt nog steeds naar het oosten hij bereikt een volgende woonwijk. Je hebt er hetzelfde soort huizen maar minder goed onderhouden, de verf bladdert af, de meubels zijn kapot, de auto's zijn ouder en sommige kunnen niet rijden. En terwijl Venice verder slaapt is er hier bedrijvigheid, mensen zitten op veranda's naar muziek te luisteren en te drinken, auto's rijden langzaam heen en weer lange nauwe straten, auto's staan in stegen geparkeerd met brandende remlichten, tieners op straathoeken handen in hun zakken petten diep over hun hoofden ze doen of ze nonchalant zijn ze zien alles wat er om hen heen gebeurt in groepjes van drie of vier helpen ze de chauffeurs van de auto's, voorzien hun van alles wat ze willen, alles wat ze nodig hebben. Iedereen heeft dezelfde huidskleur er zijn geen blanken geen Aziaten geen latino's, en behalve als ze komen om zaken te doen, zijn die ook nooit welkom. Nu en dan rijdt er een patrouillewagen van de politie langzaam door een van de straten niemand kijkt niemand ziet het niemand kan het wat schelen er verandert niets het is gewoon weer een auto met een blanke man achter het stuur die niet welkom is hij zal vlug genoeg vertrekken.

Joe loopt niemand besteedt veel aandacht aan hem hij ziet eruit zoals hij is een dakloze man in lompen zonder geld en zonder doel. Zo nu en dan zal iemand op een hoek hem hasj of cocaïne aanbieden wanneer hij langs drankwinkels loopt zeggen mannen die bij de ingang staan we hebben goed spul goedkoop maar het is niet goedkoop genoeg. Hij wil slapen, maar hij kan nergens gaan liggen hij voelt niet voor het beton van een steeg of voor de ratten en de stank van een vuilcontainer of een rij vuilnisbakken, als hij iemands tuin in gaat zal het naar alle waarschijnlijkheid slecht met hem aflopen. Hij blijft lopen, speelt wat er vannacht gebeurd is nog eens af het plan het opsplitsen in groepjes van twee over de promenade kruipen de schoten opnieuw en opnieuw de schoten en het stuiptrekkende lichaam. Hij hoort de onmiskenbare knal/ klap eerst weet hij niet of het iets in zijn hoofd is of ze echt zijn hoort het nog eens drie onmiddellijk gevolgd door een schreeuw gevolgd door nog eens vier onmiddellijk gevolgd door meer geschreeuw. Hij heeft genoeg gezien voor vannacht hij draait zich om naar het zuiden weg van de schoten weg van de kreten weg van de auto's en de straathoeken hij wil weglopen van meer maar kan zich niet zomaar naar het zuiden omdraaien.

De verandering komt snel. Hij steekt een straat over en al heb je er dezelfde huizen en dezelfde tuinen en dezelfde auto's en dezelfde handeltjes, is de muziek er anders, is de huidskleur er anders, is de taal er anders. Aan de ene kant stuitte hij op onverschilligheid, aan de andere op openlijke vijandigheid. Als hij straathoeken nadert gaan tieners in de weg staan hij buigt zijn hoofd en stapt om hen heen ze spugen naar zijn voeten naar zijn achterhoofd. Niemand biedt hem iets te koop aan en wanneer hij wordt aangesproken kan hij de woorden niet verstaan al begrijpt hij de bedoelingen. Er zijn minder drankwinkels die zijn precies even druk. Politie is er zeldzamer maar wordt op dezelfde manier bejegend niemand kan het wat schelen niemand stopt niemand reageert. Hij hoort geen schoten maar vertrekt snel hij kent de regels dit is geen plek waar hij welkom is hij blijft naar het zuiden lopen.

De verandering komt snel. Hij steekt een straat over en al heb je er dezelfde huizen en dezelfde tuinen allemaal in dezelfde stijl gebouwd op hetzelfde moment op percelen met evenveel grond zijn ze aan de ene kant veel minder waard dan aan de andere. Er is niemand buiten. De veranda's zijn leeg op het dure meubilair na. De auto's zijn nieuw, schoon, op het dashboard knippert een enkel rood lichtje (al is in feite het enige wat het alarm doet herrie maken). Het is er rustig, stil, vredig. Langs de ene kant van het trottoir heb je bloembedden, langs de andere kant gezonde palmen. Voor de enkele huizen die leeg staan heb je bordjes met te koop en prijskaartjes met zeven cijfers. Lege terreinen worden onderhouden vlak en groen geen vuilnis geen autoonderdelen geen kartonnen dozen. Joe loopt heen en weer door deze straten hij vraagt zich af hoe het zou zijn tussen deze mensen te wonen, zouden ze hem toelaten als hij het geld wel had. Politiepatrouilles zijn heel normaal en heel zichtbaar al hebben ze hier niets te doen behalve dan gezien worden de bewoners kalm en gelukkig houden ze laten weten dat als er indringers opdagen uit de andere gebieden die vlug worden aangepakt. Een van hen stopt naast Joe een zwarte agent in de witte auto vraagt hem wat hij doet hij zegt ik ga net weg de agent zegt goed. Terwijl hij weggaat passeert hij een menigte paparazzi die kamperen voor het huis van een filmster die onlangs een tweeling heeft gekregen, de eerste foto's van de kinderen zullen honderdduizenden dollars opbrengen. Joe vraagt hoe lang ze daar al staan een van hen zegt donder op een ander zegt een week een derde noemt hem een dronken dakloos stuk vreten en zegt hem dat hij weg moet wezen. Joe vraagt hoe lang ze zullen wachten het eenstemmige antwoord is zo lang als nodig en ergens in het huis slapen kinderen van vijf dagen oud belegerd omdat hun moeder een leuke glimlach heeft en mooi haar en zinnen kan voorlezen voor de camera.

Joe loopt naar Venice Boulevard met in het midden een strook die diende als baan voor de tram en die nu vooral bestaat uit gras dat zonder regen afsterft. Achthonderd meter de ene kant op is zijn thuis het begin van de promenade met op honderd meter de Stille Oceaan. Van wat er achthonderd meter de andere kant op is heeft hij geen idee omdat hij daar nooit is geweest en hij gewoonlijk bang wordt wanneer hij landinwaarts loopt. Hij steekt Venice Blvd over er is een kerkje tussen twee winkelgalerijen het is beige gepleisterd een kruis boven de deuren die staan open al is het midden in de nacht. Joe loopt naar de deur, gaat onder het kruis staan kijkt naar binnen twee rijen kerkbanken vijftien of twintig aan elke kant een bescheiden altaar erachter. Aan de muur hangt een man aan een kruis zijn handen bloeden, zijn voeten bloeden. Joe staart naar de man. Misschien is hij van hout of gips het bloed van rode verf, misschien betekent hij redding, misschien is hij niets meer dan een pop voor volwassenen. Joe gaat de kerk in. Hij loopt naar de voorste kerkbank een meter van het altaar een meter meer van de man. Hij gaat zitten hij staart hij denkt aan zijn vriend ligt hij nog steeds op de grond waar hij stierf hebben ze hem weggehaald ligt hij achter in een ambulance of een bestelauto, ligt hij op een koude stalen plaat. Hij zit en hij staart er is een zwak licht boven het altaar het werpt schaduwen over het gekwelde lichaam van de man Joe zit en hij staart en hij probeert zich te herinneren of hij ooit heeft geweten hoe Citroendrank echt heet, of hij ooit heeft geweten hoe zijn dode vriend echt heet.

Zo zit hij een uur twee.

De schaduwen bewegen als de zon begint op te komen het is de eerste ochtend in tien jaar dat Oudje Joe negenendertig jaar maar ogend als vijfenzeventig niet op het strand ligt te kijken hoe de hemel grijs wordt wit roze blauw niet wacht tot hem antwoorden bereiken.

Strepen licht komen de deur door hij zit en staart.

De verwilderde papegaaien van Venice, ze werden hier in het begin van de twintigste eeuw heen gebracht en nooit in kooien gestopt ze bleven altijd, beginnen te zingen in de palmen.

Verkeer achter hem.

Zit.

Staart.

Bloed op zijn handen bloed op zijn voeten.

Licht gaat door het middenpad, in een streep, langzaam.

Zijn vriend ergens dood in de stad.

Een priester loopt naar binnen steekt kaarsen aan glimlacht naar Joe knikt priester gaat weg kaarsen zijn aan.

Joe pakt een boek helemaal zwart uit de lessenaar van de kerkbank versierd met een gouden kruis hij kijkt naar het gezicht van de man hij maakt niet de indruk pijn te hebben hij zegt iets.

Waarom heeft u mijn vriend genomen?

Zijn ogen zijn open ze zijn diep blauw, kalm, tot rust gekomen.

Waarom heeft u mijn vriend genomen en die rotzakken die hem hebben vermoord laten gaan?

Zijn handen open niet van pijn geklemd de vingers uitnodigend gestrekt.

Waarom?

Waarom?

Waarom laat u mensen met een andere huidskleur elkaar zonder aanleiding haten. Waarom laat u de ene mens meer bezitten dan de andere wanneer ze het allebei verdienen. Waarom laat u kinderen sterven op straat elkaar vermoorden vanwege een straathoek of wat wit poeder of de kleur van een doekje. Waarom laat u mijn vrienden uit vuilcontainers eten en hun klotelevens kapotdrinken terwijl ze hun hele godverdomde leven geen mens kwaad hebben gedaan.

Zijn mond staat een beetje open zijn tanden wit hij trekt geen lelijk gezicht kalm.

Waarom laat u mij mijn leven lang op geel jagen, laat u iemand anders zijn leven lang op groen jagen, een ander zijn leven lang rood verspillen. Als u echt bestaat en u zoals men zegt van iedereen houdt waarom behandelt u ons dan verschillend, waarom geeft u aan sommigen en aan anderen niet, waarom neemt u en schaadt u en verwoest u zo veel mensen die gewoon proberen het te redden en de dag door te komen. Waarom laat u dat telkens en telkens en telkens weer gebeuren. Zij die kregen krijgen meer, en zij die niet kregen krijgen telkens en telkens en telkens weer niets. Als u echt bestaat kan ik er geen touw aan vastknopen.

Hij heeft geen kleren aan alleen een witte doek losjes rond zijn middel gebonden.

Waarvoor wilt u worden vereerd? Voor wat u geeft? Voor hoe u ons behandelt? Voor wat u laat gebeuren? Voor de haat die er is die u niet laat ophouden? Voor het geweld dat u niet laat ophouden? Voor de dood die u niet laat ophouden? Mannen die mannen vermoorden vrouwen vermoorden kinderen vermoorden wat u niet laat ophouden? En u wilt worden vereerd? U wilt dat we knielen? U wilt vroomheid? U wilt vervoering? U wilt geloof?

Een doornenkroon in de schedel geduwd het bloedt aan de randen.

Ik loop de straat door en de mensen haten me houden niet van me, haten mijn huid, mijn geur, de kleren die ik draag, hoe mijn haar zit, wat ik volgens hen ben en wie ik volgens hen ben niet één klootzak kijkt naar me en ziet liefde ze haten gewoon, stuk voor stuk, en u noemt zichzelf alwetend, almachtig, zegt dat u oordeelt.

Gedachten schieten door zijn haar, over zijn kin, stromen van zijn borst af.

U wilt en zegt dat u het verdient en wij moeten ons daaraan houden of we worden veroordeeld en het enige wat u ons geeft is dit, deze wereld waar kinderen levend worden verbrand en mannen hun geld besteden aan elkaar opblazen en vrouwen zichzelf verkopen om te kunnen eten en het enige wat we zien is vernietiging en oorlog en rotzooi in uw naam en het wordt nooit beter en u houdt nooit op alwetend en almachtig te zijn het houdt nooit op. Het houdt nooit op. En het zal nooit ophouden.

Zijn hoofd hangt neer maar niet verslagen.

Waarom heeft u mijn vriend genomen? Hij verdiende het niet. Niemand van ons verdient het.

Licht van boven.

Joe staat op en loopt naar buiten.

In augustus 1965 laat een blanke agent van de snelwegpolitie een zwarte automobilist stoppen omdat hij slingerend door een straat rijdt in Watts. De chauffeur en twee familieleden worden gearresteerd, en er breken rellen uit die een week aanhouden. Er worden 15.000 soldaten van de National Guard gestuurd om de rellen in te dammen. Er worden vierendertig mensen gedood door de politie, en er vallen nog drie slachtoffers. Meer dan duizend mensen raken gewond en bijna 4000 worden er gearresteerd. Zeshonderd panden, daaronder vrijwel geen woonhuizen waarin Afro-Amerikanen wonen, worden beschadigd of verwoest door plundering en brand.

Amberton zit in een gedeukte witte bestelauto met een man die Kurchenko heet. Kurchenko is een korte, gespannen, stevige man, over zijn hele lichaam zijn aderen te zien. En hoewel hij niet ouder is dan vijfendertig, ziet hij eruit als vijftig, hij heeft dun grijs haar en een dunne grijze snor en hij mist een van z'n voortanden, z'n andere tanden zijn net zo grijs als zijn haar. Overal op zijn onderarmen staan veertig of vijftig kleine x'en getatoeëerd, hij laat in het midden waar hij die kreeg, wat ze betekenen, of wat hij deed om ze te verdienen. Amberton leerde Kurchenko kennen via een privédetective die weigerde door te gaan met zijn werk voor Amberton. De privédetective gaf Amberton Kurchenko's nummer en zei bel deze vent, en bel mij alsjeblieft nooit meer. Ze hebben de afgelopen drie dagen Kevins moeder gevolgd. Ze volgen haar naar haar werk, ze volgen haar naar de supermarkt, naar Kevins flat, de kapper, de huizen van vrienden, restaurants, de kerk. Amberton heeft een camera en neemt foto's van haar, Kurchenko staart naar haar en mompelt in zichzelf in het Russisch.

Amberton geeft Kurchenko een vrije dag. Hij gaat naar huis. Hij heeft niet met Casey gesproken sinds hij met Kurchenko vertrok, heeft z'n kinderen niet gezien of met hen gesproken. Hij gaat naar zijn vleugel van het huis, neemt een douche, scheert zijn hele lichaam, behalve zijn hoofd, masturbeert. Hij vertrekt zonder Casey of de kinderen te zien of met hen te spreken. Hij gaat naar een hotel in Beverly Hills dat bekendstaat om z'n discretie. Hij neemt een suite brengt de eerste twaalf uur in de suite door met roomservice te laten komen, te eten, zichzelf te laten overgeven. Hij bestelt porno met betalen-per-keer begint te kijken besluit dat hij liever het echte werk heeft hij belt een escortbedrijf laat vier jongens komen hoe jonger hoe beter. Een half-uur later zijn ze in de suite. Ze zullen vijftien, zestien, zeventien zijn, geen is ouder dan achttien, hij is blij met ze en doet de volgende zes uur dingen met hen waardoor hij vele, vele jaren in de gevangenis zou kunnen belanden. Wanneer hij klaar is geeft hij hun hoge fooien gaat slapen.

Hij wordt de volgende dag wakker zijn telefoon blijft overgaan en overgaan het ding blijft godverdomme maar overgaan. Maar drie mensen hebben het nummer Casey Gordon en zijn advocaat hij pakt de telefoon en neemt op.

Hallo?

Casey zegt iets.

Waar ben je, Amberton?

Weg.

Hoezo weg?

Gewoon weg.

We hadden vanmorgen toch een interview?

Wat?

Een interview. Met dat familieblad. Ze maken een groot stuk over ons, over hoe je beroemd kunt zijn en toch een gelukkig, stabiel gezin kunt hebben. Ik heb het je ongeveer tweehonderd keer verteld.

Ik ben het vergeten.

Kun je naar huis komen?

Zeg ze dat ik weg moest.

Weg?

Ja, zeg ze dat ik naar New Orleans ben voor liefdadigheidswerk.

Wie gaat dat verhaal steunen?

Gordon en de mensen van de publiciteit.

Ik ben kwaad, Amberton. Dit betekende echt veel voor me.

Het is een zware tijd, Casey.

Hij hangt op, gaat weer slapen. Hij slaapt nog eens twaalf uur. Hij wordt wakker, bestelt een cheeseburger, eet die, kotst er een deel van uit, checkt uit, vertrekt.

Hij ontmoet Kurchenko. Ze zitten in een roodbruin bestelbusje. Ze staan bij het huis van Kevins grootmoeder. Met de verrekijker kijken ze hoe ze eet, voor de tv zit, naar de wc gaat. Amberton maakt een paar foto's. Ze brengen een dag bij haar huis door. Ze concluderen dat ze niet weggaat, nergens heen gaat. Ze gaan naar het huis van Kevins zus. Ze heeft vier kinderen, allemaal meisjes, tussen de vier en twaalf. Ze gebruiken de verrekijker, maken foto's van hen als ze eten, tv kijken, naar de wc gaan. Ze volgen hen naar en van school. Ze volgen hen naar en van de balletles. Ze volgen hen naar en van de kerk. Ze maken foto's van hen.

Ze gaan naar de flat van Kevins vriendin. Met de verrekijker kijken ze hoe ze eet, in een ligstoel zit te lezen, kookt. Amberton aarzelt of hij moet gaan huilen of haar moet uitschelden voor vies godverdomd kutwijf, van ziektes vergeven hoer, zaadslikkende heks. Kevin komt aanrijden Amberton begint te snikken probeert het bestelbusje uit te komen Kurchenko houdt hem tegen. Amberton blijft het proberen Kurchenko bindt z'n armen en benen vast met tape, duwt een stukje tape over z'n mond. Hij kijkt naar Kevin en diens vriendin, neemt een paar foto's, rijdt weg. Een uur later haalt hij de tape van Ambertons mond af. Amberton begint weer te snikken Kurchenko vraagt hem waar hij heen wil Amberton geeft hem de naam op van het hotel in Beverly Hills.

In 1968 wordt Robert Kennedy doodgeschoten in het Ambassador Hotel nadat hij in Californië de presidentiële voorverkiezingen van de Democratische Partij heeft gewonnen.

Maddie en Dylan zijn geen van beiden verzekerd ze willen naar een dokter om er zeker van te zijn dat het goed gaat met Maddie ze bezoeken een polikliniek waar je zonder afspraak terechtkunt. Een dokter onderzoekt haar, controleert haar polsslag en bloeddruk, doet een bloedtest die hun leert wat ze al weten, maakt een echo alles blijkt in orde. Het kost negenhonderd dollar.

Ze hebben drieduizend over. Ze moeten verhuizen. Maddie wil niet verhuizen Dylan probeert haar duidelijk te maken dat ze het zich niet meer kunnen veroorloven in de flat te wonen ze moeten sparen voor hun kindje. Ze kibbelen er een dag over, een week. Dylan zegt haar dat ze er kunnen blijven wonen maar dan moet ze een baan nemen anders kunnen ze geen luiers voor hun kindje kopen, Maddie zegt hem dat ze morgenochtend een huis gaat zoeken.

Een week twee drie gaat Dylan naar zijn werk de hele dag draagt hij golftassen en doet hij alsof hij weet hoe een putslag gaat en maakt hij grappen en complimenteert hij middelmatige golfspelers met hun middelmatige slagen. Maddie neemt 's morgens advertenties door maakt lijsten van mogelijke huizen al weet ze niet waar de meeste ervan gelegen zijn ze vallen binnen hun budget. Ze doet een dutje neemt een kleine lunch gewoonlijk macaroni met kaas en aardbeien als dessert. De middagen brengt ze in bussen en op trottoirs door ze gaat van flatgebouw naar flatgebouw. Na één blik gaat ze meestal door naar het volgende, ze zijn vervallen, vies, de buurt schrikt haar af, er zijn te veel negers, te veel Mexicanen. Wanneer ze de gebouwen binnen gaat is ze altijd teleurgesteld, de flats zijn klein, de keukens zijn oud, de badkamers zijn vies ze doen haar denken aan haar huis in Ohio, geven haar het gevoel dat ze weer bij haar moeder woont. Ze wil een gebouw zoals dat waar ze in wonen, schoon en veilig en wit ze wil een flat zoals die waar ze wonen. Elke namiddag als ze thuiskomt huilt ze ze wil niet weg. Wanneer Dylan thuiskomt maakt ze het eten klaar en ze eten zwijgend en kijken zwijgend tv en gaan zwijgend naar bed ze zijn allebei te moe om iets anders te doen dan te gaan slapen.

Je begint het aan haar te zien. Niet opvallend, in elk geval niet als je niet op zoek was naar de bobbel, maar wel zo dat het Dylan opvalt, dat haar broeken niet meer passen, ze heeft nieuwe beha's nodig. Ze gaan winkelen kopen alles drie of vier maten te groot ze zullen dit maar één keer kunnen doen. Nog een week twee drie er is minder en minder geld hij weet niet hoe ze hun flat zullen moeten betalen, hoe ze hun doktersrekeningen zullen moeten betalen, hoe ze hun kind zullen moeten onderhouden, nog een week, Maddie houdt op met een nieuwe flat te zoeken zegt dat het te vermoeiend is nog een week.

Hij gaat naar Shaka hij komt vroeg op z'n werk klopt op Shaka's deur hij zit de krant te lezen kijkt op zegt iets.

Zo vroeg hier?

Ik wilde met je praten.

Kom binnen, ga zitten.

Dylan loopt naar binnen gaat zitten, Shaka legt zijn krant neer.

Wat is er aan de hand?

Ik vraag me af of er een mogelijkheid is meer uren te krijgen, of wat extra werk te doen.

Shaka lacht.

Meer dan de twaalf of veertien uur per dag die je al hebt?

Ja.

Wat is er mis?

Er is niets mis.

Waarom heb je meer uren nodig?

Mijn vriendin is zwanger.

Shaka glimlacht.

Serieus?

Dylan knikt.

Serieus.

Gefeliciteerd.

Dank je.

Ben je over je toeren?

Ik schijt in m'n broek van angst.

Shaka lacht.

Heel normaal, volgens mij.

Een beetje is vermoedelijk normaal. Ik schijt echt in m'n broek.

Hoe oud ben je?

Negentien.

Mijn vrouw kreeg haar eerste kind toen ik twintig was.

En wat deed je toen?

Me helemaal uit de naad werken. Doe ik nog steeds. We hebben er nu vier, al zijn er twee van hen het huis uit en eigenlijk volwassen. Maar ik weet wat je doormaakt.

Je weet dus dat ik meer geld moet verdienen.

Alles in aanmerking genomen mag je niet klagen.

We wonen in een dure flat, we zijn niet verzekerd, mijn meisje werkt niet.

Dat zijn allemaal oplosbare problemen.

Niet echt.

Verhuis naar een goedkoper huis. Ben je hier eenmaal zes maanden, en dat is al gauw, kun je een regeling bij de gemeente aanvragen, en als je getrouwd bent valt je vrouw ook onder de dekking. Zorg dat je snel met haar trouwt en ze een baan neemt. Alle problemen geregeld.

Ik zou liever gewoon meer geld verdienen.

Dan kun je beter beginnen de klootzakken van wie je de tassen draagt aan te bieden hen te pijpen, want op een andere manier gaat dat hier niet. Je verdient al meer dan ongeveer alle andere caddies die we in dienst hebben.

Hoeveel van hen hebben er kinderen?

Shaka lacht.

Hou je me voor de gek? Ongeveer allemaal, en de meesten hebben er meer dan een. Niemand gaat hier om je huilen. De mensen zullen doen wat ze kunnen om je te helpen, maar zo is het leven, man, je moet het zelf doen.

Dus geen uren erbij?

Shaka haalt z'n schouders op.

Er zijn er geen te vergeven.

Hoe regel ik de verzekering?

Ga trouwen. Daarvoor moet je naar het gemeentehuis om huwelijkstoestemming te krijgen. Ik heb een neef die predikant is die kan een plechtigheid en de formaliteiten verzorgen, als je getuigen nodig hebt, zullen mijn vrouw en ik het doen. Als je eenmaal getrouwd bent, vul je de formulieren in en dan zou je verzekerd moeten zijn. En ik zal her en der naar behuizing informeren. Als ik iets vind, zal het geen huis zijn zoals je nu hebt, op loopafstand met yuppies als buren en een zwembad, maar het zal wel veilig zijn. Zit je daar eenmaal, dan kun je bekijken of je vrouw al dan niet moet gaan werken.

Dankjewel.

Het is geen moeite.

Nee echt, dankjewel.

Ik help je graag.

Dylan komt overeind verlaat het kantoor gaat in de rij staan voor zijn eerste tas het is een bebaarde, getatoeëerde vleeshandelaar die eruitziet als een motorrijder maar kwam aanrijden in een kleine compacte Amerikaanse auto vol met vleesmonsters hij trekt bij iedere hole twee slagen van zijn score af. Vervolgens komt er een Koreaan die geen Engels spreekt en met z'n stokken gooit. Het is een slappe dag het ziet er niet naar uit dat er een derde tas komt dus verlaat hij de baan loopt naar huis. Hij hoopt dat Maddie er niet is hij weet dat ze boodschappen ging doen. Hij opent de deur roept Maddies naam niets. Hij loopt hun slaapkamer in haalt het geld wat ze nog hebben tevoorschijn telt vijfhonderd dollar neer. Hij verlaat de flat loopt terug in de richting van de baan stopt bij een juwelierszaak die hoort bij een landelijke keten ze noemen zichzelf de Diamond Masters. Hij kijkt naar de ringen hij staart naar de vitrine met de duurste, drie en vier karaats met diamanten ringen ze zijn prachtig en maken dat hij een hekel aan zichzelf krijgt omdat hij van Maddie houdt en er een voor haar wil maar weet dat hij nooit zoiets voor haar zal kunnen kopen. Hij zakt af twee karaats prachtig maar nooit, een karaats op een dag misschien, zakt af hij is verrast over wat hij voor $ 500 kan krijgen het is beter dan hij had verwacht al is het niets in vergelijking met wat hij haar graag zou geven, met wat zij volgens hem verdient, met wat overeenkomt met wat hij voor haar voelt. Hij wenkt een vrouw die achter de toonbank werkt ze komt laat hem ringen zien ze zijn klein en eenvoudig maar op hun manier prachtig de vrouw vraagt hem naar zijn leeftijd hij zegt het haar zij zegt dat de ringen waarnaar hij kijkt perfect zijn voor een jong paar dat begint aan een leven samen en daardoor voelt hij zich een beetje, maar niet veel beter. Na tien ringen, misschien vijftien, te hebben bekeken, kiest hij een 1/4-karaats solitairdiamant met een eenvoudige gouden ring de prijs is $ 499 hij betaalt de belasting met zijn fooien van de dag. De vrouw doet de ring in een doosje overhandigt dat aan hem, glimlacht, zegt iets.

Ik hoop dat jullie samen een lang, prachtig leven krijgen.

Dylan glimlacht, antwoordt.

Dank u.

Hij loopt naar huis. Ook al weet hij dat ze ja zal zeggen hij is zenuwachtig, elke stap dichter bij huis wordt hij zenuwachtiger. De ring zit in z'n borstzakje. Hij is bang dat hij eruit valt, dus om de paar stappen controleert hij of hij er nog in zit. Hij wil hem bekijken maar is bang dat iemand hem zal pakken. Twee keer gaat hij achter een gebouw staan en neemt hem eruit en bekijkt hem, glimlacht, raakt met z'n vinger de oppervlakte van de diamant aan, ook al is die klein hij is er trots op. Het is beter dan wat dan ook dat iemand die ze thuis kenden bezat, de wederzijdse ouders maalden niet eens om ringen. Hij houdt zichzelf voor dat het een begin is, hun begin, ooit, op de een of andere manier zal hij haar een grotere geven, voorlopig is deze perfect, hij is van hen en hij is perfect.

Als hij hun complex in loopt kan hij voelen hoe zijn hart begint te bonzen zijn handen beginnen te beven. Hij controleert zijn zak voor de vijfenzeventigste keer de ring zit er nog steeds, hij houdt halt voor hun deur en haalt hem eruit en kijkt ernaar en glimlacht. Hij stopt hem terug. Hij haalt diep adem, hij opent de deur.

Maddie in de keuken ze maakt Hamburger Helper Homestyle Salisbury. Ze draait zich om glimlacht, zegt iets.

Hi.

Dylan glimlacht, zegt iets, hij voelt zich als glas hij beeft.

Hi.

Was het een goede dag?

Ging best.

Hoeveel had je er?

Twee.

Gaven ze veel fooi?

Ging best.

Ze draait zich weer naar de Homestyle Salisbury, roert erin, zet het fornuis lager. Hij staart naar haar rug. Hij is doodsbang. Hij wil naar voren lopen kan het niet staart en beeft alleen maar. Hun leven samen rolt in een paar tellen door zijn geest, beelden flitsen tegelijk op de kennismaking op de lagere school de eerste keer dat hij haar zag voelde hij het, hij was zeven en hij voelde het, hij keek naar haar in de klas, op de speelplaats, ging bij haar zitten bij de lunch hun eerste kus op zijn elfde achter een slijterij waar ze allebei heen moesten om dingen voor hun ouders te halen, de eerste keer dat ze naar de film gingen ze zagen De Flintstones: Viva Las Vegas de hele tijd hielden ze elkaars handen vast en kusten ze elkaar, de keren dat ze elkaar opbelden omdat ze bang waren voor hun ouders, de keren dat ze elkaar vasthielden nadat ze waren geslagen, alle plannen die ze maakten vanaf hun twaalfde ze hadden hun dromen, hun dansfeestjes op school, vrijpartijen in de auto, ze verloren hun maagdelijkheid op een deken in een wei, het behalen van hun schooldiploma ze droomden nog steeds, droomden nog steeds, het komt in een paar tellen voorbij.

Hij zet een stap naar voren zij is nog steeds aan het roeren hij heeft het gevoel of hij buiten zichzelf is getreden. Hij stapt naar voren stopt z'n hand in z'n zak hij zit er nog. Hij stapt naar voren hoeveel keren heeft hij aan dit ogenblik gedacht hij gelooft niet dat het zover is, nu, het gebeurt, echt. Hij stapt naar voren hij is een meter van haar af zij hoort hem draait om. Ze kijkt naar hem hij beeft ze zegt iets.

Wat is er mis?

Niets.

Je ziet er raar uit.

Hij haalt de ring tevoorschijn bevende hand zij glimlacht.

Wat doe je?

Hij laat zich op een knie vallen bredere glimlach.

Wat doe je?

Hij zwaait de bovenkant van het doosje open de ring ligt op een satijnen kussentje. Haar glimlach is breder hij zegt iets.

Ik hou van je, en sinds ik een kind was wilde ik mijn leven met je delen, en ik hou zoveel van je, zoveel, en ik wil weten of je met me trouwt.

Bredere glimlach, ze zegt iets.

Ja.

Op 9 augustus 1969 dringen vier leden van Charles Mansons Family het huis in Los Angeles binnen van filmregisseur Roman Polanski en vermoorden vijf mensen, onder wie Polanski's vrouw, actrice Sharon Tate, die achtenhalve maand zwanger was, en Abigail Folger, erfgename van het vermogen dat de familie Folger aan koffie verdiende. Op 10 augustus 1969 dringen Manson en drie leden van zijn Family het huis binnen van Leno en Rosemary LaBianca en steken het echtpaar dood, ze kerven OORLOG in de buik van de heer La-Bianca en schrijven met het bloed van het echtpaar DOOD AAN DE VARKENS en HELTER SKELTER [naar het lied van The Beatles] op de muren van hun huis. Manson en vier leden van de Family worden gearresteerd, schuldig bevonden aan moord en ter dood veroordeeld. Hun vonnissen worden later omgezet in levenslang als de doodstraf wordt verboden.

Geduld. IJver. Hard werken. De dagelijkse inspanningen kunnen een mens afmatten, jazeker, die dagelijkse inspanningen, ze gaan dag in dag uit door en ze matten een mens gewoon af. Je rekent erop dat er een soort beloning, of vergoeding komt voor al je inzet, iets wat het allemaal de moeite waard maakt, waardoor je een glimlach op je gezicht krijgt, een huppeltje in je pas, een tinteling door je ruggengraat, en een gevoel van vrijheid en vreugde in je hart. Hier is Grappige Feiten Los Angeles Aflevering 2.

Op geen enkel moment in de wereldgeschiedenis woonden en werkten er meer professionele kunstenaars, schrijvers en musici in één enkele stad dan je er in Los Angeles in de eenentwintigste eeuw hebt.

Het woord *T-shirt* werd bedacht in Los Angeles door een Japanse man die in een kledingfabriek werkte. Hij noemde het geval een T-shirt omdat het op de letter T leek wanneer je het op een tafel uitspreidde, en hij was het Engelse alfabet aan het leren.

Als de provincie Los Angeles een land was, zou het op veertien landen na de grootste economie ter wereld hebben.

In 1918 verzon een Chinese immigrant die in een noedelfabriek in Los Angeles werkte het gelukskoekje. Hij deed dit in de overtuiging dat een koekje met een positieve boodschap erin de geesten van de arme mensen in de stad zou opbeuren.

In 1949 vond Frank Zamboni, bezitter van een plaatselijke ijsbaan, de Zamboni dweilmachine uit. Die wordt nu op 85 procent van de ijsbanen op de wereld gebruikt.

Er zijn driehonderd wilde bizons, wettelijk beschermd, die door de provincie Los Angeles zwerven.

Het is in de stad Los Angeles verboden om in het licht van een straatlantaarn op motten te jagen.

Het is in de stad Los Angeles verboden om ballonnen hoger dan anderhalve meter boven de grond te laten vliegen.

Het is in de stad Los Angeles verboden om in een restaurant óp een tafeltje te gaan zitten dat buiten staat.

Er zijn elke dag gemiddeld twintig autoachtervolgingen in de provincie Los Angeles.

Er is een museum in Los Angeles aan de banaan gewijd. Het bezit bijna 20.000 voorwerpen die met de banaan te maken hebben.

Als alle wetshandhavers in de provincie Los Angeles tot een leger werden verenigd zou het om het op vier na grootste leger ter wereld gaan.

Er zijn meer steungroepen in Los Angeles voor de slachtoffers van ufo-ontvoering dan in de rest van het land bij elkaar.

Bijna de helft van de honden in Los Angeles bestaat uit Amerikaanse pitbullterriërs of kruisingen met pitbulls.

Het is in Pasadena voor een mannelijke baas verboden zich alleen in een kamer met een secretaresse te bevinden.

Het eerste videokerkhof ter wereld, waar op tv-schermen vierentwintig uur per dag elke dag tot in eeuwigheid video's over de daaronder begraven mensen worden afgespeeld, vind je in Los Angeles.

In Los Angeles zijn meer bedrijven in het bezit van vrouwen en minderheden dan in enige andere stad in de Verenigde Staten.

Elk jaar, om 20.00 uur op de tweede zaterdag in juli, verzamelen zich honderden mensen langs een stuk van het spoorwegnet van Los Angeles om hun broek te laten zakken en passerende passagierstreinen hun kont te tonen.

Op Halloween verzamelen zich altijd 500.000 mensen, de meesten verkleed, langs Santa Monica Boulevard om te kijken naar het West Hollywood Halloween Costume Carnaval, dat vooral bestaat uit wagens met als vrouwen verklede mannen.

ARPAnet, het eerste gebruik van verbonden computers op één netwerk, werd uitgevonden door het Amerikaanse ministerie van Defensie in Los Angeles en werd operationeel op 14 januari 1969. ARPAnet werd later bij een groter publiek bekend onder de civiele naam: internet.

Er zijn elk jaar gemiddeld zestig waarnemingen van Bigfoot in Los Angeles.

Er zijn meer zwembaden in Los Angeles dan in enige andere stad ter wereld.

De gemiddelde inwoner van Los Angeles bezit 7,4 paar schoenen.

Barbie werd in 1959 uitgevonden (of geboren) in Los Angeles. Haar uitvinder (of moeder) was een vrouw die Ruth Handler heette.

De gemiddelde inwoner van Los Angeles bezit 8,3 badkostuum.

De gemiddelde inwoner van Los Angeles bezit 6,4 stel ondergoed.

De ijscoupe met warme karamel werd in 1906 uitgevonden door een ijssalon op Hollywood Blvd.

De gemiddelde inwoner van Los Angeles eet elk jaar 127,2 stukken zoethout.

Gemiddeld zijn er elk jaar 333 dagen met zon in Los Angeles.

Op geen enkel moment in de wereldgeschiedenis zaten er meer personen in één stad in psychiatrische instellingen en behandelingscentra dan in Los Angeles in de eenentwintigste eeuw.

In 1970 gelast een rechter van het Hooggerechtshof de opheffing van de rassenscheiding op scholen in Los Angeles. De rechter overleeft een moordpoging en raakt bij de volgende verkiezingen z'n betrekking kwijt.

Een vrijdag en Dylan krijgt 's middags vrij, hij en Maddie gaan naar het overheidscentrum in Beverly Hills. Er is er een dichterbij maar Maddie wil naar Beverly Hills omdat ze weet dat de sterren erheen gaan om hun huwelijkstoestemming te halen en dat vindt ze grappig en leuk en opwindend. Ze nemen een taxi, gaan naar binnen, gaan in de rij staan, krijgen de formulieren en vullen ze in, laten ze notarieel bekrachtigen. Ze geven ze terug en betalen het tarief $ 45 ze krijgen hun toestemming ze hebben negentig dagen voor een plechtigheid, en op dat moment zullen ze officieel zijn getrouwd.

Nadat ze de toestemming hebben, lopen ze door Beverly Hills. Ze lopen heen en weer door perfect verzorgde blanke straten vol winkels die tassen verkopen voor meer geld dan de gemiddelde Amerikaan per jaar verdient, die diamanten verkopen voor miljoenen, die kleding verkopen voor een bedrag waarmee je een kleine stad kunt voeden, er zijn straten ingericht om mensen met geld te lokken en mensen zonder te tarten er wordt geen rekening gehouden met mensen die niets hebben, zo gaat dat in Amerika, zo gaat dat in Amerika. Ze stoppen voor etalages. Dylan heeft wat geld meegenomen $ 150 om een cadeau voor haar te kopen hij beseft snel dat ze voor $ 150 niets kan krijgen. Maddie is verbijsterd door de kleding ze houdt van de stoffen de kleuren het is de kleding die ze op televisie en in bladen ziet en zij is te geïntimideerd om een van de winkels binnen te gaan, ze laten het bij etalages kijken. Ze lopen een uur twee rond Dylan zou willen dat hij meer geld had Maddie verdient waar zij naar kijken evengoed als de vrouwen die ze de winkels in en uit zien lopen, vrouwen die meer juwelen dragen dan hij in twintig jaar te zien zal krijgen, vrouwen met namaakgezichten namaaklichamen vrouwen die in hun mobiele telefoons klagen waarom, wat hebben ze te klagen, is er echt iets mis. Hij houdt Maddies hand vast. Hij voelt zich opgelaten over het geld in zijn zak schaamt zich dat hij niet meer heeft. Zij is opgewonden over hun huwelijk en over Beverly Hills en haar gelukkig zien laat hem zichzelf en het geld in zijn zak of gebrek daaraan vergeten en haar gelukkig zien breekt zijn hart een beetje, elke glimlach, elke lach, elke keer dat ze naar iets kijkt en er opgewonden over raakt, gelukkig, en het breekt een beetje.

Ze wordt moe dus lopen ze naar een hotel er staat een rij taxi's ze stappen in een van de taxi's en beginnen naar hun flat te rijden. Dylan vraagt de chauffeur te stoppen bij een winkelcentrum vlak bij hun huis Maddie vraagt waarom hij zegt als we gaan trouwen heb je een jurk nodig. Ze lacht, zegt zo'n soort bruiloft hebben wij niet, hij zegt ik hou van je en ik wil je iets bijzonders geven. Ze rijden naar de voorkant gaan de taxi uit Dylan betaalt. Maddie glimlacht en neemt Dylans hand en kust hem op de wang en ze lopen het winkelcentrum in. Er is aan beide kanten een warenhuis, een paar honderd andere winkels daartussenin, een verzameling eethuisjes, een parkeergarage, een supermarkt in de kelder. Het is een mooi winkelcentrum, aan de chique kant, de klanten komen uit de betere middenklasse van West-Los Angeles en Santa Monica en Westwood. Dylan vraagt Maddie waar ze wil beginnen ze glimlacht en zegt laten we zomaar wat lopen.

Ze lopen, kijken etalages, af en toe gaat Maddie een kledingzaak in haalt iets tevoorschijn laat haar vingers erover glijden houdt het voor haar lichaam hangt het terug. Veel van de kleren lijken op de kleren in Beverly Hills, er zijn kleine verschillen in snit of patroon of stof, grote verschillen in prijs. Maddie is niet geïntimideerd door de winkels of door de mensen erin ze spreekt met de verkoopsters glimlacht wanneer ze iets aardigs tegen haar zeggen vragen of Dylan haar verloofde is ze legt altijd haar armen om hem heen en zegt ja. Na een uur misschien langer heeft ze twee jurken gevonden een van eerlijk wit linnen de ander lichtblauw strapless de ene in een warenhuis de andere bij een keten. Ze past ze allebei vraagt de mening van Dylan het maakt hem niet uit, vindt haar in allebei prachtig, ze gaan naar de hoek met eethuisjes en halen frisdrank en ze praat over beide jurken, wat ze er mooi aan vindt en wat niet, over de winkels die je allebei in het hele land ziet het warenhuis is chiquer, ze kiest voor de witte omdat het een bruiloftsjurk is, of iets wat op een bruiloftsjurk lijkt, eerlijk wit linnen.

Ze gaan naar het warenhuis halen de jurk van eerlijk wit linnen uit het rek. Dylan was te bang om de prijs te controleren toen Maddie naar de jurk keek ze overhandigt de jurk aan hem en zegt dankjewel en kust hem en hij brengt de jurk naar de toonbank waar een vrouw achter een kassa staat ze glimlacht naar hem, zegt iets.

Hi.

Hij antwoordt.

Hi.

Vond u alles wat u vandaag nodig heeft?

Dylan kijkt naar Maddie, zegt iets.

Ja. Dank u.

De vrouw neemt de jurk scant die. Dylan is te bang om naar het totaal te kijken. De vrouw zegt iets.

Honderddertig dollar en vierenveertig cent.

Dylan glimlacht haalt zijn geld tevoorschijn overhandigt haar honderdveertig dollar ze pakt het aan geeft hem zijn wisselgeld begint de jurk in te pakken. Maddie glimlacht en zegt dankjewel en kust Dylan. De vrouw is klaar met de jurk, overhandigt die aan Maddie ze lopen hand in hand het winkelcentrum uit Maddie glimlacht zegt hoe opgewonden ze is over de jurk over hoe ze de juiste keuze maakte over hoe perfect de jurk zal zijn op hun plechtigheid, hoe ze die ook besluiten te houden. Ze verlaten het winkelcentrum stoppen bij een kiprestaurant onderweg naar huis kopen een zak en wat witte bonen in tomatensaus en wat macaroni met kaas en drie porties chocoladepudding, een voor Dylan twee voor Maddie.

Ze komen thuis Dylan legt de kip op tafel Maddie gaat naar hun kamer. Dylan pakt borden vorken messen en servetten dekt de tafel zo goed als hij kan, terwijl hij gaat zitten, komt Maddie de kamer uit. Ze heeft haar nieuwe jurk aan. Eerlijk wit linnen tot net onder de knie. Smalle bandjes over beide schouders. Laag genoeg om een beetje inkijk te bieden, maar het meeste aan de verbeelding over te laten. Ze loopt glimlachend naar de tafel en draait rond Dylan lacht. Ze begint te poseren als de sterren in bladen Dylan lacht ze begint door de flat te paraderen als een model over een catwalk Dylan lacht. Ze stopt voor hem, zegt iets.

Wat vind je ervan?

Je bent prachtig.

Past prima, vind je niet.

Perfect.

Je kunt niet eens zien dat ik zwanger ben.

Nee hoor.

Ik ben blij dat we ons kindje foto's van onze trouwdag kunnen vertonen waarop ik een mooie jurk aan heb.

Dylan glimlacht.

Ja.

Ze glimlacht.

Dankjewel.

Ik ben blij dat we de jurk konden kopen.

Ze laat haar handen over de voorkant ervan glijden.

Afgezien van mijn ring heb ik geloof ik nooit zoiets moois bezeten.

Zijn hart breekt, een beetje dan.

Je bent er prachtig in.

Ze glimlacht weer.

Dat heb je al gezegd.

Maar het is zo, je bent prachtig.

Ze gaat op zijn schoot zitten, kust hem, het is een lange diepe kus, een kus waaraan geen van beiden een eind wil maken ze staan op gaan de slaapkamer in ze kussen nog steeds hun handen bewegen ze trekt zich terug, glimlacht, zegt iets.

Ik wil de jurk wel netjes houden.

Ze trekt de jurk voorzichtig uit, hangt hem op Dylan zit op de rand van het bed kijkt naar haar ze draait zich om loopt naar hem toe hij staat op ze zijn bij elkaar ze kussen elkaar, handen, tongen, zijn kleren, de kleren die zij nog aan heeft ze vallen op bed op elkaar in elkaar ze vergeten het eten verhuizen hun kind ze vergeten en voelen elkaar voelen aan en in, voelen, weer, weer weer.

Ze vallen in slaap als Dylan wakker wordt dat gaat inmiddels automatisch is het nog donker. Hij stapt uit bed gaat naar de badkamer poetst zijn tanden, doet z'n deodorant op, spettert koud water over zijn gezicht weer een dag slepen met die godverdomde golftassen. Hij loopt de badkamer uit Maddie ligt op bed ze slaapt op haar rug lakens bij haar middel ze ademt langzaam en regelmatig. Hij stopt en kijkt een minuut, twee minuten, kijkt zomaar naar haar gezicht een schaduw over de bovenste helft van haar lichaam dat een beetje omhoog komt borsten die gevulder worden naar haar halslijn naar haar handen een valt de rand van het bed af naar haar haar lang en dik nog steeds een waterval over een wit kussen naar haar open mond die bij elke ademtocht een beetje trilt. Hij knielt naast haar neer hij is bang haar aan te raken of haar wakker te maken hij wil alleen maar bij haar zijn en hij fluistert je bent zo prachtig en ik hou van je en hij kust haar wang en zijn hart breekt, het breekt al is het maar een beetje.

Hij vertrekt loopt naar de baan. Hij haalt een kop koffie zegt hallo tegen de andere caddies een van hen zegt dat Shaka hem wil spreken. Hij loopt naar Shaka's kantoor klopt op de deur, die halfopen staat. Shaka vraagt wie is daar Dylan zegt zijn naam Shaka zegt komt binnen. Dylan opent de deur, gaat naar binnen, Shaka beduidt hem te gaan zitten, zegt iets.

Morgen.

Morgen.

Voel je je goed vandaag?

Ja.

Kreeg je gisteren de toestemming?

Ja.

Hoe ging het?

Het was nogal makkelijk, nogal simpel.

Klaar om te trouwen.

Dylan glimlacht.

Volgens mij wel.

Serieus, ben je klaar om te trouwen?

Jazeker. Ik ben er opgewonden over.

Ik heb met m'n neef gepraat. Vanavond is hij vrij. En mijn vrouw kan komen om te getuigen.

Echt?

Je zei dat je klaar was.

Jazeker.

Het gaat dus door?

Waar doen we het?

Hier.

In jouw kantoor?

Op de baan. Onder een boom of zoiets. Ergens waar het er aardig uitziet.

Gaaf.

Heb je een kostuum thuis?

Nee.

Dat dacht ik al, dus ik heb er een voor je meegebracht. Het is het oude kostuum van mijn zoon, hij heeft ongeveer jouw maat. Het hangt aan de deur achter je.

Dank je.

Heb je een camera?

Nee.

Een van mijn dochters wil fotograaf worden en heeft gezegd dat ze foto's voor je zal maken.

Geweldig. Dankjewel.

Ik dacht vroeger dat het gekkigheid was, maar ze heeft me een paar van haar foto's laten zien en die zijn eigenlijk goed, echt goed.

Geweldig.

Misschien halen we nadien een pizza of zoiets?

Is het niet de bedoeling dat ik m'n vrouw mee naar huis neem, naar bed?

Als je het goed wilt doen, heb je van tevoren een maaltijd nodig.

Dylan lacht.

Dat zal wel.

Na je eerste ronde bel je je meisje om te zorgen dat ze kan komen. Als ze kan, bel ik wat mensen op om te zorgen dat iedereen hier is.

Hoe laat?

Wordt donker rond 20.00 uur. De laatste ronde zal rond 17.00 uur beginnen. Als ze geen andere plannen heeft, laat ze dan hier zijn om 20.15.

Ik weet zeker dat we geen plannen hebben.

Met een vrouw weet je maar nooit.

Behalve elkaar hebben we geen vrienden. We hebben nooit plannen.

Shaka lacht.

Nou, misschien kunnen jouw dame en mijn dame het goed met elkaar vinden en dan heeft jouw dame een vriendin en gaat ze zo veel plannen maken dat je er gek van wordt.

Dylan lacht.

Ik zou dat eigenlijk best leuk vinden.

Ja, wacht dan maar af.

Dank voor alles. We hebben hier helemaal geen familie, en de familie die we thuis hebben is verschrikkelijk, en het is echt fantastisch hoe je ons helpt.

Voor een blanke jongen ben je best aardig. En je bent nu een van ons, zo'n klootzak van een caddie, en we zorgen voor wie bij ons hoort.

Dank je.

Dylan staat op, steekt zijn hand uit, Shaka staat op en neemt zijn hand aan en ze schudden elkaar de hand en het lijkt wel of Dylan gaat huilen. Shaka trekt zijn hand terug, wijst naar de deur.

Naar buiten jij en ga wat geld verdienen. De Heer weet dat je het nodig zult hebben.

Dylan lacht, vertrekt, gaat in de rij van de caddies staan, zijn eerste tas is een vent die voor tandarts studeert de meeste tijd van zijn ronde gaat op aan verhalen hoe hij openbare golfbanen haat en hoezeer hij ervan gaat genieten genoeg geld te verdienen om lid te worden van een privéclub. Wanneer de ronde voorbij is $ 40 fooi gaat hij naar de telefooncel en belt Maddie die wakker is en ontbijt met de kip van de vorige avond. Hij vraagt haar of ze plannen voor vanavond heeft ze lacht hij zegt haar dat ze hem moet komen opzoeken op de golfbaan om 20.15 ze vraagt waarom hij zegt dat ze iets leuks gaan doen ze vraagt wat en hij zegt kom nu gewoon, en doe je nieuwe jurk aan. Ze vraagt waarom en hij zegt alsjeblieft kom nu gewoon en zij gie-chelt en zegt goed dan. Hij zegt ik hou van je en zij zegt ik hou van je en ze hangen op.

Zijn volgende tas is een acteur de man, die lang donker en knap is achter in de twintig, wordt boos wanneer Dylan hem niet herkent en hij vraagt Dylan of hij godverdomme in een grot woont. Dylan vraagt waarin hij heeft meege-speeld en de man zegt een van de belangrijkste soapseries in de geschiedenis van de televisie Dylan vraagt waarom hij geen lid is van een privéclub de man zegt dat hij wel lid is maar dat hij soms graag tussen *echte* mensen speelt. Dylan vraagt welke club de man zegt Dylan dat hij eens moet ophouden met vragen stellen en de rest van de ronde zegt de man nog maar één keer iets te-gen Dylan wanneer hij een goede slag maakt en van Dylan wil horen hoe een goede slag het is. Aan het eind van de ronde geeft de man Dylan $ 10 zegt be-dankt stapt in een Mercedes rijdt weg.

Het is 16.00 Dylan begint een beetje zenuwachtig te worden. Hij krijgt een kans op nog een tas die grijpt hij, het is een vrouw die werkt als kapster en leert golfen omdat ze denkt dat ze zo misschien een echtgenoot aan de haak kan slaan. Ze speelt samen met een vriendin die ook kapster is het is de eerste keer dat de vriendin op een golfbaan staat, Dylan hoopt dat ze ontmoedigd raken en het voortijdig opgeven. Ze scoren respectievelijk negen en veertien op de eerste hole, een par vier die als een van de makkelijkste holes op de baan geldt. Ze scoren dertien en zeventien op de tweede hole, een par vijf. Ze scoren tien en twaalf op de derde hole, een par drie. Ze lachen om zichzelf en hebben plezier, maar ze weten ook dat ze de golfers achter zich laten wach-ten, dus besluiten ze nog één hole te doen, het is een par vier zij scoren vijf-tien en zeventien, ze besluiten iets te gaan drinken en naar de oefenbaan te gaan. Dylan draagt hun tassen naar hun auto's, ze geven hem een fooi van $ 50 omdat ze weten wat het betekent op fooien te moeten overleven ze zeg-gen hem dat ze hem nog eens hopen te ontmoeten.

Het is 17.15 drie uur of zo tot hij zal trouwen. Hij is erg zenuwachtig hij vraagt zich af of hij iets moet hebben hij gaat naar Shaka's kantoor klopt op de deur. Shaka reageert.

Kom binnen.

Dylan gaat naar binnen, Shaka zit aan z'n bureau, hij leest een boek over in-vesteren, hij kijkt op, zegt iets.

Klaar?

Ik weet het niet.

Hoe laat is het?

Even na vijven.

En je weet niet of je klaar bent?

Ik ben klaar, dat wil zeggen klaar om het te doen, maar ik weet niet of ik klaar ben als het erom gaat of ik alles heb.

Je hebt je vrouw nodig, iemand voor de voltrekking, een paar getuigen, rin-gen. Heb je die dingen, dan ben je klaar.

Geen ringen.

Je hebt geen kloteringen?

Dylan lacht.

Nee.

Godverdorie, elke dag krijg ik een lagere dunk van blanken. Jij en Rotzak Dan hebben geen hersens in jullie kop.

Dylan lacht weer. Shaka staat op.

Kom met me mee.

Hij loopt het kantoor uit, Dylan volgt hem ze gaan naar het parkeerterrein stappen in Shaka's auto, een tien jaar oude Japanse sedan die perfect is onderhouden ze rijden een kilometer of drie ze gaan naar een winkelgalerij parkeren voor een pandjeshuis. Shaka kijkt naar Dylan, zegt iets.

Ik ga je nu wat opbiechten waardoor ik in moeilijkheden kan komen, je moet me dus beloven dat je je mond erover houdt.

Geen probleem.

Zo nu en dan golf ik. Toen ik jonger was, was ik goed. Af en toe speel ik om geld. De mensen denken altijd dat ze me gaan verslaan, maar dat lukt ze zelden. Omdat ze denken dat ze me gaan verslaan, zetten ze meer in dan ze zich kunnen veroorloven te verliezen, en vervolgens geven ze me spullen om hun schuld te dekken, gewoonlijk horloges of juwelen of zoiets. Ik breng de spullen hierheen om te verpatsen. Ik ben bevriend met de vent, hij zal ons keurig behandelen.

Shaka opent de deur stapt de auto uit, Dylan volgt ze lopen de winkel in die staat vol met muziekinstrumenten, stereo's, televisies, wapens kasten vol wapens, juwelen kasten vol juwelen. De eigenaar, een blanke man van middelbare leeftijd met een golfshirt, ziet eruit als een bankier uit de provincie. Hij zegt hallo tegen Shaka ze schudden elkaar de hand en kletsen terwijl Dylan naar de ringen kijkt. Na een paar minuten komt de man hij gaat voor Dylan staan, zegt iets.

Wil je nieuwe of gebruikte?

Ze zijn toch allemaal gebruikt?

Nee hoor. De hele tijd krijg ik mensen binnen om ringen te verkopen voor ze daadwerkelijk zijn getrouwd.

Echt waar?

Soms is hun geld op, soms veranderen ze van gedachte voor ze het doorzetten, soms zijn de ringen waarschijnlijk gestolen, al mag ik daarvan niet op de hoogte zijn.

Ik heb liever nieuwe.

Dat is waarschijnlijk het beste.

De man doet een kast open en haalt een ringendisplay van zwart vilt tevoorschijn zet die op de toonbank. Hij pakt vier stel ringen legt ze op het glas, zegt iets.

Zoek maar uit.

Dylan kijkt ernaar drie van goud een van zilver of platina dat kan hij niet zien in twee staat iets gegraveerd die legt hij apart op de andere twee staat niets een stel is breder, er is een ingewikkeld patroon in gegraveerd, het andere paar simpel goud de ring voor de man iets breder dan voor de vrouw. Dylan neemt ze op zegt iets.

Hoeveel?

Hoeveel heb je vandaag verdiend?

Honderd dollar.

Geef mij er vijftig.

Meent u dat?

Shaka is een vriend. Je lijkt een aardige vent. Laat het een soort huwelijkscadeau van mij voor jou zijn.

Dylan glimlacht.

Dank u wel.

Hij haalt vijftig dollar tevoorschijn, overhandigt die aan de man. De man pakt ze aan zegt veel geluk, schudt Shaka's hand zegt tot gauw, Shaka en Dylan lopen de winkel uit. Als Dylan in de auto stapt dankt hij Shaka die glimlacht zegt graag gedaan ze rijden terug naar de baan Dylan zegt geen woord hij staart alleen naar de ringen speelt ermee, rolt ze door zijn vingers, houdt ze in het licht kust ze.

Ze stoppen het is 18.45 de werkdag is bijna voorbij het parkeerterrein is half-leeg. Caddies die gewoonlijk al thuis zijn hangen rond, ze praten in hun mobieltjes, sommigen dragen mooiere kleren dan ze gewoonlijk dragen overhemden, pantalons, sandalen, riemen. Dylan vraagt Shaka wat er aan de hand is en Shaka glimlacht en zegt we hebben een bruiloft. Hij loopt terug naar zijn kantoor. Dylan volgt hem en stelt vragen, Shaka zegt steeds weer hetzelfde wacht nou maar rustig af, blanke jongen, wacht nou maar rustig af. Hij geeft Dylan het kostuum en een overhemd en een stropdas en een paar schoenen zegt ga naar de kleedkamer en neem een douche en zorg dat je klaar bent.

Dylan loopt naar de kleedkamer, die de caddies gewoonlijk niet mogen gebruiken. Het staat er vol andere caddies die onder de douche gaan en mooie kleren aantrekken. Ze schudden hem allemaal de hand en zeggen gefeliciteerd hij is verrast en ontroerd en kan niet echt geloven wat er gebeurt. Er zijn twee mannen in de kleedkamer die golfspelers zijn en hoewel ze geen idee hebben wat er aan de hand is feliciteren ze hem ook. Hij neemt een douche. Gaat de douche uit trekt het kostuum aan het is aan de kleine kant maar past goed genoeg om te dragen. Hij kamt z'n haar. Hij trekt de schoenen aan hij wordt met de minuut zenuwachtiger vraagt zich af wat Maddie aan het doen is, wat zij denkt, of ze het weet, hoe ze zal reageren wanneer ze aankomt. Het is niet helemaal wat hij had verwacht of gedacht wanneer hij aan hun bruiloft dacht, trouwen op een golfbaan in Los Angeles met zijn collega's erbij, een stel zwarte en Mexicaanse caddies, maar hij is er blij mee, opgewonden, ziet het als een volgend deel van hun avontuur, iets waarover ze kunnen praten als ze vijftig, zestig, zeventig zijn, iets wat hun kinderen aan hun kinderen zullen vertellen.

Hij kijkt naar zichzelf in de spiegel. Hij ziet er goed genoeg uit het kostuum is best leuk. Hij controleert zijn zakken de ringen zitten in het colbert. Hij loopt de kleedkamer uit hij ziet dat er stoelen in twee groepen worden neergezet, een gang ertussen, op het gras voor het clubhuis. Het is 19.30 over drie kwartier gaat hij trouwen hij vraagt zich af wat Maddie aan het doen is, hoe zij zich voelt. Hij loopt erheen biedt aan te helpen met de stoelen de vier caddies die ze neerzetten twee uit Mexico, een uit El Salvador een neger zeggen nee ga naar Shaka's kantoor en ontspan je. Hij loopt naar Shaka's kantoor en klopt op de deur.

Kom binnen.

Hij opent de deur, gaat naar binnen, Shaka heeft een kostuum aan, een grote man, het lijkt een broer van Shaka, maar dan een beetje ouder, zit in de stoel tegenover zijn bureau. De man, die een lang zwart gewaad draagt, staat op. Shaka zegt iets.

Dylan, ik wil je voorstellen aan mijn neef Khama. Khama, dit is hem.

Dylan en Khama lachen allebei, ze schudden elkaar de hand. Khama zegt iets.

Een grote dag voor je.

Dylan glimlacht.

Inderdaad.

Opgewonden?

Ja.

Is er iets bijzonders dat je tijdens de ceremonie graag gezegd wilt hebben?

Nee.

Wat is je godsdienst?

Geen, eerlijk gezegd. Mijn ouders pleegden naar een doopsgezinde kerk te gaan, maar dat deden ze om zich niet schuldig te voelen over het drinken en het bedriegen en het elkaar toetakelen.

Het spijt me.

Dat hoeft niet. Het was wat het was. De ouders van m'n meisje zijn uit hetzelfde hout gesneden.

Ik hoop dat je dezelfde fouten zult vermijden.

Daarom zijn we weggegaan. Kwamen we hier.

Dat was toch om in de echt te worden verbonden door een zwarte man die naar een Afrikaanse koning is vernoemd?

Dylan lacht.

U ook?

Ja. Shaka en ik en elke man in onze familie. We kibbelen er vaak over wiens naamgenoot de grootste was.

Shaka zegt iets.

Dat was de mijne.

Khama zegt iets.

Dit is een heuglijke gelegenheid, dus ga ik hem niet tegenspreken.

Ze lachen. Khama zegt iets.

Is het goed als ik gewoon de standaardgelofte gebruik?

Ja.

De hele toestand zal zo'n vijf minuten duren. Volg gewoon mijn aanwijzingen. Voor we beginnen zullen we aan het eind van de doorgang op haar wachten.

Shaka zegt iets.

Mijn vrouw zal haar opwachten op het parkeerterrein en wijzen waar ze heen moet.

En als ze in paniek raakt?

Mijn vrouw is erg goed in de omgang met mensen die in paniek raken.

Ze lachen weer. Khama zegt iets.

Nog vragen?

Bedankt dat u dit doet.

Is dat een vraag?

Dylan lacht.

Nee, ik wilde alleen maar dank u zeggen.

Ik doe het met plezier.

Dylan kijkt naar Shaka, zegt iets.

Hoe heb je dit zo vlug geregeld?

Ik heb gewoon iedereen verteld dat je ging trouwen, dat we het hier gingen doen. Wanneer iemand van ons trouwt, gaan we er gewoonlijk allemaal heen. In dit geval hoefden we nergens heen. En wie vindt een bruiloft niet leuk? Je kunt dronken worden en dansen en je idioot gedragen en je vrouw laat je je gang gaan.

Ze lachen.

Jij ook bedankt. Voor alles.

Shaka knikt.

Je bent een van mijn jongens hier. Ik behandel mijn jongens goed.

Dank je.

Wil je niet vlug wat drinken voor we naar buiten gaan?

Godverdomme ja.

Ze lachen allemaal weer, Shaka voelt in zijn colbert haalt een flesje whisky tevoorschijn hij en Shaka nemen allebei een slok Khama bedankt. Ze verlaten het kantoor en lopen terug naar het gras voor het clubhuis. De zon is onder het wordt donker. De stoelen zijn neergezet en de meeste zijn bezet, de andere caddies zitten erop met hun vrouwen en kinderen, de doorgang in het midden staat vol lampen hun stralen schijnen recht de hemel in. Als Dylan door de gang loopt fluiten de aanwezigen naar hem, ze feliciteren, Rotzak Dan, die er is met z'n verbazend aantrekkelijke vrouw, staat op en schudt zijn hand. Hij en Khama gaan naar een kleine halve cirkel van op de grond gezette bloemen aan het eind van het terrein, ze gaan in het midden ervan staan, het is even na 20.00.

Hij staat er twee minuten, drie minuten vijf minuten zeven. Hij wiebelt heen en weer op zijn hielen, friemelt aan zijn kostuum, staart naar de grond kijkt op en glimlacht kijkt weer naar de grond. Hij draait zich naar Khama die staat met zijn handen gevouwen bij zijn middel een zwart boekje in een van zijn handen Khama knikt. Hij kijkt naar Shaka, die aan het begin van de doorgang staat, een stoel met een gettoblaster erop naast hem, Shaka glimlacht en steekt zijn duim voor Dylan op. Dylan kijkt naar het parkeerterrein, hij kan niet veel zien van waar hij staat, hij kan de ingang of de uitgang niet zien, hij kan de plaats niet zien waar Maddie normaal gesproken het terrein op zou lopen, hij kan niet zien hoe Shaka's vrouw op haar wacht. Hoe langer hij staat hoe zenuwachtiger hij wordt, hoe liever hij Maddie wil zien, haar gewoon zien, gezicht glimlach pas jurk hij wil haar naast haar, hij wacht en glimlacht en zijn medecaddies die op de stoelen voor hem zitten kijken naar hem en glimlachen naar hem Shaka kijkt naar hem, glimlacht naar hem, zelfs Rotzak Dan glimlacht naar hem.

Hij ziet haar de hoek om komen. Ze ziet er zenuwachtig uit een beetje in de war opgewonden, ze glimlacht ze ziet hem, hij glimlacht steekt een hand op wuift even. Ze haalt haar schouders op hij gebaart haar naar hem toe te komen zij kijkt om zich heen en ziet de stoelen, de mensen, Shaka drukt op play op de gettoblaster ze glimlacht en lacht en hij gebaart haar naar hem toe te komen.

Maddie begint naar de doorgang te lopen, ze draagt een boeket bloemen. Shaka's vrouw, een lange zware vrouw met donkere huid in een roze jurk, volgt op een halve meter. Ze gaat de doorgang in en Dylan kan voelen hoe zijn handen beginnen te beven, ze heeft haar jurk aan, ze glimlacht, besteedt geen aandacht aan iets anders, iemand anders. Met elke stap komt ze dichterbij hun ogen zijn verstrengeld met elke stap zijn bonzende hart, bevende handen, met elke stap voelt hij zich gelukkiger, sterker, met elke stap er is niemand anders op aarde van wie hij houdt. Als ze dichterbij komt gaat ze sneller lopen hij weet niet goed wat hij moet doen maar hij wil haar aanraken het enige wat hij wil is haar aanraken. Hij opent zijn armen zij rent de laatste paar stappen in zijn armen hij sluit ze om haar heen. Ze zegt wat is dit hij zegt onze bruiloft zij giechelt hij fluistert in haar oor ik hou ik hou van jou ik hou van jou.

De aanwezigen lachen de bruiloftsmars loopt gewoonlijk niet zo af. Dylan en Maddie staan daar houden elkaar een seconde, twee vast. Shaka die zijn vrouw door de gang volgde gaat op de voorste rij zitten, zij gaat naast hem zitten. Khama schraapt zijn keel Dylan en Maddie kijken allebei in zijn richting de aanwezigen lachen weer. Dylan en Maddie gaan uit elkaar, Khama zegt iets.

Gewoonlijk adviseer ik jonge stellen voor ze gaan trouwen zich ervan te verzekeren dat ze om de juiste redenen trouwen. Wat ik net heb gezien leert me dat er in dit geval geen advies nodig is.

Iedereen lacht een enkeling klapt. Khama kijkt naar Maddie, zegt iets.

Jongedame, mijn naam is Khama, en voor we gaan beginnen wil ik me graag voorstellen en feliciteren.

Hij biedt zijn hand aan ze glimlacht en grijpt die en zegt iets.

Fijn u te ontmoeten.

Insgelijks.

Hij kijkt kort naar hen beiden.

Zullen we beginnen?

Ze reageren allebei.

Ja.

Khama wendt zich tot de aanwezigen heet hen welkom, wendt zich weer tot Maddie en Dylan, die tegenover elkaar staan, ze houden elkaar bij beide handen vast, hij vraagt hun of ze klaar zijn voor hun gelofte. Zonder de blik van elkaar af te wenden zeggen ze allebei ja. Dylan komt als eerste hij herhaalt ik Dylan neem jou Maddie om jouw wettige echtgenoot te zijn, ik beloof van je te houden, je te steunen, te eren en te onderhouden in goede en in slechte tijden, in rijke en arme tijden, bij ziekte en gezondheid, met voorbijgaan aan alle anderen, ik zal jou trouw zijn tot de dood ons scheidt. Bij deze woorden breekt zijn stem tranen stromen over zijn wangen Maddie knijpt in zijn handen ze kijken elkaar diep in de ogen. Zij komt na hem legt dezelfde gelofte af, haar stem breekt ze huilt van geluk Dylan knijpt in haar handen hun ogen vinden elkaar. Wanneer ze klaar zijn vraagt Khama om de ringen Dylan voelt in zijn jaszak zijn handen beven hij tast naar de ringen heeft ze te pakken iedereen lacht. Hij overhandigt ze aan Khama, die er een aan hem teruggeeft, iets zegt.

Deze zul je nodig hebben.

Meer gelach, Dylan glimlacht zegt iets.

Dank u.

Khama.

Zeg me na. Met deze ring huw ik u, ik geef je de ring als een symbool van mijn gelofte, mijn liefde en mijn toewijding, met alles wat ik ben en met alles wat ik heb.

Dylan zegt het na, doet de ring aan Maddies vinger allebei hun handen trillen hij glimlacht nog steeds. Khama wendt zich tot Maddie, overhandigt haar de andere ring. Ze herhalen het ritueel nog steeds trillen ze glimlachen ze Khama zegt iets.

In de naam van de Vader, de Zoon en de Heilige Geest, en met de macht waarmee de staat Californië mij heeft bekleed, verklaar ik jullie nu man en vrouw. Hij wendt zich tot Dylan.

Je mag je bruid kussen.

Brede glimlachen ze leunen voorover en hun lippen vinden elkaar als echtgenoot en echtgenote hun lippen vinden elkaar en beginnen een lange diepe kus. De aanwezigen beginnen te applaudisseren en te fluiten. Ze blijven kussen, hun armen om elkaar heen lang en diep. Khama glimlacht, lacht, ze gaan maar door, het applaus wordt luider, er klinkt meer gefluit, ze verliezen zich in elkaar vinden zich in elkaar houden elkaar vast, kussen elkaar. Shaka drukt op play op de gettoblaster er begint huwelijksstoetmuziek te spelen Maddie en Dylan laten elkaar los fluisteren ik hou van jou tegen elkaar wenden zich glimlachend tot de aanwezigen. Ze beginnen hand in hand door de gang te lopen, iedereen staat op als zij voorbijgaan het applaus en het fluiten gaat nog door. Wanneer ze het eind van de doorgang bereiken, staan Shaka en diens dochter, die foto's heeft gemaakt, op hen te wachten. Shaka zegt iets.

Gefeliciteerd.

Ze zeggen allebei iets.

Bedankt.

Shaka.

Verrast?

Maddie lacht.

Totaal. Wie zijn al deze mensen?

Dylan.

De andere caddies.

Shaka.

Behalve ik dan, maar ik ben wel caddie geweest, en de dikke blanke kerel, die we Rotzak Dan noemen, hij is de baas hier.

Maddie lacht.

Dylan heeft het met me over hem gehad.

Shaka.

En over mij?

Maddie.

Als u Shaka bent, heeft hij het ook met me over u gehad.

Ik ben Shaka, en ik hoop maar dat hij aardige dingen heeft gezegd, anders is deze bruiloft voorbij.

Ze lachen. Shaka zegt iets.

Klaar voor het volgende deel?

Dylan.

Wat is dat?

Dansen, drinken en eten. Ik heb je gezegd dat je wat moet eten als je de prestaties moet leveren die straks van je worden verwacht.

Ze lachen.

Waar gaan we het doen?

Gewoon hier.

Op de baan?

Gewoon hier godverdomme.

Shaka stapt opzij, begint bevelen te brullen, de stoelen worden anders neergezet in iets wat op een cirkel lijkt, de plaatjes in de gettoblaster worden verwisseld, koelers vol bier worden uit het clubhuis aangevoerd. De andere caddies en hun vrouwen of vriendinnen vormen een rij, beginnen naar Dylan en Maddie te lopen, ze feliciteren hen, overhandigen hun witte enveloppen. Wanneer de rij weg is, is iedereen aan het dansen, drinken, er zijn pizza's gekomen ze eten. Dylan en Maddie sluiten zich bij hen aan Dylan drinkt maar niet te veel Maddie nipt aan een biertje, maar drinkt nooit door. Ze gaan uit elkaar de mannen houden Dylan voor de gek, waarschuwen hem voor de situatie waar hij zich in heeft gewerkt, de vrouwen praten met Maddie over haar jurk, over kinderen, over hoe ze hun echtgenoten aanpakken. Ze hebben een eerste dans op een nummer dat ze niet kennen een langzaam soulnummer wanneer de dans eindigt kussen ze elkaar weer de andere paren juichen en fluiten weer. Er wordt een taart naar buiten gebracht het is een witte taart met wit glazuur uit een supermarkt ze snijden de taart aan, voeren de taart aan elkaar, likken de taart van elkaars vingers. Het feest duurt een uur twee drie de meeste aanwezigen zijn dronken sommigen beginnen te strompelen sommigen van hun vrouwen nemen hen mee naar huis sommigen van hen nemen hun vrouw mee naar huis. Dylan en Maddie beginnen moe te worden ze gaan op zoek naar Khama danken hem, gaan op zoek naar Shaka en danken hem. Shaka zegt Dylan dat hij morgen vrij moet nemen en onderweg naar huis goed op de enveloppen moet passen het is traditie dat alle caddies hun fooien van de dag aan de bruidegom geven op diens trouwdag. Dylan bedankt Shaka nog eens, omhelst hem, Maddie bedankt hem en zijn vrouw omhelst hen, ze lopen hand in hand naar huis als man en vrouw. Wanneer ze thuis komen gaan ze naar bed Dylans voedsel komt hem goed van pas, komt Maddie goed van pas, voor de eerste tweede en derde keer als man en vrouw.

Tom Bradley, een Afro-Amerikaan, wordt in 1973 tot burgemeester gekozen, hij verslaat de zittende burgemeester Sam Yorty, die blank is, in een campagne waarin Bradley Yorty beschuldigt van racisme en Yorty in twijfel trekt of Bradley de misdaad in z'n eigen gemeenschap kan bestrijden. Bradley wordt de eerste burgemeester van Los Angeles uit een minderheidsgroep, en de tweede Afro-Amerikaanse burgemeester van een grote Amerikaanse stad.

Oudje Joe loopt terug naar de promenade als hij zijn toilet nadert ziet hij er een patrouillewagen van de politie van LA naast staan. Hij wil niet onmiddellijk met de politie praten dus loopt hij naar de drankwinkel hij heeft niet genoeg geld voor een fles chablis dus koopt hij een fles vieux en begint te drinken achter de drankwinkel. Het is sterk en smaakt als druivensap vermengd met benzine, het is veel sterker dan chablis na vier of vijf grote slokken is hij bezopen genoeg om met de politie te praten hij verstopt de fles onder een vuilcontainer en loopt terug naar het toilet.

De patrouillewagen staat er nog, een agent leunt tegen de motorkap, een tweede zit op de bestuurdersplaats. Geen van beiden ziet hem tot hij een meter van hen vandaan staat en hij iets zegt.

Agenten?

Ze kijken allebei op. De agent op de motorkap zegt iets.

Ja?

Wachten jullie hier op mij?

Hoe heet je?

Degene die op de bestuurdersplaats zat, stapt de auto uit, de andere zegt iets.

Hoe heet je?

Oudje Joe.

Degene van de bestuurdersplaats zegt iets.

Ja, inderdaad. Iets bij je?

Nee.

Bezwaar dat we je fouilleren?

Nee.

Joe tilt z'n armen op, ze strijken over hem heen. Joe zegt iets.

Word ik ergens voor gearresteerd?

Degene van op de motorkap.

Op dit moment niet. We zoeken je om je vragen te stellen.

Hebben jullie ze te pakken?

Bestuurdersstoel.

We weten niet helemaal zeker om wie het gaat. Daarom hebben we je nodig.

Dat is goed, laten we gaan.

Bestuurdersstoel opent de achterdeur Joe stapt in komt in een kooi terecht deur gaat dicht er zitten geen knopjes aan de binnenkant ervan. De politieagenten gaan op de voorstoelen zitten, starten de auto, rijden weg. De rit naar het bureau duurt een kwartier het is tien of elf kilometer door Venice, Mar Vista, Culver City, Joe kan zich de laatste keer niet herinneren dat hij zo ver van de oceaan vandaan was. Hij staart het raam uit het is vol auto's op de straten de trottoirs zijn leeg geen mens te zien. Ze komen langs winkelgalerijen, snackbars, appartementsgebouwen met drie en vier lagen, tankstations, dis-

countwinkels. Ze rijden onder een snelweg door die ziet eruit als een parkeerterrein. De zon hoog en heet alles schittert de borden de gevelramen met re-
flecterend glas de auto's vrachtauto's het beton de gebouwen geschilderd in
heldere kleuren die helemaal zijn vervaagd. Ze rijden en hij staart en niemand zegt een woord.

Ze stoppen parkeren achter het bureau de agenten laten hem eruit. Al is hij
niet gearresteerd het voelt wel zo ze brengen hem het bureau in staan aan
beide kanten naast hem ze staan dichtbij om te voorkomen dat hij wegloopt,
een of andere snelle beweging maakt. Ze zetten hem in een kamer beige muren een tafel en drie stoelen een raam waar je van een kant doorheen kunt kijken, ze zeggen hem dat er zo iemand bij hem zal komen. Wanneer ze weggaan voelt hij aan de deur, die zit op slot, ook al is hij niet gearresteerd.

Hij gaat zitten en wacht staart naar de muur maakt zijn vingernagels schoon
bijt er een beetje op. De vieux begint weg te trekken hoofdpijn begint de
dronkenschap te vervangen, hij wil meer, hij wil water, hij wil koffie, hij wil
aspirine, iets. Hij staart naar de muur pulkt in zijn neus wrijft de resultaten
aan de onderkant van de tafel af hij zit en wacht. De muren zijn beige. Hij is
hongerig hij wil iets eten.

De deur gaat open en twee vermoeid uitziende mannen van middelbare leeftijd in kostuum komen binnen de ene is blank de andere zwart beide hebben
blauwe kostuums, de blanke heeft een snor. Ze hebben allebei frisdrank bij
zich ze gaan tegenover hem zitten. De blanke zegt iets.

Ik ben rechercheur Sullivan.

De zwarte zegt iets.

Rechercheur Jackson.

Oudje Joe knikt. Sullivan zegt iets.

En jouw naam?

Oudje Joe.

Jackson zegt iets.

Dat is je straatnaam?

Het is mijn naam.

Sullivan.

Wat is je echte naam?

Is dat belangrijk?

Jackson.

Misschien.

Zodra het belangrijk is, krijgen jullie m'n naam.

Jackson kijkt naar Sullivan, die fronst. Jackson kijkt weer naar Joe.

Vertel ons wat er is gebeurd.

Wat weten jullie?

Sullivan.

Luister, man, we proberen uit te zoeken wat er met deze vent is gebeurd. We
hebben geen behoefte aan jouw praatjes. Vertel ons godverdomme gewoon
wat er is gebeurd zodat we ermee verder kunnen.

Kan ik een frisdrank krijgen?

Jackson.

Wat voor soort?

Maakt me niet uit.

Sullivan schuift zijn frisdrank, cola light, over de tafel.

Dank u.

Joe opent het, neemt een slokje, zet het neer. Hij vertelt hun wat er is gebeurd, ze maken aantekeningen, wanneer hij klaar is, leggen ze hun pennen neer. Jackson kijkt naar Sullivan, die z'n schouders ophaalt. Jackson wendt zich weer tot Joe, zegt iets.

Wat dacht jij godverdomme?

Hoe bedoelt u?

Je maakt kloteschilden en haalt stokken en gaat over de klotepromenade paraderen als ridders of zoiets?

Ik wilde het meisje helpen.

Sullivan zegt iets.

Wilde ze jouw hulp?

Ik weet het niet. Ik geloof niet dat ze het zelf weet.

Jackson.

Was 't het leven van je vriend waard?

Nee.

Sullivan.

Je offerde het leven van je vriend op voor een of ander meisje dat naar de kloten ging.

Ik probeerde gewoon te helpen.

Jackson.

Je hebt het verkloot.

Ik weet het.

Sullivan.

Je hebt je vriend om zeep geholpen.

Ik weet het.

Jackson.

Een van de stomste dingen waarvan ik godverdomme ooit heb gehoord.

Joe wordt kwaad.

Ik weet het godverdomme, goed? Waarom stoppen jullie godverdomme niet met me te vertellen hoe idioot ik ben in plaats van de klootzakken op te gaan pakken die het hebben gedaan.

Sullivan.

Wil je de gevangenis in?

Joe staart naar de tafel, schudt zijn hoofd.

Als je naar de gevangenis wilt, moet je zo tegen ons blijven praten en dan kom je er terecht, ben ik duidelijk?

Joe staart naar de tafel, knikt.

Jackson.

Kun je de schutter identificeren, zijn vriend, en het meisje?

Ja.

Sullivan.

Weet je hoe ze heten?

De naam van het meisje is Beatrice. De namen van de kerels weet ik niet.

Jackson.

Beatrice hoe?

Geen idee.

Sullivan.

Weet je waar ze zijn?

De promenade, neem ik aan. Ik weet het niet.

Jackson.

Waar op de promenade?

Het noordeind ervan, bij Rose, bij de plaats waar jullie het lichaam hebben gevonden.

Sullivan.

Wil je een ritje met ons maken, kijken of we ze kunnen vinden?

Niet echt.

Sullivan.

Waarom niet?

Omdat ik het niet wil.

Jackson.

Een hekel aan smerissen?

Nee, ik heb geen moeite met smerissen. Ik heb geen hekel aan sommigen van hen. Aan anderen wel. Hangt er gewoon van af.

Een hekel aan ons?

Jullie zijn prima.

Sullivan.

Je wil ons gewoon niet helpen.

Ik wil gewoon naar huis.

Sullivan.

Naar het toilet?

Ja. Ik wil naar mijn toilet toe en dronken worden en mezelf een poos haten. Je mag jezelf godverdomme ook wel een poos haten. Een flinke poos.

Joe knikt.

Ik weet het.

Sullivan kijkt naar Jackson, die naar de deur wijst. Ze staan op en gaan weg. Joe zit nog een uur in de kamer. Zit gewoon en haat zichzelf. Wanneer de deur opengaat stapt een geüniformeerde agent naar binnen, zegt hem op te staan, ze lopen het bureau uit, de agent brengt hem naar een auto, opent de achterdeur, Joe gaat weer in de kooi. De agent rijdt hem terug naar Venice, zet hem af voor het toilet. Als de auto wegrijdt loopt Joe terug naar de slijterij, koopt nog een fles Thunderbird, loopt naar de achterkant van de drankwinkel, haalt zijn eerste fles onder de afvalcontainer vandaan. Hij gaat zitten en hij begint te drinken en hij besteedt de avond aan dronken worden en zichzelf haten.

In 1975 geeft de politie van Los Angeles toe geheime dossiers bij te houden over bijna 6000 inwoners van de stad. De dossiers waren profielen van vermeende communisten, leiders van zwarte en Mexicaanse gemeenschappen, mogelijke spionnen, en vijanden van het gemeentebestuur.

Los Angeles is van vele dingen de hoofdstad. Het is de amusementshoofdstad van de wereld. Het is de pornografiehoofdstad van de wereld. Het is de hoofdstad van de wereld voor oorlogs- en luchtvaarttechnologie. Het is de straatbendeshoofdstad van de wereld. Het is de schoonheidskoningin-die-rijk-en-beroemd-hoopt-te-wordenhoofdstad van de wereld. Het is de gekkenhoofdstad van de wereld. Het is de kunstenaarshoofdstad van de wereld. Het is de immigratiehoofdstad van de wereld. Het is ook, ongelukkig genoeg, de-grote-stad-die-wordt-getroffen-door-natuurrampenhoofdstad van de wereld. Alle andere aanduidingen, al kun je erover twisten, zijn goed, of op z'n minst interessant, en je hebt over de hele wereld steden die deze titels maar al te graag in de wacht zouden slepen (Carácas, Venezuela, spande in Den Haag een zaak aan voor de titel van de gekste en verloor). Niemand, herhaal niemand niemand niemand, wil de titel de-grote-stad-die-wordt-getroffen-door-natuurrampenhoofdstad van de wereld in de wacht slepen. Niet één godverdomde plaats wil deze. Nee godverdomme dank je vriendelijk.

Hoe, zou je je kunnen afvragen, kan een stad zo onfortuinlijk zijn? Haat God Los Angeles? Misschien. Heeft het een slecht karma? Sommigen vinden Los Angeles te jong om werkelijk een karma te hebben. Is er iets met Los Angeles dat de elementen dwingt tegen de stad samen te spannen en te proberen die te verwoesten? Weet niet wat het antwoord op die vraag is. Het enige wat je kunt zeggen is dat de zaken in Los Angeles voortdurend hopeloos in het honderd lopen, en de natuur de stad flink op haar godverdomde donder geeft. Hier is een korte, korte geschiedenis van natuurrampen in Los Angeles vanaf de dag dat de stad gesticht werd in 1781 tot het jaar 2000 (veel mensen geloven dat we na het jaar 2000 in het in de bijbel voorspelde *Einde der Tijden* terecht zijn gekomen en dat alles wat nadien gebeurde zonder meer Gods kloteschuld is).

8 september 1781. Vier dagen na de stichting van Los Angeles worden door een onverwachte overstroming alle bouwspullen van de kolonisten weggespoeld.

1783. Door droogte die elf maanden aanhoudt gaat een groot deel van de oogst van de nederzetting eraan.

1790. Door droogte die veertien maanden aanhoudt gaat een groot deel van de oogst van de nederzetting eraan.

1796. Een aardbeving verwoest meer dan de helft van de bestaande gebouwen in de nederzetting. Vier doden, twaalf gewonden.

1805. Door droogte die tien maanden aanhoudt wordt de eerste sinaasappelplantage in Zuid-Californië verwoest en een groot deel van de oogst van de nederzetting.

1811. Een zware overstroming vaagt grote delen van het dorp weg.

1812. Een aardbeving die 7,0 op de schaal van Richter haalt, doodt 40 mensen, verwoest de meeste gebouwen in het dorp.

1815. Zware overstroming. Doodt veertien mensen. Vaagt grote delen van het dorp weg. Pueblo de Los Angeles wordt naar een hoger gelegen terrein verplaatst.

1818. Een reeks overstromingen vaagt grote delen van de stad weg, doodt 40 mensen. Pueblo wordt voor de tweede keer naar een hoger gelegen terrein verplaatst.

1819. Een bosbrand verwoest een groot deel van de oogst van de stad.

1820. Droogte houdt tien maanden aan, verwoest een groot deel van de oogst van de stad.

1827. Een aardbeving die 5,5 op de schaal van Richter haalt. Vijftig gebouwen verwoest, 75 mensen dood.

1829. Een bosbrand verwoest 20 boerderijen aan de rand van de stad, doodt 4 mensen.

1832. Een enorme overstroming verwoest 20 gebouwen doodt 20 mensen.

1838. Droogte houdt 9 maanden aan, vaagt een groot deel van de oogst van de stad weg, verwoest sinaasappelplantages.

1844. Door een overstroming komen 15 mensen om.

1850. Een bosbrand verwoest 30 boerderijen, 20 huizen, 1 school, 11 mensen komen om.

1856. Een aardbeving die 6,0 op de schaal van Richter haalt. Zeven gebouwen verwoest, 1 dode.

1857. Een aardbeving die 7,9 op de schaal van Richter haalt, 26 gebouwen verwoest, 4 mensen komen om.

1859. Grote overstroming.

1862. Grote overstroming.

1863. Overstromingen in de eerste helft van het jaar, gevolgd door 14 maanden droogte die de hele oogst van de stad verwoest en het grootste deel van de veestapel.

1864. Het grootste deel van de indianen die er nog zijn en 350 inwoners van de stad worden gedood door de pokken.

1865. Een tsunami verwoest 30 schepen in de haven van Los Angeles.

1867. Enorme overstroming. Zeven dagen achtereen stortregen, waardoor de meeste wegen in de stad worden verwoest en een meer ontstaat in het centrum van Los Angeles.

1869. Door modderlawines vallen 11 slachtoffers.

1872. Een aardbeving die 4,5 op de schaal van Richter haalt. Tien gebouwen verwoest, 4 mensen dood.

1875. Bosbrand verwoest 400 hectare.

1879. Bosbrand verwoest 1600 hectare, 3 mensen komen om.

1884. Door een overstroming wordt de loop van de Los Angeles Rivier zodanig veranderd dat die midden door het centrum loopt, 15 gebouwen worden verwoest.

1888. Enorme overstroming. Zes mensen komen om.

1891. Enorme overstroming. Acht mensen komen om.

1894. Bosbrand verwoest 200 hectare landbouwgrond. Door modderlawines worden de wegen in Santa Monica versperd en komen 4 mensen om.

1899. Droogte vaagt de sinaasappelplantages weg, 2 mensen komen om.

1901. Een overstroming verwoest vier huizen. Een modderlawine maakt 6 slachtoffers.

1904. Acht maanden aanhoudende droogte.

1909. Tien maanden aanhoudende droogte.

1912. Een aardbeving die 4,6 op de schaal van Richter haalt. Zeven gebouwen verwoest, 1 dode.

1914. Enorme overstroming. Verwoest 30 gebouwen, vaagt wegen en spoorbanen weg, legt de haven van Los Angeles lam. Tien miljoen dollar schade.

1916. Een aardbeving die 5,3 op de schaal van Richter haalt.

1922. Een bosbrand verwoest 285 hectare, 60 huizen, 2 mensen komen om.

1926. Overstroming. Door modderlawines zijn de wegen in de westelijke helft van de stad versperd, 4 huizen worden verwoest, er valt 1 dode.

1933. Een aardbeving die 6,4 op de schaal van Richter haalt. 250 gebouwen worden verwoest, 120 mensen komen om, $ 75 miljoen schade.

1934. Twee verschillende overstromingen. Door de eerste komen 40 mensen om, door de tweede 45 mensen.

1938. Door enorme overstromingen komen 80 mensen om en wordt voor $ 35 miljoen schade aangericht. Door modderlawines komen nog eens 12 mensen om en wordt voor $ 5 miljoen schade aangericht.

1941. Een aardbeving die 4,8 op de schaal van Richter haalt. Door een overstroming komt het centrum van Los Angeles onder water te staan. Een tweede aardbeving haalt ook 4,8 op de schaal van Richter.

1942. Door een overstroming komt het centrum van Los Angeles onder water te staan.

1943. Door een overstroming komt het centrum van Los Angeles onder water te staan.

1944. Door een overstroming komt het centrum van Los Angeles onder water te staan.

1947. Door modderlawines komen 6 mensen om in Santa Monica en Malibu.

1949. Door bosbranden worden 80 hectare en 12 huizen verwoest.

1951. Een aardbeving haalt 5,9 op de schaal van Richter.

1952. Een aardbeving haalt 6,0 op de schaal van Richter. Zeven mensen komen om, $ 25 miljoen schade.

1954. Smog verhindert drie dagen lang dat vliegtuigen kunnen landen en schepen kunnen afmeren.

1961. Brand verwoest 484 huizen en 21 andere gebouwen in Brentwood en Bel-Air, richt voor $ 120 miljoen schade aan.

1963. De Baldwin Hills Dam stort in waardoor miljoenen liters water het oord overspoelen. Honderd huizen verwoest, 5 doden, $ 60 miljoen schade.

1969. Door enorme overstromingen en modderlawines komen 93 mensen om, worden 105 huizen verwoest, en wordt voor $ 500 miljoen schade aangericht.

1971. Een aardbeving haalt 6,6 op de schaal van Richter. 70 mensen komen om en er wordt voor $ 550 miljoen schade aangericht. Door een nieuwe brand in Bel-Air worden 90 huizen verwoest, komen drie mensen om en wordt voor $ 80 miljoen schade aangericht.

1978. Bij een bosbrand worden 16.000 hectare land en 300 huizen verwoest, 11 mensen komen om.

1979. Een aardbeving die 5,2 op de schaal van Richter haalt. Modderlawines verwoesten 40 huizen.

1980. De dijken bij Long Beach breken wat tot overstromingen in het gebied leidt, $ 20 miljoen schade.

1981. Door een fruitvliegjesplaag worden de sinaasappelplantages die nog over zijn verwoest. Veertig miljoen dollar schade.

1987. Door het terugkeren van de fruitvlieg wordt een groot deel van wat er nog over is van de landbouwsector verwoest. Een aardbeving haalt 5,9 op de schaal van Richter. Daardoor komen 10 mensen om en wordt voor $ 450 miljoen schade aangericht.

1988. De fruitvlieg komt nog eens terug en verwoest alles wat er nog van de landbouwsector over is. Een aardbeving haalt 5,0 op de schaal van Richter. Tien miljoen dollar schade.

1989. Een aardbeving haalt 5,1 op de schaal van Richter, $ 17 miljoen schade. Een tweede aardbeving haalt 5,0 op de schaal van Richter, veroorzaakt voor $ 34 miljoen schade.

1991. Een aardbeving haalt 5,8 op de schaal van Richter, twee mensen komen om, $ 60 miljoen schade.

1992. Een overstroming veroorzaakt voor $ 15 miljoen schade, door modderlawines komen 6 mensen om.

1994. De godverdomd Grote. Een aardbeving haalt 6,7 op de schaal van Richter. Zeventig mensen komen om en er is voor $ 20 miljard schade.

1997. El Niño-stormen treffen de kust zorgen voor $ 50 miljoen schade.

1998. El Niño-stormen blijven de kust beuken en zorgen voor nog eens $ 50 miljoen schade.

In 1976, bij de tweehonderdste poging de enorme files te verminderen, stelt Los Angeles de eerste autowegbanen van het land open waarop alleen carpoolers mogen rijden.

Amberton en Kurchenko zitten in een snackbar in Koreatown. Amberton is vermomd, een zonnebril en een lange zwarte pruik en een lange zwarte baard en een bollend kostuum waardoor hij er enigszins zwanger uitziet. Kurchenko eet een vissandwich met uiringen en drinkt een milkshake, Amberton weigert om te eten. Verder is iedereen in de zaak Koreaans, en niemand spreekt Engels, dus spreken ze openlijk. Kurchenko zegt iets.

Wat wil je nou dat ik doe?

Amberton antwoordt.

Ik weet het nog niet.

Ik ben het wachten beu. Jij moet beslissen. Een van de kinderen, z'n moeder of z'n grootmoeder, of hij. Ik vind de kinderen, maar jij beslist.

Hij heeft me veel verdriet gedaan.

Kan me niet schelen.

Ik voel het nog steeds.

Een van de kinderen dan. Dat zal z'n hart breken.

Ik vind hijzelf.

Goed. Ik heb een hekel aan negers, dus hij is prima.

Misschien z'n been breken.

Ik zal hem in de knie schieten. Veel erger dan breken.

Zorg ervoor dat het z'n goede knie is.

Ik zal op allebei de knieën schieten.

Geweldig. Echt geweldig.

Als ik een geweer en vervormde kogels gebruik, gaan ze aan poeier.

Hoe erger hoe beter.

Laten we het nu over de betaling hebben.

Hetzelfde als gewoonlijk.

Nee, ik wil geen geld.

Wat wil je dan?

Ik wil mijn Filmacteurs Gilde Vakbondskaart hebben. En in je volgende film spelen.

Ik zal het proberen.

Nee. Niet proberen. Je stemde ermee in het te doen en je doet het of anders ben ik weg en geen geweer op de knieën.

In orde. Goed. Ik doe het.

Ik wil de goede vent zijn. Iemand die een vrouw of een priester redt. Iemand waarmee ik bij m'n moeder kan aankomen en zeggen dat ben ik nou, mama, bezig met het redden van een vrouw of een priester op het grote scherm.

Ik snap het.

Het is de Amerikaanse Droom.

Een ervan.

En het Filmacteurs Gilde heeft een goede ziektekostenverzekering. Het is een dubbelsucces voor mijn moeder omdat ze haar zoon als een held ziet en ze naar een goede dokter kan voor haar tanden.

Een tandarts.

Wat zeg je?

Doet er niet toe.

Begrijp je de voorwaarden van de afspraak?

Ja.

Ik schiet z'n benen aan poeier en ik kom in jouw film.

Ja.

Laten we handen schudden.

Goed.

Ze schudden elkaar de hand, en intussen staart Kurchenko naar Amberton, kijkt hem strak aan, knijpt in Ambertons hand. Hij is tevreden met wat hij ook mag zien, hij gromt, knikt, laat los, en begint weer van zijn vissandwich te eten. Amberton kijkt het raam uit, weer een zonnige dag net als de vorige, en die daarvoor, net als de volgende, en de dag daarna. Hij draait weer de zaak in ziet een blanke man met een digitale bandrecorder naar hem staren, naar hem toe lopen. Op dezelfde manier als een hond angst kan ruiken, kan Amberton een journalist ruiken. Hij trapt onder tafel naar Kurchenko, wijst naar de man, die komt, stopt voor hen, duwt de digitale recorder naar voren, zegt iets.

Vraag me af of u commentaar hebt op de rechtszaak tegen u, mijnheer Parker.

Kurchenko staat op. De journalist gaat een stap achteruit. Kurchenko zegt iets.

Wat zegt u?

Ik zou graag spreken met mijnheer Parker.

Wie?

Amberton Parker. Dit is 'm. In de vermomming.

Kurchenko zegt iets.

Dat is niet de internationale superster Amberton Parker. Dat is mijn neef Yakov Zaionchkovsky.

Nee, mijnheer. Dat is Amberton Parker, en hij wordt binnenkort aangeklaagd omdat hij een andere man seksueel heeft belaagd.

Kurchenko mept de recorder weg, schreeuwt.

Ga weg mannetje met stemtoestel en pen. Je verdwijnt nu.

De journalist klautert achter de recorder aan. Amberton staat op en hij en Kurchenko haasten zich de zaak uit. Terwijl ze in een kleine onopvallende Japanse sedan uit het midden van de jaren tachtig stappen, zien ze de journalist achter hen aan naar buiten komen. Amberton begint tegen Kurchenko te schreeuwen.

Weg weg weg weg.

Terwijl Kurchenko de auto start en in z'n versnelling zet, duwt Amberton de passagiersstoel naar achteren en kruipt hij in de ruimte op de vloer tussen de stoel en het dashboard. Hij schreeuwt nog steeds.

WEG WEG WEG WEG WEG.

Kurchenko raakt erdoor in de war en ze vliegen van de parkeerplaats af hij gaat recht tegen het verkeer in rijdt weg Amberton schreeuwt nog steeds.

WEG WEG WEG.

Kurchenko slaat hem boven op z'n hoofd, zegt iets.

Kop dicht. Ik ben weg. We zijn al vertrokken.

Je snapt het niet, ze zullen ons achtervolgen.

Er is er maar eentje. En ik heb training gehad in ontwijkend rijden. We zijn hem kwijt.

Amberton krimpt ineen.

Ik ben er geweest.

Kop dicht.

Maar het is zo. Ik ben er geweest.

Eén kereltje. Ik neem hem mee naar de woestijn en voer 'm aan gieren.

Je kunt niets doen. De hele actie is afgeblazen.

Nee. We schudden handen. We kijken in de ogen. Ik krijg nog steeds mijn Filmacteurs Gilde Vakbondskaart. Mijn moeder heeft een dokter nodig.

Je snapt het niet.

Maakt me niet uit. Wij maken een afspraak en de afspraak geldt nog steeds.

Ik zal je je rol bezorgen als ik kan. Wat je niet begrijpt is dat ik misschien nooit meer aan de slag kom.

Eén journalist is geen probleem. Zij zeggen dat je slechte dingen doet jij ontkent ze gewoon. Zo gaat het in dit land.

Amberton stort in, begint te huilen, hij snikt in zijn handen. Kurchenko pakt Ambertons telefoon, die in de middenconsole ligt, en slingert het toestel op de grond. Hij zegt iets.

Ik wil je niet horen janken. Bel je vrouw. Jank tegen haar.

Amberton snikt. Er lopen tranen over zijn gezicht, er loopt snot uit zijn neus, er loopt kwijl uit zijn mondhoeken. Het verzamelt zich allemaal in zijn namaakbaard. Hij pakt de telefoon op, kijkt ernaar, drukt op een paar knoppen, leest een sms'je. Hij kijkt op naar Kurchenko, ziet er een beetje rustiger uit, zegt iets.

Weet je waar mijn impresariaat zit?

Jazeker. Het is mijn droom daar een agent te hebben.

Breng me daar zo vlug als je kunt.

Kan ik met je mee naar binnen?

Nee.

Dan zet ik je bij het hotel af.

Ik neem je een volgende keer mee. Ik beloof het.

En onze andere afspraak ligt vast.

Ja. Prima. Breng me er gewoon. Zo vlug als je kunt.

Kurchenko begint naar het kantoor te rijden. Amberton gaat van de vloer af en gaat in de stoel zitten. Hij telefoneert zegt iemand dat hij onderweg is, hangt op. Hij klapt het spiegeltje in de zonneklep open en begint z'n vermomming uit te doen. Als hij zijn baard aftrekt, huivert hij, en er zitten vlekken op z'n gezicht waar de lijm waarmee de baard aan z'n vel zat vastgeplakt zich moeilijk liet verwijderen. Hij gaat met zijn vingers door zijn haar, glimlacht, polijst zijn tanden met het topje van een van zijn vingers. Twintig minuten later zijn ze in Beverly Hills, terwijl ze het kantoorgebouw naderen, zegt Kurchenko iets.

Het is de mooiste plek op aarde.

Amberton kijkt zijn kant op.

Hoe zie ik eruit?

Kurchenko kijkt naar hem.

Je gezicht is rood.

Rood, echt rood, of maar een beetje rood?

Kurchenko kijkt weer naar het gebouw.

Ik zou graag trouwen in dat gebouw.

Zeg me alsjeblieft, rood of echt rood of maar een beetje rood.

Ze stoppen bij de ingang.

Ik heb gehoord dat alle secretaresses korte rokjes dragen en geen ondergoed.

Amberton opent de deur, stapt uit. Terwijl hij naar de deuren loopt, doet Kurchenko het raampje omlaag, schreeuwt.

Geluk gewenst, mijn vriend. Tot ziens op de set!

Amberton loopt naar binnen. Hij loopt langs de receptionisten, die naar hem staren, en gaat meteen naar Gordons kantoor. Hij loopt langs Gordons assistenten en doet de deur open en gaat naar binnen en doet de deur achter zich dicht. Gordon is aan het telefoneren, hij beduidt Amberton te gaan zitten, dat doet Amberton. Gordon zegt tegen wie hij ook spreekt dat hij weg moet, legt de telefoon neer, kijkt naar Amberton, zegt iets.

Wat zwaarder geworden?

Nee. Ik draag een buikprothese.

Jezus Christus nog aan toe. Is het deze keer zo erg?

Ik weet het niet.

Waarom ziet je gezicht rood?

Hoe rood is het?

Het is echt godverdomd rood.

Ik had een valse baard aan en de lijm plakte beter dan ik dacht.

God nog aan toe, Amberton.

Wat wil je doen?

Je advocaten zitten in de vergaderzaal op ons te wachten.

Ze zijn hier vlug.

Je betaalt hun een hoop geld. Voor zoiets als dit kunnen ze maar beter godverdomd vlug hier zijn.

Laten we naar hen toe gaan.

Ik moet met je praten, de advocaten van het kantoor zitten er ook bij.

Waarom?

Omdat Kevin godverdomme hier werkt. Hij jaagt ook op ons.

Kan hij dat?

Ja, hij kan dat godverdomme.

O.

Gordon staart even naar Amberton. Amberton kijkt naar het schilderij, een schilderij van een miljoen dollar met drie vrouwen die seks hebben, dat aan de muur achter hem hangt. Even, nog even. Amberton zegt iets.

Dat schilderij is best wel geil. Niet geil, weet je, op mijn manier, maar het zou waarschijnlijk bij Casey in de smaak vallen.

Gordon zegt iets.

Je moet je concentreren, Amberton. Het is erg deze keer.

Ik weet het.

We moeten dit onmiddellijk oplossen voor het iets wordt wat we niet willen.

Ik weet het.

Ga naar de badkamer en was je gezicht en doe je buik af en doe het reserve-kostuum aan uit de kleerkast daar.

Wat is het voor kostuum?

Het is mooi, goed? Het is een mooi klotekostuum.

Geweldig.

Amberton staat op loopt naar de badkamer, gaat naar binnen sluit de deur. Hij kijkt naar zichzelf in de spiegel. Hij heeft iets wat de omtrek van een baard lijkt te hebben, behalve dat het rood ziet in plaats van bruin, wat de natuurlijke kleur is van zijn gezichtshaar. Hij doet het medicijnenkastje open een tanden-borstel, tandpasta, een tweede tandenborstel die nog in de verpakking zit, deodorant, zes soorten reukwater. Hij neemt er alle reukwaters uit, maakt ze stuk voor stuk open en ruikt eraan, een die Hong Kong Silent Thunder heet be-valt hem, hij brengt het gul op zijn polsen en zijn nek aan. Hij doet het medi-cijnkastje dicht, kijkt naar zijn gezicht, het ziet nog steeds rood, hij zet het koude water aan en begint het eroverheen te sprenkelen, het voelt lekker maar verandert niet hoe hij eruitziet. Hij laat wat water door z'n haar lopen, een beetje nat ziet het er altijd beter uit, trekt zijn kleren uit kijkt naar zichzelf in de spiegel vanuit een hoek meent hij er perfect uit te zien, vanuit een andere meent hij er vreselijk uit te zien. Hij trekt het kostuum aan het is een mooi kos-tuum lichtgewicht grijze gabardine met subtiele witte streepjes het past ver-bazend goed. Hij probeert te beslissen stropdas of geen stropdas hij trekt de stropdas aan, uit, weer aan, er wordt op de deur geklopt, Gordon zegt iets.

We moeten gaan, Amberton.

Amberton antwoordt.

Bijna klaar.

Hij kijkt in de spiegel. Voor de eerste keer sinds hij het kantoor in liep, be-denkt hij waarom hij hier is, wat hij moet gaan afhandelen, hij legt zijn han-den aan beide kanten van de wastafel kijkt in zijn eigen ogen, zegt iets.

Jij stomme idioot. Jij achterlijk stuk vreten klootzak. Ik haat je godverdom-me, jij slappe perverse lamstraal, jij dik idioot lelijk laf opneukertje. Ik haat je, ik haat je godverdomme.

Hij staart nog even naar zichzelf, haalt diep adem, kijkt naar beneden, schudt zijn hoofd. Hij staat op en draait zich om en opent de deur en loopt de badkamer uit.

Gordon zit op een sofa een dagelijks verschijnend blad over de amusements-industrie te lezen, hij legt het neer, zegt iets.

Je ziet er goed uit, veel beter.

Amberton zegt iets.

Ik weet het.

Ze lopen het kantoor uit door een lange gang vol kantoren van agenten en de hokjes van hun assistenten ze lopen een vergaderzaal in Gordon houdt de deur open voor Amberton. Vijf advocaten zitten aan tafel ze staan allemaal op als Gordon en Amberton binnenkomen, iedereen schudt elkaar de hand, gaat weer zitten. Een assistent komt de zaal binnen vraagt of iemand wat no-dig heeft, niemand heeft wat nodig dus de assistent gaat weg. David, die Am-bertons voornaamste advocaat is, zegt iets.

Vertel me wat je weet, Amberton.

Ik weet dat er een rechtszaak is.

Ja, dat klopt. En weet je wat er wordt aangevoerd?

Dat kan ik wel verzinnen.

Normaal gesproken zou ik vragen of het waar is, maar omdat het impresari-aat er ook bij is betrokken, zou ik er de voorkeur aan geven als je helemaal niets zegt dat verband houdt met enige beschuldiging.

Akkoord.

Daniel, de advocaat van het impresariaat, zegt iets.

Ik ga je niet met fluwelen handschoenen aanpakken Amberton. Jarenlang hebben we je beschermd, je gedekt, voor je gelogen, je gesteund. Nu raken wij misschien in de problemen door jouw toedoen. Hij heeft foto's, audio en video. Hij heeft je laten volgen door een privédetective terwijl jij familie-leden van hem aan het volgen was. Hij zegt dat je hem meerdere malen hebt verkracht, en hem bij meerdere gelegenheden hebt bedreigd. Voeg daar nog bij dat hij Afro-Amerikaans is, en hij zegt dat je racistische taal gebruikte toen je hem verkrachtte, en we hebben enorm, enorm veel stront aan de knikker. Het is echt godverdomd moeilijk deze keer.

Daar is geen woord van waar. We waren verliefd. We waren geliefden.

David zegt iets.

Alsjeblieft geen woord meer, Amberton.

Daniel zegt iets.

De bewijzen lijken in een andere richting te wijzen.

Amberton.

Wij waren echt verliefd.

David.

Alsjeblieft, Amberton.

Gordon.

Hij heeft videobeelden, Amberton, hij kan aantonen dat je zijn familie overal volgde. Of jij denkt dat jullie verliefd waren is niet relevant. Als dit naar bui-ten komt, is het afgelopen met je. Absoluut, compleet en totaal voor altijd af-gelopen.

Amberton staart naar de tafel, haalt diep adem. Niemand zegt een woord, ze wachten alleen op hem. Hij kijkt op, zegt iets.

We waren verliefd. Dat is waar, en ik zal het tot de dag van m'n dood volhouden, we waren verliefd. Maar de situatie is me duidelijk, en ik ben tot alles bereid om die op te lossen, en ik ben bereid alles te betalen wat hij wil om hem z'n mond te laten houden. Een journalist benaderde me een paar uur terug en vroeg me ernaar, dus ik denk dat we wat we ook moeten doen vlug moeten doen.

Iedereen wisselt bezorgde blikken. Een van de andere advocaten, een gedistingeerde oudere man, die eruitziet als een aardige grootvader maar in feite een pitbull van een advocaat in smaadzaken is, vraagt iets.

Wie was de journalist?

Ik weet het niet.

Voor wie werkte hij?

Dat zei hij niet.

Godverdomme.

Ja.

Godverdomme.

Ja.

Daniel zegt iets.

In de aanklacht, die zijn advocaat ons heeft laten zien maar nog niet heeft ingediend, wordt vijftig miljoen dollar geëist. Ze hebben ons verteld dat hij zal schikken voor twintig. De enige manier om dit te stoppen is betalen. We willen dat je het volledige bedrag betaalt.

David zegt iets.

Om de dooie dood niet.

Amberton zegt iets.

Het is goed.

David zegt iets.

Dat is heel veel geld, Amberton. Veel meer dan we ooit eerder hebben betaald. We kunnen iets beters bereiken.

Amberton zegt iets.

Met elke film verdien ik meer dan dit bedrag. Ik lig er niet wakker van. Als hij dat wil, geef het hem maar. Ik hoop dat hij er gelukkig van wordt.

De advocaten kijken elkaar aan. Amberton staart naar de tafel, haalt diep adem.

Kunnen jullie me nu met rust laten, alsjeblieft.

Ze kijken weer naar elkaar. Amberton kijkt op.

Ik houd van hem. Ik ben overstuur. Kunnen jullie je werk niet gaan doen en mij met rust laten, alsjeblieft?

Ze kijken naar Gordon, die knikt. Ze staan op en vertrekken. Zodra ze weg zijn, begint Amberton te huilen.

Op 4 september 1981 viert Los Angeles de tweehonderdste verjaardag. Er zijn geen rellen, geen doden die aan raciale spanningen kunnen worden toegeschreven, geen aardbevingen, geen overstromingen, geen modderlawines.

Esperanza krijgt een baan in een grote zaak voor kantoorartikelen. Ze begint als bediende in de avondploeg ze belt klanten op die pennen kopen, plakband, papier, printervullingen, af en toe een papierversnipperaar of een draadloze telefoon, archiefkasten, koffieautomaten, prullenmanden en enveloppen. Ze werkt van 16.00 uur tot middernacht ze verdient het minimumloon, na belasting houdt ze minder over dan ze verdiende met het schoonmaken van het huis van mevrouw Campbell. Maar ze is veel gelukkiger. Ze vindt het leuk om achter de toonbank te staan, met mensen om te gaan, sommigen van hen spreken Engels sommigen Spaans ze glimlacht, belt hen op, vraagt hun hoe het met hen gaat, sommigen van hen interesseert het geen barst, maar er zijn genoeg vriendelijke mensen zodat de uren vlug voorbijgaan. Enkele mannen vragen haar naam ze glimlacht altijd en wijst naar haar naamplaatje een van hen komt vier keer in twee dagen binnen en vraagt bij het vierde bezoek om haar nummer ze glimlacht en zegt nee, maar misschien later wel eens. Hij glimlacht en zegt ik kom één keer per week terug tot je ja zegt.

Ze gaat naar een advocatenkantoor met haar ouders ze tekenen de toepasselijke formulieren het huis staat nu op haar naam. Ze gaan naar een bank en vullen de toepasselijke formulieren in ze heeft nu geld tot haar beschikking waardoor ze terug kan naar school. Op de dag dat de bankformulieren worden verwerkt en goedgekeurd en het gezin bericht krijgt hebben ze thuis een feestje, de hele familie is er, ze maken een enorme maaltijd klaar en drinken en luisteren naar muziek en dansen. Wanneer Esperanza naar bed wil vraagt ze haar vader en moeder naar haar kamer te komen. Wanneer ze daar zijn bedankt ze hen en omhelst hen en zegt hun dat ze haar uiterste best zal doen om hen trots op haar te laten zijn en terwijl ze hen omhelst begint ze te huilen waardoor zij beginnen te huilen. Ze staan in het midden van haar kamer en houden elkaar vast en huilen deze keer van vreugde huilen van vreugde.

Na zes weken te hebben gewerkt, wordt ze bevorderd tot hulpchef voor de avonduren. Er zijn nog twee hulpchefs voor de avonduren, de een zorgt voor de voorraden, de andere gaat over de kopieerafdeling, haar taak is toezicht te houden op de andere mensen achter de kassa. Ze schreeuwt nooit naar iemand, als ze overstuur zijn praat ze met hen over de reden en probeert hen te helpen, ze is flexibel als het over werktijden gaat. In het begin is ze een beetje overweldigd maar twee of drie weken later raakt ze gewend aan de baan, geniet ze van de verantwoordelijkheid. Ze raakt bevriend met haar collega's het meest met een Mexicaans-Amerikaanse alleenstaande moeder met drie kinderen onder de zes haar vriend zit twaalf jaar in de gevangenis wegens doodslag, en met een negentien jaar oude Afro-Amerikaanse vrouw die spaart voor de universiteit. Wanneer het rustig is in de winkel, wat na acht of negen uur vaak gebeurt, lezen ze roddelbladen, praten over hun favoriete sterren, praten over hun collega's, praten over mannen. Geen van beiden kan begrijpen waarom Esperanza vrijgezel is ze zegt hun dat ze verlegen is. Allebei zeggen ze haar dat ze knap is, dat ze uit zou moeten gaan met een paar van de mannen die altijd met haar flirten, ze zegt hun dat ze waarschijnlijk niet met haar zouden flirten als ze haar benen konden zien, ze lachen allebei zeggen dat ze prachtige mooie dikke benen heeft, dat je mannen hebt die de voorkeur geven aan een vrouw met een beetje vlees op haar botten, Esperanza lacht en zegt dat ze die niet is tegengekomen, maar ze denkt aan Doug, ze wil het niet maar ze denkt aan Doug.

Ze probeert een besluit te nemen over haar opleiding. Er zijn twee gemeentelijke hogescholen in de buurt waar ze heen zou kunnen en van een vierjarige universiteit in Pasadena krijgt ze te horen dat ze op korte termijn terechtkan met haar resultaten op de middelbare school en examencijfers. Ze gaat naar alle campussen met haar vader en moeder loopt rond ontmoet de mensen die over toelating beslissen spreekt met hoogleraren. Ze weet nog niet wat ze wil gaan doen of waarin ze wil afstuderen dus besluit ze naar een van de gemeentelijke hogescholen te gaan waardoor ze bepaalde basiseisen voor de universiteit kan omzeilen om dan later wanneer ze voelt dat ze er klaar voor is naar een vierjarige opleiding over te stappen. Ze vult de registratieformulieren in tekent in op colleges die over een paar maanden beginnen ze regelt haar programma zo dat ze kan blijven werken. Haar ouders vertellen iedereen die ze kennen hoe trots ze op haar zijn ze zal de allereerste in de hele familie zijn die naar een hogeschool gaat.

Ze gaat naar een Talk & Tequila-bijeenkomst die door de Jonge Mexicanen met een Goede Baan in Oost-Los Angeles wordt gehouden. De bijeenkomst is op een zaterdagavond ze is een groot deel van de morgen bezig met het passen van kleren met haar moeder en nichten. Niets wat ze heeft bevalt haar ze vraagt haar moeder dus met haar te gaan winkelen. Ze rijden naar een winkelcentrum met zaken van bekende ontwerpers. Ze lopen door de winkels maar voelen zich er allebei door geïntimideerd. Ze vermijden de winkels met de namen van dure ontwerpers van de Oostkust, ze vinden een paar andere waar mooie kleren met korting worden verkocht. In een winkel voor een groot warenhuis ziet Esperanza een zwart zakenpakje met een rok en een jasje. Ze past het het staat goed de rok eindigt net boven haar knieën wanneer ze in de spiegel kijkt is ze ontsteld. Haar moeder komt achter haar staan en glimlacht, Esperanza kijkt naar haar in de spiegel, zegt iets.

Wat vind je ervan, mama?

Prachtig.

Weet je het zeker?

Ja.

En zij dan?

Ze horen bij je, en je bent mooi, en je bent de enige die het niet inziet.

Esperanza glimlacht, kijkt naar zichzelf, laat haar handen over de voorkant van haar pakje glijden. Ze kijkt even naar zichzelf, nog even, glimlacht en draait zich om en omhelst haar moeder.

Dank je, mama.

Ik hou van je, Esperanza.

Ze rekenen af. Graciella probeert te betalen Esperanza staat het niet toe. Ze gaan naar huis Esperanza neemt een douche verzorgt haar haar trekt haar kleren aan. Wanneer ze de woonkamer in loopt zit haar hele familie, alle zeventien, op haar te wachten. Wanneer ze haar zien, barsten ze uit in een spontaan, woest applaus, ze fluiten en juichen, geven haar een staande ovatie. Haar vader, die zijn beste en enige kostuum draagt, staat bij de deur op haar te wachten, hij glimlacht van oor tot oor, hij heeft een bloem vast die hij voor op haar jasje speldt. Terwijl ze weglopen, volgt de familie, ze blijven juichen terwijl ze wegrijden.

Ze gaan naar de bijeenkomst, die is in de banketzaal van een plaatselijk hotel. Jorge loopt mee met Esperanza, blijft bij haar staan terwijl ze zich inschrijft bij het registratiebureau, probeert met haar de bijeenkomst binnen te gaan , ze vraagt hem te vertrekken ze zal bellen wanneer ze naar huis wil, hij zegt haar dat hij op het parkeerterrein op haar zal wachten. Hij kust haar ten afscheid, zij loopt de zaal in.

Er zijn bars aan beide kanten, een buffet langs de muur met chips, salsa, guacamole, taquitos. Overal zijn tafels gedekt, een dj aan een tafel in de hoek. Er zijn dertig of veertig mensen in de zaal, iets meer mannen dan vrouwen. Esperanza is zenuwachtig en angstig haar handen beven een beetje haar hart bonst ze vraagt zich af of ze er goed uitziet of iemand naar haar benen staart. Ze kent niemand, weet niet hoe ze met iemand kennis moet maken, heeft geen idee hoe of wat. Een man komt naar haar toe, stelt zichzelf voor, ze begint met hem te praten, hij stelt haar aan een paar van zijn vrienden voor ze gaan naar een tafel ze neemt een citroen-limoenfrisdrank, ze drinken allemaal bier, mensen komen en gaan ze ontmoet meer mannen, meer vrouwen, ze krijgt een paar visitekaartjes, een man vraagt haar voor een lunch, ze vraagt om zijn nummer en zegt hem dat ze hem zal bellen. Wanneer ze weggaat blijkt haar vader pal bij de deur te staan hij gluurt naar binnen om haar te zien hij glimlacht en omhelst haar en zegt je deed het fantastisch, en ik ben erg trots op je. Ze omhelst hem zegt dank je, papa, dank je.

Ze krijgt weer promotie tot chef van de ploeg ze is verantwoordelijk voor de winkel wanneer de baas er niet is. Hij biedt haar aan naar de dagploeg over te stappen ze zegt nee ze wil niet dat het werk haar opleiding hindert.

De colleges beginnen ze doet economie, Engelse literatuur, biologie, Amerikaanse geschiedenis. Ze mist nooit een college ze komt nooit te laat maakt altijd haar huiswerk. In het eerste semester haalt ze volle tienen, ze staat op de lijst van beste studenten.

Ze gaat uit lunchen met de man hij is accountant voor een kledingfabrikant. Hij is beslist aardig maar meer is er niet. Ze gaat nog eens met hem uit, nog eens, wacht om te zien of er iets komt er is niets. Ze gaat uit met een advocaat niets, een computerprogrammeur niets, een hoofd van een lagere school twee keer, de derde keer weet ze het, niets.

Ze blijft naar Talk & Tequila-bijeenkomsten gaan. Voordien gaat ze iedere keer naar de winkels met haar moeder en koopt nieuwe kleren. Haar vader brengt haar altijd, kijkt naar haar door de deur als hij kan, wacht op haar. Ze gaat bij een groepje horen dat elkaar altijd ziet op de bijeenkomsten, een vrouw die werkt als immigratieadvocaat, een vrouw die studeert voor dierenarts, twee mannen die partners zijn in een bedrijf voor videospelletjes, een man die journalist is voor de krant in het centrum, een vrouw die wiskunde geeft op een plaatselijke middelbare school. Zij is jonger dan zij maar rijp genoeg om erbij te horen ze willen allemaal hetzelfde succes, stabiliteit en liefde, op een gegeven moment kinderen.

Het tweede semester aan de hogeschool doet ze toneel, filosofie, computerwetenschap, scheikunde. Ze weet nog steeds niet goed wat ze wil doen of studeren soms denkt ze dokter soms leraar soms denkt ze dat ze de zakenwereld in moet. Ze vindt reclame leuk ze heeft een tekstschrijver ontmoet op een Talk & Tequila-bijeenkomst zijn baan klonk heerlijk en opwindend, elke dag anders.

Ze zit op haar werk te roddelen met de meisjes, een bediende uit de dagploeg heeft verkering met een van de mannen van de voorraadafdeling. De bediende is pas zesentwintig is al twee keer getrouwd geweest, de man van de voorraadafdeling is achter in de dertig is nooit getrouwd geweest. Terwijl ze bespreken of het volgens hen al dan niet stand zal houden komt er een man naar de toonbank toe Esperanza kijkt zijn kant op het is Doug hij glimlacht aarzelend glimlacht het is Doug. Haar hart valt, springt op, bonst, ze heeft geprobeerd hem te vergeten, over hem heen te komen, de goede en slechte herinneringen uit te wissen gewoon uit te wissen, maar wanneer zij alleen is komen ze altijd terug. Hij loopt met een glimlach naar de toonbank, met een aarzelende glimlach kijkt hij naar haar, zegt iets.

Ik heb je gemist.

In 1984 worden in de gemeente Los Angeles de Olympische zomerspelen van de drieëntwintigste Olympiade gehouden. Als wraak voor de Amerikaanse boycot van de Spelen van 1980 in Moskou doen de Sovjet-Unie en alle landen van het Oostblok, veertien in totaal, niet mee aan de Spelen. De Verenigde Staten winnen 174 medailles, meer dan enig ander land, en de Spelen leveren een winst op van bijna $ 200 miljoen.

Twee mannen zitten op een etage aan de oostrand van het centrum van Los Angeles. Het zijn allebei schilders. Schilder 1 woont op de etage, Schilder 2 woont nabij New York.

Schilder 1: Net iets meer dan 185 vierkante meter.

Schilder 2: Godverdomd veel ruimte.

Schilder 1: Kost me $ 1800 per maand.

Schilder 2: Om de dooie dood niet.

Schilder 1: Heb een contract voor vijf jaar, gaat elk jaar 10 procent omhoog.

Schilder 2: Dat is niks.

Schilder 1: Het is niet niks.

Schilder 2: Weet je wat je voor $ 1800 per maand in New York krijgt?

Schilder 1: Een toilet?

Schilder 2: Een toilet in een slechte buurt.

Ze lachen allebei.

Schilder 1: Daarom ben ik weggegaan, hierheen gekomen. De enige mensen die nog in New York zitten zijn degenen die het al hebben gemaakt of uit een rijke familie komen.

Schilder 2: Ik niet.

Schilder 1: Jij zit niet in New York, jij woont in een schijtkot in een abominabele buurt in New Jersey.

Schilder 2: Ja.

Schilder 1: Het is de nieuwe wereld hier. We kunnen het ons veroorloven hier te wonen en te werken, er zijn goede galerieën, en er zijn tig verzamelaars met geld. New York kan de pot op. Als New York al niet dood is, scheelt het niet veel.

***

Er zijn meer dan 500 kunstgalerieën in Los Angeles. Er gaat per jaar meer dan $ 750 miljoen om aan kunstaankopen. Er wonen meer dan 50.000 kunstenaars in de stad. Als je acteurs, schrijvers en muzikanten meetelt, zijn er meer dan 400.000.

***

Hij heeft veertien miljard dollar. Hij verdiende het in het onroerend goed, het bankwezen, het verzekeringswezen. Hij is geboren en getogen in Los Angeles, zijn vader was een timmerman zijn moeder bleef thuis en voedde hem en zijn twee broers op. Hij begon te werken op z'n twaalfde, hij hielp zijn vader, droeg gereedschap, deed klusjes, regelde voorraden. Wanneer hij niet werkte studeerde hij. Hij was op twee na de beste leerling in zijn klas op de middelbare school, haalde een gedeeltelijke beurs voor USC, schreef zich in voor een managementopleiding. Hij bleef met zijn vader werken, al was hij nu een volleerde timmerman, die voor alle dingen kreeg betaald, de kosten voor levensonderhoud inbegrepen, die niet door z'n beurs werden gedekt. Hij studeerde af als een van de besten van z'n klas en kreeg diverse aanbiedingen voor een baan. Hij zei in alle gevallen nee.

In plaats daarvan begon hij een eigen bedrijf. Het waren de vroege jaren zestig Los Angeles zat midden in een volgende bevolkingsexplosie. De stad breidde zich naar buiten uit, naar het oosten de woestijn in, naar het zuiden de provincie Orange in, naar het noorden naar de randen van de San Fernando Vallei. De mensen hadden goedgebouwde betaalbare huizen nodig in veilige gebieden en wilden die. Hij leende wat geld kocht wat land hij en zijn vader bouwden een huis verkochten het met winst. Ze herinvesteerden hun winsten namen meer mensen aan werkten sneller. Ze deden het nog eens. Nog eens en nog eens en nog eens. Ze begonnen aan verschillende huizen tegelijk te werken. Ze begonnen grotere stukken land te kopen, kleine projecten te bouwen. Ze herinvesteerden altijd hun winsten. Nog eens en nog eens. Hij begon een hypotheekbedrijf dat hypotheken verstrekte voor de huizen die zijn bedrijf bouwde. Hij begon grote projecten te bouwen in snel groeiende gemeentes. Zijn bedrijf kreeg een reputatie voor bouw van goede kwaliteit. Alles wat ze bouwden werd vlug verkocht. Het hypotheekbedrijf begon de financiering voor de meeste huizen te verstrekken. Hij stopte met het eigenlijke bouwen en bleef op kantoor, of ging eropuit om terreinen te zoeken. Voor zijn dertigste was hij multimiljonair. Hij herinvesteerde. Breidde uit. Begon projecten te bouwen aan de hele Westkust. Hij begon een verzekeringsmaatschappij die aan de nieuwe huizenbezitters hun verzekering verkocht. Voor zijn veertigste had hij een paar honderd miljoen dollar.

Hij ging naar Frankrijk. Hij overwoog het bedrijf naar Europa uit te breiden er was betaalbare grond in Frankrijk die voldeed aan zijn criteria om er te bouwen. Hij was in Parijs om over de grond te onderhandelen en tijdens een pauze ging hij naar het Louvre. Hij had een uur hij begon door de gangen te lopen hij had nooit eerder naar kunst gekeken, er zelfs nooit echt aan gedacht. Kunst was voor mensen die rijk waren geboren, of voor gekken die hun oren afsneden, of voor mensen die te veel vrije tijd hadden, of het ging om de rommel die hij nodig had om aan de wanden van zijn modelwoningen te plakken. Hij was verrukt. Hij zag de Nikè van Samothrake, Aphrodite, de Mona Lisa. Hij zag Fra Angelico, Goya, Delacroix, Rubens, de Slaven van Michelangelo, hij stond voor Titiaan en huilde hij wist niet waarom. Hij belde zijn advocaat, zei regel de zaak zonder me, bleef de rest van de dag ronddolen en kijken verbaasd verpletterd verward verrukt. Hij ging de volgende dag naar D'Orsay zag Manet, Monet, Degas, Gauguin, Van Gogh, Cézanne, Picasso hij wist niets maar voelde alles de volgende dag Musée Rodin en hij stond een uur twee uur voor de Poorten van de Hel het was het mooiste angstaanjagendste wat hij ooit had gezien, hij ging naar binnen en hij zag De Kus en hij wist dat hij verliefd was, hij wist dat hij verliefd was.

Onderweg naar huis stopte hij in New York. Een paar jaar eerder was hij getrouwd, hij en zijn vrouw hadden twee kinderen, hij zei zijn vrouw dat hij een paar dagen vertraging zou hebben. Hij ging naar de Met, MoMA, hij liep door de spiraalvormige gang van het Guggenheim, hij liep door de kunsthandels van 57th Street. Hij sprak met niemand. Hij liep gewoon en keek en voelde en voelde dieper. Hij ging naar een veilinghuis hij wist niet of er veilingen waren die waren er niet dus stond hij in de hal en bekeek catalogi van komende veilingen.

Hij ging naar huis. Hij vertelde het zijn vrouw ze was verrast hij vroeg haar weer naar New York te gaan. Ze gingen een maand later. Ze boekten een hotel en bleven drie dagen. Hij nam haar mee naar alle museums naar alle galerieën hij probeerde uit te leggen wat hij zag en wat hij voelde en waarom hij verliefd was ze stonden voor Warhols Factory en staarden naar de mensen die in- en uitliepen.

Hij begon om de paar maanden een paar dagen naar New York te gaan soms ging zijn vrouw mee soms hun twee kinderen allebei meisjes, soms ging hij alleen. Hij begon schilderijen te kopen een Picasso geliefden in meerdere perspectieven versplinterd een Matisse bloemen in een vaas en een Modigliani magere vrouw die in de spiegel kijkt. Hij had ze naar Los Angeles laten vervoeren en bij hen in hun huis opgehangen. Elke keer dat hij erlangs liep deden ze hem iets, ze lieten hem lachen of glimlachen, maakten hem verdrietig, zetten hem aan het denken, soms probeerde hij zich voor te stellen wat de schilder had gedacht als hij een bepaalde streek zette, een bepaalde kleur gebruikte. Hij liep er zo vaak langs als hij kon ze deden iets soms huilde hij.

Hij begon meer te kopen en hij vulde het huis met schilderijen die in museums konden hangen. Hij kocht een groter huis hij liet de architect zalen voor de schilderijen bouwen. Hij nam iemand in dienst om kunst voor hem te zoeken en te beheren en te verzorgen wat hij al bezat. Hij kocht meer het nieuwe huis was niet groot genoeg dus kocht hij een pand hij vulde het dus kocht hij een groter pand vulde het. Hij werkte. Hij besteedde tijd aan zijn gezin. Hij keek naar kunst. Dat was zijn leven. Hij besloot dat hij niet meer wilde werken hij verkocht zijn bedrijven ze waren miljarden waard. Hij besteedde tijd aan zijn gezin. Hij keek en kocht en besteedde tijd aan zijn kunst. Dat was zijn leven.

Er waren anderen zoals hij, voor hem. Je had Getty in Malibu zijn huis werd een museum zijn stichting werd een begrip. Norton Simon in Pasadena hij liet het na aan het publiek om ernaar te kijken, ervan te houden en ervan te leren. Hoge pieten uit de amusementswereld bazen van studio's van impresariaten van platenmaatschappijen van imperiums ze jaagden op dezelfde dingen op dezelfde mooie dingen als waarop hij jaagde. Er waren anderen zoals hij en voor hem maar niemand was er zo van bezeten, zo toegewijd, zo rijk, zo verliefd.

Hij werd de grootste verzamelaar ter wereld. Hij liet een nieuw huis bouwen ontworpen door de allerbeste architect ter wereld titanium, beton en glas.

Hij liet een afzonderlijke ruimte op hetzelfde terrein bouwen een perfect museum van titanium beton en glas en hing er telkens andere meesterwerken op. Er kwamen kunstenaars naar hem toe de beroemdste kunstenaars ter wereld en ze maakten werk voor hem omdat hij ervan hield. Hij kocht nog een pand. Hij begon een stichting. Hij vergaarde de grootste collectie op de planeet. Hij deed het allemaal uit liefde.

Zijn kinderen zijn volwassen, zijn vrouw is nog steeds bij hem. Ze reizen de wereld over om te kijken naar kunst, te praten over kunst, te denken over kunst. Hij geeft $ 250 miljoen per jaar uit aan kunstaankopen. Over de hele stad zit het verspreid in museums, in zijn pand, bij hem thuis en in zijn eigen museum. Museums van over de hele wereld komen werk bij hem lenen ze hopen dat hij het op een dag aan hen geeft. Niemand weet waar het heen gaat wanneer hij er niet meer is of zijn kinderen het krijgen of hij het allemaal weggeeft of er een museum komt met zijn naam. Voorlopig bevindt ze zich, de grootste kunstverzameling ter wereld, in Los Angeles. Bijeengebracht door een man die begrijpt wat de geldswaarde is maar die het allemaal zou houden als het geen stuiver waard was. Niemand weet waar het heen gaat en of het wel ergens heen gaat. Hij weet het niet. En op dit moment interesseert het hem niet. Het enige wat hem interesseert is dat hij verliefd is, op heel de verzameling, oprecht en diep verliefd.

***

UCLA School of Art en het California Institute of Art bekend als CalArts, allebei gevestigd in Los Angeles, worden tot de vijf beste kunstacademies in de Verenigde Staten gerekend. Drie van de vijf beste filmacademies in Amerika, USC School of Cinema, het American Film Institute en de UCLA Film School, zijn gevestigd in Los Angeles. Een van de vijf beste academies voor ontwerpers, het Art Center College of Design, is gevestigd in Los Angeles, twee van de tien beste architectenopleidingen UCLA School of Architecture en het Southern California Institute of Architecture zijn gevestigd in Los Angeles.

***

Een vraaggesprek tussen een kunstcriticus uit Frankrijk en een beroemde kunstenaar uit Los Angeles. Het heeft plaats in Venice, in zijn huis, op zijn achterveranda, een straat van de oceaan vandaan. De zon schijnt. Ze drinken allebei thee.

Criticus: Lekker hier, nietwaar?

Kunstenaar: Altijd.

Criticus: Altijd?

Kunstenaar: Het is elke dag hetzelfde. Zonnig en warm. Omdat we vlak bij de oceaan zitten, wordt het nooit warmer dan negenentwintig en nooit kouder dan zestien. En geen vochtige lucht.

Criticus: Heeft dat invloed op je werk?

Kunstenaar: Niet in de zin dat mijn werk met het weer verband houdt. Wel in de zin dat ik de zon fijn vind en het me gelukkig maakt en ik buiten ga werken als ik er zin in heb. En omdat ik ook foto's maak, kan ik heel vaak op de tijden werken die me zinnen. Je hebt altijd goed licht en gemakkelijke omstandigheden.

Criticus: Op je foto's, de beroemdste ervan, staan tankstations, zwembaden, parkeerterreinen, snackbars, snelwegen. Waarom?

Kunstenaar: Ik zie ze. Elke dag, overal waar ik heen ga. Ik begon ze te beschouwen als objecten, als culturele symbolen, als dingen die universeel en mooi en vergeten zijn. Ze in een andere context plaatsen hielp me in te zien dat er overal om ons heen kunstwerken zijn. We zien ze misschien niet of ze interesseren ons niet of we kijken er geen twee keer naar, maar ze zijn er. Wanneer ik een reeks foto's maak, en die naast elkaar hang in een galerie, begrijpen de mensen het.

Criticus: Toen je hier kwam, in de vroege jaren zestig, was Los Angeles een culturele woestenij. Waarom wilde je hier wonen?

Kunstenaar: Ik wilde leren surfen, en ik wilde bij het strand wonen en ik wilde elke dag naar meisjes in bikini kijken.

Criticus: Meen je dat?

Kunstenaar: Dat speelde zeker een rol. Maar ook de cultuur van LA speelde een rol en de plaats van LA in onze cultuur. LA, toen of nu, een culturele woestenij noemen is, naar mijn mening, een ongelooflijk domme opmerking. Los Angeles is de culturele hoofdstad van de wereld. Geen enkele stad kan er ook maar aan tippen. En wanneer ik cultuur zeg, heb ik het over hedendaagse cultuur, niet over wat er vijftig of honderd of honderdvijftig jaar geleden toe deed. Hedendaagse cultuur bestaat uit populaire muziek, televisie, film, beeldende kunst, boeken. De andere disciplines, ballet, klassieke muziek, poëzie, toneel, die tellen niet echt meer mee, ze bereiken een klein publiek, en het zijn meer culturele gekkigheden dan culturele instituties. Er kijken elke avond meer mensen tv dan er mensen in alle steden ter wereld in een jaar tijd naar een balletvoorstelling gaan. Er worden elk jaar meer cd's met rap en rock verkocht dan er de afgelopen twintig jaar klassieke cd's zijn verkocht. En films, films zijn godverdomd belangrijk. Ik durf te gokken dat de film die in een jaar het meest oplevert meer oplevert dan alle shows op Broadway bij elkaar, waarschijnlijk wel twee of drie of vier keer zoveel. En de enige dingen die ongeveer evenveel invloed op onze cultuur en de wereldcultuur hebben als films zijn televisie en populaire muziek. En dat alles, al die voortbrengselen, al dat amusement, al die cultuur komt hiervandaan. Ik wilde niet bij New York horen. Ik wilde niet bij een of andere stilstaande kunstwereld van vroeger horen waar men niet besefte hoe achterhaald men was. Ik wilde naar de Nieuwe Wereld toe, en ik voelde dat die hier was, want op een gegeven moment volgen de boeken en de beeldende kunst, die nog steeds in New York zitten, de rest van onze cultuur en gaan ze hierheen. Ik wilde bij de eerste golf van het nieuwe horen, bij iets fris horen in plaats van bij iets wat aan het verrotten was, naar de plaats gaan waarheen anderen me uiteindelijk zouden volgen.

Criticus: En je denkt echt dat dit zal gebeuren?

Kunstenaar: Het gebeurt al. Niemand kan meer in New York wonen omdat het godverdomme te duur is, dus komen ze hierheen waar het nog steeds betrekkelijk goedkoop is. En het galeriestelsel in New York zit potdicht. Iedereen heeft daar die enorme huren voor die enorme ruimtes en heeft enorm veel geld nodig om de deuren open te houden. Dat dwingt hen dingen te laten zien en te verkopen, waarvan ze weten dat de mensen er onmiddellijk voor zullen betalen. Dat ontmoedigt belangrijk nieuw werk want voor nieuwe doorbraken in de kunst moet je risico's nemen, en de galerieën daar kunnen zich dat niet permitteren. Als ze het doen en het spul verkoopt niet, wat gewoonlijk gebeurt met jonge kunstenaars die nieuwe wegen inslaan, moeten de galerieën hun deuren sluiten. Hier nemen ze het risico en laten ze werk zien waar verder niemand zich mee in wil laten. Dat trekt ook de kunstenaars aan die zo werken omdat ze weten dat ze het hier kunnen vertonen. Daarom, omdat het nieuwste jongste werk hier wordt gemaakt en vertoond, zal uiteindelijk alles hierheen verhuizen. En de economie van de stad draagt daaraan bij. Je hebt hier tig rijke klootzakken die bereid zijn geld in kunst te steken. Mensen met sensationele verzamelingen die uiteindelijk in museums zullen belanden, museums die dan de museums van New York, Parijs, Rome, Madrid, noem maar op naar de kroon zullen steken.

Criticus: Hoe lang denk je dat het gaat duren?

Kunstenaar: Kan tien jaar duren, twintig jaar, dertig jaar. Het kan, als New York wordt platgegooid door terroristen, van de ene op de andere dag gebeuren. Maar het gebeurt. Het is onafwendbaar.

Criticus: En waar ben jij dan?

Kunstenaar: Misschien hier op deze veranda. Misschien verderop in de straat op een barkruk. Misschien onder de grond. Geen idee.

Criticus: En wat laat je na?

Kunstenaar: Ik was hier als eerste. En ik zag het allemaal komen.

***

Een paar kunstenaars die wonen en werken in Los Angeles, de tak of takken van kunst waarin ze actief zijn, en de hoogste prijs die ooit voor een werk van hen werd betaald op een openbare veiling.

Ed Ruscha, schilder, fotograaf – $ 3.595.500
Paul McCarthy, performancekunstenaar, beeldhouwer – $ 1.496.000
John McCracken, beeldhouwer – $ 358.637
Chris Burden, performancekunstenaar en conceptueel kunstenaar – $ 84.000
Robert Graham, beeldhouwer – $ 390.000
Edward Kienholz (overleden), beeldhouwer – $ 176.000

Raymond Pettibon, schilder – $ 744.000
Kenny Scharf, schilder – $ 180.000
Mike Kelley, multimediakunstenaar – $ 2.704.000
Mark Grotjahn, schilder – $ 360.000
Lari Pittman, schilder – $ 120.000
Richard Pettibone, schilder – $ 688.000
Catherine Opie, fotograaf – $ 27.500
Sam Francis (overleden), schilder – $ 4.048.000
Ed Moses, schilder – $ 28.400
Jim Shaw, schilder, beeldhouwer – $ 656.000
Ken Price, beeldhouwer – $ 228.000
John Baldessari, fotograaf – $ 4.408.000
Liz Larner, beeldhouwer – $ 27.600
Joe Goode, schilder – $ 38.400
Charles Ray, beeldhouwer – $ 2.206.000
Billy Al Bengston, schilder – $ 10.800
Jorge Pardo, schilder – $ 156.000
RB Kitaj, schilder – $ 569.169
Richard Diebenkorn (overleden), schilder – $ 6.760.000
Robert Therrien, beeldhouwer – $ 84.000
Nancy Rubins, beeldhouwer – $ 12.400
Robert Irwin, schilder – $ 441.600
David Hockney, schilder – $ 5.407.407

***

Kunstmusea in Los Angeles: Los Angeles County Museum of Art (LACMA), Latino Art Museum, Palos Verdes Art Center, UCLA Armand Hammer Museum of Art & Cultural Center, Watts Towers Art Center, University Art Museum – Cal State Long Beach, Santa Monica Museum of Art, Petterson Museum of Intercultural Art, Museum of Contemporary Art (MOCA), Long Beach Museum of Art, LACE – Los Angeles Contemporary Exhibitions, Hancock Memorial Museum, Frederick R. Weisman Museum of Art – Pepperdine University, Downey Museum of Art, Craft & Folk Art Museum, Geffen Contemporary at MOCA, Huntington Library, Art Gallery & Botanical Gardens, Museum of African-American Art, Museum of Latin American Art, Norton Simon Museum of Art, Museum of Neon Art (MONA), J. Paul Getty Museum, Getty Center.

***

Ze ontmoette een jongen. Hij was echt een man, maar ze noemde hem ongeacht het woord een jongen ze ontmoette hem en werd verliefd op hem meteen tot over de oren verliefd. Het was in New York. Op een feestje voor een gemeenschappelijke vriend een schrijver die een boek uitbracht hij was opgegroeid met de schrijver zij kende de vriendin van de schrijver. Ze waren bij de bar. Ze vroeg de barkeeper om een biertje, de barkeeper vroeg welk merk ze zei Budweiser. Hij keek naar haar ze had blond haar blauwe ogen een diepe krassende stem hij zei vind je Budweiser lekker ze zei ja. Hij glimlachte en zei ik heb er altijd van gedroomd met een vrouw te trouwen die van Budweiser hield ze glimlachte en zei hier ben ik dan, klootzak.

Zij had een belangrijke baan bij een belangrijke galerie die beroemd was omdat men arme, onbekende kunstenaars nam en hen in rijke, beroemde kunstenaars veranderde. Ze woonde in New York al tien jaar dacht er niet over ooit ergens anders te gaan wonen. Hij was een productiemanager voor filmsessies in Los Angeles had er tien jaar over gedaan zich op te werken hij dacht er niet over ooit ergens anders te gaan wonen. Ze bleven de rest van het feestje bij elkaar spraken over football, boeken, kunst, muziek, film, bier, ze hielden veelal van dezelfde dingen ze vertrokken samen en gingen laat op de avond cheeseburgers eten ze kusten elkaar op de stoep van het gebouw waar ze een flat had toen ze die nacht gingen slapen allebei alleen hij in een hotel zij in haar bed wisten ze allebei dat het uitsluitend door de logistiek kon worden gestuit, ze wisten het allebei.

Zij wilde niet weg uit New York, hij kon niet weg uit Los Angeles, logistiek. Zes maanden lang gingen ze beurtelings op reis uiteindelijk zei hij ik wil dat je hierheen komt, ik kan niet leven zonder jou, het gaat verkeerd als je niet komt. Ze had net promotie gekregen was directeur van haar galerie geworden het was de enige baan die ze had gewild en de baan waarvoor ze tien jaar had gewerkt. Hij zei dat er kunst was in LA ze zei dat het niet hetzelfde was. Hij zei dat ze een beter leven zou krijgen met de zon die elke dag schijnt meer vrije tijd minder stress ze zei dat ze het gevoel zou hebben dat ze tien jaar had vergooid met proberen in de hoogste regionen te komen en nu ze daarin was doorgedrongen zichzelf te degraderen. Hij begon haar internetlinks te sturen, tijdschriften, museumprogramma's, gidsen van galerieën ze zei dat ze wist dat er leuke dingen in Los Angeles gebeurden, maar zij gaf gewoon de voorkeur aan de leuke dingen die in New York gebeurden. Hij bleef proberen praten dingen sturen hij smeekte nooit maar pleitte vastbesloten ze zei er is hier werk voor een producent, kom gewoon hierheen, hij bleef proberen praten dingen sturen vastbesloten pleiten.

Er gebeurden twee dingen: een van haar vrienden besloot New York te verlaten en een galerie in Los Angeles te openen, de eigenaar van de galerie waar zij werkte liet haar een expositie houden van schilderijen waarvan ze een afkeer had maar die volgens hem zouden verkopen toen ze bezwaar maakte zei hij haar dat op de laatste drie exposities slecht was verkocht haar baan was genoeg geld voor hem te verdienen om de deuren open te houden. Deuren open inderdaad zij opende de deuren en liep naar buiten en kwam niet terug. Ze belde haar vriend die de galerie ging openen vroeg of hij hulp wilde hij zei godverdomme ja. Ze belde haar vriendje en zei dat ze van gedachten was veranderd ze wilde het proberen.

Hij stond op haar te wachten op het vliegveld. Hij had bloemen en snoepgoed en zes blikken bier en hij droeg een T-shirt waarop stond LA ROCKT. Ze lachte en omhelsde hem en kuste hem ze gingen linea recta naar zijn flat, een flat met twee slaapkamers in Silverlake in New York zou die vijfduizend per maand hebben gekost, in LA was het veertienhonderd, de volgende vieren-twintig uur brachten ze op bed door. Toen ze naar buiten ging scheen de zon ze droeg een T-shirt het was midden in de klotemaand februari ze was opge-wonden. Ze ging naar de nieuwe galerie van haar vriend die bevond zich in Chinatown, aan een straat vol andere galerieën, het was een van de drie kunstbuurten in de stad de andere in Culver City en Santa Monica. Ze liep naar binnen het was een grote en open ruimte hij glimlachte en hij zei wel-kom in het wilde westen ze vroeg hoe hij zich godverdomme zo'n mooie plek kon permitteren hij zei LA is nog steeds goedkoop, nog steeds een plaats waar mensen zonder geld achter zich nog steeds een kans hebben.

Ze begon met hem samen te werken. Ze dacht dat kunstenaars en galerie-houders en conservatoren onder de indruk zouden zijn van haar cv dat wa-ren ze ook wel maar niet zo diep als ze zich had voorgesteld wat ze als een goed teken opvatte, een teken dat ze erop vertrouwden dat ze niet voor New York onderdeden. Ze maakte vrienden de mensen hier hielpen elkaar kun-stenaars galeriehouders en conservatoren ze waren echt een gemeenschap in plaats van een groep jaloerse, elkaar beconcurrerende bestrijdende partijen. De kunstenaars bevrijdden zichzelf van de eisen van de kunstmarkt ze maakten, nieuwere, frissere baanbrekender dingen dan menigeen in New York, er werden gemakkelijker risico's genomen als ze faalden waren de ge-volgen niet zo ernstig. Ze hield van het werk wat ze deed en het werk dat ze haar toonden het voelde meer als wat kunsthandel zou moeten zijn, puur-der. En 's avonds ging ze naar huis naar iemand die van haar hield en van wie zij hield soms miste ze New York en vroeg zich af wat er gebeurd zou zijn als ze nog steeds in de hogere regionen had meegedraaid maar ze miste het min-der vaak, het hield haar minder bezig, miste het minder vaak.

Zes maanden nadat ze was aangekomen was ze gewend aan haar werk en haar bestaan ze stak een straat over toen ze door een bus werd geraakt. An-ders dan de meeste mensen in Los Angeles liep ze zoveel als ze kon ze was midden op een zebra toen de bus haar raakte ze werd uit haar schoenen ge-sleurd en vloog negen meter door de lucht. Toen de chauffeur uitstapte zei hij dat hij er niet aan gewend was mensen op een zebra te zien en hij niet op tijd kon stoppen ze had een gebroken rug en een gebroken kaak. Ze moest twee maanden in het ziekenhuis blijven hij sliep drie of vier nachten in een stoel naast haar toen ze eruit kwam zat ze nog twee maanden thuis hij bracht al zijn vrije tijd met haar door hij kocht burgers en bier voor haar ze keken 's zaterdags en 's zondags naar football. Toen ze weer kon lopen ging ze naar de galerie haar vriend had haar vervangen door iemand anders uit New York. Ze was geschokt vroeg hem waarom hij zei dat de wereld snel ging snel veranderde hij wist niet of ze terug zou komen en hij moest zich staande houden. Ze vroeg of ze haar baan terug kon krijgen hij zei dat hij het met z'n nieuwe partner moest bespreken.

Ze ging naar huis huilde hij kwam naar huis probeerde haar te helpen zij zei hem dat ze terug wilde naar New York. Hij zei dat ze niet terug konden er was daar geen werk voor hem. Ze zei dat ze niet in een stad kon wonen waar buschauffeurs er niet aan gewend waren voetgangers te zien en hen godverdomme ondersteboven reden ze wilde weg godverdomme weg. Hij vroeg om zes maanden respijt ze zei waarom hij zei de meeste mensen die van New York naar Los Angeles verhuizen haten de stad een jaar of twee gaan er vervolgens van houden en willen nooit meer weg, ze lachte zei goed zes maanden en we zijn vertrokken.

Hij bleef werken zij probeerde werk als conservator te vinden, ze overwoog te proberen kunstconsulent te worden, dat is iemand die andere mensen helpt met het kopen en verzamelen van kunst. Na een maand wilde ze nog steeds weg twee maanden hetzelfde de derde maand kreeg ze een telefoontje. Het was de grootste kunsthandelaar ter wereld hij had drie galerieën in New York twee in Londen een in Rome hij wilde er nog een openen in Los Angeles zou zij er belangstelling voor hebben het voor hem te doen, de zaak voor hem te drijven. Ze vroeg waar hij zei dat hij een ruimte had gevonden in Beverly Hills ze vroeg wat hij wilde doen hij zei dat de ruimte een plaats zou worden om risico's te nemen exposities te houden die niet konden in zijn andere galerieën een plaats die hij wilde gebruiken om vaste voet te krijgen in de groeiende markt van LA een plaats om nieuwe kunstenaars te exposeren. Ze glimlachte, vroeg zich af of er bussen waren in Beverly Hills, ze was terug bij de grote jongens.

***

Meer kunstenaars, schrijvers, acteurs en muzikanten dan in enige andere stad in de wereldgeschiedenis. Elke dag meer. Elke dag.

In 1985 worden er in de gemeente Los Angeles 800 moorden gepleegd die met bendes te maken hebben.

Er zijn elf medische centra van de Dienst Veteranen in de provincie Los Angeles die intern of poliklinisch lichamelijke revalidatie en advies bieden aan 45.000 veteranen.

US Army stafonderofficier Andrew Jones, raakte zijn ogen kwijt in de tweede oorlog in Irak.

US Marine Corps korporaal Phillip Tamberlaine, behandeld wegens alcoholisme, vocht in Vietnam.

US Marine Corps soldaat eerste klas Juan Perez, raakte een arm kwijt in de eerste oorlog in Irak.

US Navy matroos Harold Franks, posttraumatische stress, Vietnam.

US Army bijzonder soldaat Anthony Mattone, Golfoorlogsyndroom, eerste oorlog in Irak.

US Army pelotonssergeant Nikolai Egorov, raakte beide benen kwijt, tweede oorlog in Irak.

US Air Force tweede luitenant Terry Daniels, verslaafd aan drugs, Vietnam.

US Marine Corps sergeant-majoor artillerie Charles Davis, raakte beide benen kwijt, een arm, tweede oorlog in Irak.

US Army kapitein Ted Bradley, schotwonden, tweede oorlog in Irak.

US Army sergeant-majoor James Parma, hersenletsel, Afghanistan.

US Navy luitenant Eric McDonald, verslaafd aan drugs en alcohol, Vietnam.

US Army majoor Brian Jones, raakte een arm kwijt, een been, een oog, Afghanistan.

US Marine Corps majoor Sean Jefferson, Golfoorlogsyndroom, eerste oorlog in Irak.

US Marine Corps soldaat eerste klas Michael Craven, schotwonden, tweede oorlog in Irak.

US Army soldaat Thomas Murphy, verlamd vanaf de nek, tweede oorlog in Irak.

US Army soldaat Michael Crisp, verlamd vanaf de nek, Vietnam.

US Marine Corps soldaat Tonya Williams, hersenletsel, tweede oorlog in Irak.

US Navy schipper Samuel Jeter, alcoholisme, posttraumatische stress, Vietnam.

US Army sergeant Letrelle Jackson, raakte beide handen kwijt, tweede oorlog in Irak.

US Army soldaat Joseph O'Reilly, gezichtsreconstructie, tweede oorlog in Irak.

US Army bijzonder soldaat Lawrence Lee, Golfoorlogsyndroom, eerste oorlog in Irak.

US Marine Corps soldaat eerste klas Tom Chin, raakte een been kwijt, schotwonden, Afghanistan.

US Army soldaat Braylon Howard, kniereconstructie, raakte een hand kwijt, tweede oorlog in Irak.

US Air Force tweede luitenant William Hult, 90 procent van het lichaam verbrand, tweede oorlog in Irak.

US Navy adelborst Joshua Feldman, alcoholisme, verslaafd aan drugs, posttraumatische stress, Vietnam.

US Marine Corps hoogste dekofficier Edward Winslow, hersenletsel, brandwonden, eerste oorlog in Irak.

US Army luitenant-kolonel John Fitzgerald, alcoholisme, depressie, Vietnam.

US Navy kapitein-luitenant-ter-zee David Andrews, alcoholisme, depressie, Vietnam.

US Marine Corps soldaat eerste klas Eric Turner, raakte een voet kwijt, tweede oorlog in Irak.

US Army soldaat David Chung, hersenletsel, verlies gehoor-, gezichtsvermogen, Bosnië.

US Army bijzonder soldaat Lee Tong, schotwonden, tweede oorlog in Irak.

US Army bijzonder soldaat Pedro Morales, Golfoorlogsyndroom, eerste oorlog in Irak.

US Army bijzonder soldaat Jennifer Harris, 85 procent van het lichaam verbrand, Afghanistan.

US Marine Corps sergeant-majoor Jonathan Martinez, verlamd vanaf het middel, Vietnam.

US Army soldaat Calvin Hart, vanaf de nek verlamd, tweede oorlog in Irak.

US Army soldaat Rachel Powers, gezichtsreconstructie, verlies van gehoor- en gezichtsvermogen, tweede oorlog in Irak.

US Army soldaat Jason Nichols, alcoholisme, verslaafd aan drugs, posttraumatische stress, Vietnam.

US Air Force kolonel Brian Kennedy alcoholisme, verslaafd aan drugs, posttraumatische stress, Vietnam.

US Marine Corps sergeant-majoor artillerie Joseph Baldelli, Golfoorlogsyndroom, eerste oorlog in Irak.

US Army soldaat eerste klas Scott Hall, beide benen, beide armen, tweede oorlog in Irak.

US Air Force aankomend vliegenier Felipe Chavez, beide ogen, tweede oorlog in Irak.

US Navy leerling-matroos Orlando Weeks, alcoholisme, depressie, Vietnam.

US Marine Corps onderkorporaal Melvin Barfield, een arm, eerste oorlog in Irak.

US Army soldaat Adam Drew, verslaafd aan drugs, posttraumatische stress, Afghanistan.

US Army soldaat Franklin Hernandez, beide armen, tweede oorlog in Irak.

US Marine Corps majoor Robert Willingham, 85 procent van het lichaam verbrand, Afghanistan.

US Marine Corps soldaat eerste klas Chris Barret, hersenletsel, Vietnam.

US Army soldaat Marcus Durham, schotwonden, tweede oorlog in Irak.

US Army soldaat Craig Duffy, Golfoorlogsyndroom, eerste oorlog in Irak.

US Marine Corps soldaat Andrea Collins, verlamd vanaf de nek, tweede oorlog in Irak.

US Navy schipper Brad Johnson, alcoholisme, verslaafd aan drugs, posttraumatische stress, Vietnam.

US Navy matroos Moises Rivera, hersenletsel, tweede oorlog in Irak.

US Air Force vliegenier David Chang, gezichtsreconstructie, tweede oorlog in Irak.

US Army soldaat Andrew Fedorov, verslaafd aan drugs, posttraumatische stress, Afghanistan.

US Army soldaat LaTonda Barry, Golfoorlogsyndroom, eerste oorlog in Irak.

US Marine Corps soldaat Ahmed Jarrahy, een been, tweede oorlog in Irak.

US Army bijzonder soldaat Frederick Marquis, alcoholisme, Vietnam.

US Army bijzonder soldaat Derek Quinn, beide ogen, gehoorverlies, Afghanistan.

US Navy senior schipper Tony Andrews, een arm, alcoholisme, verslaafd aan drugs, Vietnam.

US Army sergeant-majoor Gary Burnett, alcoholisme, verslaafd aan drugs, Vietnam.

US Air Force kapitein Michael Lowry, hersenletsel, tweede oorlog in Irak.

US Marine Corps kapitein John Lulenski, beide benen, beide armen, tweede oorlog in Irak.

US Army kapitein Matt Bell, verlamd vanaf het middel, Vietnam.

US Army soldaat eerste klas Heath Andrews, Golfoorlogsyndroom, eerste oorlog in Irak.

US Air Force aankomend vliegenier Heath Mulder, 80 procent van het lichaam verbrand, Afghanistan.

US Navy leerling-matroos Darren Dixon, een arm, een oog, tweede oorlog in Irak.

US Army soldaat Francisco Sanchez, hersenletsel, Vietnam.

US Army soldaat Jeremy Franklin, elleboogreconstructie, tweede oorlog in Irak.

US Marine Corps luitenant-kolonel Paul Young, alcoholisme, verslaafd aan drugs, Vietnam.

US Army stafonderofficier Chad Springer, verlamd vanaf de nek, Afghanistan.

US Navy dekofficier Toby Wells, gebits- en gezichtsreconstructie, tweede oorlog in Irak.

US Army korporaal Leroy Washington, beide armen, tweede oorlog in Irak.

US Marine Corps soldaat Allison Gomez, beide ogen, Afghanistan.

US Marine Corps hoogste dekofficier David Suzuki, een arm, een been, een oog, tweede oorlog in Irak.

US Navy matroos Brandon Jones, beide ogen, gehoorverlies, Afghanistan.

US Army soldaat Carlos Perez, Golfoorlogsyndroom, eerste oorlog in Irak.

US Army soldaat Adam Stern, alcoholisme, verslaafd aan drugs, posttraumatische stress, Vietnam.

US Army bijzonder soldaat Lance Konerko, voor 95 procent verbrand, tweede oorlog in Irak.

US Army bijzonder soldaat Sarah Bannister, Golfoorlogsyndroom, eerste oorlog in Irak.

US Air Force aankomend vliegenier Luis Reyes, verlamd vanaf de nek, tweede oorlog in Irak.

US Navy leerling-matroos Steven Atkins, hersenletsel, gebits- en gezichtsreconstructie, tweede oorlog in Irak.

US Army soldaat Phillip Ito, verlamd vanaf de nek, tweede oorlog in Irak.

US Army soldaat LeCharles Jackson, verlamd vanaf de nek, Afghanistan.

US Army soldaat Joe Rodriguez, beide armen, beide benen, gebits- en gezichtsreconstructie, tweede oorlog in Irak.

US Army soldaat Daryl Jones, beide armen, beide benen, Afghanistan.

In 1988 stelt het Bureau voor Milieubescherming vast dat de lucht in Los Angeles de zwaarst vervuilde lucht van het land is, de belangrijkste oorzaak zijn de dampen door de gigantische hoeveelheid uitlaatgassen die de auto's er uitstoten.

Schandaal, klootzakken, iedereen houdt van een schandaal. Zelfs als je je af probeert te wenden, kun je het niet, wanneer je probeert het te negeren, blijkt dat je niet te lukken. Weet je waarom? Omdat het indruk maakt, grappig is, verschrikkelijk, het is een kutzooi, en je krijgt er bijna altijd een beter gevoel over jezelf door. Dus geef het maar toe, jij houdt van een schandaal, je vrienden houden ervan en je gezin houdt ervan iedereen die je kent houdt ervan, hoe groter hoe beter, hoe weerzinwekkender hoe leuker, hoe groter de verwoesting hoe beter je je voelt.

***

Hij was geboren in Miami zijn ouders zijn Cubanen. Hij groeide op en wilde een acteur worden de grootste Spaanstalige filmster in de geschiedenis. Als kind verkleedde hij zich en hield hij voorstellingen voor zijn moeder, zijn zuster, ze hielden allebei van hem en van zijn voorstellingen en ze verwenden hem hij was een vroegrijp kind, slim en grappig en onderhoudend.

Toen hij opgroeide paste hij niet bij een van de andere Cubaanse jongens in z'n buurt zij vereerden boksers en honkbalspelers wat hem geen zier interesseerde. Hij sloeg hun spelletjes na schooltijd over en ging naar huis, bladen lezen en naar soapseries kijken en luisteren naar het geroddel van zijn moeder met haar vriendinnen, buren, er was altijd iets om over te praten, een nieuw verhaal, iemand die dronk of knokte of ontrouw was, iemand die voor een of ander schandaaltje zorgde. Toen hij oud genoeg was tien of elf begon hij te roddelen met zijn moeder. Hij verzamelde verhalen op school die nam hij mee naar huis hij vond het prachtig wanneer z'n moeder ze goed genoeg vond om ze door te vertellen, en hij vond het prachtig dat hij dingen wist die andere mensen niet wisten, maar wel wilden weten, dat geheimen geld waard waren, net zo kostbaar als allerlei andere dingen op de wereld, soms nog kostbaarder.

Hij deed het goed op school. Hij zat in de leerlingenraad, hij trad op in de meeste voorstellingen en toneelstukken op zijn school, hij haalde goede cijfers. Hij bekende in de tiende klas aan zijn familie homo te zijn, eerst aan zijn zus, daarna aan zijn moeder, daarna aan zijn vader, geen van hen was verrast, allemaal steunden ze hem, ze zeiden dat ze van hem hielden ongeacht hoe zijn liefdeleven zou zijn, het enige waarin ze belang stelden was zijn geluk. Op school was hij een van de zeer weinige homoleerlingen, en hoewel de meeste kinderen aardig tegen hem deden, werd hij vaak genoeg belasterd en bespot om een heel dikke huid en een heel scherpe tong te ontwikkelen. En iedereen die hem kleineerde kreeg dat betaald gezet, met iets wat altijd slimmer en venijniger was, iets wat duidelijk harder aankwam.

Zelden kwam iemand erop terug, maar als ze dat deden, had hij altijd zijn woordje voor hen klaar.

Toen hij de middelbare school had voltooid ging hij naar New York voor hoger onderwijs. Hij was toegelaten tot een van de beste toneelscholen in het land, en hij wilde op Broadway staan. Hij maakte vrienden trad op ging uit had afspraakjes leidde het leven van een student, om een of andere reden namen mensen hem in vertrouwen, vertelden hem verhalen, deelden hun geheimen met hem. Wanneer men het hem vroeg, bewaarde hij het geheim. Wanneer men het hem niet vroeg, niet. Hij begon een rubriek in de schoolkrant, een roddelrubriek over wat er op school gaande was, wie afspraakjes had met wie, wie misschien met wie een afspraakje wilde, ontkrachtte of bevestigde geruchten, had grappige raadseltjes. Het was luchtig en briljant, goed geschreven, je merkte hoe gevat hij was. Het werd de meest gelezen rubriek op school studenten die zich nooit druk hadden gemaakt over het krantje begonnen er warm voor te lopen, erover te praten. Een professor moedigde hem aan colleges journalistiek te volgen hij deed het, genoot ervan, journalistiek werd zijn bijvak, acteren en toneel was nog steeds zijn grootste liefde.

Toen hij de school had afgerond besloot hij in New York te blijven. Hij had het nog niet tot Broadway gebracht en had nog steeds de droom, hij besloot een baan in de journalistiek te zoeken als een middel om z'n rekeningen te betalen en in New York te kunnen leven. Hij kreeg een stageplaats wist er een fulltimebaan van te maken. Hij werd een verslaggever werd de redacteur van een klein homoblad. Hij ging naar audities wanneer hij kon speelde in toneelstukken wanneer hij tijd had. Het blad waarvoor hij werkte stopte hij kreeg een baan bij een enorm, nationaal, wekelijks roddelblad. Hij was een verslaggever men verwachtte dat hij naar verhalen zocht, verhalen schreef, met verhalen kwam. In de wereld van de professionele roddel kom je alleen aan verhalen als je contacten hebt met mensen die contacten hebben en je moet deze mensen als bron weten af te schermen. Hij begon meer uit te gaan, feestjes, clubs, premières af te lopen, meer mensen te ontmoeten onder wie enkele beroemdheden, vriendschappen op te bouwen. Hij was gemakkelijk in de omgang, grappig vriendelijk hoffelijk, hij kon goed luisteren, mensen vertrouwden hem. Hij leerde de façade van roem kennen, dat de mensen die achter de façade leefden niet verschilden van andere mensen, dat sommige goed en fatsoenlijk en betrekkelijk normaal waren, dat andere hun bevoorrechte positie misbruikten, de gunsten die de maatschappij hun verleende misbruikten, degenen die volgens hen beneden hen stonden behandelden alsof het beesten waren. De verhalen begonnen te komen. Hij zorgde er altijd voor dat wat hij schreef correct was, dat z'n bronnen betrouwbaar waren. Veel van de verhalen waren onschuldig, soms liet hij verhalen vallen over mensen die hij aardig vond, voor mensen die hij niet aardig vond was hij genadeloos, zolang hij wist dat de feiten klopten. Omdat hij jong was en nieuw in het vak, pronkten verslaggevers met meer ervaring vaak met zijn veren. Soms liep hij verhalen mis omdat hij met acteren bezig was. Soms, omdat hij jong en nieuw was, gingen de verhalen eerst naar andere mensen. Maar hij werkte hard en begon van zijn werk te houden.

Nadat hij er een jaar werkte, begon het blad minder goed te verkopen. De markt was overvol geworden elke dag kwamen er nieuwe bladen, internet trok een groot deel van het publiek van het blad weg. Het blad moest mensen ontslaan hij was een van hen hij was verpletterd. Hij was trots op zijn werk geweest en het was leuk en hij had zo de kans zijn droom na te jagen. Hij huilde toen hij het kantoor verliet huilde toen hij terugkwam in zijn flat huilde toen hij zijn moeder opbelde, toen hij het z'n zus vertelde. Hij wist niet goed wat hij moest doen. Hij wilde in New York blijven hij hoopte nog steeds Broadway te bereiken, er was geen sprake van dat hij het zou kunnen zonder een baan om z'n rekeningen te betalen. Hij wilde geen tafels bedienen of koffie serveren. Hij was zeven jaar in New York geweest. Hij besloot te vertrekken.

Hij ging naar Los Angeles. Daar waren meer kansen voor acteurs, tegenover elke baan in New York stonden er vijftig in LA. Hij begon een website met een roddelblog, hij hoopte dat hij voldoende belangstelling kon opwekken om een paar adverteerders te trekken, dan zou hij op zijn eigen tijden kunnen werken, naar audities gaan, in de hand houden hoe hij zijn leven leidde. Hij vernoemde zijn site naar een populaire roddelrubriek, gebruikte een variatie op de cijfers die ook op zijn humoristische, boosaardige bedoelingen wees. Hij keek naar andere blogs en probeerde uit te zoeken wat werkte en wat niet, de betere blogs kwamen met eigen verhalen en werden vaker ververst, ze brachten elk uur een paar nieuwe dingen. Hij begon zijn oude contacten te gebruiken, nieuwe contacten te leggen, begon links te maken naar andere roddelsites, en liet die links naar hem maken. Hij had geen internetverbinding in zijn nieuwe flat, dus ging hij naar een café in de buurt met gratis draadloos toegang tot internet, en werkte vanaf een van hun tafeltjes.

Hij vond snel een publiek, adverteerders kwamen vanwege het publiek, geld om zijn rekeningen te betalen kwam van de adverteerders. Hij begon meer tijd aan de blog te besteden, ging naar het café voor dat om 06.00 openging en zat op de grond voor de deur zodat hij in het draadloze netwerk kon komen, zo kwamen er regelmatiger updates, soms vier of vijf keer per uur. Mensen begonnen e-mails naar hem te sturen, hij kreeg meer primeurs, betere verhalen, de media begonnen oog voor zijn site te krijgen, er aandacht aan te besteden, er hun nieuws aan te ontlenen. Een avondprogramma met amusementsnieuwtjes besteedde aandacht aan hem en noemde de site *De meest gehate van Hollywood*. De volgende dag werd de site veel vaker bezocht, twee drie vier keer meer dan ooit was gebeurd, en de roddelrubriek waarnaar hij z'n site had vernoemd dreigde hem te dagvaarden. Hij was nooit gedagvaard, wilde niet worden gedagvaard, had geen advocaten, wist niet wat hij moest doen. Hij maakte zich zorgen dat nu hij in LA weer vaste grond onder de voeten had gevonden alles wat hij had opgebouwd in een juridisch oerwoud zou verdwijnen.

Hij veranderde de naam van de site. Er was iemand in de beau monde van wie hij hield ze had een pakkende herkenbare naam ze was betrokken geweest in een schandaal rond erotische opnames, een schandaal rond een arrestatie, ze had meerdere rijke beroemde vriendjes, elke stap van haar werd gevolgd door journalisten en paparazzi. Hij kwam met een Spaanstalige versie van haar naam die ook pakkend, grappig, opvallend was. Hij profiteerde ervan *De meest gehate in Hollywood* te zijn genoemd en zette dat pal voor op de site, hij doopte zichzelf om tot de Koningin van Alle Media. Hij paste de webadressen zo aan dat de bezoekers van het oude adres naar het nieuwe werden geleid. En de mensen bleven komen. Elke dag meer en meer. En de verhalen bleven komen. Elke dag meer en meer.

Hij begon veel van de grootste media-, roddel- en amusementsverhalen van het land als eerste te brengen. Sterretje gaat afkicken hij wist het als eerste. Acteur wil weg bij zijn vrouw hij wist het als eerste. Lid van de beau monde dat op een ander vriendje overstapt hij wist het, popster en filmster gaan uit elkaar hij wist het, lid van een jongensband die heimelijk homo is hij wist het. Hij had een voorsprong op traditionele bladen en tv-programma's, namelijk dat zodra hij iets wist en het had kunnen checken hij het onmiddellijk op zijn site kon zetten, hij hoefde niet te wachten tot het volgende nummer gedrukt zou worden of de uitzending van de avond zou zijn. De mensen bleven komen, meer en meer, een miljoen per dag twee miljoen per dag drie miljoen per dag. Hij begon op televisie te verschijnen en andere journalisten begonnen verhalen over hem te schrijven. In plaats van zijn echte naam te gebruiken begon hij de naam van zijn site te gebruiken hoe meer die gedrukt en herhaald werd hoe meer die herkend werd hoe meer mensen er kwamen hoe meer mensen er over hem schreven hoe beter de verhalen die hij kreeg. Erotische opnames van een beroemdheid worden binnenkort openbaar hij wist het, een vete tussen de twee sterren van een televisieshow hij wist het. De mensen bleven komen.

Hij is nu even beroemd als veel van de mensen over wie hij schrijft, de paparazzi volgen hem, de media houden zich met hem bezig. Tussen de zes en acht miljoen mensen per dag komen naar zijn website, de advertentie-inkomsten zijn enorm, en zijn merknaam is miljoenen en miljoenen dollars waard. Het allerbelangrijkste is dat hij het heerlijk vindt wat hij doet, hij het heerlijk vindt beroemdheden te ontmoeten, het heerlijk vindt aandacht aan hen te besteden, het heerlijk vindt met primeurs te komen, het heerlijk vindt de eerste te zijn die dingen weet, het heerlijk vindt de site bij te houden, het heerlijk vindt er zo veel aandacht voor te krijgen. Hij werkt nog steeds vanaf een tafeltje in hetzelfde café waar hij begon, hij werkt twaalf, veertien, achttien uur per dag. Fans komen langs om hem te zien en hem op de foto te zetten en zijn hand te schudden, beroemdheden komen langs om met hem te praten en zichzelf met hem te laten filmen voor hun reality-programma's. Hij wordt regelmatig gedagvaard, maar nooit voor smaad of laster, maar tegenwoordig heeft hij advocaten die het afhandelen hij heeft nooit een zaak verloren. Hij kan platen en bands maken en breken door hun liedjes op zijn sites te zetten met links en gunstige besprekingen. En ondanks alle succes en aandacht, is hij nog steeds dezelfde, dezelfde jongen die graag roddelde, dezelfde scholier met een scherpe tong, dezelfde student die droomt van acteren. Hij heeft een televisieprogramma een talk- en reality-show die op de kabel zal komen, hij hoopt dat het hem rollen in series op de nationale zenders zal bezorgen, in studiofilms, en dat het hem uiteindelijk naar de plaats zal brengen waar hij altijd wilde zijn, maar nooit had hij gedroomd die via roddel internet en primeurs te bereiken, Broadway.

***

Een begrafenis. Acht mensen staan rond een graf. De kist is goedkoop de begraafplaats vervallen de steen klein de priester heeft de overledene nooit ontmoet. Haar ouders zijn er, haar twee zusters, twee mensen die samen met haar in een komische tv-serie speelden toen zij tussen de twaalf en vijftien was, een voormalige agent, een man die zegt dat hij verkering met haar had maar haar in feite drugs verkocht. Ze reed met een auto tegen een boom. Volgens de pers was het een ongeluk. De mensen die zich rond haar hebben verzameld weten beter, ze weten stuk voor stuk beter, en stuk voor stuk voelen ze zich tot op zekere hoogte schuldig. Ze was negentien.

***

Ze ontmoetten elkaar op de set van film. Ze zijn allebei in de twintig, allebei beroemde acteurs, toen ze elkaar ontmoetten hadden ze allebei net een druk in het openbaar besproken breuk met andere acteurs achter de rug, ze hadden allebei gezworen nooit meer iets te beginnen met een acteur, of ook maar met een beroemd persoon.

Ze speelden broer en zus. Er was onmiddellijk een chemie die volkomen in strijd was met enige aanvaardbare broer/ zus relatie. Ze hingen samen rond, aten samen, ontspanden zich in elkaars campers. Ze bespraken wat ze voelden en besloten te wachten tot de film klaar was.

Ze konden niet wachten. Het gebeurde aan het eind van een lange dag. Ze waren in zijn camper. Enkele leden van de filmploeg hoorden hen. Onmiddellijk begonnen de geruchten. Ze ontkenden die. De geruchten hielden aan. Ze waren in zijn camper, haar camper, zijn huis, haar huis. De pers kreeg lucht van de geruchten, maakte gebruik van de broer/ zus invalshoek, hoewel ze alleen speelden broer en zus te zijn.

Ze stonden op de omslagen van de bladen. Ze werden gevolgd. In televisieprogramma's werd er aandacht aan hen besteed. Ze hadden geen privacy, geen rust. De film was klaar hij verkocht zijn huis trok in haar huis in. Paparazzi stonden buiten op hen te wachten. Verscholen zich in hun struiken. Klommen in hun bomen. Volgden hen overal. Wachtten hen overal op. Ze gingen het land uit. Ze volgden hen, wachtten hen op. Ze kwamen terug. Ze volgden, wachtten hen op.

Een vriend organiseerde een barbecue voor hen. In werkelijkheid was het een verrassingshuwelijk. Het lekte uit er cirkelden helikopters boven hen.

Ze konden elkaar niet het ja-woord horen uitspreken, haar bloemen werden weggeblazen, ze moesten naar binnen.

Ze werd vlug zwanger. De bladen ontdekten het ze stonden weer op de omslagen, de ergste bladen spraken van een incestbaby, al was daar geen sprake van. Ze ging naar het spreekuur van haar dokter met lijfwachten in een zwarte suv. Hij begon op een motor te rijden die snel genoeg was om hen voor te blijven. Ze waren bang om hun huis te verlaten.

Ze kreeg de baby, een meisje, in een beveiligde vleugel van een ziekenhuis aan de rand van Beverly Hills. Er stonden bewakers aan beide kanten van de gangen, bewakers voor hun deur. Toen ze naar huis gingen vertrokken er achter elkaar drie zwarte suv's uit de parkeergarage van het ziekenhuis ze hadden allemaal zwart gemaakte ramen twee ervan dienden als afleiding.

Er staat een beloning op de eerste foto van hun kind. Ze hebben gehoord dat het om $ 500.000 gaat maar ze weten het niet zeker. Ze hebben een miljoen aangeboden gekregen voor een fotosessie ze willen het niet. Ze hebben het gevoel dat zij voor hun leven onder het oog van het publiek hebben gekozen maar hun kind niet. Ze is nog geen week oud. Ze houden al hun gordijnen dicht, ze verlaten het huis nooit.

***

Hij woonde in een kleine stad. Hij was klein, tenger, zwak. Hij hield niet van school, haatte sport. Hij bracht zijn tijd vooral door met tv-kijken. Hij werd gefascineerd door de mensen hij droomde vaak dat op een of andere manier het ding openging en hij erin stapte en een van hen werd. Toen hij oud genoeg was om te begrijpen dat dit onmogelijk was droomde hij erover hoe hun levens moesten zijn. Zijn moeder werkte bij een wasserette en zijn vader dronk en sloeg haar. Hij bracht veel tijd dromend door.

Toen hij achttien was ging hij thuis weg. Hij stapte op een bus naar het westen en stapte uit toen die niet meer verderging. Hij vond een baantje bij een autowas en probeerde enkele van de mensen te zien te krijgen naar wie hij op tv had gekeken. Hij liep door Hollywood het enige wat hij zag waren dakloze kinderen en dronkenlappen en drugsdealers en mensen die als superhelden waren verkleed en smerissen. Hij liep door Beverly Hills hij zag een filmster de gastheer van een talkshow. Hij liep door Santa Monica een filmster en iemand met een bijrol in een komische serie. Hij werd gefascineerd door hen het waren in zijn ogen geen mensen. Hij was bang van ze. Hij wilde een van hen zijn.

Hij begon naar premières te gaan. Hij probeerde handtekeningen te verzamelen hij kreeg er een paar. Hij stond voor nachtclubs kreeg er nog een paar. Hij kocht een sterrenkaart en probeerde voor huizen te wachten, de sterrenkaart klopte niet niemand woonde waar ze volgens de kaart woonden. Op de meeste plaatsen waar hij heen ging, waren er mannen met camera's, ze maakten foto's van de sterren, vaak volgden ze hen. Hij raakte bevriend met een paar van de mannen, ze verkochten de foto's die ze maakten en konden daarvan bestaan. Hij spaarde kocht een camera. Hij begon bij de mannen rond te hangen en samen met hen foto's te maken. Ze hielpen hem een paar van z'n foto's te verkopen hij verdiende er genoeg geld mee om zijn baantje op te zeggen. Het werd zijn leven. Op zoek gaan naar beroemdheden, foto's van hen maken. Hij hoort dat de andere mannen die het doen min of meer in twee groepen zijn verdeeld. Een van de groepen werkt samen met de beroemdheden, men probeert bevriend met hen te raken, als de sterren hun een dienst bewijzen met foto's laten ze hen met rust. De andere groep geeft er geen reet om. Zij geloven dat de sterren, door publieke figuren te worden, vogelvrij wild zijn. Ze gaan waar zij gaan. Ze maken foto's van hun echtelieden, hun kinderen. Zij geloven dat je roem en rijkdom met een totaal en compleet verlies van je privacy moet betalen. Als de sterren geld mogen verdienen, mogen zij geld aan hen verdienen. Hij begint in het eerste kamp, hij probeert vrienden te maken, het netjes te spelen, de beroemdheden wat ruimte te geven in ruil voor opnames. Ergens hoopt hij en gelooft hij dat een van hen misschien op hem gesteld raakt, echt bevriend met hem raakt, hem in huis haalt en het leven met hem gaat delen, al is zelfs zijn visie op hun bestaan een illusie. Hij is onhandig, de grapjes die hij maakt zijn niet leuk, hij is een beetje opdringerig. Een paar van de sterren reageren, bij verschillende gelegenheden, onaangenaam, ze schreeuwen naar hem, vloeken naar hem, schelden hem uit, een van hun lijfwachten bedreigt hem. Hij verandert van kamp. Hij geeft er geen reet om.

Hij vindt een partner. Ze spreken af alles wat ze verdienen te delen, fiftyfifty. Wanneer een blad of een website een bepaalde opname wil van een bepaalde beroemdheid, werken ze samen om de opname te krijgen. Ze rijden op een motor de een rijdt de ander zit achterop met een camera. Ze volgen beroemdheden overal. Ze slaan hun tenten op voor hun huizen. Ze gaan naar hun bruiloften, hun afspraken met de dokter, hun lunches, hun diners. Ze maken foto's van hen door de ramen van hun huizen, als ze in hun tuin zitten, alom en overal. Ze geven er geen reet om. Het verlies van je privacy is de prijs van je roem.

Er staat een bonus op foto's van het kind. De ouders zijn beroemd, en ze kiezen ervoor beroemd te zijn, en ze verdienen hopen geld met het maken van films, en het kind is een uitbreiding van de ouders. Vogelvrij klotewild. Hij zit in een boom zijn partner zit beneden hem op de grond. Ze zitten om beurten in de boom, halen om beurten eten en voorraden, laden de batterijen voor hun camera op. Er zitten andere fotografen in andere bomen, en in struiken, en op heuvels, en in auto's buiten de poort, en in helikopters, maar zij hebben de beste plek. Ze kwamen hier op de dag dat het kind werd geboren ze bedachten dat verder iedereen bij het ziekenhuis zou zijn. Ze zullen wachten tot ze de opname hebben. Zodra iemand een gordijn opendoet of een deur of naar buiten komt. Ze zullen er godverdomme zijn om die kloteopname te hebben. Het maakt niet uit hoe lang het duurt.

***

De verkopen blijven achter. Er zijn geen arrestaties of scheidingen of sterfgevallen geweest, niets wat belangrijk genoeg is voor een omslag. De concurrentie is gegroeid en ze moeten met exclusief nieuws komen. Met exclusief nieuws op het omslag zullen ze weer de kiosken uit gaan vliegen, zullen ze de concurrentie een paar weken langer weerstaan.

Ze begon als een verslaggever, klom op tot schrijvend redacteur, werd redacteur mode, redacteur beroemdheden. Ze werd hoofdredacteur bij een kleiner blad en wist de oplage ervan te verhogen. Ze wilde hoofdredacteur worden bij een van de grote bladen je had er twee of drie afhankelijk van met wie je sprak en wiens oplagecijfers je geloofde. Toen een van de banen vrijkwam werd er met haar gesproken er waren nog twee kandidaten. Zij deed beloften die de andere twee niet deden, zei dat ze de oplage omhoog had weten te krijgen bij haar andere blad, ze zou het weer doen. Ze kreeg de baan.

Ze begon sterk. Ze was agressief en betaalde goed voor informatie en foto's. De oplagecijfers stegen. Haar concurrenten zagen wat zij deed begonnen het zelf te doen. Hun oplagecijfers stegen. Het ging op en neer, op en neer. Ze gaf meer uit had hogere cijfers nodig gaf meer uit.

De klad zat erin. Ze heeft een geweldig omslag nodig. Ze kent het paar en bood het $ 750.000 als het meewerkte. Ze zeiden nee. Ze deed weer een aanbod dit keer een miljoen ze zeiden weer nee. Ze loofde de bonus uit. Ze wist dat andere bladen ook een bonus hadden uitgeloofd. Ze verhoogde die van haar ze zou zo hoog gaan als ze moest gaan. Haar echtgenoot vroeg haar waarom ze zei dat ze de cijfers moest opkrikken. Hij vroeg haar of ze er geen rotgevoel van kreeg het paar dit te moeten aandoen, ze waren altijd aardig voor haar geweest, hadden haar interviews en foto's gegund, hadden bijzonder goed meegewerkt, en zonder aarzeling zei ze nee.

* * *

Hij wou dat hij het niet had gezegd.
Ze heeft er spijt van foto's te hebben gemaakt.
Hij had de klap niet moeten uitdelen.
Ze kon gewoon niet stoppen, ze had het geprobeerd, had het zo goed mogelijk geprobeerd, ze kon gewoon niet stoppen.
Ze hadden niet moeten trouwen.
Hij had moeten luisteren toen de politie hem zei kalmeer.
Ze wou dat ze een slipje had gedragen.
Hij haatte zwarten niet echt.
Ze had de vier laatste drankjes niet moeten nemen.
Hij kon gewoon niet stoppen, hij had het geprobeerd, had het zo goed mogelijk geprobeerd, hij kon gewoon niet stoppen.
Hij had niet de bedoeling iemand kwaad te doen.
Hij had niet achter het stuur moeten gaan zitten.
Ze had niet ontrouw moeten zijn en ze heeft er spijt van.
Hij haatte homo's niet echt.
Hij had niet ontrouw moeten zijn en hij heeft er spijt van.
Hij wist niet dat iemand een videocamera had.

Ze kon gewoon niet stoppen, ze had het geprobeerd, had het zo goed mogelijk geprobeerd, ze kon gewoon niet stoppen.

Hij hield nog steeds van haar.

Ze had hem niet moeten vertrouwen.

Hij had niet achter het stuur moeten gaan zitten.

Ze had nee moeten zeggen.

Hij heeft er spijt van.

Zij heeft er spijt van.

Hij heeft er spijt van.

Zij heeft spijt.

Hij haatte joden niet echt.

Hij kon gewoon niet stoppen, hij had het geprobeerd, had het zo goed mogelijk geprobeerd, hij kon gewoon niet stoppen.

Ze dacht niet dat iemand zich er druk over zou maken.

Hij dacht dat het zijn huis was.

Ze hadden nooit moeten trouwen.

Hij wist niet dat het geladen was.

Hij had haar moeten vragen hoe oud zij was.

Hij had de jongen niet op die manier moeten aanraken.

***

Ze weet op een gegeven moment dat ze het zullen ontdekken en ze weet dat wanneer het gebeurt haar leven zoals ze het kent godverdomme absoluut voorbij is.

***

Hij begrijpt niet waarom iedereen zich er zo druk over maakt, hij wil gewoon werken iets doen waarvan hij houdt en zijn leven leiden en met rust worden gelaten.

***

De een vindt dat alle publiciteit goede publiciteit is. De ander weet wel beter.

***

Sommigen geven er geen reet om.

***

Sommigen zoeken het op.

***

Anderen richten hun leven erop in om het zo goed mogelijk te vermijden.

***

Niemand maakt het door en komt ervan af zonder te veranderen, niemand maakt het door en komt er zonder kleerscheuren van af, niemand maakt het door en komt ervan af zonder z'n onschuld te verliezen, niemand maakt het door en komt ervan af zonder z'n vertrouwen te verliezen.

***

Op haar tiende speelde ze een hoofdrol in haar eerste film. Haar moeder nam haar mee naar een open auditie en de regisseur vond haar perfect en de studio deed een screentest en vond haar aanbiddelijk. Ze kreeg de rol en deed de film en het publiek hield van haar en de film bracht $ 350 miljoen op.

Haar moeder was danseres geweest werkte als secretaresse voor de rector van een middelbare school haar vader was administrateur op een bedrijf voor zwembadonderdelen hij kwam maar drie of vier avonden per week naar huis en dan was hij dronken.

Ze maakte nog een film kreeg een miljoen dollar betaald haar ouders werden haar managers incasseerden 20 procent ze zeiden allebei hun baan op. Ze maakte een plaat met klassieke kinderliedjes gemoderniseerd en in rockversie er werden twee miljoen exemplaren van verkocht ze verdiende nog eens drie miljoen en haar ouders kregen hun 20 procent. Ze ging op tournee en kleine stadions waren uitverkocht ze verdiende vijftigduizend per avond haar ouders 20 procent.

Ze verliet officieel de normale school vroegtijdig haar ouders trokken een privéleraar aan. Ze kochten een groter huis in een mooiere buurt in hun woonplaats in de Midwest de vader bleef thuis met hun andere drie kinderen. Hij had personeel om hem met hen te helpen hij kwam maar drie of vier avonden per week naar huis. Zij verhuisde naar Los Angeles met haar moeder.

Weer een succesfilm.

Ze dronk voor het eerst alcohol op haar dertiende.

Weer een succesfilm.

Rookte hasj op haar veertiende.

Plaat.

Verloor haar maagdelijkheid op haar vijftiende hij was een vierentwintigjarige acteur.

Film.

Ze verdiende acht tot tien miljoen dollar per jaar haar ouders 20 procent.

Tournee.

Haar moeder ging naar huis en liet haar met haar lijfwachten achter. De vader kwam helemaal niet naar huis de andere kinderen hadden bij hen thuis iemand nodig. Cocaïne op haar zestiende, speed op haar zestiende. De taak van de lijfwachten was haar te beschermen, niet haar opvoeden. Toen ze pro-

beerden haar in de hand te houden zei ze hun haar met rust te laten anders verloren ze hun baan. Een van hen bleef het proberen. Ze belde naar huis en sprak met haar moeder en de man verloor z'n baan. De anderen gaven het op.
Film.
Film.
Er waren geen regels, geen leiding. Alle mensen om haar heen waren van haar afhankelijk. Zij verdienden geld wanneer zij geld verdiende. Ze was zeventien. Ze vond de verantwoordelijkheid te groot. Toen ze probeerde met haar moeder te praten, zei haar moeder dat ze aan het werk moest blijven, dat werk haar geest zou afleiden van alle spanningen die ze voelde. Toen ze probeerde met haar vader te praten was hij niet beschikbaar.
Film.
Overal waar ze heen ging werd ze gevolgd. Door fotografen, journalisten, mensen die in haar buurt wilden zijn, met haar wilden omgaan. De mensen verwenden haar. Ze bezorgden haar en gaven haar wat ze maar wilde, wanneer ze maar wilde. Het enige wat ze echt wilde was liefde. Niet vanwege haar roem en geld maar vanwege wie ze vanbinnen was. Het leek niemand te interesseren wie ze vanbinnen was, wanneer ze erover probeerde te praten hoe verward ze was, bang ze was, moe ze was, verpletterd ze was, wilden de mensen met wie ze probeerde te praten praten over de volgende sessie voor een tijdschrift, de volgende plaat, de volgende film. Ze had afspraakjes met oudere mannen die ook allemaal beroemd waren. Ze dacht dat die het misschien zouden begrijpen, misschien van haar zouden houden en ze zich bij hen veilig zou voelen. Ze gebruikten haar voor haar lichaam, speelden met haar, lieten haar vallen wanneer ze er genoeg van hadden. Toen ze met gebroken hart haar moeder belde kon haar moeder niet praten omdat ze druk bezig was met de volgende klus, haar vader was er niet en niemand wist waar hij uithing.
Ze dronk waardoor ze zich beter voelde. Ze werd high waardoor ze zich beter voelde. Ze ging uit en overal waar ze kwam riepen mensen haar naam en maakten foto's van haar en wilden in haar buurt zijn en bij haar en gaven haar dingen gratis kleren eten drankjes juwelen auto's en daardoor voelde ze zich beter.
Een arrestatie op haar achttiende. De rechter liet haar een boete betalen.
Een film die liep niet goed.
Weer een man.
Haar ouders ergens haar lijfwachten onverschillig haar vrienden waren ze wel echte vrienden? Ze werd overal gevolgd en ze was verward en bang en niemand kon haar vertellen wat ze moest doen.
Een plaat met teleurstellende verkoopcijfers.
Weer een arrestatie en een reisje om van haar verslaving af te komen ze gaven haar een privésuite en lieten haar niet dezelfde regels volgen als de rest van de patiënten volgde. Drie uur nadat ze eruit was dronk ze haar vriendje een zesentwintigjarige zanger nam haar uit voor een dinertje en nam haar vervolgens mee naar huis.

Haar moeder kwam op bezoek. Haar moeder zei haar dat ze tot bedaren moest komen en aan het werk moest de hele familie was afhankelijk van haar. Haar moeder zei haar dat haar vader spoorloos was en ze dachten dat hij in Florida zat met een andere vrouw en ze moest er niet op rekenen van hem te horen. Toen ze begon te huilen zei haar moeder dat ze zich moest beheersen de hele familie was afhankelijk van haar. Ze was negentien.

Weer een film weer een teleurstelling.

Op de omslagen van bladen dagelijks op de roddelpagina's sommige dingen die ze schreven waren juist maar het meeste niet, ze zeiden akelige dingen over haar, scholden haar uit, bespotten haar, maakten grappen over haar haar, haar kleding, haar familie, haar naam. Ze begreep niet waarom ze had hen nooit iets gedaan, het kwetste haar, maakte haar bang, verward. Ze dronk en werd high zo verdwenen voor haar de gevoelens, zo raakte ze verdoofd, zo kon ze vergeten, zo kon ze iets voelen zoals naar haar idee normaal moest voelen. Ze dronk en werd high en niemand probeerde haar tegen te houden of zei haar ermee op te houden of zei haar dat ze zichzelf schaadde.

Weer een arrestatie.

Weer een ontwenningskuur.

Koppen die schreeuwden drugsverslaafde, ramp, onhandelbare lastpost. Haar moeder die schreeuwde waar ben je mee bezig je maakt het voor iedereen kapot we hebben je nodig, we hebben je nodig. Haar vader weg misschien Florida, misschien Mexico. Haar vrienden die haar zeggen dat ze het prima doet, ze maakt gewoon lol, ze is nog een kind. Verward gekwetst en bang dus gaat ze door en ze kan niet ophouden, ze gaat door, ze kan niet ophouden, ze gaat door.

Ze is twintig.

***

Na de vijfde ontwenningskuur liet hij het er gewoon bij zitten.

Haar ouders zagen reclame voor een band met erotische opnames van haar op tv.

Hij begrijpt niet waarom andere mensen dezelfde dingen uithalen, maar niemand zich er druk over maakt.

Ze vertrouwde mensen toen die zeiden dat ze haar zouden bijstaan en verdedigen.

Het ging net zo goed met zijn carrière.

Dertig jaar in de belangstelling en het stelde niets voor.

Niemand zal haar tegenhouden want wanneer ze het proberen zullen ze geen geld meer aan haar kunnen verdienen.

Op dit moment wil hij gewoon dood.

Op dit moment was zij net zo lief dood.

Waar is iedereen nu?

Het had een droom moeten zijn die uitkomt.

In 1990 komt de bevolking van Los Angeles boven de tien miljoen mensen.

Dylan neemt een dag vrij hij en Maddie maken een huwelijksreis van één dag. Ze pakken een bus naar Santa Monica en picknicken op het strand en gaan naar de pier en eten ijshoorntjes hij neemt munt met stukjes chocolade zij neemt twee bolletjes, een aardbei en een Franse vanille, zij eet voor twee, eet voor twee. Wanneer ze hun hoorntjes op hebben gaan ze naar het eind van de pier er zijn draaimolens en kermisspelletjes Dylan wil een teddybeer winnen voor de baby. Hij speelt een spelletje met een waterpistool geen geluk hij probeert het ringen gooien geen geluk hij probeert een spel met vrije worpen twee van de drie JE WINT! bij de derde poging krijgt hij hem. Een grote bruine teddybeer die het shirtje draagt van een van de basketbalteams van LA. JE WINT!!!

Ze verlaten de pier, lopen naar de Third Street Promenade vijf straten met betere zaken en boetiekjes, de straat is geplaveid met stenen en afgesloten voor het verkeer, er staan stalletjes waar men parfum en sieraden verkoopt, er staan bankjes palmbomen en straatlantaarns. Ze kijken in de etalages van kledingzaken, meubelzaken, ze lopen langs drukke terrassen. Ze stoppen bij een speelgoedwinkel ze gaan naar binnen en kijken naar speelgoed op een dag misschien, ze gaan een babyzaak in en kijken naar wiegjes, bedjes, verschoningstafels, kinderstoeltjes, dekentjes die net zoveel kosten als Dylan in een week verdient, op een dag misschien.

Ze verlaten de winkel lopen hand in hand over de promenade overal rond hen zijn er andere gezinnen ze hebben twee drie vier kinderen Maddie kijkt naar hen kijkt naar Dylan knijpt in zijn hand misschien op een dag.

Ze lopen terug naar de bushalte wachten, de zon begint onder te gaan, ze zijn allebei moe. Dylan gaat op een bankje zitten Maddie zit op zijn schoot, buigt zich voorover kust hem lang en diep een seconde, twee, drie, ze trekt zich terug, glimlacht. Hij zegt iets.

Waar was dat voor?

Ze antwoordt.

Omdat ik van je hou.

Ik hou ook van jou.

We zullen het wel redden.

Hij glimlacht.

Jazeker.

We zijn hierheen gekomen en hebben een leven opgebouwd en we zullen het wel redden.

Glimlacht weer.

Ik heb je gezegd dat we het konden.

Dank je.

We hebben het samen gedaan.

Het was jij. Als jij me niet zo ver had gekregen zou ik daar nooit zijn weggegaan. En ik zou mezelf de rest van m'n leven hebben gehaat.

Ik zou het nooit hebben gedaan als jij niet in mijn leven was geweest. Ik zou ook zijn gebleven.

Voor de eerste keer in mijn leven ben ik gelukkig.

Mooi zo.

Ik hou van je.

Ik hou ook van jou.

De bus stopt ze stappen in gaan zitten. Dylan zit naast een raam, Maddie zit naast hem neemt zijn handen in de hare, leunt met haar hoofd tegen z'n schouder zegt het nog eens ik hou van je, zegt het nog eens. De rit duurt een halfuur Dylan staart het raam uit ziet de stad voorbijtrekken tankstations, winkelgalerijen, snackbars, straten met huizen in Spaanse stijl met één laag, straten met appartementsgebouwen met drie en vier lagen. Wanneer de bus bij hun halte aankomt slaapt Maddie Dylan duwt zachtjes tegen haar aan ze glimlacht zegt wat is er hij zegt we zijn thuis, we zijn thuis.

Ze stappen de bus uit lopen hand in hand drie straten naar hun gebouw. Ze lopen de trap op naar hun verdieping de gang door gaan hun flat in. Maddie zegt dat ze moe is gaat slapen Dylan wil tv-kijken. Maddie loopt de slaapkamer in, trekt haar pyjama aan, gaat de badkamer in begint haar gezicht te wassen. Dylan belandt bij een footballwedstrijd een ploeg uit San Francisco tegen een ploeg uit New York de winnaar heeft het beste uitzicht op de beslissingswedstrijd.

Er wordt op de deur geklopt. Dylan wendt zich naar de badkamer, vraagt luid iets.

Verwacht je iemand?

Maddie leunt met haar hoofd de badkamer uit, zegt iets.

Nee hoor.

Moet ik kijken wie er is?

Er zit niets anders op.

Dylan staat op loopt naar de deur kijkt door het gaatje. Een man van middelbare leeftijd in een net overhemd staat voor de deur hij ziet er vagelijk bekend uit al weet hij niet waarom. De man klopt nog eens, Dylan staart naar hem door het kijkgaatje probeert het zich te herinneren. Man klopt weer deze keer harder. Dylan zegt iets.

Wie is daar?

Man kijkt vlug de gang in, zegt iets.

Ik moet met u praten.

Waarom?

U werkt toch op de golfbaan, nietwaar?

Waarom moet u met me praten?

Maddie leunt weer naar buiten, zegt iets.

Wie is het?

Dylan kijkt naar haar, haalt z'n schouders op, schudt zijn hoofd. De man zegt weer iets.

Ik heb uw hulp nodig, alstublieft.

Dylan kijkt weer naar Maddie, die haar schouders ophaalt. Als hij weer naar het sleutelgat kijkt en de deur van het slot begint te halen, ziet hij de man opzij stappen. Iemand komt voor de man staan het kijkgaatje wordt zwart. Dylan probeert de deur op slot te doen die vliegt open. Hij wordt naar achteren geduwd drie mannen allemaal groot, met tatoeages, een met een baard stormen de kamer in. Een van hen drukt Dylan tegen de muur legt z'n onderarm tegen Dylans nek, een van hen draait zich om en doet de deur op slot, de ander stormt naar de slaapkamer. Ze dragen allemaal jeans, motorlaarzen, t-shirts, leren jasjes. Degene die de deur op slot deed draait zich om, haalt een geweer met afgezaagde loop uit z'n jasje, zegt iets.

Als je iets probeert ben je er godverdomme geweest.

Degene die de slaapkamer bestormde komt tevoorschijn met Maddie. Hij draagt haar, houdt een arm over allebei haar armen en haar borst, houdt een hand op haar mond. Ze stribbelt tegen, mept onder zijn arm, trapt. De man met het geweer wendt zich tot haar.

Kalmeer, kreng, of ik knal je godverdomme neer.

Ze houdt op. Haar ogen staan wijd open ze is doodsbang. De man met het wapen wijst naar een stoel bij hun tafel. De man met Maddie leidt haar naar de stoel, dwingt haar te gaan zitten, begint haar met tape vast te maken aan de stoel. De man met het wapen draait zich weer naar Dylan, die nog steeds tegen de muur wordt gedrukt. Hij wijst naar de man die hem vasthoudt, de man stapt naar achteren. De man met het geweer zegt weer iets.

Je weet waarom we hier zijn?

Dylan schudt zijn hoofd, probeert iets te zeggen, zijn stem breekt.

Nee.

Zeker weten?

Ik heb geen idee.

Je hebt iets meegenomen van een vriend van ons.

Dylan schudt zijn hoofd.

Nee.

De man is klaar met Maddie aan de stoel te tapen. Haar armen zijn getapet, haar benen zijn getapet, er zit een stuk over haar mond. Man met het geweer wijst naar de slaapkamer, beide mannen lopen erheen, ga ernaar binnen, beginnen er alles na te lopen. Man met geweer draait zich weer naar Dylan, kijkt even naar hem, zwaait de kolf van het wapen naar hem, raakt hem in z'n gezicht. Zijn neus breekt meteen, bloed vliegt tegen de muur, hij valt op z'n knieën z'n gezicht in z'n handen. Man trekt met de ene hand aan z'n haar, houdt met de andere het geweer vast. Hij duwt Dylans hoofd terug. Maddies ogen staan wijd open, en ze beeft. Man drukt het wapen in Dylans gezicht.

Er is geld weg uit de zaak van een vriend van mij. Alleen jij kan het hebben gepakt. Hij wil het terug.

Dylan spreekt door het bloed heen.

Heb het niet.

Man duwt weer tegen Dylans hoofd, klemt de loop van het wapen in z'n mond.

Waar is het?

De mannen halen de kamer overhoop.

Heb het niet.

Man sleept Dylan aan z'n haar over de grond, zet hem bij Maddie neer, zegt iets.

Op je godverdomde knieën.

Dylan gaat op z'n knieën. Man zegt iets.

We hebben maanden naar je gezocht. Iemand die contact met ons heeft zag je op die klotegolfbaan. We hebben je een paar weken in de gaten gehouden. We weten dat dit kreng zwanger is.

Hij duwt de loop van het geweer tegen Maddies buik.

Wil je dat ik ze allebei vermoord?

Dylan kijkt naar Maddie, hij bloedt trilt van angst, ze kijkt naar hem probeert iets te zeggen ondanks de tape tranen beginnen te stromen. Dylan zegt iets.

We hebben jullie geld niet. Ik zweer bij God van niet.

De mannen lopen de kamer uit. Man met geweer draait zich naar hen toe. Een van hen heeft de envelop met Dylans en Maddies huwelijksgeld erin. Hij houdt die omhoog, zegt iets.

Er zitten vier of vijf ruggen in.

Man met het wapen draait zich weer naar Dylan, hij zegt iets.

Je hebt ons geld niet?

Dat hebben we gekregen van de mensen van mijn werk. Ze legden hun fooien bij elkaar op de dag dat we trouwden. Het was een huwelijkscadeau. Ik zweer het bij God, alstublieft, ik zweer het bij God.

Man trapt Dylan in het gezicht, bloed en tanden vliegen uit z'n mond. Hij zakt op de grond, godverdomme bewusteloos. Man wendt zich tot de andere twee.

Breng hem naar de bestelbus.

Ze stappen naar voren, tillen hem op, leggen zijn armen over hun schouders, beginnen hem naar de deur te slepen. Als ze de deur bereiken, haalt een van hen die van het slot, opent hem. De man die in het begin op de deur klopte staat in de gang, de andere mannen slepen Dylan naar buiten en weg, hij gaat met hen mee. De man met het geweer staart naar Maddie, die probeert van hem weg te kijken. Hij duwt de loop van het wapen onder haar kin, drukt die omhoog, dwingt haar naar hem te kijken. Hij zegt iets.

Als je niet zwanger was, en ik meer tijd had, zou ik je naaien. Ongelukkig genoeg zit het er niet in. Als je de politie belt, of iets doet om hem te helpen, kom ik terug en snijd ik dat klotekind uit je lijf en vermoord je dan.

Hij staart haar aan.

Begrepen?

Ze beeft, huilt. Ze knikt.

Mooi zo.

Hij draait zich om en loopt naar buiten.

In 1991 wordt op video vastgelegd hoe vier blanke agenten van de politie van LA een zwarte automobilist met knuppels slaan nadat de automobilist hen genoopt had tot een achtervolging in volle vaart, zich tegen z'n arrestatie had verzet en had geprobeerd een van hun wapens af te pakken. De videoband wordt door media over de hele wereld getoond. In 1992 komen de agenten voor de rechter wegens het gebruiken van buitensporig geweld en worden vrijgesproken door een overwegend blanke jury. Op de dag dat het vonnis wordt voorgelezen, breken er enorme rellen uit in de gemeente Los Angeles. De rellen houden vier dagen aan. Vijfenvijftig mensen komen om, 3000 raken er gewond, er zijn meer dan 7000 branden, en 3500 bedrijven worden verwoest. Er is voor meer dan een miljard dollar schade.

Oudje Joe zit drie dagen lang naast de vuilcontainer achter de drankwinkel vieux te drinken en gedroogd vlees te eten en over te geven en in de bosjes z'n behoefte te doen. Hij gaat weg wanneer de eigenaar van de drankwinkel, die hij al jaren kent, hem zegt dat hij de politie gaat bellen.

Hij gaat weg, hij wil niet dat hij door iemand die hij kent wordt gezien hij gaat naar een andere vuilcontainer een straat verder landinwaarts achter een bouwterrein, twee oude bungalows in Venice worden neergehaald en vervangen door een nieuw hoog gebouw van glas en staal. Wanneer het donker wordt gaat hij naar zijn toilet niemand ziet hem. Hij wast zichzelf poetst zijn tanden. Hij trekt zijn reservekleren aan.

Hij loopt naar het noorden Santa Monica in. Hij loopt over Ocean Avenue een straat van de Stille Oceaan vandaan. Het is net voor zonsopgang de straat is leeg, de straatlantaarns werpen cirkels licht over het asfalt, de palmen onbeweeglijk, een verlaten parkeerterrein, het enige geluid het rollen van de golven, de enige geur het meegevoerde zout van de zee. Hij loopt een paar kilometer hij zit op een bankje. De zon komt op hij kijkt ernaar er is geen schoonheid in voor hem, geen vreugde, geen vrede. Wanneer hij zich er klaar voor voelt staat hij op en begint weer te lopen de straat stijgt licht nu het strand in kliffen verandert. Hij gaat weer landinwaarts loopt nog een eind hij ziet de rij mensen ervoor hij ziet het opvangcentrum drie- of vierhonderd dakloze mannen, vrouwen en kinderen die rond het huizenblok kronkelen in de hoop binnen te komen en een ontbijt te krijgen.

Hij sluit aan het eind van de rij aan, er zit weinig beweging in. Veel van de mensen in de rij lijken elkaar te kennen ze bespreken hoe het met hen gaat, waar ze slapen, goede afvalcontainers, nieuwe plekken om te slapen, wie er ontbreekt, wie er gearresteerd is, wie er dood is. Oudje Joe spreekt met niemand, staart eenvoudig naar het trottoir, schuifelt naar voren. Anderhalf uur later is hij binnen hij krijgt een doosje cornflakes, een pakje melk, een appel, hij krijgt slappe koffie in een papieren beker de koffie is warm en smaakt lekker. Hij eet het voedsel loopt naar een andere rij voor een deur met een bord waarop advies staat. De rij is veel veel korter, twintig of dertig mensen, maar er zit veel veel minder beweging in. Drie uur nadat hij zich bij de rij heeft aangesloten wordt hij een rommelig kantoortje binnen gelaten een Afro-Amerikaanse vrouw zit tegenover hem. Ze zegt iets.

Waarmee kan ik u van dienst zijn?

Hij zegt iets.

Ik probeer een vriend te vinden.

Dat kan lastig worden. Wie is de vriend?

Hij was een dakloze man die op de promenade in Venice woonde. Hij is een paar dagen geleden gestorven.

Waarschijnlijk ligt hij in het provinciale mortuarium.

Ja, dat dacht ik al. Ik wil hem zien.

Bent u familie van hem?

Nee.

Dan is het waarschijnlijk niet mogelijk.

Waarom niet?

Ze staan uitsluitend familieleden toe naar de lijken te komen kijken en dan nog alleen als ze hen komen opeisen.

Ik moet hem zien.

Waarom?

Omdat het mijn schuld is dat hij dood is.

Waarom zegt u dat?

Over de schietpartij gehoord?

Ja.

Het was mijn schuld.

Haalde u de trekker over?

Nee.

Was u bij wie de trekker overhaalde?

Nee. Ik was bij m'n vriend.

Toen er op hem werd geschoten?

Ja.

De persoon die de trekker overhaalde is verantwoordelijk.

Ik moet hem zien.

Hoe heette hij?

Citroendrank.

Hoe heette hij echt?

Geen idee.

Hoe lang had hij op straat geleefd?

Lang.

Weet u waar hij vandaan kwam, of wat hij deed voor hij op straat leefde?

Nee.

Er is geen sprake van dat u hem zult kunnen zien.

Alstublieft.

Ik ga er niet over. Het is de wet.

Als ik nu gewoon zeg dat ik familie ben?

Als u zijn naam niet kent of niets van hem weet, zal dat niet lukken.

Wat gaat er met hem gebeuren?

Ze bewaren hem daar drie maanden. Ze zullen proberen hem te identificeren. Als ze daarin niet slagen, en niemand komt hem zoeken, zullen ze het lichaam cremeren. Ze bewaren de as vier jaar en als die dan door niemand is opgeëist, gaat de as een graf in met de as van de overige lichamen die dit jaar niet in het mortuarium werden opgeëist.

Ze gooien hen er gewoon samen in?

Ja.

Is er een grafsteen of zoiets?

Alleen een gedenkplaat met het jaar van hun dood op het graf.

Hij verdient beter.

Dat denk ik ook.

Ik moet met hem praten.

Het spijt me.

Ik moet met hem praten.

Het spijt me.

Joe begint te huilen.

Ik moet met hem praten. Ik moet...

Hij stort in, snikt. De vrouw kijkt naar hem. Hij legt zijn gezicht in zijn handen en snikt snikt onbedaarlijk. De vrouw kijkt naar hem. Een minuut twee drie snikt hij kijkt zij. Er staat een lege stoel naast hem de vrouw staat op en gaat erheen en gaat zitten en legt haar hand op zijn schouder ze zegt het spijt me en hij snikt, ze legt haar andere hand op zijn andere schouder zegt het spijt me en hij snikt, ze omhelst hem en zegt het spijt me en hij snikt. Wanneer hij ophoudt trekt hij zich terug er zit snot en er zitten tranen op zijn gezicht hij veegt ze weg en hij kijkt naar haar en hij zegt iets.

Wat moet ik doen?

Wilt u mij niet zeggen wat u hem zou gaan zeggen?

Waarom?

Soms is het gewoon goed iets te zeggen, ook al kun je het niet zeggen tegen de persoon tegen wie je het zou willen zeggen.

Gewoon doen alsof?

Nee, zeg het gewoon. Net zoals u het zou doen als hij hier was.

Joe kijkt omlaag, kijkt omhoog.

Ik ben negenendertig. Ik weet dat ik eruitzie als tachtig maar dat ben ik niet. Op een dag werd ik gewoon zo wakker, of ik van de ene dag op de andere veertig jaar ouder was geworden. Ik heb geen idee waarom, het gebeurde gewoon. Sinds die dag wacht ik altijd op een antwoord: waarom? Ik bedacht dat God me misschien een of ander teken stuurde of zoiets, of dat wat er gebeurde onderdeel was van een grotere roeping, of wilde zeggen dat ik geacht werd iets anders met m'n leven te doen dan te drinken en geld bij elkaar te bedelen. Elke dag werd ik wakker met de gedachte en de hoop dat het op deze dag uiteindelijk aan me zou worden onthuld, en dat wanneer het eenmaal zover was ik iets zou doen waardoor ik een hogere dunk van mezelf zou krijgen, of het gevoel zou krijgen dat ik een fatsoenlijk iemand was die iets van zijn leven had gemaakt. Dus toen ik dat meisje vond, dat kind, achter een vuilcontainer, helemaal in elkaar geslagen en er hopeloos aan toe, dacht ik om een of andere reden: als ik haar red of haar help of haar van de promenade af krijg, dan krijg ik misschien mijn antwoord. Dus probeerde ik het. Ik probeerde iets goed te doen. En het lukte me niet. Dus haalde ik jou en de rest van onze vrienden erbij om me te helpen. En uiteindelijk was het enige gevolg dat jij werd vermoord. Het had geen zin. Het had godverdomme geen zin. En jij was de beste mens die ik ooit op straat ben tegengekomen. Altijd blij, altijd goed voor mensen, altijd bereid om iemand te helpen. En niet omdat je dacht dat je er een slaatje uit kon slaan, maar gewoon omdat je zo in elkaar zat. En je hielp mij, en door mijn toedoen werd je vermoord, en het spijt me zo. Het spijt me godverdomme zo. Ik nam je leven en verspilde het voor niets. Omdat ik een antwoord wil op een klotevraag die niet te beantwoorden valt. Waarom? Waarom? Niemand weet toch waarom? Mensen die zeggen dat ze de antwoorden kennen weten er geen reet van omdat er geen antwoord is. Het leven is gewoon wat het is en je kunt proberen het te veranderen of je kunt het gewoon laten wat het is, maar er is geen waarom, het is er gewoon, het leven is er gewoon, en het spijt me godverdomme zo, het spijt me zo.

Joe begint weer te huilen, houdt zijn hoofd naar beneden, huilt. De vrouw legt haar hand op zijn schouders en wacht een poosje en hij is klaar, hij kijkt op, zij zegt iets.

Voelt u zich wat beter?

Ik weet het niet.

Ik denk van wel, misschien weet u het gewoon niet.

We zullen het vast wel merken.

Kan ik u nog ergens mee van dienst zijn?

Nee.

Kom terug als ik iets kan doen.

Zal ik doen. Dank u wel.

Joe staat op de vrouw staat op. Ze omhelst hem hij vindt het fijn fijner dan wat dan ook de afgelopen paar dagen hij houdt haar vast tot ze zich terugtrekt. Ze stapt achteruit, opent de deur, hij zegt nog eens dank u wel, verlaat het kantoor en begint door de gang te lopen als hij bij de uitgang is zit er weer iemand in haar kantoor.

Hij gaat weg. Hij begint terug te lopen naar de promenade het is vroeg in de namiddag hij is moe. Hij stopt elke twintig of dertig minuten, zit een uur. Wanneer hij dicht bij de oceaan is loopt hij naar het fietspad in Santa Monica, dat de promenade wordt wanneer het Venice bereikt, en hij begint naar het zuiden te lopen. Wanneer het pad Venice bereikt verandert het onmiddellijk. Het plaveisel is niet zo mooi de vuilnisbakken zijn overvol er ligt troep langs de randen van het beton. Joe lacht bij zichzelf, hoe mooi Santa Monica ook mag zijn, hij vindt het leven interessanter met een beetje vuilnis erbij. Hij loopt naar een vuilnisbak en pakt een weggegooid frisdrankbekertje van een hamburgerstal, en hij gooit het de grens over. Het blijft midden op het fietspad liggen. Hij lacht, draait zich om en blijft lopen.

Hij snijdt een stuk af door het zand, loopt naar de rand van de oceaan. Hij trekt zijn schoenen uit, sokken, draagt ze, loopt met zijn voeten door water dat een paar centimeter diep is. De zon is onder en het is donker en het water is koud het voelt lekker aan zijn voeten, enkels, scherp, verfrissend, hij voelt zich er kwiek door, levendig. Zo'n honderd meter van het tacostalletje waar zijn toilet staat stopt hij en hij trekt zijn kleren uit en hij begint de golven in te lopen ze duwen hem omver. Hij doet geen moeite overeind te komen hij zit in water van een halve meter diep laat de golven tegen zich aan slaan, over hem heen rollen, om de vijftien seconden komt er weer een, soms tot boven z'n hoofd soms op hoofdhoogte soms tot z'n borst. Het water is koud de Stille Oceaan in LA wordt nooit erg warm. Het zout is sterk in zijn mond, zijn neus, zijn oren.

Hij begint te rillen. Misschien omdat hij het koud heeft misschien omdat hij alcohol nodig heeft. Hij kruipt de oceaan uit trekt zijn kleren weer aan, hij pakt zijn schoenen op, en hij loopt het strand over naar de promenade. Als hij de trainingsbars nabij Muscle Beach nadert ziet hij vier mannen in een kring zitten die elkaar een fles doorgeven. Als hij dichterbij komt ziet hij dat het Lelijkerd Tom, Al uit Denver, Tito en Fruitdrank zijn. Tom ziet hem, zegt iets.

Oudje, waar ben je geweest?

Joe loopt naar hen toe.

Her en der.

Al.

Waar her en der?

Joe.

Achter de drankwinkel.

Lelijkerd Tom.

Uh-oh.

Joe.

Ja.

Joe ziet dat ze elkaar een fles doorgeven. Hij gaat zitten, zegt iets.

Wat is de aanleiding?

Fruitdrank.

Ze hebben die klootzakken opgepakt.

Joe.

Waar?

Al.

Ze zaten in Santa Monica. Onder de pier.

Joe.

Zitten ze in de gevangenis?

Tom.

Waarschijnlijk voor de rest van hun leven.

Joe.

En het meisje?

Tito.

Het bleek dat ze niet echt hier woonde. Haar vader is een of andere rijke tv-producent in Sherman Oaks en ze kwam hier maar een of twee nachten per week. Ze is pas veertien. Ze zullen haar waarschijnlijk laten gaan.

Joe schudt het hoofd.

Dat is idioot.

De fles, met sterke, behoorlijke whisky, bereikt hem.

Fruitdrank.

Drink wat, Joe.

Joe neemt de fles, neemt een grote slok, rilt. Hij houdt de fles in Als richting, die zit naast hem. Al pakt de fles aan, zegt iets.

We legden hiervoor onze poen bij elkaar. Uit eerbied voor Citroen, en om hem te laten zien dat we aan hem denken, voor elke slok zeggen we iets wat Citroendrank had kunnen zeggen.

Al.

Welkom op het feestje, Joe. Het is het beste feest dat we het hele jaar hebben gehad.

Al neemt een slok geeft door aan Lelijkerd Tom.

Een geweldige nacht. Warm en rustig en kalm. Volgens mij is er geen betere plek op de planeet.

Neemt een slok geeft aan Fruitdrank door.

Nooit een fles gehad die zo lekker smaakte. Of ze het van speciaal water hebben gemaakt.

Neemt een slok geeft aan Tito door.

Op geweldige vrienden, de beste vrienden.

Neemt een slok geeft aan Joe door. Hij houdt de fles omhoog.

Op een geweldig leven, het beste leven.

Hij neemt een grote slok, rilt.

In 1993, ongeveer veertig jaar nadat het openbare tramnetwerk van Los Angeles werd opgeheven, een periode waarin het de meest verstopte provincie van Amerika werd, neemt men een nieuwe ondergrondse metrolijn in gebruik, de Rode Lijn geheten.

Amberton tekent de papieren voor de schikking onmiddellijk. Zijn financiële adviseur maakt het geld een uur later over. Kevin neemt ontslag bij het impresariaat en gaat uit eten met zijn moeder en zijn vriendin. Iedereen tekent keiharde afspraken om geen onthullingen te doen. De journalist krijgt een telefoontje van een van Ambertons advocaten met de waarschuwing dat als hij iets laat afdrukken met aantijgingen over enige homorelatie of een mogelijke rechtszaak wegens seksuele intimidatie hij wegens smaad zal worden aangeklaagd. Gordon en de andere agenten in Ambertons ploeg beginnen te zoeken naar een film met groot budget waarin een mannelijke superster nodig is.

Amberton brengt drie dagen in Caseys slaapkamer door. Het grootste deel van de tijd slaapt hij. Wanneer hij wakker is huilt hij en kijkt hij naar talkshows die overdag worden uitgezonden. Hij weigert te eten en valt vijf pond af. Hij weigert een douche te nemen. Hij weigert zijn tanden te poetsen.

Op de vierde dag brengt Casey hun kinderen naar binnen om met hem te praten. Ze vragen wat hem mankeert. Dit is Caseys laatste redmiddel, en het werkt altijd. Amberton komt uit bed en neemt een kom cornflakes en neemt een douche en poetst zijn tanden.

Ze besluiten naar Hawaï te gaan. Ze halen de kinderen van school af. Ze huren een landgoed op Kauai ze vliegen erheen in een privévliegtuig. Het landgoed beschikt over twee butlers, een kok, tuinmannen, een masseuse. Er staan drie huizen op het landgoed. Amberton, Casey en Caseys vriendin verblijven in het ene huis. Ze laten er een leeg voor het geval er bezoekers komen. De kinderen en hun nanny's verblijven in het derde huis.

Ze brengen hun dagen op het strand door, in de oceaan. Ze trekken een surfleraar aan ze kunnen na een paar dagen allemaal overeind blijven. De leraar bevalt hun en ze besluiten hem voor hun hele verblijf te houden. Amberton overweegt te proberen met hem naar bed te gaan, vraagt zich af of hij erop zal ingaan, en zo niet of hij het voor geld zal doen.

's Avonds eten ze samen op een plankier dat aan de rand van het zand is gebouwd. Amberton probeert aan te komen de meeste avonden houdt hij z'n eten binnen. Na het eten lopen Casey en Amberton met de kinderen en hun nanny's terug naar hun huis ze geven de kinderen een nachtzoen. Casey gaat terug naar haar slaapkamer met haar vriendin. Amberton gaat ofwel naar de mediakamer om een film te bekijken of gaat naar zijn slaapkamer om bladen te lezen.

Er beginnen scripts te komen, met aanbiedingen erbij. Bij de aanbiedingen gaat het gewoonlijk om 20/20 aanbiedingen, twintig miljoen dollar met 20 procent van de totale omzet. Er zitten gewoonlijk ook brieven bij de scripts, ofwel van de regisseur of van de producenten of van allebei, in de brieven wordt uitgelegd waarom ze van Amberton houden, waarom ze hem graag hebben voor de rol die ze hem aanbieden, waarom volgens hen de film het grootste kassucces uit de geschiedenis zal worden, en waarom hun harten gebroken zullen zijn als hij de rol niet aanneemt. Amberton geniet van de brieven. Hij heeft in het verleden louter vanwege de kracht van de brieven zonder het script te lezen rollen in films aanvaard. Hij plakt de beste ervan op de spiegel in zijn badkamer, en leest ze terwijl hij zichzelf klaarmaakt voor het strand. Na vijftien of twintig scripts, waaronder rollen als een voormalige CIA-agent met een ontvoerde familie, een dokter die na een ongeluk met een röntgenapparaat het vermogen heeft om met zijn handen te genezen, een smeris met een drugsprobleem die door de plaatselijke maffia in het nauw wordt gedreven, en een superheld De Rups geheten, belt Gordon hem op, zegt hem dat hij een besluit moet nemen. Amberton vraagt Gordon welke film het meeste geld zal opleveren en de minste tijd kost om op te nemen. Gordon zegt hem: waarschijnlijk de film over de rechercheur met een bijzonder medisch probleem die opgesloten wordt in de kelder van het huis van een drugsdealer, het blijkt er te spoken, en de rechercheur moet het zowel tegen de dealer, tegen diens trawanten, als tegen de klopgeesten opnemen om op tijd te kunnen ontsnappen zodat hij vroeg genoeg bij z'n dokter is om het levensreddende medicijn te krijgen. Amberton zegt dat hij het aanbod moet aannemen en hem terug moet bellen over de begindatum. Twee dagen later krijgt Amberton het telefoontje, hij moet over drie weken terug zijn voor repetities en het passen van de kostuums. Hij zoekt Casey op en zegt het haar, zij belt de kindermeisjes op en vraagt hun de school van de kinderen te bellen en te melden dat ze terugkomen. Hij weet dat hij in conditie moet zijn voor de film dus gaat hij terug naar z'n kamer en begint opdrukoefeningen te doen.

In 1994 wordt de Afro-Amerikaanse footballster O. J. Simpson gearresteerd wegens de moord op zijn ex-vrouw Nicole Brown-Simpson en Ronald Goldman na een achtervolging op lage snelheid waarbij vijftig auto's van de politie van LA zijn betrokken. Hij wordt later vrijgesproken van het misdrijf, ondanks overweldigende materiële bewijzen, door een voornamelijk Afro-Amerikaanse jury. Er zijn geen rellen nadat het vonnis is voorgelezen.

De eerste keer dat Doug binnenkwam om Esperanza te ontmoeten vroeg ze hem alsjeblieft te vertrekken, hij zei goed en hij draaide zich om en hij liep de winkel uit. De vrouwen met wie Esperanza samenwerkt wilden allemaal weten wie hij was en wat hij wilde en waarom ze hem wegstuurde, ze ging het hun niet vertellen. Hij komt de volgende dag terug ze stuurt hem weer weg. De volgende dag hetzelfde. Hij komt twee weken elke dag terug, hetzelfde. De vrouwen denken dat Esperanza gek is. Een leuke, beleefde, ietwat mollige, zo te zien rijke blanke jongen komt binnen om te proberen iets goed te maken en je praat niet met hem, dat is godverdomd gek eerlijk gezegd. Ze weigert erop in te gaan. Hij komt niet meer.

Het schooljaar is voorbij, ze besluit geen zomercursus te volgen. Het maakt haar zenuwachtig zich in te schrijven voor een vierjarige opleiding zonder een duidelijk beeld van wat ze wil gaan doen, ze wil zich in haar vrije tijd daarop concentreren. Ze praat met mensen van Talk & Tequila probeert meer te weten te komen over hun banen, een financieel adviseur, een directeur marketing, een projectontwikkelaar. Ze ontmoet een nieuwsproducent bij een Spaanstalig tv-station wordt rondgeleid door de studio. Ze ontmoet een dierenarts, brengt een dag door in een hondenopvangcentrum. Ze ontmoet een politiek adviseur gaat met hem naar een debat. Ze werkt twee keer per week als vrijwilligster voor een organisatie geeft Engelse les aan nieuwe immigranten misschien wordt ze leraar, misschien niet, ze weet het niet.

Wanneer ze geen plannen heeft, helpt ze haar moeder of haar nichten of haar tantes en ooms rond het huis ze voelt er een grote verbondenheid mee, met haar familie, ze weet dat als hun iets overkomt het huis van haar zal zijn en ze verantwoordelijk zal zijn voor de mensen die erin wonen. De meeste dagen gaat ze hardlopen of traint ze, niet omdat ze enig plan heeft haar uiterlijk te veranderen, of het formaat van haar dijen te laten afnemen, ze heeft aanvaard dat die zijn zoals ze zijn en niet zullen veranderen, maar omdat ze zich door het trainen goed, sterk, gezond voelt. Af en toe heeft ze een afspraakje, een film, een lunch, een zaterdagmiddag in het park, ze heeft vier afspraakjes met iemand die bij de politie van LA werkt en kust hem, maar ze denkt aan Doug terwijl ze het doet, en voelt niet hetzelfde wat ze voelde toen ze hem kuste. Ze vraagt zich af waar hij is, wat hij doet, ze vraagt zich af of het verkeerd van haar was niet met hem te spreken, of te luisteren naar wat hij haar te zeggen had.

De zomer verlamt alles. Het is warm in augustus het regent nooit het is de meeste dagen boven de achtendertig graden, soms wel 43. Mensen doen hun boodschappen 's morgens voor de zon hoog aan de hemel brandt, het is 's avonds onvoorstelbaar rustig in de winkel. Een van de vrouwen gaat weg ze krijgt een kantoorbaan bij de gemeente. Een andere vrouw begint, maar ze wordt betrapt op het stelen van draadloze telefoons en ze dan doorverkopen ze wordt gearresteerd. Een andere vrouw begint, maar ze wordt ontslagen omdat ze twee rookpauzes per uur neemt, wanneer Esperanza zegt dat het niet zo vaak kan zegt ze sodemieter op, ik ben een verslaafde, ik moet m'n rokertjes hebben. Ze besluiten geen ander meer aan te nemen de drie vrouwen, Esperanza een Afro-Amerikaanse een Mexicaans-Amerikaanse, kunnen het gemakkelijk af hoeveel klanten er ook in de zaak zijn. Tegen eind augustus, aan het eind van een rustige avond, gaat de deur open alle drie kijken ze op, Doug loopt de winkel in. Hij ziet er verslonst uit, ziet eruit of hij heeft gedronken. Een van de vrouwen fluit, de andere lacht en zegt de blanke jongen is er weer. Hij loopt meteen naar de toonbank, kijkt naar Esperanza, zegt iets.

Ik moet met je praten.

Ze zegt iets.

Heb je gedronken?

Inderdaad.

Ik ga niet met je praten als je dronken bent.

Ik ben niet dronken. Ik ben bang. Ik had twee of drie drankjes nodig om te kunnen komen en te zeggen wat ik je heb te zeggen.

Ze staren naar elkaar. De vrouwen kijken naar hen. Eén moment, twee, ze staren. De vrouwen kijken naar elkaar, kijken weer naar hen. Een van hen zegt iets.

Doorgaan, blanke jongen, wij wachten.

Hij staart naar Esperanza, haalt diep adem.

Ik hou van je. Ik mis je. Toen je wegging uit het huis van m'n moeder, ben ik weggegaan. Ik heb mijn spullen ingepakt en logeerde in de kelder van het huis van een vriend tot ik m'n eigen flat had gevonden. Zodra ik geïnstalleerd was, ben ik begonnen je te zoeken. Je hebt me nooit je achternaam verteld, je hebt me nooit verteld waar je woonde. Ik wist niet waar ik heen moest of hoe ik je moest zoeken. Ik nam een privédetective en besteedde al m'n vrije tijd aan door Oost-LA rijden in de hoop dat ik je ergens zou tegenkomen. Ik stelde me altijd voor dat ik je over straat zou zien lopen en ik de auto uit zou springen en jij me zou zien en naar me toe zou rennen en we elkaar zouden kussen en we meteen verder zouden gaan waar we waren gebleven. Het zou gaan zoals in een Hollywoodfilm met een perfect einde en we zouden voortaan lang en gelukkig leven. Dat is duidelijk niet gelukt. Ik ben je nooit tegengekomen, heb je nooit gezien. De detective wist je te vinden via een van de vrouwen die altijd de bus met jou nam. Nadat hij me had verteld waar je was en wat je deed, probeerde ik te bedenken wat ik je zou zeggen. Ik had het allemaal voor elkaar en ik was bereid het je te zeggen toen ik hier eerder naar binnen liep, maar toen ik je zag klapte ik dicht, en toen je me zei dat ik weg moest, was ik te verpletterd om iets anders te doen dan je vroeg. En alle avonden nadien gebeurde hetzelfde. Ik kwam hier en was erop voorbereid je te zeggen wat ik je moest zeggen en jij zei me dat ik weg moest en ik was verpletterd en liep naar buiten. Ik dacht dat je me op een gegeven moment zou vragen wat ik wilde, maar dat deed je nooit, dus gaf ik het op. Ik dacht dat ik misschien over je heen zou komen nu je me afwees, maar dat was niet zo. Het enige wat ik elke dag, alle dagen deed, was aan jou denken en mezelf haten omdat ik niet het lef had te zeggen wat ik jou wilde zeggen. Dus nam ik deze keer twee of drie drankjes en ik ga niet weg eer ik kan zeggen wat ik heb te zeggen.

Hij haalt nog eens diep adem.

Ik hou van je. Ik mis je. Je bent de mooiste vrouw die ik ooit heb ontmoet, vanbinnen en vanbuiten en op alle manieren, en een van de redenen dat je zo mooi bent is dat je geen idee hebt hoe mooi je bent. Ik kan niet zonder jou leven. Ik wil niet zonder jou leven. Mijn moeder, mijn familie of een leven waarin jij niet voorkomt laten me koud. Ik had je achterna moeten rennen toen je wegging, maar ik was bang en wist niet wat ik moest doen. Als ik het over kon doen zou ik achter je aan rennen en je altijd bij me houden, altijd, altijd. Ik wil dat je me nog een kans geeft. Ik wil dat je ons nog een kans geeft. Ik weet dat je hetzelfde voelde als ik toen we bij elkaar waren en ik wil dat je het nog een kans geeft. Alsjeblieft. Ik beloof dat ik je nooit weer weg laat gaan, en nooit meer zal verzuimen het voor je op te nemen, en nooit iemand jou nog eens het gevoel laat bezorgen dat zij je bezorgde. Alsjeblieft. Ik hou van je, en ik mis je.

Hij staart haar aan, zij staart hem aan. De vrouwen kijken naar elkaar, ze knikken allebei, ze zijn allebei onder de indruk. Esperanza glimlacht, zegt iets.

Mijn achternaam is Hernandez.

Hij glimlacht.

Dat weet ik.

Zij glimlacht.

En ik woon in Oost-Los Angeles.

Hij glimlacht.

Dat weet ik.

Zij glimlacht.

En ik heb jou ook gemist.

In 1997, na een intense lobby door de auto- en oliebranche, beperkt het Congres de fondsen waarmee de Metropolitan Transit Authority van Los Angeles de nieuwe metro van Los Angeles verder had willen uitbouwen.

Hij had een vrouw. Hij had drie kinderen. Hij had een goede baan en een huis en de achting van zijn buren. Hij had een bestaan en hij had een naam.

Er gebeurde een ongeluk. Het was niet zijn schuld hij werd van achteren geraakt toen hij uit zijn werk naar huis ging. Zijn auto werd van een viaduct geduwd en ging tijdens de val over de kop het dak raakte de grond. Ze konden niet geloven dat hij leefde.

Hij lag acht maanden in coma. Toen hij ontwaakte was hij anders. Zodra hij kon lopen, ging hij weg uit het ziekenhuis. Ze brachten hem terug. Hij ging weer weg. Ze brachten hem terug hij ging weer weg.

Toen hij thuiskwam was hij verward. Hij kende de kinderen niet, en hij wilde ze niet. Hij kende z'n vrouw niet en wilde haar niet kennen. Hij ging weg en ze brachten hem terug. Hij ging weer weg ze brachten hem terug ze hoopten dat hij zou veranderen. Hij ging weer weg ze brachten hem terug. Hij ging weer weg ze lieten hem begaan.

Hij heeft een aantal jaren rondgelopen. Hij draagt een rugzak met andere kleren en een tandenborstel en een stuk zeep. Hij heeft een kaart voor de geldautomaat elke maand zet zijn voormalige echtgenote, die hertrouwd is maar nog steeds om hem treurt, $ 200 op de rekening. Hij gebruikt het geld om te eten, nieuwe schoenen te kopen, voor tandpasta en zeep. Hij heeft geen idee waar het geld vandaan komt en het kan hem niet schelen.

Hij slaapt waar hij kan, wanneer hij kan, soms overdag, soms 's nachts, drie of vier uur achter elkaar. Als hij zich niet veilig voelt gaat hij niet slapen, en loopt hij door tot hij een plaats vindt die voor zijn gevoel veilig is. Terwijl hij loopt eindeloos loopt praat hij in zichzelf. En zoals het loopproces een herhalingsproces is, een voet voor de andere voor de andere, is zijn spreekproces een herhalingsproces, woord na woord, dezelfde woorden in min of meer dezelfde volgorde, woord na woord. Hij noemt zichzelf de Profeet. En dus spreekt de Profeet zoals de Profeet loopt.

Ik loop door het Land van de Engelen, ik loop door het Land van de Dromen. Ik zie de mensen die hier wonen tien, twaalf, op een dag vijftien, twintig, vijfentwintig miljoen zwarte blanke gele en bruine apart en samen met liefde met haat ze moorden ze mengen ze helpen elkaar of niet, ze zijn allemaal hier en elke dag meer, ze verspreiden zich hopen zich op komen samen verdringen elkaar verpletteren elkaar er zijn er elke dag meer. Ik zie hen komen. Met de bus en te voet. In auto's en vliegtuigen door de lucht in helikopters als ze rijk zijn achter in vrachtwagens en boven op goederentreinen ik zag een man komen op een paard dat werd geraakt toen het de snelweg overstak. Ze komen om in dit gebied te leven meer op deze plek dan op enig ander stuk van zoveel duizend vierkante kilometers ik loop ze elke dag. Jaren loop ik al en ik heb het nog niet allemaal gezien. Jaar na jaar na jaar ik moet nog voet zetten op elke straat op elke weg elke laan en boulevard, elke snelweg auto-weg expresweg knooppunt, elk strand, elke klif, elk pad door ongetemde heuvels, elk spoor door bergen waarop geen huis staat, elke dode stroom in elke lege woestijn, elk met struikgewas bedekt veld dat vecht om te over-leven tien jaar of langer heb ik gelopen en ik moet het nog zien, het weten, het horen en het voelen er is ruimte voor meer. En dus komen ze. Om bij En-gelen te wonen en hun dromen na te jagen. Je hebt niet alleen stralende lich-ten en reclameborden. Sommigen dromen over een dak, sommigen dromen over een bed, sommigen dromen over een baan, sommigen dromen over ge-noeg geld om te eten, sommigen dromen de droom vergeten, weggaan, je verbergen, veranderen, worden, sommigen dromen de simpele droom van een dag doorkomen zonder zorgen over de dood, sommigen dromen over gezinnen hier of daar of wat ze ook achterlieten dromen over hen hierheen halen en opnieuw beginnen en godverdomme echt een kans krijgen, sommi-gen dromen erover naar eigen wens te mogen leven, spreken, geloven, zich te kleden. Sommigen dromen van stralende lichten en reclameborden maar dat zijn er maar weinig in vergelijking met de velen die dromen over een plaats die hen zal aanvaarden, voeden, hun toestaat tot de bloem of het gif uit te groeien dat ze willen worden, hun toestaat te roepen te schreeuwen af te kraken te bidden te smeken te praten te dealen te kopen te verkopen te ste-len te geven te nemen al dan niet te worden wat ze godverdomme willen want het kan, het kan hier. In tankstations en winkelgalerijen. In studio's en theaters. Op de stranden in de heuvels. In huizen groter dan iemand nodig heeft of verdient in huizen zo vervallen dat ze niet verdienen overeind te staan. In kerken, tempels, moskeeën, in een grot gevuld met flessen en teke-ningen op de muren. In woonwagens en tenten onder de diepblauwe hemel. In rij na rij straat na straat met lelijke klotegebouwen, identieke huizen, in gevangeniscellen en glazen torens. Dag na dag zie ik hen. Ik loop en ik hoor hen. Ik loop en ik voel hen. Ik loop in het Land van de Engelen, ik loop in het Land van de Dromen.

In 2000 is Los Angeles het meest diverse, snelst groeiende grootstedelijk gebied van de Verenigde Staten. Als het een apart land zou zijn, had het de vijftiende plaats op de wereldranglijst van economieën. Geschat wordt dat het in het jaar 2030 het grootste stedelijke gebied van het land zal zijn.

De zon komt op aan een heldere hemel die verandert van zwart in grijs in wit in diep, zuiver kristalblauw.

Esperanza slaapt. Haar ooms en tantes neven en nichten verspreid over de keuken, eetkamer, woonkamer en achterterras ze praten allemaal over wat voor iemand hij volgens hen zal zijn de eerste Anglo die bij hen thuis komt eten. Esperanza zegt dat ze van hem houdt dat hij de enige man is van wie ze ooit heeft gehouden, dat ze gelooft dat ze de rest van haar leven met hem zal doorbrengen, dat hij van haar houdt, dat zij de enige vrouw is van wie hij ooit heeft gehouden, dat hij gelooft dat hij de rest van zijn leven met haar zal doorbrengen. Haar vader en moeder zitten samen op het voorterras ze houden elkaars handen vast het zal nog uren duren voor hij komt maar ze willen hem als eersten begroeten.

Amberton loopt naar de set hij wordt begroet door de regisseur, de producenten, de andere acteurs. Ze schudden hem de hand zeggen hem hoezeer ze hem bewonderen en hoe opgewonden ze erover zijn met hem samen te werken. Hij gaat naar de make-up, hij gaat naar de kostuums, hij gaat naar zijn camper en neemt een kop kruidenthee en een omelet van eiwit en een stuk veelgranentoast. Hij poetst zijn tanden ze blinken hij controleert zijn haar het zit perfect hij zet een stap achteruit en kijkt naar zichzelf in de spiegel die is kleiner dan hij graag zou zien maar voorlopig is het goed het bevalt hem wat hij ziet, hij weet dat hij er goed uit zal zien op de film, dat zijn fans blij zullen zijn. Er wordt op de deur geklopt hij loopt erheen en doet open een tweeëntwintigjarige productieassistent lang blond blauwe ogen vraagt hem of hij klaar is met zijn ontbijt en zijn bord weg mag. Amberton glimlacht, stelt zichzelf voor, en nodigt hem binnen.

Oudje Joe ligt stil en sereen op het zand zijn ogen zijn gesloten hij kan de golven horen hij kan het zout proeven zijn handen liggen onbeweeglijk op zijn borst zijn ademhaling is rustig zijn hart klopt regelmatig. Hij heeft veertien dollar in zijn zak en twee flessen chablis in de spoelbak en alles wat hij op de wereld moet hebben, alles wat hij moet weten, alles wat hij moet voelen, alles wat hij moet bezitten, alles wat hij moet hebben om te leven, alles wat hij op de wereld moet hebben heeft hij hij ligt stil en sereen in het zand, zijn ogen gesloten, zijn handen onbeweeglijk, zijn hart regelmatig.

Maddie zit uit het raam te staren de slaap komt nooit meer. Haar buurman vond haar en bevrijdde haar ze ging onmiddellijk weg uit de flat rende het gebouw uit rende de nacht in rende. De volgende morgen ging ze naar de baan en trof Shaka ze was te bang om de politie te bellen en geloofde dat ze terug zouden komen voor haar en hun kind als ze het deed. Shaka belde zijn vrouw. Zij haalde Maddie op en bracht haar naar huis en hield haar vast als ze huilde en liet haar eten en leerde haar bidden. Ze gaan elke morgen samen naar de kerk en ze gaan op hun knieën en kijken naar het kruis en proberen te geloven dat hij op een dag terug zal komen. Zij weet dat ze op een gegeven moment een baan moet zoeken, Shaka bood haar er een aan werken op kantoor op de golfbaan maar het is te dichtbij, te dichtbij. Ze woont in hun achterslaapkamer en brengt haar dagen door met kijken naar een album met foto's die op hun huwelijk werden gemaakt. Het zijn de enige foto's die ze van hem heeft, de enige foto's van hen tweeën samen. Wanneer het kind in haar beweegt houdt zij het album dichtbij en zegt dit is je vader, hij hield van je, hij hield van je.

De zon komt op aan een heldere hemel die verandert van zwart in grijs in wit in diep, zuiver kristalblauw.

Eentje uit Georgia pakt zijn spullen in hij zal een bus nemen. Vier uit Mexico lopen over verschroeide aarde zakken water op hun rug. Twee uit Indiana de beste vrienden komen bij elkaar ze pakken hun beste kleren in terwijl hun ouders wachten om hen naar het vliegveld te brengen. Eentje uit Canada rijdt naar het zuiden. Zestig vanuit China in een vrachtcontainer varen oostwaarts. Vier uit New York leggen hun geld bij elkaar en kopen een auto en gaan van school af en rijden naar het westen. Zestien rijtuigen in een passagierstrein die de Mojave doorkruist nog maar één station. Eentje uit Miami weet niet hoe ze er moet komen. Drie uit Montana hebben een pick-up geen van hen heeft enig idee wat ze gaan doen als ze er eenmaal zijn. Een volgeboekt vliegtuig uit Brazilië landt op LAX. Zes uit Chicago dromen ervan het podium te delen ze hebben een bestelbus gehuurd ze zullen zien of een van hen het kan maken. Twee komen liften vanuit Arizona. Nog vier kwamen net lopend Texas binnen. Nog eentje uit Ohio met een motor en een droom. Zij allemaal met hun dromen. De stad roept naar hen en ze geloven haar en ze kunnen geen nee tegen haar zeggen, ze kunnen geen nee zeggen.

Ze roept naar hen.

Ze roept.

Roept.